COBAYES

Robin Cook

COBAYES

ROMAN

Traduit de l'américain
par Pierre Reignier

Albin Michel

À Cameron, un garçon remarquable
qui sera bientôt un homme :
trouve ce qui te passionne, fils,
et longue et heureuse vie !

Pro...

Les quelques pages qui suivent proviennent du journal de la défunte Kate Hurley, une institutrice âgée de trente-sept ans qui se décrivait elle-même comme « obsessionnelle mais pas trop, en super forme physique [elle jouait beaucoup au tennis et surveillait son alimentation] et dingue d'amour pour mes deux petits gars [alors âgés de onze et huit ans] ». Kate a été violemment assassinée dans sa maison de Mount Pleasant, une ville qui s'étend sur la rive nord de la rade de Charleston en Caroline du Sud, par un ou plusieurs inconnus – l'affaire n'est toujours pas élucidée. La propriété, située au numéro 1440 de Bayview Drive, une impasse, est relativement isolée car bien séparée de ses voisines par de nombreux arbres. Kate était mariée à Robert Hurley, un avocat spécialisé en droit du dommage corporel et réputé pour sa pugnacité.

SAMEDI 28 MARS
08 H 35

Derrière la fenêtre de ma chambre au centre médical Mason-Dixon, le ciel est gris, maussade. Vraiment pas la météo printanière que nous attendons tous. Ces six derniers mois je ne me suis pas assez tenue à l'écriture de ce journal. C'est pourtant une activité qui me fait toujours beaucoup de bien. Le soir je suis souvent épuisée, hélas, et le matin je suis trop occupée à nous préparer pour l'école, les garçons et moi. Mais je vais changer cela – me remettre à écrire plus régulièrement. J'ai d'autant plus besoin de ce réconfort, tout de suite, que je suis à l'hôpital et très contrariée après une nuit atroce. L'agréable soirée que Bob et moi avons passée hier, avec Ginny et Harold Lawler, dans un restaurant de Sullivan's Island, ne pouvait bien sûr rien laisser présager de tel. Sauf qu'ils ont tous pris le plat de poisson. Comme je regrette de ne pas en avoir fait autant ! Pour mon malheur j'ai choisi le canard. Servi « rosé », m'a dit le serveur, c'est-à-dire pas très cuit et donc pas débarrassé, m'a expliqué plus tard le médecin des urgences, des bactéries (très probablement des salmonelles) qui le colonisaient sans doute. J'ai commencé à me sentir bizarre avant même d'avoir terminé mon assiette. Et à partir de là mon état n'a pas cessé d'empirer. J'ai vomi une première fois pendant que Bob reconduisait la baby-sitter chez elle : expérience très désagréable et très salissante pour ma personne comme pour la salle de bains ! Heureusement j'ai réussi à nettoyer avant que Bob ne soit rentré. Il a compati à ma douleur, mais crevé comme il était par sa journée de travail il n'a pas tardé à se mettre au lit. Vu que je me sentais encore horriblement mal, je suis restée cloîtrée dans la salle de bains. Et j'ai encore vomi, plusieurs fois de suite, même quand je pensais ne plus avoir le moindre aliment à régurgiter. À deux heures du matin, je me suis rendu compte que j'étais très faible. Et je déclinais vite. Là j'ai réveillé Bob. Dès qu'il a vu ma tête, il a voulu m'envoyer aux urgences. D'après les termes de notre assurance maladie, c'est au centre médical Mason-Dixon, à Charleston, que nous avons l'obligation d'aller. Heureusement nous avons pu demander à la mère de Bob de venir garder les enfants. Elle nous sauve la vie, comme ça, de temps en temps – et elle l'a fait une fois de plus la nuit dernière. À notre arrivée à l'hôpital le personnel soignant a été génial. Moi, j'étais morte de honte parce qu'en plus des vomissements, qui ne cessaient pas, je commençais à avoir des diarrhées sanglantes. On m'a posé une intraveineuse et injecté je ne sais quels médocs ; on m'a sûrement donné des explications à ce sujet, mais je ne m'en rappelle pas. On m'a aussi recommandé de rester en observation à l'hôpital. Je me sentais tellement mal que je n'ai pas refusé, même si les hôpitaux m'ont toujours fichu la frousse. On m'a sans doute aussi donné un calmant, parce que je ne me souviens ni du départ de Bob, ni d'avoir été transférée des urgences jusque dans la chambre où je suis maintenant. Par contre je me souviens de m'être à moitié réveillée, quelques heures plus tard, lorsqu'une femme (une infirmière, je pense) est entrée dans la pièce, sans allumer la lumière, et a changé quelque chose à ma perfusion – son débit, peut-être, ou l'une de ses poches. Avec ses cheveux blonds et sa tenue toute blanche, en tout cas, cette femme m'a fait l'effet d'une apparition. J'ai essayé de parler, mais sans rien sortir de cohérent. Quand je me suis réveillée ce matin, j'avais l'impression qu'un camion m'était passé dessus. J'ai voulu me lever pour aller aux toilettes : impossible. Les premières tentatives, en tout cas, et j'ai dû appuyer sur le bouton pour que quelqu'un vienne m'aider. C'est une des choses qui me déplaisent à l'hôpital. En tant que patient on ne contrôle rien. Se faire hospitaliser, c'est renoncer à son autonomie.

D'après l'infirmière qui m'a aidée, un médecin doit bientôt passer me voir. Je terminerai donc quand je serai à la maison. J'ai l'intention de parler plus en détail de la prise de conscience que cette petite aventure m'aura valu : à savoir que je ne fais pas suffisamment cas de ce que signifie être en bonne santé. Jamais je n'avais eu d'intoxication alimentaire. C'est une expérience bien pire que ce que j'aurais pu imaginer. C'est même l'horreur absolue ! Voilà ce que je peux dire pour le moment.

DIMANCHE 29 MARS
13 H 20

Eh bien, moi qui me promettais de me tenir plus régulièrement à la rédaction de ce journal ! Je n'ai même pas terminé d'écrire sur hier, comme je l'avais annoncé, parce que les choses ne se sont pas passées comme prévu : peu après que j'ai posé mon journal, j'ai reçu la visite d'une interne, le Dr Clair Webster, qui a remarqué une chose qui m'avait échappé : j'avais de la fièvre. Pas beaucoup, mais c'était une nouveauté, puisque ma température était normale au moment où j'étais arrivée à l'hôpital. En présence de l'interne, j'ai aussi découvert que j'étais branchée à des appareils qui surveillaient constamment mon pouls, ma tension et ma température. Cela expliquait en partie que je n'aie vu personne, pendant la nuit, à part la femme qui était venue régler ma perfusion intraveineuse. Même cette perfusion, d'ailleurs, est contrôlée par un petit appareil électronique. Tout ça pour dire : bonjour la relation humaine dans l'hôpital moderne ! Bref. Le Dr Webster m'a expliqué que ma température ayant commencé à grimper vers six heures du matin, il valait mieux attendre de voir comment cette fièvre évoluait avant que je ne rentre chez moi. J'ai appelé Bob pour le prévenir de ce contretemps.

Et en fait de contretemps… Ma température n'est pas redescendue ; elle a même continué de grimper tout au long de la journée, puis pendant la nuit – jusqu'à 40°C ! Alors je suis encore dans cette chambre. Pour les complications, ensuite, ce n'est pas tout. Hier après-midi, après que Bob et les garçons sont repartis d'ici (les garçons sont trop petits, théoriquement, pour les visites, mais Bob s'est débrouillé pour les faire monter en douce), j'ai commencé à avoir mal un peu partout. Maintenant je comprends ce que les gens veulent dire quand ils se plaignent d'avoir des douleurs articulaires. Pire encore, un peu plus tard je me suis mise à avoir des difficultés à respirer. Et comme si tout cela ne suffisait pas, quand j'ai pris ma douche hier j'ai remarqué que j'avais une petite éruption cutanée sous les bras et sous les seins. De minuscules taches rouges et plates. Heureusement, ça ne me démange pas. Une infirmière a remarqué que j'en avais aussi sur le blanc des yeux, de ces petites taches, et elle a décidé de rappeler le Dr Webster. Celle-ci m'a alors avoué être un peu perplexe parce que mes symptômes donnaient à penser que j'avais la typhoïde. Et par conséquent… il fallait que je sois vue par un spécialiste des maladies infectieuses ! Lequel est venu aussitôt, m'a examinée, et a affirmé – je me sens vraiment veinarde – que je n'avais pas la typhoïde. Plusieurs raisons à cela, notamment et surtout le fait que je ne suis pas contaminée par la bonne souche de *Salmonella*. Par contre l'infectiologue s'est dit assez préoccupé par l'accélération de mon rythme cardiaque depuis mon admission à l'hôpital. Pour creuser la question il a décidé d'appeler un cardiologue, un certain Dr Christopher Hobart, qui a vite rappliqué pour m'examiner. Avec tous ces médecins, ma chambre est devenue un vrai centre de conférences ! Le Dr Hobart a ordonné qu'on me fasse une radio de la poitrine. Il pensait que je faisais une embolie graisseuse. Dès que j'en ai eu l'occasion, j'ai googlé *embolie graisseuse* (Internet est un cadeau du ciel !) pour découvrir qu'il s'agit d'un déversement de globules adipeux dans le système sanguin. Mais c'est une affection qu'on décèle le plus souvent chez les personnes qui ont subi de graves traumatismes, et qui ont en particulier des fractures osseuses. Or, je n'ai pas subi de traumatisme (sinon psychologique). Le cardiologue a donc fini par juger que je souffrais simplement de déshydratation aiguë. Et comme j'étais déjà sous perfusion, il a estimé que je n'avais pas besoin de traitement supplémentaire, d'autant que ma respiration semblait tout à fait normale. Ce verdict ne m'a pas déplu, mais toutes ces histoires et tous ces spécialistes avaient fait grimper en flèche ma phobie de l'hôpital. Je me suis souvenue d'un article que j'ai lu il y a quelques mois, dans le *Post and Courier*, sur les complications hospitalières, je me suis mise à penser que ce qui m'arrivait ressemblait beaucoup à cela – à un méchant cercle vicieux de complications, je veux dire – et je suis devenue très, très anxieuse. À mon arrivée ici dans la nuit de vendredi à samedi, j'avais une simple intoxication alimentaire. Un jour et demi après, on me découvrait peut-être une embolie graisseuse ! J'ai appelé Bob, je lui ai dit que ça n'allait pas, que je voulais quitter cette chambre et rentrer chez nous. Il m'a recommandé de ne pas me précipiter ; il veut qu'on en discute ensemble tout à l'heure, quand il viendra me voir après que sa mère sera arrivée à la maison pour garder les garçons. Je terminerai donc après sa visite. Je dois préciser qu'en plus de tous les autres symptômes, j'ai de grosses difficultés à me concentrer sur mon écriture.

LUNDI 30 MARS
09 H 30

Une fois de plus je n'ai pas repris l'écriture de ce journal comme j'avais prévu de le faire après la visite de Bob. Mon excuse ? Je me suis mise à planer. Je ne vois pas comment exprimer mieux la chose. Hier, j'ai terminé en écrivant que j'avais des problèmes de concentration. Eh bien peu après, la situation a empiré. Je ne me souviens même pas de tout ce dont Bob et moi avons parlé. Bon, je le revois s'inquiéter et s'énerver quand je lui ai fait la liste de tous mes symptômes. Ensuite, il a déclaré qu'il voulait parler aux médecins qui étaient venus me voir – mais l'a-t-il fait, au bout du compte ? Je l'ignore. Je ne sais pas très bien ce qu'il m'a dit d'autre, sinon qu'il voulait appeler le Dr Curtis Fletcher, notre vieux médecin de famille, pour qu'il se penche sur cette histoire.

Je me rappelle vaguement avoir été très nerveuse, après le départ de Bob, à l'idée que mon état de santé se dégrade encore au lieu de s'améliorer. Le Dr Webster est alors revenue et m'a prescrit un tranquillisant. Qui a fait son effet, pas le moindre doute : black-out total. Je me suis réveillée une fois au milieu de la nuit, quand même, parce que quelqu'un était penché au-dessus de moi. Tout à coup j'ai senti comme une piqûre, quelque part dans l'abdomen, comme si on m'y plantait une aiguille. Peut-être était-ce la femme qui avait réglé ma perfusion la veille ; je n'en suis pas sûre. Quand j'ai rouvert les yeux ce matin, j'ai d'abord pensé que j'avais rêvé, et puis j'ai trouvé une petite zone sensible au toucher – douloureuse – sur mon ventre. Est-ce qu'on administre des calmants par là ? J'essaierai de me souvenir de poser la question. Ma température est un peu retombée, mais elle est encore au-dessus de la normale. Plus important, sans doute, je n'ai plus autant l'impression de planer. D'ailleurs je suis capable d'écrire. Et l'ibuprofène atténue beaucoup mes douleurs articulaires. Peut-être va-t-on enfin me laisser rentrer chez moi. Pourvu, pourvu que je m'en aille bientôt d'ici ! Mon aversion et ma trouille des hôpitaux n'ont pas diminué, bien au contraire.

10 H 35

Me revoilà déjà ! Je suis très contrariée. Je ne peux pas rentrer chez moi. Le Dr Christopher Hobart vient de passer me voir avec de mauvaises nouvelles. Il m'a expliqué qu'il avait demandé une analyse de sang, hier, qui a révélé que mon taux d'albumine était correct, mais que j'avais une autre protéine plasmatique dont le taux était beaucoup trop élevé ! Et ça, c'est le signe que j'ai peut-être une saloperie qui s'appelle une « gammapathie monoclonale » – aucune idée de ce que cela signifie, je n'ai pas encore cherché sur Internet. Ça m'exaspère quand les médecins parlent comme s'ils ne voulaient pas qu'on les comprenne. Je sais, j'ai l'air parano, mais je crois qu'ils le font *exprès*. À la décharge du Dr Hobart, je dois ajouter qu'il a tout de même précisé que cette protéine plasmatique trop élevée n'était sans doute pas problématique. Mais il veut que je sois vue par un hématologue, un spécialiste du sang, et, du coup, l'hôpital ne me libère toujours pas.

15 H 15

L'hématologue, qui est une femme, vient de s'en aller. En promettant de revenir demain matin. Si sa visite était censée me tranquilliser, c'est raté. Mes pires angoisses vis-à-vis des hôpitaux se confirment grave, grave, grave ! Cette femme a un nom à consonance scandinave, Erikson, et le physique qui va avec. Mais surtout, elle m'a précisé qu'elle est en fait « onco-hématologue » : ça veut dire hématologue *et* cancérologue ! Alors maintenant je suis terrifiée à l'idée d'apprendre que j'ai quelque chose comme une leucémie. Tout ce que je peux dire, là, c'est que je veux rentrer chez moi ! Malheureusement j'ai toujours de la fièvre et le Dr Erikson pense qu'il vaut mieux que je reste en observation quelques jours de plus, pour voir si on peut découvrir la cause de cette bizarrerie. Ou au minimum, pour laisser à ma température le temps de revenir à la normale.

Je suis vraiment très anxieuse. Ce qui arrive en ce moment me prouve que les hôpitaux sont des lieux dangereux – sauf quand on a vraiment besoin d'eux, d'accord, comme c'était sans doute le cas pour moi vendredi soir. J'ai l'impression que plus je reste ici, plus ma situation se détériore. Je parlerai de tout ça avec Bob quand il viendra me voir après le travail. Côté positif des choses, mon système digestif va mieux. On me donne des repas normaux, maintenant, que je supporte bien. Je veux juste m'en aller d'ici et retrouver Bob et les garçons à la maison.

16 H 45

Bob pense arriver ici vers dix-huit heures. En l'attendant, j'ai contacté le cabinet du Dr Fletcher, notre médecin de famille. Bob devait lui téléphoner, mais il a oublié. Je me suis souvenue que la dernière fois que j'ai vu Dr Fletcher en consultation, il y a environ trois mois (à un moment où Bob et moi envisagions de souscrire une assurance-vie), il m'a prescrit un bilan sanguin (entre autres analyses). Et je me suis demandé si ce bilan couvrait les protéines plasmatiques. À l'époque, je me rappelle, on m'a dit que tous mes résultats étaient normaux. Quand le Dr Fletcher m'a rappelée, il a d'abord eu la gentillesse de me témoigner sa sympathie pour l'épreuve que je subissais à cause de cette intoxication alimentaire, puis il m'a confirmé que le bilan sanguin qu'il avait demandé comportait bel et bien un dosage des protéines plasmatiques – et que les taux de celles-ci étaient alors normaux. Lorsque je lui ai dit que l'hôpital avait peut-être trouvé un problème de ce côté, il m'a expliqué que les anomalies des protéines plasmatiques pouvaient apparaître à tout moment, mais plutôt en général chez des personnes beaucoup plus âgées que moi. Il m'a conseillé de demander que l'analyse soit refaite ; je lui ai répondu que l'hôpital avait déjà pris cette décision. Quant à ce qu'il s'implique dans les soins qui me sont donnés ici, il m'a dit que c'était impossible car il n'est pas affilié au Mason-Dixon – mais il parlera volontiers aux médecins qui s'occupent de moi si ceux-ci le souhaitent. Je l'ai remercié en précisant que je transmettrai le message. Inutile de dire que je suis déçue, et dépitée, par tout ce qui se passe. J'ai décidé que, quoi qu'il arrive, je sortirai de l'hôpital demain si Bob est d'accord avec cette idée.

19 H 05

Bob vient de partir. À mon grand regret, je l'ai beaucoup énervé. Après que je lui ai raconté ma conversation avec le Dr Fletcher, et notamment le fait que mes protéines plasmatiques étaient normales il y a deux mois, il a déclaré que je devais quitter cet hôpital sur-le-champ. Curieusement, sa réaction très vive m'a rendue plus hésitante quant à l'idée de partir d'ici – d'autant qu'on m'a prévenue que si je sortais aujourd'hui, je serais obligée de signer un document stipulant que j'agissais contre l'avis des médecins. Au bout du compte j'ai réussi à convaincre Bob que nous avions plutôt intérêt à attendre demain, car je dois revoir la spécialiste des maladies du sang, le Dr Erikson, dans la matinée. Je lui ai dit qu'avant de m'en aller je préférais être sûre de ne pas avoir un problème vraiment grave – comme un cancer.

Mais maintenant que je suis ici toute seule, allongée sur ce lit, avec les bruits du couloir qui entrent dans la chambre par la porte ouverte, je me demande si je n'aurais pas dû laisser Bob m'emmener avec lui – tant pis pour les papiers qu'il aurait fallu signer. Comme si j'avais besoin de paniquer davantage, je viens de me découvrir un nouveau symptôme : mon ventre me fait un peu mal. En tout cas quand j'appuie dessus, en poussant avec les doigts. Mais peut-être n'est-ce rien du tout, peut-être a-t-on toujours mal, comme ça, quand on presse sur le ventre ? Au fond je ne sais pas. Je dramatise trop, sans doute, ou je deviens même carrément parano. Je vais demander un somnifère et essayer d'oublier où je suis.

MARDI 31 MARS
09 H 50

Je viens d'avoir Bob au téléphone. Et je crains d'avoir mis le feu aux poudres. Je lui ai dit que le Dr Erikson était passée et m'avait appris que l'anomalie des protéines plasmatiques était bien réelle – et que les taux relevés étaient même un peu supérieurs à ceux de la première analyse. Quand elle a vu que cette nouvelle me bouleversait, elle a essayé de faire machine arrière et de me rassurer. Mais ses propos me passaient au-dessus de la tête. Pas après ce que j'ai lu sur Internet au sujet des anomalies des protéines plasmatiques et de la gammapathie ! Dès qu'elle est sortie de la chambre, j'ai appelé Bob, fondu en larmes, et je lui ai tout raconté. Il m'a dit de me préparer, parce qu'il veut me faire sortir de l'hôpital dès ce matin. Et ce n'est pas tout : il m'a annoncé qu'il voulait lancer une action en justice de tous les diables contre Middleton Healthcare, la société qui possède le centre médical Mason-Dixon et trente et un autres hôpitaux aux États-Unis. Quand je lui ai demandé pourquoi, il m'a répondu qu'il avait passé « la nuit » à faire des recherches. Il a aussi tiré parti de ses contacts dans les hôpitaux de la région (il a des informateurs, ici et là, qu'il rémunère en échange d'infos sur certains dossiers délicats, de telle sorte qu'il peut prendre directement contact avec les patients), et il a appris des choses très inquiétantes au sujet des établissements Middleton Healthcare. Mais il faut qu'il creuse la question et il m'en parlera davantage quand je serai à la maison. En attendant, il veut que je quitte le centre médical Mason-Dixon « dare-dare ». Comme j'avais l'air étonnée, il m'a tout de même précisé que les hôpitaux Middleton Healthcare ont apparemment d'excellents résultats dans le domaine de la lutte contre les infections nosocomiales, mais que leurs chiffres s'envolent pour ce qui est des anomalies des protéines plasmatiques jamais décelées auparavant – et découvertes chez les patients pendant leur hospitalisation – comme celle que j'aurais moi-même. Il pense avoir une occasion d'action en justice collective qui pourrait faire faire un pas de géant à sa carrière. Il pressent, m'a-t-il dit, que la société Middleton Healthcare se comporte de façon étrange, c'est-à-dire qu'elle commet des actes répréhensibles, et il entend bien découvrir ce dont il retourne exactement, puis prendre les mesures qui s'imposent. Nous sommes restés un long moment au téléphone, c'était surtout Bob qui parlait, et je dois reconnaître que petit à petit je me suis sentie un peu trahie. Ou abandonnée. Son principal centre d'intérêt n'est plus ma santé et mon bien-être ; il est obnubilé par l'idée d'engager cette action en justice dans l'intérêt, soi-disant, de tout le monde !

Je lui ai promis d'être prête à partir quand il arriverait au centre médical, nous avons raccroché et j'ai regardé dehors par la fenêtre. Je me sentais tout à coup très seule. Maintenant j'ai peur que l'état d'esprit va-t-en-guerre de Bob nous vaille d'autres ennuis. Sur le long terme. Nous n'avons pas eu d'autre choix que de venir au centre médical Mason-Dixon, car c'est le seul hôpital affilié à notre compagnie d'assurance dans notre zone géographique. Le problème, quand Bob se lance dans un dossier de ce genre, susceptible de déboucher sur un procès important, c'est qu'il ne lâche jamais le morceau. Je ne vois pas pourquoi les hôpitaux du groupe Middleton Healthcare auraient davantage d'anomalies des protéines plasmatiques que les autres hôpitaux. Ça n'a aucun sens. Bob s'imagine-t-il que Middleton trafique ses résultats pour augmenter son chiffre d'affaires ? Je ne peux pas y croire. En tout cas son agressivité vis-à-vis du centre médical me met mal à l'aise, d'autant que le personnel soignant m'a bien aidée quand j'étais en détresse vendredi soir. Et si les garçons doivent aller à l'hôpital un jour prochain ? Les activités de Bob risquent-elles de compromettre la qualité des soins dont ils auraient besoin ? Je sais mieux que personne que quand il dit qu'il va attaquer quelqu'un en justice, il tient parole. Mais bon : je peux encore espérer, je suppose, le calmer quand je serai à la maison. Et puis nous pourrons tous reprendre une vie normale.

PREMIÈRE PARTIE

1

LUNDI 6 AVRIL
06 H 30

À Charleston, la plus ancienne ville de Caroline du Sud, le printemps offre un spectacle resplendissant. Dès le début du mois d'avril la floraison est là : azalées, camélias, jacinthes, magnolias et forsythias rivalisent d'élégance et couvrent d'une profusion de couleurs et d'arômes cette splendide cité chargée d'histoire. Ce lundi en particulier, alors que le soleil s'apprêtait à se lever, l'atmosphère portait la promesse d'une journée absolument magnifique. Mais pas pour tout le monde. Pour Carl Vandermeer, un jeune et brillant avocat natif de la région, le réveil était plutôt pénible et la journée à venir, angoissante.

Chaque matin ou presque, en toute saison et a fortiori au printemps, Carl faisait un jogging avec un groupe d'amis. Ils couraient en général sur la Battery : la longue promenade, ainsi nommée pour avoir été le site de batteries d'artillerie pendant la guerre de Sécession, qui ceinturait le bas de la péninsule de Charleston. Bordée, côté ville, par un jardin public et de splendides résidences du dix-neuvième siècle, la Battery était fort appréciée des joggeurs et des flâneurs qui aimaient y respirer l'air de la rade de Charleston

– la vaste baie, à la confluence des fleuves Cooper et Ashley, qui rejoignaient l'océan Atlantique quelques kilomètres plus loin.

Comme la plupart de ses compagnons de jogging, Carl habitait tout près, au cœur d'un quartier charmant que les gens du coin appelaient « SOB » : pas pour *son of a bitch*, comme l'anglais pouvait donner à le penser avec humour, mais pour *South of Broad.* Le petit quartier en question, en effet, s'étendait du sud de Broad Street, une rue qui traversait la péninsule d'est en ouest entre les deux fleuves, jusqu'à la Battery.

Mais Carl Vandermeer était dans l'incapacité de courir, ce beau lundi matin de printemps, pour la raison qui le privait de jogging depuis déjà un mois : il s'était déchiré le ligament croisé antérieur du genou droit durant le dernier match de basket de la saison. Il jouait dans une équipe qu'il avait créée avec plusieurs copains avocats et férus de sport comme lui.

Carl adorait depuis toujours l'activité physique. Après avoir pratiqué de nombreux sports tout au long de l'adolescence, il avait tant et si bien joué au lacrosse pendant ses études à l'université Duke qu'il était devenu l'un des meilleurs de son équipe de Division 1. Comme il avait toujours mis un point d'honneur à se maintenir en forme, même pendant les années les plus chargées de ses études de droit, il se jugeait à peu près blindé contre les blessures. Tout au long de sa carrière de sportif de haut niveau, il n'avait eu en tout et pour tout que deux foulures à la cheville.

La rupture de son ligament croisé antérieur avait donc été une très, très désagréable surprise. Il était là, en pleine possession de ses moyens, sur le terrain qu'il n'avait pas quitté depuis le début du match, la mi-temps approchait et il avait déjà marqué dix-huit points, quand soudain la balle lui était revenue : il avait aussitôt feinté le type de l'équipe adverse qui le collait sur sa gauche et était parti à droite pour foncer vers le but. Mais il n'avait pas fait deux foulées qu'il s'était retrouvé vautré par terre. Il s'était bien vite relevé, perplexe et mort de honte, cherchant à comprendre ce qui s'était passé. Il éprouvait une sorte de gêne dans le genou droit, mais rien de bien grave. Il avait fait quelques pas pour se débarrasser de cette sensation – et s'était effondré une seconde fois. Là il avait pigé qu'il avait sans doute un sérieux problème.

Le chirurgien orthopédiste qu'il avait consulté, le Dr Gordon Weaver, avait livré un diagnostic sans appel : déchirure du ligament croisé antérieur. Même Carl, qui ne connaissait rien à la médecine et se satisfaisait très bien de son ignorance, avait vu cette horreur sur les films de l'IRM. Comme si la nouvelle n'était pas déjà assez mauvaise, il avait alors appris qu'il ne pourrait pas échapper à une opération chirurgicale s'il avait l'intention de continuer de faire du sport.

Le Dr Weaver lui avait expliqué que la meilleure méthode de reconstruction du ligament croisé antérieur consistait à prélever une partie du propre tendon rotulien du patient dans l'articulation. Seul point positif de ce merdier, l'assurance santé de Carl devait couvrir intégralement la facture de l'opération et celle des séances de rééducation dont il aurait ensuite besoin. Ses patrons, au cabinet d'avocats où il travaillait, n'étaient pas emballés de le voir s'absenter, mais Carl se souciait peu de cet aspect des choses. Il avait une autre raison d'être inquiet. Très inquiet. Tout ce qui touchait à la médecine – et aux aiguilles – l'effrayait. Il lui était déjà arrivé de s'évanouir alors qu'on lui faisait une simple prise de sang, et l'odeur de l'alcool à quatre-vingt-dix le faisait fuir. Jamais il n'avait été opéré, mais il lui était arrivé de rendre visite à des amis hospitalisés : ces expériences l'avaient toujours mis mal à l'aise. Aussi, il vivait comme une épreuve, non, comme un supplice ! de devoir se rendre à l'hôpital ce matin.

Sa phobie secrète et assez embarrassante de l'univers médical avait quelque chose d'ironique, il le savait, dans la mesure où sa compagne, Lynn Peirce, s'apprêtait à y faire carrière. Elle le rendait presque malade, parfois, quand elle lui racontait ses journées d'étudiante de quatrième année au centre médical Mason-Dixon – l'endroit même où il devait être opéré ce matin. C'était Lynn, d'ailleurs, qui lui avait recommandé le Dr Weaver. Puis qui l'avait torturé en lui expliquant dans les moindres détails, comme si l'exposé du chirurgien n'avait pas suffi, la méthode de réparation de son genou.

Lynn avait aussi insisté pour que Carl demande au Dr Weaver non seulement de l'opérer un lundi matin, mais aussi de bien vouloir le placer en tête de liste de ses patients de la journée. À ce tout premier créneau horaire de la semaine, avait-elle précisé, le chirurgien, l'anesthésiste, le personnel soignant au complet étaient frais et dispos ; les risques de contretemps ou d'erreurs étaient ainsi réduits au minimum. Carl savait que Lynn n'avait cherché qu'à le rassurer, avec ces remarques… sans se rendre compte qu'elles le rendaient encore plus inquiet.

Lynn avait proposé de passer la nuit de dimanche chez lui – en plus de celle de samedi comme ils en avaient plus ou moins l'habitude – pour l'aider à bien respecter les consignes préopératoires qui lui avaient été données. Et à partir à l'heure à l'hôpital. Il avait poliment refusé, craignant de l'entendre dire quelque chose, pendant cette dernière nuit, qui exacerberait son anxiété. Bien sûr il ne lui avait pas fait cet aveu. Il avait juste répondu qu'il pensait qu'il dormirait mieux seul. Quant aux consignes préopératoires, avait-il précisé, il comptait bien les suivre à la lettre. Lynn avait accepté de bonne grâce et promis de passer le voir, à l'hôpital, dès qu'il aurait été transféré de la salle de réveil à sa chambre.

Carl n'avait jamais parlé à Lynn de sa phobie du monde médical, parce qu'il avait peur qu'elle se fiche de lui. Au minimum. À aucun moment, non plus, il ne lui avait avoué que la perspective de cette opération chirurgicale le rendait très malheureux. Pour le bien de son amour-propre, il avait plutôt intérêt à taire certaines choses.

Quand la sonnerie du réveil retentit, il ne l'arrêta pas immédiatement, de peur de se rendormir. Il avait passé une très mauvaise nuit… après avoir mis un temps fou à trouver le sommeil. Appliquer les consignes préopératoires de la chirurgie orthopédique n'était pas sorcier : aucun aliment après minuit, sauf de l'eau, et une douche bien chaude au réveil, avec un savon antiseptique, en frottant particulièrement sa jambe droite. Il devait aussi arriver à l'hôpital à sept heures, pas plus tard. De ce côté-là, ça allait être speed, parce qu'il était déjà six heures et demie. Mais Carl *voulait* être speed ; c'était ce qu'il avait prévu pour avoir moins le temps de cogiter. Hélas, il n'était même pas encore sorti du lit qu'il flippait déjà !

Comme si elle percevait son désarroi, sa chatte Pep – une burmese svelte et gracieuse, âgée de huit ans – se réveilla et sauta sur le lit pour venir frotter son museau humide contre le chaume de barbe qui couvrait ses joues. Il la caressa quelques instants.

– Merci, ma belle, dit-il, et il souleva la couette pour se lever.

Il alla droit à la salle de bains et Pep le suivit comme elle le faisait toujours. Il l'avait recueillie à la fin de sa troisième année à Duke. Un ami qui avait terminé ses études se préparait à l'abandonner à la SPA avec l'espoir qu'elle serait vite adoptée par une bonne âme. Carl n'avait pas pu accepter ce projet qui lui faisait l'effet d'une quasi-condamnation à mort. Il avait hébergé la chatte pour l'été, s'était alors totalement attaché à elle – et l'avait gardée. L'un de ses meilleurs copains, Frank Giordano, qui était lui aussi avocat et joueur de basket, avait proposé de s'occuper de Pep, c'est-à-dire de venir la nourrir, pendant les trois jours qu'il serait à l'hôpital. Tout devait donc bien se passer. Carl voulait le supposer, du moins.

Pendant que Carl ouvrait les robinets de la douche, le Dr Sandra Wykoff descendit de sa BMW X3 et en claqua la portière pour s'élancer à grands pas à travers le parking. Elle n'était pas en retard, mais elle avait hâte de se mettre au travail. Contrairement à Carl Vandermeer, elle aimait – elle adorait – la médecine en général et son métier d'anesthésiste en particulier. À tel point qu'elle n'avait pas pris une seule fois de vraies vacances depuis près de quatre ans qu'elle avait rejoint l'équipe du centre médical Mason-Dixon : son premier poste après la fin de son internat. Elle avait fait ses études à Charleston, mais de l'autre côté de la ville, à la vénérable université de médecine de Caroline du Sud. Aujourd'hui, à l'âge de trente-cinq ans, elle se livrait avec d'autant plus de passion à sa carrière qu'elle était redevenue célibataire après avoir été – mal – mariée quelque temps à un chirurgien.

Sa place de stationnement réservée se trouvait au rez-de-chaussée du parking et pas très loin des ascenseurs donnant directement sur le bâtiment principal de l'hôpital. Elle les ignora cependant pour pousser la porte des escaliers de secours. D'une part elle n'était jamais contre un petit supplément d'activité physique, d'autre part elle n'avait qu'un seul niveau à monter : le bloc opératoire ultramoderne de cet hôpital de construction relativement récente – un peu plus de douze ans –, se trouvait au premier étage. Dès qu'elle entra dans la salle de détente du bloc, elle scruta le grand moniteur mural qui affichait le planning. Son nom apparaissait dans la case de la salle d'opération numéro douze, pour quatre patients consécutifs, avec en premier lieu une réparation du ligament croisé antérieur droit par greffe autologue réalisée par Gordon Weaver sous anesthésie générale. Sandra sourit. Elle appréciait beaucoup le Dr Weaver. Comme la plupart des orthopédistes, c'était un homme affable qui aimait son travail. Plus important encore du point de vue de Sandra, il ne traînassait pas sur la table d'opération et il *parlait* si le patient saignait plus qu'il ne s'y attendait. Sandra considérait la communication autour de la table d'opération comme essentielle, mais tous les chirurgiens ne se montraient pas aussi coopératifs. Elle n'oubliait jamais que le bien-être du patient reposait sur ses épaules à elle, l'anesthésiste, pas sur celles du chirurgien, et elle appréciait d'être informée s'il se produisait quoi que ce soit d'anormal au cours de l'intervention.

Sandra sortit sa tablette professionnelle de son sac. Sur la page d'appel de DMP, ou dossier médical personnel, elle entra dans les champs appropriés le nom et le numéro d'identification du patient, Carl Vandermeer, puis son propre mot de passe. Elle voulait prendre connaissance du bilan préopératoire de cet homme. Quelques instants plus tard elle savait à quoi s'en tenir : Carl Vandermeer était jeune, vingt-neuf ans, et en très bonne santé ; il n'avait aucune allergie médicamenteuse connue et il n'avait jamais subi d'anesthésie ; à vrai dire il n'avait jamais été hospitalisé et n'avait même jamais *consulté* à l'hôpital avant de rencontrer le Dr Weaver. L'opération se présentait bien.

Après être passée au vestiaire pour quitter ses vêtements de ville et enfiler un pyjama à usage unique, Sandra entra dans le bloc opératoire proprement dit. Elle passa d'abord devant le bureau central où elle aperçut Geraldine Montgomery, une infirmière extraordinairement compétente qui avait le titre de chef de bloc opératoire. Juste après il y avait d'un côté du couloir la SSPI, ou salle de surveillance post-interventionnelle, que l'on appelait autrefois plus simplement la salle de réveil, et de l'autre la salle de préparation des patients. Venaient ensuite les salles d'opération. Le bloc grouillait déjà d'activité, infirmières et aides-soignants se préparant à entamer le programme toujours très chargé du lundi matin.

Sandra aimait bien les gens, mais elle était de nature plutôt réservée, voire introvertie. Elle salua toutes les personnes dont elle croisait le regard, et avec le sourire, mais elle ne chercha pas à engager la conversation. Elle marchait d'un pas vif, car elle pensait à sa première mission de la matinée : l'examen de la station d'anesthésie qu'elle utiliserait pendant la journée. Tous les anesthésistes devaient faire ce contrôle préalable, mais Sandra était plus consciencieuse que la plupart de ses collègues. Et toujours impatiente de se mettre à la tâche.

Elle adorait le nouveau modèle de station d'anesthésie, à l'informatique très sophistiquée, dont l'hôpital s'était équipé. À vrai dire, c'était le rôle croissant des ordinateurs dans la pratique anesthésique qui l'avait attirée vers cette spécialité. Fille de son père, elle avait aussi une vraie passion pour tout ce qui touchait à la mécanique. Steven Wykoff était un ingénieur de l'industrie automobile que BMW avait fait venir de Detroit, dans le Michigan, à Spartanburg, en Caroline du Sud, en 1993. Elle avait décidé de faire des études de médecine parce que la médecine l'attirait, certes, mais aussi parce qu'elle avait appris que les ordinateurs étaient destinés à y occuper une place de plus en plus importante. Et puis en troisième année, elle avait découvert l'anesthésiologie pendant un stage en chirurgie. Elle avait aussitôt été fascinée. L'anesthésiologie représentait à ses yeux un mélange idéal de physiologie, de pharmacologie, d'informatique et d'appareils mécanisés. C'était *la* spécialité qu'elle recherchait.

Quand elle entra dans la salle d'opération numéro douze, elle salua gentiment Claire Beauregard, une infirmière circulante qui était en train de tout préparer autour de la table – mais elles n'échangèrent pas trois mots. Sandra alla droit vers la station d'anesthésie, sa partenaire de confiance hérissée de cylindres de gaz anesthésiques, d'écrans, de compteurs, de jauges et de valves, avec laquelle elle allait passer la plus grande partie de la journée. Cette machine, comme tout le matériel du centre médical, était à la pointe de la technologie. Sur un flanc, elle portait un large autocollant qui indiquait son numéro – trente-sept sur cent appareils identiques que possédait l'hôpital – ainsi que les dates et les informations essentielles de ses opérations de maintenance.

Pour Sandra, cette machine était une véritable merveille d'ingénierie. Entre autres caractéristiques, elle possédait une fonction de check-list automatique qui satisfaisait à toutes les exigences de sécurité pour la pratique anesthésique – une check-list assez similaire, par bien des aspects, à celle des pilotes d'avions de ligne avant le décollage. Néanmoins Sandra n'alluma pas tout de suite la station pour lancer cette fonction. Elle aimait commencer par vérifier l'état de ses divers composants « à l'ancienne », c'est-à-dire par elle-même, manuellement – en particulier la distribution des gaz –, pour être certaine à cent pour cent que tout était bien en ordre. Elle prenait plaisir à palper et à actionner les différents éléments de la machine, et cet examen tactile la mettait plus en confiance que si elle s'était uniquement reposée sur l'algorithme de contrôle de l'ordinateur embarqué.

Quand elle eut achevé cette vérification, elle tira le tabouret sur roulettes qui lui servirait de perchoir pour la journée et s'assit face à la station. À présent elle pouvait l'allumer. Fascinée comme toujours, elle garda les yeux rivés sur le moniteur principal pendant que la machine enchaînait les divers contrôles de sa check-list – des contrôles qui comprenaient la plupart de ceux qu'elle venait de faire. Un petit moment plus tard, une boîte de dialogue lui confirma que tout était parfaitement en ordre, y compris les systèmes d'alarme qui devaient se déclencher en cas de pépin : un changement brutal de la tension artérielle ou du rythme cardiaque du patient, par exemple, ou un taux d'oxygène dans le sang trop bas.

Sandra était contente. Quand il y avait un souci, même pour un point de détail, elle était obligée d'appeler le service de génie clinique – le service qui assurait, entre autres missions, l'entretien des stations d'anesthésie. Les techniciens qui travaillaient là, au sous-sol du bâtiment principal du centre médical, avaient quelque chose de bizarre. À ses yeux à elle en tout cas. Tous les techniciens à qui elle avait eu affaire étaient des immigrés russes qui parlaient plus ou moins bien l'anglais, et la plupart lui rappelaient les accros de l'informatique boutonneux de son adolescence. Elle éprouvait une franche antipathie pour l'un d'eux en particulier, un dénommé Misha Zotov. Le lendemain d'un jour où elle était descendue au service de génie clinique pour poser une simple question technique, ce type l'avait suivie à la cafétéria de l'hôpital pour essayer d'engager la conversation. Il avait une attitude étrange qui l'avait mise mal à l'aise. Trois jours plus tard, il l'avait carrément effrayée quand il l'avait appelée à son domicile pour lui proposer de prendre un verre quelque part. Comment avait-il réussi à se procurer son numéro personnel qui était sur liste rouge ? Mystère. Elle avait répondu par un bobard – elle était déjà engagée dans une relation sérieuse – et heureusement il n'avait pas insisté.

Une fois la station d'anesthésie prête, Sandra commença à faire l'inventaire des fournitures et produits pharmaceutiques qu'elle avait à sa disposition. Elle aimait toucher, là encore, tout ce dont elle était susceptible d'avoir besoin au fil de l'opération. En cas d'urgence, elle ne voulait pas avoir à chercher telle ou telle chose ; il était important qu'elle ait son matériel à portée de main.

– Je me gare et je t'accompagne à l'intérieur ? demanda Frank Giordano à Carl en pénétrant dans l'enceinte du centre médical Mason-Dixon.

Il était sept heures passées. Ils avaient fait l'essentiel du trajet en silence. Frank avait essayé d'engager la conversation, au début, quand il avait pris King Street pour monter vers le nord de la ville, mais Carl n'avait pas réagi. Frank avait supposé qu'il n'avait pas le cœur à bavarder parce que son opération du genou le stressait. Il lui avait d'ailleurs confié en montant dans la voiture qu'il était archi-nerveux.

– Merci mais ce n'est pas la peine, marmonna Carl. Je suis déjà un peu en retard. Tant mieux, en un sens. Comme ça je ne serai peut-être pas obligé de poireauter.

Frank jeta un regard vers son ami : il était blême.

– Hé, mec, décompresse ! C'est pas la mort, tu sais, l'hôpital. On m'a opéré des amygdales, quand j'avais dix ans, et crois-moi, que ç'a été super peinard. Je me souviens que le type qui m'a endormi m'a demandé de compter à l'envers à partir de cinquante. Je suis descendu jusqu'à, genre, quarante-six, et boum. L'instant d'après je me suis réveillé, tout était terminé.

– J'y peux rien, dit Carl, tournant la tête vers Frank. J'ai un mauvais feeling, avec ce truc…

– Mais non ! Tu te fais des idées. Sois plus positif, quoi ! Tu sais que tu dois faire ce truc. Et tu dois le faire *maintenant* si tu veux être prêt en décembre prochain pour la saison de basket. On a besoin de toi en forme. Avec deux genoux, tu vois.

Carl ne répondit pas. Ils étaient arrêtés derrière une file de voitures qui s'étirait jusqu'à l'avant-toit, à l'entrée du centre médical, sous lequel les conducteurs pouvaient déposer leurs passagers. Plusieurs personnes avaient des petits sacs de voyage à la main. Sans doute arrivaient-elles à l'hôpital, elles aussi, pour subir une opération. Il aurait bien aimé avoir leurs mines détendues, souriantes. Il activa l'écran de son portable qu'il avait à la main. Sept heures cinq. Parfait. Il avait prévu d'arriver au dernier moment pour ne pas avoir à se ronger les sangs avant l'intervention.

– Je descends ici, dit-il tout à coup, et il ouvrit sa portière.

– Dans trente secondes on sera devant la porte ! protesta Frank.

– M'étonnerait, répliqua Carl en descendant de la voiture. J'irai plus vite à pied.

Il gagna l'arrière de la voiture et ouvrit le hayon pour attraper le sac dans lequel il avait mis quelques affaires et sa trousse de toilette. Frank le rejoignit.

– N'oublie pas Pep, d'accord ? dit Carl.

– T'inquiète.

Frank fit un pas vers lui et l'étreignit quelques instants. Carl ne lui rendit pas son geste. Lorsque Frank recula et leva le poing droit pour qu'ils échangent un *check*, cependant, il l'imita. Les articulations de leurs doigts se touchèrent et Frank dit :

– À plus, vieux. Tout va bien se passer !

Carl glissa la bandoulière de son sac sur son épaule et s'éloigna à grands pas, remontant la file de voitures jusqu'à l'entrée du centre médical. Quand il franchit les portes du bâtiment principal, il pensa à la description de l'enfer de Dante qu'il avait lue, à Duke, en cours de civilisation.

Une fille en tailleur rose lui indiqua, au fond du hall, l'accueil des admissions. Carl s'en approcha et donna son nom à une employée assise derrière le comptoir.

– Vous êtes en retard, dit-elle d'un ton quelque peu réprobateur.

Elle ressemblait de façon troublante à Mme Gillespie, une prof de maths qu'il avait eue à l'âge de douze ou treize ans. Cette étrange similitude lui donna le sentiment d'être renvoyé à une époque antérieure de sa propre vie – une époque où tout lui échappait. Au début de l'adolescence, Carl était un élève exubérant, pour ne pas dire intenable ; les relations avec Mme Gillespie avaient souvent été conflictuelles.

La femme des admissions lui tendit deux feuilles.

– Allez vous asseoir et remplissez ces formulaires ! Une infirmière va venir vous chercher très vite.

L'infirmière en question, qui se présenta à Carl quelques minutes plus tard, avait l'air aussi autoritaire que sa collègue, mais plus aimable : elle souriait, au moins, quand elle l'enjoignit de l'accompagner. Il la suivit docilement, à travers l'hôpital, jusque dans une salle où s'alignaient plusieurs brancards séparés par des rideaux. Elle lui en désigna un qui était recouvert d'un drap propre. À un bout il y avait un oreiller. À l'autre, soigneusement pliée, Carl trouva la tristement célèbre chemise longue des patients hospitalisés. Après lui avoir demandé son nom, sa date de naissance, et une pièce d'identité avec photo, l'infirmière lui attacha un bracelet d'identification autour du poignet. Elle lui ordonna ensuite de placer tous ses objets personnels dans un sac en toile à fermeture éclair qui se trouvait aussi sur le brancard, de se déshabiller, d'enfiler la tenue d'hôpital et de s'allonger. Tout en parlant, elle tira les rideaux autour du brancard pour donner davantage d'intimité à Carl.

Il déplia la chemise longue et l'examina d'un air perplexe.

– L'ouverture dans le dos, dit l'infirmière comme si cette seule précision devait suffire. Je vous laisse vous préparer. À tout de suite.

Elle disparut derrière le rideau. De toute évidence elle n'avait pas la journée à lui accorder.

Carl suivit ses instructions. Il eut quelques difficultés avec la chemise d'hôpital, surtout pour en attacher les cordons derrière son dos. L'un d'eux était au niveau du cou, l'autre à la taille – cela paraissait absurde. Mais il finit par se débrouiller. À peine s'était-il allongé sur le brancard, remontant le drap sur son ventre, qu'il entendit l'infirmière, derrière le rideau, lui demander s'il était prêt. Il répondit par l'affirmative.

Elle reparut, s'assit sur un tabouret à côté de lui et commença à le mitrailler de questions : Avez-vous mangé quoi que ce soit ce matin ? avez-vous des allergies alimentaires ? des allergies médicamenteuses ? avez-vous un dentier amovible ? fumez-vous ? avez-vous déjà été sous anesthésie ? avez-vous pris de l'aspirine au cours des dernières vingt-quatre heures ? L'interrogatoire continua ainsi un bon moment, Carl répondant poliment « non » à la plupart des questions – jusqu'à ce qu'elle lui demande comment il se sentait.

– Hein ? fit-il, surpris. Eh ben... je me sens nerveux. C'est ce que vous voulez savoir ?

L'infirmière rit.

– Non, non ! Je veux dire, est-ce que vous vous sentez bien, tout de suite, *physiquement* ? Et comment vous êtes-vous senti durant la nuit dernière ? Si vous préférez, je veux savoir si vous avez l'impression d'avoir attrapé quelque chose ? Avez-vous des frissons ? Pensez-vous avoir de la fièvre ? Un autre symptôme... ?

– Je vois, dit Carl, gêné par sa propre naïveté. Hélas je me sens très bien sur le plan physique, donc il n'y a aucune excuse pour ne pas faire ce qui est prévu aujourd'hui. Mais pour être franc, ce truc me rend anxieux. Voilà.

L'infirmière leva les yeux de la tablette sur laquelle elle enregistrait toutes ses réponses.

– Vous êtes anxieux ? Anxieux à quel degré, au juste ?

– Je ne sais pas. Combien de degrés y a-t-il ?

– Pour certaines personnes, l'environnement hospitalier est stressant. Nous qui travaillons ici, nous sommes immunisés parce que c'est notre quotidien. Mais pour les patients c'est différent. Évaluez votre degré d'anxiété, disons, sur une échelle de un à dix.

– Heu... Huit, peut-être ? Neuf ! En toute honnêteté, je suis vraiment angoissé. Je n'aime pas les aiguilles. Et même, tout l'attirail médical me fait très peur.

– Avez-vous déjà eu un épisode d'hypotension en milieu médical ?

– Dans le langage courant, ça donne quoi ?

– Vous êtes-vous déjà évanoui devant le docteur ?

– Ah, malheureusement oui. Deux fois. La première, c'était quand on m'a fait une prise de sang pour des analyses, au lycée, et la seconde, c'est un jour où j'ai essayé de donner mon sang à l'université.

– J'en prends note dans votre dossier. Si vous le souhaitez, je suis sûre qu'on pourra vous donner quelque chose pour vous tranquilliser.

– Ce serait sans doute mieux, dit Carl avec sincérité.

L'infirmière prit son pouls, sa tension, et fit remarquer avec le sourire qu'ils étaient normaux. Elle lui posa ensuite quelques questions sur le genou qui devait être opéré. Lorsqu'il précisa qu'il s'agissait de son genou droit, elle traça un grand X sur sa cuisse, avec un marqueur indélébile noir, une dizaine de centimètres au-dessus de la rotule.

– Il ne faudrait pas que le chirurgien se trompe de genou, n'est-ce pas ? dit-elle, souriant de nouveau.

– Ah non ! s'exclama Carl, effaré. Ça arrive, ce genre de chose ?

– Eh oui, répondit l'infirmière comme si elle avait elle-même du mal à le croire. Pas chez nous, mais c'est déjà arrivé.

Putain de merde, songea Carl. Maintenant il avait une raison supplémentaire de s'inquiéter. Il soupira et se demanda s'il n'avait pas eu tort de décourager Lynn de passer lui faire un petit coucou avant l'opération. Peut-être avait-il besoin de quelqu'un pour le protéger, tout compte fait.

– Docteur Wykoff, le patient est en salle de prépa, dit Claire Beauregard, revenant dans la salle d'opération après s'en être absentée quelques minutes.

– Et le Dr Weaver ? demanda Sandra.

– Il est au vestiaire. Nous sommes prêts à démarrer.

– Parfait, dit Sandra, et elle quitta le tabouret en attrapant sa tablette sur le plateau de la station d'anesthésie. Et de votre côté, Jennifer ?

Jennifer Donovan, l'infirmière instrumentiste, venait d'arriver. Entre la coiffe et le masque chirurgical qui complétaient sa tenue de bloc, on ne voyait de son visage que ses yeux noirs. Elle achevait de préparer le matériel stérilisé dont le chirurgien aurait besoin pendant l'intervention. Il était sept heures vingt-deux.

– Bientôt prête, répondit-elle.

Dans le couloir central du bloc, Sandra consulta à nouveau le DMP de Carl pour lire les notes de l'infirmière qui l'avait pris en charge à l'admission. Elle ne vit rien d'anormal. Seul détail notable, le patient se disait très anxieux et avait déjà eu plusieurs épisodes hypotensifs, par le passé, à l'occasion de prises de sang. Au cours de sa carrière, Sandra avait connu un certain nombre d'hommes qui avaient la phobie du sang et des aiguilles. Mais cela n'avait jamais été un problème pour elle. En position allongée, les gens s'évanouissaient rarement. Pour l'anesthésiste qu'elle était, en outre, l'anxiété de ce patient était assez typique. Et c'était la raison pour laquelle elle aimait tant le midazolam. Cette molécule agissait comme un charme et décontractait les individus les plus ombrageux. Sandra avait déjà, dans la poche de sa tunique, une seringue contenant une dose de midazolam adaptée au poids de Carl.

Elle trouva celui-ci sur un brancard de la salle de préparation. Sa première pensée, dès qu'elle le regarda, fut qu'il était extrêmement séduisant. Sous ses épais cheveux bruns, il avait des yeux d'un bleu très vif et de beaux traits masculins. Et malgré son anxiété, nettement visible, il respirait la santé. Travailler avec lui serait un plaisir.

– Bonjour, monsieur Vandermeer, dit-elle. Je suis le docteur Wykoff, votre anesthésiste.

– Je veux dormir ! déclara Carl avec toute l'autorité qu'il réussit, angoissé comme il était, à mettre dans sa voix. J'ai déjà parlé de tout ça avec le Dr Weaver et il m'a promis que je dormirai. Je ne veux pas de péridurale.

– Aucun problème. Nous sommes tout prêts à vous endormir. Je crois comprendre que vous êtes un peu inquiet ?

Carl poussa un petit rire amer.

– C'est peu de le dire.

– Je peux vous aider à vous sentir mieux, mais pour cela je dois vous faire une piqûre. Et je sais que vous n'aimez pas les aiguilles. Qu'en pensez-vous ? Cette injection vous aidera beaucoup, je vous le garantis.

– Franchement je ne suis pas du tout emballé. Où ça, la piqûre ?

– Dans votre bras, ce sera très bien.

Carl hocha la tête et, s'armant de courage, offrit docilement son avant-bras gauche à l'anesthésiste – en tournant la tête vers le mur pour ne pas voir la seringue. Sandra passa une lingette antiseptique sur sa peau et lui fit l'injection.

– Voilà ! C'est terminé.

– Déjà ? Oh, c'était simple finalement, dit Carl, regardant son bras.

– Maintenant je voudrais revoir avec vous les informations dont l'infirmière des admissions a pris note.

Elle lui reposa rapidement les questions auxquelles il avait déjà répondu : s'il avait mangé depuis la veille à minuit, s'il avait des allergies alimentaires et médicamenteuses, s'il avait déjà été sous anesthésie, s'il avait un dentier, et ainsi de suite. Quand elle eut terminé, l'humeur de Carl avait changé du tout au tout grâce au midazolam : non seulement il n'était plus anxieux, mais il trouvait même leur conversation très distrayante.

C'était le moment, pour l'anesthésiste, de poser l'intraveineuse dont elle aurait besoin pendant l'opération. Carl la regarda faire d'un air détaché. Il était désormais complètement insouciant. La très grande compétence de Sandra et l'assurance dont elle faisait preuve facilitaient bien sûr les choses. Elle utilisa un cathéter plutôt qu'une simple intraveineuse. Carl se mit à bavasser pendant qu'elle travaillait, pour lui expliquer notamment que sa copine était étudiante en médecine, super douée, et la plus jolie fille de sa promotion. Elle ne l'écouta que d'une oreille et évita diplomatiquement de l'encourager à étoffer le tableau.

Le Dr Gordon Weaver entra alors dans la salle pour saluer le patient et lui dire quelques mots. Il voulait aussi être sûr d'opérer le bon genou et demanda à Carl de confirmer que le X tracé par l'infirmière des admissions se trouvait sur la bonne cuisse.

– Ça vous tracasse drôlement, dites donc, cette histoire de X ! observa Carl en pouffant de rire.

– Pour votre bien, mon ami, répondit gentiment le Dr Weaver.

Ils transportèrent Carl jusqu'à la salle d'opération numéro douze, Sandra guidant le brancard par l'avant et le Dr Weaver le poussant par-derrière. À mi-chemin, Carl se tut au milieu d'une phrase pour sombrer dans un sommeil léger. Sandra sourit, songeant une fois encore que le midazolam était décidément une molécule remarquable. Ce ne serait que beaucoup plus tard, quand elle examinerait le déroulement complet de l'anesthésie de ce patient, qu'elle s'interrogerait sur la dose qu'elle lui en avait administrée. Quelques instants après, Sandra, le Dr Weaver et Claire Beauregard transférèrent sans difficulté Carl du brancard à la table d'opération sous la puissante lumière du scialytique. Ils étaient tous trois rompus à cet exercice.

Pendant que le Dr Weaver allait se laver les mains au lavabo de désinfection, Sandra approcha la station d'anesthésie de la tête de Carl. C'était le moment qu'elle préférait. Dans les minutes à venir, elle devait jouer un rôle essentiel pour le bon déroulement de l'intervention. Un rôle qui donnerait aussi la preuve, une fois encore, comme avec chaque patient, du bien-fondé de la pharmacologie. L'anesthésiologie était une spécialité qui demandait, dans la pratique, une extrême attention aux détails, et qui se caractérisait par des périodes d'activité intense, telle que celle qu'elle entamait à présent, entrecoupées de longues plages de relatif ennui qui obligeaient le professionnel à produire un effort conscient pour rester concentré. Quand Sandra avait besoin d'une analogie pour décrire son métier, la comparaison avec le métier de pilote de ligne lui paraissait toujours assez juste. Là, tout de suite, elle se préparait à décoller. Cette phase terminée, elle passerait en pilotage automatique et n'aurait pas grand-chose à faire, sinon surveiller moniteurs et jauges, pendant la majeure partie du vol. À la descente et pour l'atterrissage, enfin, elle connaîtrait une nouvelle phase d'activité et d'attention soutenue aux moindres aspects de la procédure.

N'ayant trouvé aucune contre-indication, dans le dossier de Carl, à l'utilisation des agents anesthésiants courants, elle prévoyait de faire l'induction avec de l'isoflurane associé à du protoxyde d'azote et à de l'oxygène. C'était un mélange qu'elle avait déjà utilisé sur des milliers de patients et avec lequel elle se sentait parfaitement à l'aise. Elle n'avait besoin d'aucune substance paralysante, car l'opération du genou ne nécessitait pas un relâchement musculaire complet comme c'était le cas, par exemple, pour une opération de l'abdomen. Elle n'utiliserait pas non plus de sonde d'intubation endotrachéale, mais un masque laryngé. Sandra était très méticuleuse et très consciencieuse – dans tous les aspects de sa vie mais particulièrement au travail –, et jamais elle n'avait eu de complication majeure avec aucun de ses patients.

Comme tous les anesthésistes, elle savait que le gaz anesthésiant idéal devait être ininflammable, soluble dans les graisses pour accéder facilement au cerveau mais pas trop soluble dans le sang de façon à ce que ses effets puissent être rapidement résorbés, aussi peu toxique que possible pour les organes internes, et non irritant pour les voies respiratoires. Elle savait aussi qu'aucun des agents anesthésiants connus à l'heure actuelle ne satisfaisait parfaitement à tous ces critères. Le mélange qu'elle s'apprêtait à donner à Carl se rapprochait cependant de la perfection.

En premier lieu, elle installa les éléments dont elle avait besoin pour le monitorage de Carl, c'est-à-dire afin d'avoir un suivi constant de son pouls, de son électrocardiographie ou ECG, de sa température et des valeurs systoliques et diastoliques de sa pression artérielle. La station d'anesthésie se chargerait des autres valeurs à surveiller, comme les variables de la ventilation ou les niveaux d'oxygène et de dioxyde de carbone dans les gaz inspirés et expirés.

Carl reprit conscience pendant qu'elle lui posait les électrodes de l'ECG et le brassard du tensiomètre. Elle constata avec plaisir qu'il était détendu, et même de très bonne humeur. Il déclara en pouffant de rire qu'avec tous ces gens masqués autour de lui, il avait l'impression d'être à une soirée Halloween.

– Maintenant je vais vous donner de l'oxygène, dit-elle en posant doucement le masque noir à oxygène sur son nez et sa bouche. Et puis je vais vous faire dormir.

Elle n'oubliait jamais que les patients aimaient l'image réconfortante du sommeil – et ignoraient pour la plupart que l'anesthésie était bien autre chose : un empoisonnement, à vrai dire, aux variables contrôlées et réversibles.

Carl ne protesta pas et ferma les yeux.

Le moment était venu pour Sandra de lui injecter du propofol. Une substance à son avis fabuleuse, mais qui avait aujourd'hui un peu mauvaise presse à cause de la tragédie du décès de Michael Jackson. Sachant l'effet que le propofol avait sur la pression artérielle, la respiration et l'hémodynamique cérébrale, elle n'imaginait pas en administrer sans disposer de tout le matériel nécessaire à la surveillance de ses données physiologiques – dont une station d'anesthésie en parfait état de fonctionnement.

À ce stade de l'induction, Sandra était plus attentive que jamais. Gardant l'œil sur tous les paramètres affichés sur l'écran principal de la machine, elle continua de maintenir le masque noir sur le visage de Carl qu'elle avait préparé pour lui faire respirer de l'oxygène pur. Elle eut vaguement conscience que le Dr Weaver entrait dans la salle d'opération, revêtait par-dessus son pyjama de bloc la casaque stérile que lui présentait Claire, puis enfilait des gants. Au bout de cinq minutes, à peu près, elle posa le masque de respiration de côté et saisit le masque laryngé adapté au visage de Carl. D'un geste très sûr, elle en inséra le coussinet triangulaire dans la bouche du patient, avant de le pousser vers sa gorge, avec l'index, et de l'y positionner correctement. Elle en gonfla ensuite le bourrelet, puis en connecta le tube au circuit de la station d'anesthésie dont l'écran afficha aussitôt la détection de dioxyde de carbone dans le gaz expiré par le patient. C'était le signe que le masque laryngé était bien en place, mais, pour en être absolument certaine, Sandra écouta quelques instants la respiration de Carl au stéthoscope. Satisfaite, elle fixa le tube du masque laryngé aux joues de Carl, avec du sparadrap, pour qu'il ne risque pas de bouger. Elle entra ensuite sur la station d'anesthésie les niveaux d'isoflurane, de protoxyde d'azote et d'oxygène qu'elle jugeait adéquats. Le protoxyde d'azote avait certaines propriétés anesthésiantes, mais il ne pouvait suffire par lui-même. Son utilisation permettait par contre de réduire la quantité d'isoflurane nécessaire, ce qui était une bonne chose dans la mesure où l'isoflurane provoquait une légère irritation des voies respiratoires. Sandra mit pour finir du collyre antibiotique dans les yeux de Carl, pour protéger ses cornées de la déshydratation, et lui ferma les paupières avec du sparadrap.

Elle scruta, sur la station d'anesthésie, les tracés et les valeurs des données de monitorage de Carl. Tout était en ordre. Selon l'analogie de l'avion de ligne, le décollage s'était fait en douceur. Elle prenait calmement de l'altitude. Bientôt le signal lumineux des ceintures de sécurité pourrait s'éteindre. Sandra expira profondément, un léger sourire aux lèvres. Les dernières minutes avaient été tendues, comme toujours, mais l'idée d'avoir bien travaillé et bien servi son patient la rendait très heureuse. Presque euphorique.

– Nous sommes prêts ?! lança le Dr Weaver à la cantonade – il avait manifestement hâte de commencer l'opération.

Sandra, qui était en train de vérifier la tension de Carl, leva le pouce. Elle aida ensuite Claire à fixer l'arc d'anesthésie à la table d'opération, puis à le recouvrir de draps stériles pour isoler la tête du patient du champ opératoire. Cette tâche achevée, elle se rassit. Elle était maintenant en régime de croisière.

Le Dr Weaver avait l'habitude de « bavarder » presque continuellement, pendant qu'il travaillait, avec toutes les personnes présentes dans la salle. De monologuer, en réalité, sur divers sujets : ses enfants, sa résidence secondaire sur l'île Folly, et bien sûr, à certains moments, les phases successives et les aspects techniques de l'intervention.

Sandra ne l'écoutait que d'une oreille et supposait que l'infirmière instrumentiste et l'infirmière circulante en faisaient autant. Elle ne prit elle-même la parole qu'une seule fois, profitant d'une pause dans le soliloque du Dr Weaver pour lui demander de combien de temps il pensait avoir encore besoin.

Le chirurgien redressa le buste, roula des épaules pour les détendre, et scruta le champ opératoire du regard.

– Je pense qu'il me faut encore une quarantaine de minutes. De mon côté ça va comme sur des roulettes. Et pour vous ?

– Tout va bien, dit Sandra.

Elle baissa les yeux sur son carnet. Les stations d'anesthésie modernes enregistraient en continu toutes les données de l'opération, mais Sandra avait l'habitude de prendre des notes à la main, à intervalles réguliers, pour son propre usage et pour rester concentrée. Encore une quarantaine de minutes, cela signifiait que l'opération aurait duré un petit peu plus d'une heure et demie au total. Le Dr Weaver était donc fidèle à sa réputation. Certains chirurgiens orthopédistes mettaient près de deux fois plus longtemps à réaliser cette greffe de tendon rotulien.

Sandra fit quelques mouvements du torse et remua les jambes pour activer sa circulation sanguine. Elle avait le droit de se faire remplacer pour prendre une pause de quelques minutes, si elle le souhaitait, mais elle profitait rarement de cette possibilité et ne le ferait pas davantage aujourd'hui, même si tout se passait parfaitement bien.

Elle entendit tout à coup un bruit aigu de perceuse. Le Dr Weaver était maintenant en train d'ouvrir un passage, dans l'os, par lequel il introduirait la greffe rotulienne. Sachant que le périoste – la membrane extérieure des os – possédait un riche réseau de fibres nerveuses, Sandra leva les yeux vers l'écran de la station pour scruter les paramètres de monitorage. S'ils changeaient, cela signifiait que Carl souffrait et que l'anesthésie n'était pas aussi poussée qu'elle devait l'être. Mais tous les tracés restèrent identiques à ce qu'ils avaient été depuis le début de l'intervention. Le rythme cardiaque, à soixante-douze pulsations par minute, ne bougeait pas davantage. Alors qu'elle fixait l'écran, cependant, celui-ci fit quelque chose qu'elle n'avait jamais vu auparavant : l'affichage tout entier sembla cligner, très brièvement, comme si le flux des données s'était interrompu pendant une fraction de seconde.

Intriguée par cette bizarrerie, Sandra se pencha vers la station pour la scruter encore plus attentivement. Son propre pouls s'accéléra. La perspective de perdre le monitorage du patient au beau milieu de l'opération n'avait vraiment rien d'agréable ! Retenant son souffle, elle garda les yeux rivés sur l'écran pour voir si le phénomène se reproduisait. Les secondes, puis les minutes passèrent. Elle ne revit pas l'étrange clignement.

Au bout de cinq pleines minutes, elle estima qu'elle pouvait sans doute se tranquilliser. Tous les tracés, y compris celui de l'ECG, étaient restés parfaitement normaux. Elle ignorait ce qui s'était passé, mais il fallait croire qu'il s'agissait d'un événement unique et sans importance. Unique changement qu'elle décelait sur l'écran – et encore, elle n'était pas certaine de pouvoir se fier à son jugement –, tous les tracés y paraissaient très, très légèrement surélevés par rapport à la position qu'ils avaient eue avant le clignement. Comme si la ligne inférieure de l'écran, ou son étalonnage, ou quelque chose, avait bougé. Mais c'était impossible ; elle n'avait rien changé du tout !

Sandra secoua la tête pour s'éclaircir les idées. Avait-elle quand même besoin de prendre une pause, en fait ? La crainte que le phénomène auquel elle avait assisté ait été bien réel, c'est-à-dire qu'il ait eu une certaine signification, la retint sur son siège, les yeux de nouveau rivés sur l'écran. Le défilé des tracés des différents paramètres avait quelque chose d'ensorcelant – surtout le tracé de l'ECG avec ses oscillations saccadées.

Une dizaine de minutes plus tard, le Dr Weaver annonça qu'il était à moins de vingt minutes de la suture. Pour Sandra, cela signifiait que sa deuxième période d'intense activité commençait. Elle remercia le chirurgien et coupa l'alimentation en isoflurane sur la station d'anesthésie, sans toucher pour le moment au protoxyde d'azote et à l'oxygène. Un instant plus tard, catastrophe ! Sandra sursauta en entendant retentir le signal d'alarme de la saturation en oxygène.

Elle scruta l'écran. Le taux d'oxygène dans le sang du patient avait brusquement chuté, passant de près de cent pour cent à quatre-vingt-douze pour cent. Ce n'était pas une baisse dramatique, mais elle était tout de même significative – d'autant que le taux était resté à sa valeur maximale durant toute l'intervention. Sandra constata avec soulagement, cependant, qu'il repassait déjà à quatre-vingt-treize pour cent. Et continuait de remonter. Mais pourquoi avait-il chuté ? Elle n'en avait pas la moindre idée. C'est alors qu'elle remarqua que l'ECG avait lui aussi changé. Au moment exact où la saturation en oxygène avait dégringolé, l'onde T avait eu un soubresaut, en forme de tente sur le tracé, qui pouvait traduire une ischémie sous-endocardique – un approvisionnement insuffisant en oxygène au cœur. Ce qui n'était pas bon du tout. Mais comment était-ce possible ? Comment diable le cœur pouvait-il manquer d'oxygène alors que le taux d'oxygène dans le sang n'avait baissé qu'un instant plus tôt, et de quelques pour cent seulement ? Cela n'avait aucun sens !

Sandra se força à garder son calme. Il fallait qu'elle réfléchisse. Manifestement, quelque chose allait de travers. Mais quoi ? Pour commencer, elle augmenta le pourcentage d'oxygène et réduisit le pourcentage de protoxyde d'azote dans le mélange livré par la station au patient. Elle remarqua à ce moment-là que le volume courant semblait chuter – c'est-à-dire que Carl ne respirait plus aussi profondément qu'il l'avait fait jusqu'alors. Sans perdre un instant, elle activa l'assistance ventilatoire. Son but était de propulser davantage d'oxygène dans les poumons de Carl pour que l'alarme d'insuffisance en oxygène dans le sang s'éteigne.

– Hé ! s'écria tout à coup le Dr Weaver d'un ton inquiet. Ses jambes sont en extension ! Il fait une crise convulsive, ou quoi ? Merde, qu'est-ce qui se passe ?!

– Oh, mon Dieu, non ! murmura Sandra pour elle-même.

Elle attrapa une lampe-stylo sur le plateau de la station, retira les sparadraps des paupières de Carl et braqua le faisceau de la lampe sur ses pupilles. Ce qu'elle vit alors la terrifia. Les deux pupilles étaient complètement dilatées et quasi aréactives ! Prise d'un léger vertige, elle dut s'appuyer au bord de la table d'opération. Cette hyper-extension des jambes du patient, Sandra craignait qu'elle ne signe en fait ce que l'on appelait une rigidité de décortication. Ce symptôme révélait que le cortex cérébral, la partie la plus sensible du cerveau, ne recevait pas l'oxygène dont il avait besoin. Or, privées d'oxygène, les milliards de cellules qui composent le cortex cérébral ne font pas que défaillir comme celles du cœur : elles meurent !

2

LUNDI 6 AVRIL
09 H 20

Lynn Peirce éclata de rire en même temps que les cinq amis avec lesquels elle était assise. Hélas, elle venait de porter sa tasse de café à ses lèvres : la petite quantité de liquide qu'elle avait dans la bouche lui échappa sous forme de gouttelettes qui se diffusèrent sur la table, devant elle, en arc de cercle.

– Oh ! Je suis désolée ! bafouilla-t-elle, confuse et stupéfaite par sa maladresse, en saisissant sa serviette en papier.

Michael Pender, qui était assis en face d'elle, se leva précipitamment, avec un mouvement de recul exagéré – il réussit même à renverser sa chaise – pour amuser la galerie. Et tout le monde rit de plus belle. Leur groupe faisait tellement de tapage, à vrai dire, qu'il commençait à s'attirer des regards réprobateurs des tables voisines.

Le café où Lynn et Michael étaient installés avec quatre autres étudiants en médecine de quatrième année se trouvait au rez-de-chaussée du bâtiment principal du centre médical Mason-Dixon. Cet hôpital de huit cents lits appartenait à la société Middleton Healthcare qui détenait trente et un autres hôpitaux aux États-Unis. Les six étudiants se serraient autour d'une table de quatre personnes pour cette pause matinale qui était aussi une petite fête. Les portes-fenêtres qui se trouvaient juste à côté d'eux étant ouvertes, ils pouvaient profiter de l'atmosphère déjà chaude de ce début de journée et apprécier la vue sur les pelouses et les jardins paysagers du centre médical.

Par-dessus les magnolias de la rue bordant le flanc sud-ouest du Mason-Dixon, ils apercevaient aussi, à environ trois kilomètres de distance, une partie de la « Ville sainte » – Charleston devait ce surnom à ses innombrables églises. Les flèches des clochers se dressaient au milieu des toits de ses vénérables résidences. La matinée était magnifique, comme la plupart des matinées de printemps dans la région : un ravissement de fleurs et de chants d'oiseaux sous le soleil brillant.

Lynn s'était esclaffée à cause d'une blague – une vraie blague de carabin où il était question de membres de la faculté et de facultés du membre – racontée par Ronald Metzner, un garçon qui était un peu le bouffon de service de leur promotion et qui avait une mémoire phénoménale pour les histoires drôles. Ou soi-disant drôles. Lynn était plutôt étonnée par sa propre réaction, à vrai dire, car les gaudrioles de Ronald lui paraissaient en général un peu faciles. Elle comprendrait plus tard qu'elle avait éclaté de rire avec tout le monde parce que ce matin elle était tendue – minée par une nervosité qu'elle s'efforçait inconsciemment d'ignorer.

S'excusant à nouveau auprès de ses amis pour sa maladresse, elle souleva tasse et soucoupe pour essuyer la table. Ronald, assis à côté de Michael, affichait un large sourire ; il était manifestement très satisfait de l'effet qu'il avait eu sur l'ensemble du groupe.

Les six étudiants, quatre femmes et deux hommes – tous en blouse blanche comme ils devaient l'être – faisaient les imbéciles parce qu'ils étaient quasiment au bout des quatre années de travail acharné, d'inquiétude, de passion et de remise en cause presque constante qui avaient fait d'eux des médecins. Deux semaines plus tôt tout juste, ils avaient eu les résultats du programme national de répartition des spécialités de l'internat. L'incertitude était donc derrière eux, la remise des diplômes, dans quelques semaines, ne serait pour ainsi dire qu'une formalité, et chacun savait en quoi consisterait la prochaine et peut-être la plus importante période de sa formation professionnelle.

Pendant les deux derniers mois de l'année universitaire, les six amis, comme plusieurs dizaines d'autres étudiants de leur promotion, étaient censés participer à trois stages d'introduction à l'ophtalmologie, à l'otorhinolaryngologie et à la dermatologie. Mais ces ultimes segments de leur programme n'étaient pas aussi strictement organisés, ni aussi importants, que l'avaient été les stages précédents – dans les mêmes disciplines ou dans d'autres, plus fondamentales, comme la chirurgie ou la médecine interne. En outre, s'ils devaient participer aux consultations dans les trois spécialités – ophtalmo, ORL et dermato –, ils n'avaient encore aucune vraie responsabilité à l'égard des patients. Enfin ils estimaient n'avoir eu droit, pour le moment, qu'à des présentations et à des cours magistraux bien peu enthousiasmants. Ce matin, donc, ils avaient décidé de faire l'école buissonnière et de passer un moment ensemble pour savourer leur succès. En vérité ils savaient qu'ils n'avaient plus guère qu'à se laisser paisiblement aller jusqu'à la remise des diplômes.

– J'ignorais que tu t'intéressais à la chirurgie orthopédique, dit Karen Washington à Lynn quand la tablée eut surmonté son hilarité.

Juste avant que Ronald ne sorte sa blague, Lynn avait révélé au groupe la spécialité qu'elle avait choisie pour l'internat et pour sa future carrière. Ce qu'elle n'avait jamais fait auparavant. Karen avait paru très étonnée. Et tout de suite, Lynn avait pu percevoir, parce qu'elle la connaissait bien, une pointe de dérision dans la voix de son amie. Toutes deux originaires d'Atlanta, elles se connaissaient depuis le début du secondaire. Du lycée jusqu'à leurs années de préparation à la fac de médecine, elles avaient toujours été en classe ensemble. Elles avaient été très proches pendant l'adolescence et au début de leurs études à l'université Duke, puis elles s'étaient quelque peu éloignées l'une de l'autre – peut-être même étaient-elles devenues rivales, d'une certaine façon – quand elles avaient toutes deux confirmé leur intention de poursuivre en médecine. Lynn, de son côté, savait que les problèmes financiers auxquels sa famille avait été confrontée à partir de sa deuxième année d'université préparatoire avaient eu des conséquences sur tous les aspects de sa vie – y compris, donc, sur sa relation avec Karen dont la famille était très aisée.

Elles avaient choisi la même faculté de médecine et n'avaient jamais vraiment cessé de se fréquenter pendant les quatre dernières années, mais elles n'avaient pas réussi à retrouver la solide affection réciproque de leur prime jeunesse. De plus, Lynn s'était rapprochée de Michael Pender avec lequel elle avait noué des liens très forts quoique tout à fait platoniques – c'était une véritable et profonde *amitié*. Un jour, pendant leur première année, Karen avait déclaré à Lynn qu'elle aurait mieux compris cette « camaraderie » entre eux s'ils avaient couché ensemble au préalable. Lynn avait répondu qu'elle était sans doute la première étonnée de si bien s'entendre, et sans la moindre ambiguïté, avec un homme – même si Carl Vandermeer, son compagnon, occupait presque la même case « amitié & camaraderie » dans son cœur. Carl qui avait d'ailleurs eu bien du mal, au début, Lynn ne pouvait le nier, à accepter la présence de Michael dans sa vie.

Entre Lynn et Michael, tout avait commencé pour l'unique raison que leurs patronymes, Peirce et Pender, se suivaient dans l'ordre alphabétique. Dès le premier jour, en première année, leurs enseignants les avaient appariés pour toutes les activités qui nécessitaient un travail en binôme – le plus souvent au labo et pour les exercices de diagnostic. Assez rapidement, sans jamais songer à être plus que des amis, ils avaient eu l'impression de former une bonne, et même une excellente équipe, un peu à la façon d'un frère et d'une sœur qui se connaissent parfaitement. Sans s'interroger sur leurs motivations, ils avaient pris l'habitude de choisir les mêmes stages, de bosser leurs examens ensemble, de se soutenir et de se protéger mutuellement en toutes circonstances. Et bientôt, ils avaient formé un duo tellement soudé et exclusif que leurs camarades de promotion s'étaient mis à les surnommer « les jumeaux ».

– Sérieux, Lynn ? Tu vas faire orthopédie ? relança Karen d'un air incrédule. Franchement je suis sur le cul. Presque autant, ou même plus, que si tu nous annonçais avoir choisi l'urologie. Une fille comme toi, j'ai toujours pensé que tu choisirais un truc de surdoués comme la médecine interne !

Derrière le compliment, Lynn percevait une certaine rancœur dans la voix de Karen. Il était clair que Karen lui en voulait encore de ne pas avoir été sa meilleure amie ces quatre dernières années.

– Je ne vois pas pourquoi tu es si surprise, répondit-elle. Tu me connais assez pour savoir que j'ai toujours été très sportive. Surtout depuis le lycée, avec le lacrosse. Le sport a une grande place dans ma vie. Donc la chirurgie orthopédique, c'est… c'est assez logique, au contraire ! Mais je dois dire que c'est mon stage préférentiel, à l'automne dernier, qui m'a vraiment décidée. Moi-même j'ai été étonnée de constater à quel point cette spécialité me plaisait. Et semblait faite pour moi. Dans ma tête, l'orthopédie c'est de la médecine heureuse. Pour l'essentiel, en tout cas. Donc elle m'attire…

– Mais pourquoi la *chirurgie* ? protesta Karen avec une grimace de dégoût. La chirurgie, ce n'est vraiment pas ce que les gens imaginent. À mon avis c'est une activité, genre, de menuisiers qui tapent et qui tranchent avec des marteaux et des scies, qui plantent des clous ici et là, et puis qui font des radios pour voir le résultat. Tandis que l'ophtalmologie ! Bonjour la différence ! *Ça*, c'est une spécialité qui mérite le nom de chirurgie. Elle est propre, ultra-précise – et en plus tu t'assois pour opérer.

Toute la tablée savait que Karen avait choisi de faire l'internat d'ophtalmologie à l'université Emory à Atlanta.

– Chacun ses goûts, dit Lynn qui refusait de se laisser entraîner dans une comparaison des deux métiers.

– Et en plus tu restes ici ? reprit Karen. Là, je dois dire, tu me surprends encore plus. Vu ton classement, je croyais que tu étais destinée à la crème de la crème. Un hôpital de l'Ivy League, tu vois, genre le Mass General à Boston.

Tout le monde savait aussi que Lynn comptait parmi les meilleurs étudiants de leur promotion. Il en allait de même pour Michael, et c'était encore un autre de leurs points communs : ils avaient passé quatre ans au coude-à-coude aux premières places de tous les classements.

– Je vais laisser la médecine interne et le prestige de l'Ivy League à Michael, dit Lynn pour saluer la prouesse de son ami.

L'intéressé répondit à la louange par un sourire de paisible contentement. Les six personnes assises autour de la table étaient bien placées pour savoir que les étudiants de la faculté de médecine de l'université Mason-Dixon obtenaient très rarement une place en internat au Massachusetts General de la faculté de médecine de Harvard. À Mason-Dixon, l'objectif affiché était de produire des médecins de bonne tenue pour la Caroline du Sud et ses environs, pas des champions capables d'être recrutés par les meilleurs hôpitaux et universités du pays.

– Quant à moi, reprit Lynn, je suis tout à fait contente de rester ici. Mais tu peux parler, toi, Karen. Il y a pire que faire l'internat d'ophtalmologie à Emory !

Karen avait elle aussi d'excellents résultats. Elle finirait sans doute parmi les dix premiers de la promotion.

– Nous savons tous pourquoi Lynn reste à Charleston, déclara Ronald, l'air amusé. Elle aussi, elle préfère les facultés du membre. Celui de Carl Vandermeer !

La tablée éclata encore de rire – aux dépens de Lynn, mais celle-ci ne put s'empêcher de sourire. Elle roula une serviette en boule pour la jeter au visage de Ronald qui savourait sans vergogne le plaisir d'avoir de nouveau fait s'esclaffer tout le monde avec sa blague.

– Carl et toi, alors, vous serez encore ensemble après la remise des diplômes ? demanda Karen lorsqu'elle eut réussi à maîtriser son fou rire.

Les six amis s'attiraient une fois de plus des regards courroucés des clients alentour. Ils étaient dans un café, certes, mais celui-ci se trouvait tout de même dans un hôpital.

La plupart des étudiants que fréquentait Lynn connaissaient Carl Vandermeer et l'avaient rencontré à diverses occasions. Ils savaient que Carl et Lynn avaient fait connaissance à Duke lorsqu'elle était en deuxième année de prépa ; Carl, lui, avait alors terminé ses années préparatoires et venait d'entrer en première année de fac de droit. Lynn était heureuse de pouvoir dire qu'ils étaient « sérieusement » ensemble, c'est-à-dire qu'ils s'étaient promis fidélité, depuis deux ans. Par contre, elle ignorait si leur relation était vraiment solide et faite pour durer. Lynn le souhaitait, et dans les faits ils paraissaient très proches, très bien ensemble… Mais sur la question de leur avenir, Carl restait toujours très évasif.

– On verra bien, répondit-elle avec un haussement d'épaules.

Elle repoussa derrière son oreille une mèche de ses cheveux bruns, mi-longs, qui venait de tomber devant son visage. Aujourd'hui, elle ne les avait pas encore attachés avec la barrette qu'elle utilisait normalement à l'hôpital. Il y avait une chose qu'elle n'osait pas dire à ses amis, et surtout pas à Karen : elle espérait de tout cœur que sa relation avec Carl serait solide, et durable, car c'était pour lui qu'elle avait décidé de rester à l'université Mason-Dixon. Carl était rivé à Charleston pour sa carrière d'avocat : voilà la vraie raison pour laquelle elle ne pouvait pas s'en aller faire l'internat à Atlanta ou à Boston. Et de son point de vue à elle, c'était assurément un sacrifice. Elle avait très envie qu'ils se fiancent et elle se demandait si Carl lui ferait sa demande en mariage avant la remise des diplômes. Pour elle, ce serait un magnifique cadeau. En tant que femme moderne, indépendante et combative, Lynn estimait qu'elle n'avait pas réellement besoin de l'amour. Mais maintenant qu'elle avait eu la chance de le trouver avec Carl, elle ne voulait plus s'en passer. Elle était également assez lucide pour comprendre que son désir de fonder une famille, sa propre famille nucléaire, avait sans doute pour origine la disparition de son père quand elle était en seconde année de prépa. Elle avait été très proche de lui ; c'était d'ailleurs sa mort prématurée qui l'avait décidée à poursuivre en médecine.

– Des projets dont tu peux nous faire part ? insista Karen.

Quand Lynn était tombée amoureuse de Carl, à Duke, Karen avait beaucoup mieux accepté de voir leur amitié en prendre un coup qu'elle ne l'avait fait par la suite, au cours des quatre dernières années, lorsque Lynn avait noué des liens avec Michael. Auparavant, Karen n'avait jamais perdu de copine à cause d'un garçon – en tout cas pas sans histoire sentimentale à la clé entre la copine et le garçon. Elle continuait donc de se demander s'il n'y avait pas anguille sous roche entre Michael et Lynn. Ils avaient beau affirmer le contraire, l'un comme l'autre, elle refusait de les croire.

Lynn leva les deux mains.

– Pas de bague, tu vois. Et non, zéro projet. Comme tout le monde ici, je serai très prise l'année prochaine et les suivantes, avec l'internat, pour devenir la meilleure chirurgienne orthopédiste que je pourrai. Ça, ma vieille, c'est la priorité des priorités.

– Hé, dites ! lança Ronald. Vous connaissez celle de l'urologue et de la transplantation ?

Ce fut au tour de Karen de jeter une serviette au visage de Ronald.

– Reste sur ton succès du jour, mon grand ! Je m'en souviens, de cette blague de l'urologue, et elle n'est même pas drôle parce qu'elle repose sur un fantasme masculin pathétique.

– Heureusement que nous arrivons au bout de nos quatre années d'études, observa Michael. Ronald est à court de nouvelles blagues.

– Oh, merde ! s'écria Lynn qui venait de poser les yeux sur sa montre. Il est presque dix heures. Je dois y aller !

Elle se leva et rassembla tasse, soucoupe et couverts sur son assiette pour les emporter.

– Tu ne vas pas aller au cours d'ophtalmologie et nous mettre la honte, quand même ? demanda Alice Wong, une des deux autres femmes du groupe.

– Sûrement pas ! Carl a subi une petite opération, ce matin, et il devrait être monté à sa chambre d'un moment à l'autre. Je veux être…

– Ah bon ? l'interrompit Karen. Tu ne nous avais pas dit qu'il se faisait opérer.

– Parce qu'il m'avait demandé de n'en parler à personne. Il ne voulait pas que ça fasse le tour de l'hôpital.

– À plus, dit Michael.

Il tendit son poing à Lynn pour un *check*, mais resta sur sa chaise. Lui savait, bien sûr – et il était le seul –, que Carl venait d'être opéré du genou.

– Bonjour à ton jules de notre part ! lança Karen.

Lynn s'éloignait déjà avec sa vaisselle sale pour la déposer au guichet de la plonge – le café, sur ce plan, fonctionnait comme une cafétéria. Elle agita la main par-dessus son épaule, sans se retourner, pour signifier qu'elle avait entendu. Elle était pressée. Et nerveuse, maintenant, à l'idée d'avoir abandonné Carl en traînassant trop longtemps avec ses amis. Vu la rapidité légendaire avec laquelle Weaver opérait, et sachant que plus l'anesthésie était brève, plus vite le patient se réveillait et était d'aplomb, elle ne devrait pas s'étonner si elle trouvait Carl déjà remonté de la SSPI et installé dans sa chambre particulière. Elle espérait que ce ne serait pas le cas.

3

LUNDI 6 AVRIL
09 H 48

Lynn gagna au pas de course le principal hall d'ascenseurs de l'hôpital. L'endroit grouillait de monde comme tous les matins à cette heure, en particulier le lundi. Lynn savait que le centre médical Mason-Dixon et l'hôpital de l'université de médecine de Caroline du Sud qui se trouvait de l'autre côté de la ville soignaient à eux deux, dans les diverses spécialités médicales, la quasi-totalité des habitants de Charleston et des agglomérations alentour. C'est-à-dire bientôt un million de personnes car la région se développait – en particulier dans les banlieues nord de Charleston où l'activité croissait dans le secteur manufacturier et dans les biotechnologies. Boeing agrandissait l'usine d'assemblage de son 787 et Sidereal Pharmaceuticals, un géant de la pharmacie, venait d'annoncer la création d'un millier d'emplois supplémentaires dans son usine de biomédicaments.

Le centre médical lui-même s'étendait. Pour répondre à une forte demande d'ampleur nationale, Middleton Healthcare y avait récemment construit un établissement ultra-moderne, l'institut Shapiro, entièrement voué à la prise en charge des patients en état végétatif persistant. L'institut, érigé grâce à une donation de Sidereal Pharmaceuticals dans le cadre de son action philanthropique, était contigu à l'immeuble principal de l'hôpital. Il fonctionnait pour l'essentiel de façon autonome, mais il pouvait utiliser le laboratoire et les salles d'opération du centre médical en cas de besoin. Lynn ne le connaissait pas très bien, car les étudiants en médecine n'y recevaient aucun enseignement, mais elle savait que ses pensionnaires arrivaient de l'ensemble du territoire des États-Unis, en général accompagnés de leur famille, et y étaient admis via l'hôpital.

Lynn avait eu droit, quand elle était en deuxième année, avec tous les étudiants de sa promotion, à une visite de l'institut Shapiro. La faculté de médecine voulait sans doute leur donner le réflexe d'y envoyer leurs patients en état végétatif lorsqu'ils exerceraient. Lynn et ses camarades avaient eu pour guide une employée de l'institut, mais la visite avait été franchement limitée et elle avait surtout porté sur le niveau très élevé d'informatisation et d'automatisation de l'établissement, qui était ainsi capable d'accueillir un grand nombre de patients avec un personnel limité.

En vue des ascenseurs, Lynn tira sa tablette tactile de sa poche et y entra le nom de Carl pour obtenir son numéro de chambre. Pas de résultat. Ce n'était pas grave. Elle savait comment le système fonctionnait. Les patients admis le jour même de leur opération ne se voyaient pas assigner de chambre tant qu'ils n'étaient pas prêts à quitter la SSPI. Par conséquent, Carl se trouvait sans doute encore là-bas. Mais il arrivait aussi parfois, pendant le rush du matin, que le serveur informatique mette certaines informations en quarantaine, celles de la répartition des chambres par exemple, parce qu'il avait d'énormes quantités de données à traiter en priorité. En tout cas, Lynn ne pouvait pas pour autant se rendre à la SSPI car celle-ci comptait parmi les endroits de l'hôpital qu'il était fortement déconseillé aux étudiants de fréquenter seuls – même en troisième année quand ils faisaient leur stage de chirurgie au bloc opératoire. Elle allait donc monter au quatrième étage où les patients de la chirurgie orthopédique étaient envoyés, si une chambre y était disponible, après leur passage en SSPI.

– Excusez-moi, l'apostropha une voix féminine chevrotante par-dessus le brouhaha général du hall.

Au même instant, Lynn sentit qu'on lui touchait le bras. Elle se tourna, baissa les yeux et vit tout d'abord une mise en plis de cheveux blancs violacés par une teinture. La vieille dame qui se tenait là, une feuille d'admission à la main, était petite. Mais avec son mètre soixante-dix-huit, Lynn dominait de toute façon bien des femmes.

– Auriez-vous la gentillesse de me renseigner, docteur ?

Lynn sourit et répondit par souci d'honnêteté :

– Je ne suis pas encore médecin. Mais je peux peut-être vous aider... ?

– Vous êtes bien jeune, c'est vrai, mais vous avez quand même l'air d'un médecin, dit la dame avec le sourire. J'ai un rendez-vous pour un bilan sanguin et je ne sais pas où aller. On m'a renseignée, à l'accueil, mais... mais j'ai déjà oublié.

Lynn hésita. Si elle voulait arriver au quatrième à temps pour accueillir Carl, elle ne devait pas tarder à prendre l'ascenseur. Mais son interlocutrice avait l'air perdue – paniquée, à vrai dire.

– Venez, dit-elle en lui rendant son sourire. Je vous accompagne.

Lynn prit la main de la vieille dame et l'entraîna dans le couloir par lequel elles étaient toutes les deux arrivées aux ascenseurs. Ayant traversé le hall principal de l'hôpital, elles s'engagèrent dans le passage couvert de liaison avec le bâtiment des consultations externes, ou BCE – tout le personnel du centre médical, et les étudiants, utilisaient ce sigle. Là, Lynn guida la vieille dame jusqu'au comptoir d'accueil des patients et la présenta à une employée qui répondit d'un ton agréable :

– Avec plaisir ! Je vais montrer à la demoiselle dans quelle salle elle doit se rendre.

Lynn revint rapidement sur ses pas. Après un petit moment d'attente, elle embarqua dans l'ascenseur pour monter au quatrième. Hélas, la cabine s'arrêta à tous les étages intermédiaires pour libérer des passagers ou en embarquer d'autres. Coincée au fond, Lynn leva sa tablette devant son visage et y pianota tant bien que mal pour voir si une chambre avait été attribuée à Carl. Ce n'était toujours pas le cas. Elle s'attendait toutefois à obtenir un résultat d'une minute à l'autre.

Au quatrième, elle s'élança vers le poste infirmier. Comme à peu près partout dans l'hôpital à cette heure de la matinée, c'était le branle-bas de combat pour l'ensemble du service. Les infirmières, qui avaient depuis longtemps terminé les visites des malades avec les praticiens, s'occupaient à présent de faire descendre certains patients au bloc opératoire, d'en accueillir d'autres qui arrivaient de la SSPI, de répondre aux ordres des médecins, de faire les distributions de médicaments et d'organiser le transport des patients qui à la radiologie, qui à la rééducation fonctionnelle. Histoire d'ajouter au foutoir qui régnait dans le couloir, le personnel de service était en train de rassembler les plateaux du petit déjeuner ; Lynn dut slalomer entre plusieurs chariots pour atteindre sa destination.

Comme elle avait passé le mois d'octobre de l'année passée à cet étage, en stage préférentiel, elle y connaissait un certain nombre de personnes. Elle chercha l'infirmière en chef, Colleen McPherson, avec qui elle avait eu d'excellents rapports, mais ne la vit nulle part. Interrogeant une autre infirmière, elle apprit que Colleen s'occupait de la mobilisation d'un patient opéré de la hanche. Elle retourna vers le poste infirmier pour discuter avec Hank Thompson, l'agent administratif du service. Aux yeux d'une bonne partie du personnel de l'hôpital, les étudiants en médecine comptaient à peu près pour du beurre, quand ils n'étaient pas vus comme des parasites, mais Hank avait d'autant moins cette attitude qu'il était lui-même élève à l'université de Charleston et travaillait ici dans le cadre de sa formation.

Comme tout le monde, Hank faisait six choses à la fois. Il était au téléphone, à cet instant, avec un interlocuteur en ligne et sans doute plusieurs personnes en attente derrière. Pour patienter, Lynn s'assit devant l'un des ordinateurs du poste infirmier et consulta la liste de tous les patients de l'étage. Le classement n'était pas alphabétique mais suivait les numéros des chambres. Elle fit glisser son doigt sur les noms, cherchant « Vandermeer ». Si elle ne trouva pas Carl, elle constata néanmoins avec satisfaction que plusieurs chambres étaient inoccupées. Les patients de la chirurgie orthopédique avaient intérêt à être logés ici, au quatrième étage, car les infirmiers et les aides-soignants y avaient toute l'expérience nécessaire pour assurer le suivi postopératoire. Pour surveiller, notamment, les appareils de mobilisation passive continue qui fléchissaient et étendaient les articulations des patients. Or, Lynn savait que Carl aurait une de ces machines à la jambe car Weaver les utilisait pour tous ses cas de réparation du ligament croisé antérieur.

Dès qu'il eut terminé avec ses correspondants en attente, Hank commença à entrer un numéro au clavier du téléphone. Lynn lui agrippa doucement le bras en disant :

– Deux secondes de ton temps, steuplaît ! Un patient qui s'appelle Carl Vandermeer devrait arriver à l'étage très bientôt. Ou il est peut-être même déjà ici. Ce nom te dit quelque chose ?

– Non, je ne vois pas, répondit Hank, secouant la tête. Qui l'a opéré ?

– Weaver.

Sur l'écran qui était devant lui, Hank ouvrit la liste des patients programmés au bloc opératoire pour la journée.

– Ouais, je vois. Il était prévu à sept heures et demie, dit-il, et il regarda sa montre. À moins qu'il y ait eu une complication, il devrait être monté d'une minute à l'autre.

– Le cas était tout ce qu'il y a de plus simple. Homme jeune, en excellente santé, première opération de sa vie…

– Alors aucun souci, l'interrompit Hank. Nous avons plusieurs chambres libérées ce matin et elles ont déjà été nettoyées. Il n'y a plus qu'à attendre.

Lynn hocha la tête, triturant distraitement un trombone entre ses doigts. Hank avait déjà reporté son attention sur le téléphone. Jour après jour, cet appareil occupait quatre-vingt-dix pour cent de son temps.

Que devait-elle faire ? Il fallait sans doute qu'elle retourne au bâtiment des consultations externes. Le cours magistral d'ophtalmologie que ses copains et elle avaient séché, et qui avait eu lieu dans l'amphi du BCE, devait être terminé. Les étudiants devaient maintenant prendre part aux consultations des patients. Mais elle savait qu'elle serait incapable de se concentrer tant qu'elle n'aurait pas la confirmation que Carl se portait bien après son opération.

Elle se leva tout à coup et quitta le poste infirmier. Évidemment, elle ne pouvait pas non plus rester ici à l'attendre en se tournant les pouces. Elle allait donc… descendre au premier étage et jeter un œil au programme des salles d'opération. Voilà. Peut-être l'intervention de Carl avait-elle due être reportée pour une raison ou une autre ? Weaver était par exemple arrivé à l'hôpital en retard, ou bien il y avait eu une urgence quelconque – les motifs de bouleversements de planning du bloc ne manquaient pas.

Descendue de trois étages par l'ascenseur, elle s'efforça d'oublier que le bloc opératoire était un autre de ces endroits de l'hôpital où les étudiants ne s'aventuraient d'ordinaire pas seuls, prit une grande inspiration et entra dans la salle de détente en espérant qu'elle n'y détonnerait pas trop. La salle était pleine de monde, comme elle pouvait s'y attendre un lundi matin à cette heure. Les canapés et la plupart des fauteuils et des chaises étaient occupés par des infirmiers et des chirurgiens des deux sexes, tous en pyjama de bloc, qui attendaient d'entrer en salle d'opération ou prenaient une courte pause pendant une intervention. Une télévision était allumée sur CNN, dans l'angle de la pièce, mais le son tellement réduit qu'on l'entendait à peine. De toute façon la plupart des gens lisaient le journal ou étaient concentrés sur l'écran de leur smartphone.

Terrifiée à l'idée d'attirer l'attention sur elle – et peut-être de s'entendre ordonner de quitter la salle –, Lynn décida qu'elle ne devait pas avoir l'air hésitante. Elle s'avança jusqu'à l'écran mural sur lequel était affiché le programme des salles d'opération, le scruta et trouva le Dr Weaver sur la ligne de la salle numéro douze. Il était en train de réparer un ligament croisé antérieur, oui, mais le nom du patient était Harper Landry, pas Carl Vandermeer. Manifestement, donc, l'opération de Carl était terminée.

Lynn laissa son regard glisser dans la salle à la recherche d'un visage familier, de quelqu'un qu'elle connaissait, ne serait-ce que vaguement, depuis son stage préférentiel en orthopédie ou son stage de troisième année en chirurgie – mais elle ne vit personne à qui s'adresser. Résolue à découvrir où était passé Carl, elle se dirigea alors vers la porte du vestiaire des femmes.

Elle saisit une tenue de bloc, se changea rapidement et enferma ses vêtements de ville dans un casier vide. Après avoir remonté ses cheveux sous une coiffe, elle se regarda dans le miroir. La coiffe presque blanche faisait ressortir son teint mat, et sans son épaisse chevelure pour encadrer ses traits fins et son nez légèrement retroussé, son visage lui parut excessivement jeune. Comme elle était grande, en plus, elle avait peur de faire carrément tache – d'être prise pour une étudiante de première année qui n'avait vraiment rien à faire au bloc opératoire. Elle attrapa un masque chirurgical pour s'en couvrir le bas du visage – et tant pis si elle cherchait davantage à se protéger, elle, qu'à préserver l'asepsie du milieu hospitalier.

Avant de se dégonfler, ce qu'elle craignait car il n'était pas du tout dans sa nature d'enfreindre les règles, elle prit une grande inspiration, ressortit dans la salle de détente et la traversa d'un pas vif pour pousser la porte donnant sur le couloir principal du bloc opératoire. Elle était venue à de nombreuses reprises ici pendant son mois de stage d'octobre en orthopédie, et plusieurs fois pendant son stage de troisième année en chirurgie, mais toujours accompagnée. Elle avait même assisté Weaver, ainsi que d'autres orthopédistes, en salle d'opération, pour voir de près à quoi ressemblait la spécialité à laquelle elle se destinait. Pour elle, la chirurgie orthopédique n'avait rien à voir avec ce que Karen avait laissé entendre. Certes, ce n'était pas la chirurgie ultra-minutieuse de l'œil. Mais avec les nouvelles techniques, les opérations étaient infiniment plus précises et « propres » qu'autrefois.

Craignant de nouveau d'être démasquée comme l'intruse qu'elle était si elle donnait l'impression d'hésiter, Lynn s'élança dans le couloir la tête haute et l'air déterminée. Elle s'attendait un peu à entendre quelqu'un l'interpeller et lui demander la raison de sa présence au bloc, mais elle parvint sans entrave à la SSPI et en poussa la double porte battante comme si elle entrait là dix fois par jour.

Elle s'immobilisa, cependant, tandis que les battants se refermaient derrière elle. Pour les profanes comme pour les étudiants en médecine qui s'y sentaient toujours parfaitement incompétents, la SSPI était un étrange univers de haute technologie. Les patients, qui semblaient tous endormis, étaient couchés sur des lits équipés de rails de sécurité latéraux. La plupart des lits étaient occupés, et il n'y avait ni cloisons, ni rideaux entre eux. Tous les patients avaient au moins une infirmière, et parfois un aide-soignant, à leur chevet. Des pansements immaculés couvraient les parties de leurs corps où ils avaient été opérés. Des grappes de poches de perfusion étaient suspendues, comme des fruits en plastique, aux potences métalliques qui se dressaient à côté des têtes de lit ; la plupart des tubes de perfusion qui en descendaient aboutissaient sur les avant-bras des patients, mais il y avait aussi quelques voies veineuses centrales dont les cathéters étaient plantés dans leurs cous. D'autres poches en plastique, accrochées sous les lits, recueillaient les produits des drains et l'urine. Sur les moniteurs fixés au mur au-dessus de chaque tête de lit brillaient en plusieurs couleurs les tracés onduleux des signes vitaux des patients. Plusieurs malades qui avaient besoin d'être ventilés avaient un masque de respirateur sur le visage. Quant à la bande-son de la SSPI, elle se composait du lent staccato des bips des machines électroniques, des chuintements rythmiques des respirateurs, des chuchotements du personnel soignant et du bourdonnement sourd, enfin, du système de climatisation qui diffusait de l'air propre, et à température constante, ici comme dans tout l'hôpital.

Les portes battantes s'ouvrirent brusquement, faisant sursauter Lynn et l'obligeant à s'écarter. Un nouveau patient tout juste sorti de salle d'opération arrivait en SSPI. Une infirmière circulante tirait l'avant du brancard tandis qu'un anesthésiste le poussait en veillant à ce que le patient continue d'être bien ventilé. Une infirmière du poste de soins accourut pour les aider à tirer le brancard le long d'un lit inoccupé.

Pendant que ces trois personnes transféraient adroitement le patient endormi du brancard au lit, Lynn scruta les patients, les uns après les autres, en essayant de ne pas trop avoir l'air de chercher quelque chose même si personne ne semblait l'avoir remarquée. Carl n'était pas ici. Elle l'aurait identifié à coup sûr. Deux patients, en tout et pour tout, avaient une machine de mobilisation passive continue attachée à l'une de leurs jambes – et aucun d'eux n'était Carl.

Perplexe et ne sachant plus trop quoi faire, Lynn s'approcha du poste de soins. Elle supposait que quelqu'un lui demanderait d'un instant à l'autre des explications sur sa présence à la SSPI, mais ce problème ne la tracassait plus beaucoup. Si Carl n'était pas ici, bon sang, où était-il passé ? Pourquoi n'était-il pas à l'étage de l'orthopédie ? D'après Hank, des chambres y étaient disponibles. Bien sûr, peut-être son opération avait-elle été bouclée tellement vite qu'il avait été en état de monter avant que les chambres n'aient été libérées – Hank avait précisé qu'elles ne s'étaient vidées que ce matin. Lynn voulait penser que c'était la bonne explication, mais le mystère auquel elle était confrontée commençait à la troubler. Il ravivait, comprenait-elle maintenant, la nervosité qu'elle avait éprouvée ce matin, sans se l'avouer, dès son réveil. Cette nervosité qui l'avait fait rire si fort à la blague nulle de Ronald.

Une voix demanda derrière son dos :

– Je peux vous aider ?

Lynn se retourna pour se retrouver face à une infirmière presque aussi grande qu'elle, et qui portait un tablier par-dessus son pyjama de bloc.

– Oui, j'espère. Je cherche le premier patient de la journée du Dr Weaver. Un homme de vingt-neuf ans qui s'appelle Carl Vandermeer.

– Et vous êtes ? demanda l'infirmière sans agressivité – elle était juste curieuse.

– Je m'appelle Lynn Peirce. Je suis étudiante de quatrième année et j'ai assisté le Dr Weaver en stage d'orthopédie.

Lynn avait répondu la première chose qui lui était passée par la tête. Son explication n'en était pas vraiment une, mais elle pouvait faire son effet.

Après l'avoir dévisagée quelques secondes, l'infirmière passa derrière le comptoir du poste de soins en disant :

– Je ne me souviens pas d'avoir vu ce nom. Attendez, je regarde le registre… Hmm… Ah oui, le voilà. Gloria s'est occupée de lui.

Elle tourna la tête et éleva la voix pour demander à une femme qui se trouvait au fond de la salle :

– Gloria ! Vandermeer, pourquoi il est sorti ?

– L'interne de neurologie a décidé de le monter en réa neurologique !

Lynn tendit la main pour prendre appui au comptoir. En réa neurologique ?! Non ! Non, putain ! Ça voulait dire quoi, ce truc ? Elle tourna les talons et sortit de la SSPI en essayant de ne penser à rien.

Malheureusement elle avait une assez bonne idée de ce que l'envoi de Carl en unité de soins intensifs neurologiques devait signifier.

4

LUNDI 6 AVRIL
11 H 05

Lynn avançait au pas de charge. C'était un moyen comme un autre de garder la tête vide. De ne pas se poser de questions. Sans même prendre la peine de repasser par le vestiaire pour remettre ses vêtements de ville, elle retira son masque chirurgical, sa coiffe, et gagna le hall des ascenseurs. Il y avait là pas mal de monde. Et elle ne voulait parler à personne. Elle garda le menton levé, surveillant les indicateurs des étages au-dessus des portes des ascenseurs. Elle pressa aussi, plusieurs fois de suite, le bouton d'appel pour les étages supérieurs. Aucune des cabines ne semblait monter ou descendre. Comme elle répétait son geste, une femme dit gentiment derrière son épaule :

– Ça ne va pas les faire venir plus vite, vous savez.

Lynn ferma les yeux avec l'espoir que son silence lui permettrait d'échapper à toute forme de conversation avec cette femme. Son esprit battait la campagne. L'envoi de Carl en réanimation neurologique ne pouvait en aucun cas être une bonne nouvelle. Elle avait du mal à ne pas imaginer le pire.

– Vous êtes étudiante de quatrième année, ou je me trompe ? demanda la femme.

Bien à contrecœur, Lynn se força à se retourner. Et la reconnut aussitôt. C'était une praticienne hospitalière. Une chirurgienne. Mais comment s'appelait-elle, déjà ? Elle portait une longue blouse blanche par-dessus son pyjama de bloc. Lynn supposa qu'elle était entre deux opérations et montait à l'étage des chambres de la chirurgie pour voir un patient.

Elle essaya de sourire. Mais son cœur cognait à tout rompre dans sa poitrine. Elle se demanda confusément si son visage était rouge pivoine ou au contraire très pâle ; ce devait être un extrême ou l'autre, car une décharge d'adrénaline lui traversait le corps. Elle se rendait aussi compte que sa respiration était beaucoup trop rapide et saccadée.

– Oui, je suis en quatrième année, répondit-elle en hochant la tête.

Elle jeta de nouveau un coup d'œil aux indicateurs des étages. Pour quelle raison ces foutus ascenseurs n'arrivaient-ils pas ? Aucune des six cabines n'avait encore bougé depuis qu'elle avait commencé à appuyer sur le bouton d'appel.

La chirurgienne inclina le buste pour voir le nom inscrit sur la plaque d'identification suspendue à la dragonne que Lynn avait autour du cou.

– Lynn Peirce, lut-elle. Mais oui ! Je me souviens de vous. Je me souviens de votre stage de chirurgie en troisième année. Je suis le Dr Scott. Patricia Scott.

– Je me souviens de vous aussi, bien sûr, se força à dire Lynn. Votre cours était sensationnel. Vos diapos, en particulier.

Elle sourit sans enthousiasme, une fois encore, à la femme grande et élégante qui se tenait devant elle, puis reporta son attention sur les ascenseurs. Elle espérait ne pas avoir l'air trop préoccupée et stressée ; elle n'avait pas envie de s'expliquer.

– Merci, dit le Dr Scott. Vous avez l'air d'avoir bien suivi ce cours. Et je me souviens que vous étiez une étudiante brillante. Si je ne fais pas erreur, vous avez eu votre classement pour l'internat il y a une quinzaine de jours, n'est-ce pas ? Vu les facilités que vous sembliez avoir en chirurgie, j'espère que vous avez envisagé de vous orienter vers cette spécialité.

– En effet. J'ai même choisi la chirurgie orthopédique.

– Ah oui ? C'est formidable ! La chirurgie a besoin de davantage de femmes, et tout particulièrement la chirurgie orthopédique où nous sommes beaucoup trop en minorité. Où comptez-vous faire l'internat ?

– Je reste ici.

– Super ! s'exclama le Dr Scott d'un air enchanté. C'est une très bonne nouvelle. J'ai hâte de vous avoir avec moi en salle d'opération pendant votre première année de chirurgie générale.

– J'en serais ravie, docteur Scott, dit Lynn, souriant de nouveau pour dissimuler son anxiété.

Une cabine qui semblait figée au rez-de-chaussée depuis une éternité commença enfin à monter.

– Pas de Dr Scott entre nous ! Vous faites déjà quasiment partie de la maison. Appelez-moi Patricia, bien sûr, et souvenez-vous que la porte de mon bureau vous est toujours ouverte si vous avez besoin d'aide ou d'un conseil. Il n'y a pas si longtemps que j'ai terminé l'internat, vous savez. Non seulement ce sont des années de formation très difficiles, mais la chirurgie est malheureusement considérée par certains comme un club d'hommes. C'est d'ailleurs aberrant que nous ayons encore à supporter cet anachronisme.

– Merci, c'est très gentil à vous, dit Lynn.

La cabine arriva enfin. Elle était bondée. Le Dr Scott fit signe à Lynn de la précéder. Elles durent se serrer l'une contre l'autre, et rentrer le ventre, pour que les portes puissent se refermer. Lynn eut la tentation de demander à la chirurgienne ce que pouvait signifier le transfert d'un patient de la SSPI à la réanimation neurologique, mais elle n'en fit rien. Hélas, elle pensait connaître la réponse à sa question. Il avait dû survenir un problème – une catastrophe, plutôt – pendant que Carl était sous anesthésie. Mais elle conservait encore l'espoir qu'il s'agisse d'un événement sans réelle gravité. Peut-être la perceuse à os avait-elle endommagé un nerf de sa jambe ? Ce genre d'incident était ennuyeux, bien sûr, mais il restait préférable aux hypothèses qu'elle essayait de chasser de son esprit.

Le temps que Lynn parvienne au cinquième étage, où se trouvaient la neurologie et la neurochirurgie, la cabine s'était allégée de la plupart de ses passagers. Patricia Scott était toujours avec elle. Lynn la remercia encore avant de s'éloigner d'un pas vif dans le couloir. Elle savait où trouver la réanimation car elle s'y était rendue une poignée de fois pendant son stage de neurologie, puis de nouveau pendant son passage en neurochirurgie.

Les visiteurs et les personnes étrangères à l'étage étaient censés commencer par se présenter au poste infirmier, mais Lynn décida de se comporter comme elle l'avait fait à la SSPI, c'est-à-dire comme si elle était ici à sa place. Elle poussa sans hésitation la porte de la réanimation.

Au premier coup d'œil, l'unité de soins intensifs neurologiques ressemblait à la SSPI : on y trouvait les mêmes alignements de lits de part et d'autre de la salle, la même profusion de matériel high-tech. Mais ici les patients restaient beaucoup plus longtemps qu'en SSPI – parfois des semaines, voire des mois pour les cas les plus graves. Et puis ils n'avaient pas tous des pansements quelque part sur le corps. Chaque patient, en outre, avait sa propre baie délimitée par des cloisons vitrées entre les lits. Le niveau d'activité était aussi beaucoup plus réduit ici qu'à la SSPI, notamment parce que les arrivées et les départs des patients étaient bien moins fréquents. Il régnait même sur la salle un silence assez pesant que seuls rompaient les bips des machines électroniques et les ronrons des respirateurs. Enfin, le poste de soins était un îlot circulaire, au centre de la salle, d'où le personnel soignant pouvait voir l'ensemble des seize lits. Lesquels étaient en ce moment tous occupés. Et une bonne moitié des malades avaient une infirmière ou deux à leur chevet.

Lynn s'immobilisa derrière les portes et regarda autour d'elle. Chaque baie possédait un petit cadre, sur l'une de ses cloisons vitrées latérales, dans lequel l'identité du patient du moment apparaissait en grosses lettres noires. Ses yeux se posèrent sur VANDERMEER à la baie numéro huit. Elle s'avança lentement dans cette direction. Carl étant étendu sur le dos, complètement à plat, elle ne voyait pas son visage. Comme prévu, il avait sur sa jambe opérée une machine de mobilisation passive continue qui fléchissait et étendait l'articulation de son genou. Cette vision redonna un peu d'espoir à Lynn. Elle se persuada, l'espace d'un instant, que finalement il allait bien. Mais deux pas de plus et elle constata qu'elle se trompait.

Deux personnes étaient au chevet de Carl. Une infirmière, à sa droite, était en train de prendre sa tension manuellement en dépit du fait que l'écran fixé au mur au-dessus de sa tête affichait les valeurs du tensiomètre électronique. À sa gauche, un interne tout en blanc braquait le faisceau d'une lampe-stylo sur ses pupilles, passant successivement d'un œil à l'autre. Lynn ne mit pas longtemps à comprendre que Carl était inconscient. Elle vit aussi que des myoclonies – des contractions musculaires involontaires – agitaient sa jambe libre. Le bras auquel il avait sa perfusion était attaché au rail latéral du lit. L'autre était replié, la main posée à plat sur son ventre.

Arrivée à l'entrée de la baie, Lynn regarda l'écran mural. La tension de Carl était normale. Ainsi que son pouls et son ECG, autant qu'elle pût en juger – mais elle n'était pas très calée en lecture d'ECG. Elle voyait aussi que la saturation en oxygène n'était pas maximale, mais restait tout à fait correcte puisque sa valeur dépassait les quatre-vingt-dix-sept pour cent. Carl semblait respirer normalement. Elle se força à baisser les yeux sur son visage. Son teint n'avait rien d'inquiétant ; il était peut-être juste un peu pâle. Et malheureusement c'était bien lui : l'homme étendu là était Carl, pas quelqu'un d'autre.

L'interne redressa le buste, glissant la lampe-stylo dans sa poche, et aperçut Lynn au bout du lit.

– Vous êtes de la radiologie ? demanda-t-il, et sans attendre de réponse il ajouta : Nous allons avoir besoin d'une IRM ou d'un scanner. Le plus tôt possible !

Lynn lut son nom sur sa plaque : Dr Charles Stuart, neurologie. C'était un homme menu, aux cheveux clairsemés, aux traits fins. Il avait des lunettes sans monture sur le nez.

– Je ne suis pas de la radiologie, se força-t-elle à articuler. Je suis étudiante de quatrième année.

Trouver Carl ici – inconscient, peut-être victime d'une crise convulsive – c'était presque insoutenable. Elle tendit la main et prit appui sur le rail métallique du pied de lit. Comme dans la SSPI, elle avait un léger étourdissement. L'hôpital était le lieu de la tragédie autant que de l'espoir, oui, mais là il n'y avait que de la tragédie.

– Que se passe-t-il, avec ce malade ? demanda-t-elle d'un ton aussi neutre que possible.

– Ça se présente mal, répondit Charles. Apparemment on est face à un retard de réveil post-anesthésique après une intervention toute bête, d'après le bloc, pour une banale réparation de ligament croisé antérieur. Mais on ne sait pas ce qui s'est passé ! Pour le moment ça reste un mystère.

– Il ne s'est pas réveillé ? relança Lynn.

Elle n'avait pas envie de parler, mais il lui semblait qu'elle devait entretenir la conversation pour justifier sa présence dans la salle.

– Voilà. Il roupille encore, le bienheureux ! dit Charles d'un ton presque amusé.

Lynn ne pouvait lui reprocher cette attitude désinvolte. Au fil de ses études, elle avait appris que l'humour et l'ironie étaient des « trucs » que les internes et les praticiens utilisaient pour se protéger des drames humains auxquels ils étaient quotidiennement confrontés. Autre solution, ils pouvaient parfois s'absorber dans la froide description des symptômes de leurs patients – exactement comme Charles le fit quand il ajouta :

– Il ne réagit absolument pas à la parole et au toucher. On n'obtient rien du tout à part un léger réflexe de clignement. Par contre, et c'est un point positif, il conserve un semblant de réflexe pupillaire à la lumière. Donc le tronc cérébral doit fonctionner. Mais sa posture de décortication et sa flexion stéréotypée comme réponse à un stimulus douloureux ne sont pas bon signe pour ce qui concerne son cortex cérébral. Il a dû être victime d'un événement global, et à notre avis d'origine hypoxique malgré ce que le rapport d'anesthésie donne à penser. Il ne peut pas s'agir d'une embolie, parce que les réflexes ostéotendineux sont non seulement préservés, mais aussi symétriques. Le gros souci, c'est que son score de Glasgow ne dépasse pas cinq. Et ça, comme vous le savez sans doute, ce n'est pas folichon.

Lynn hocha la tête, mais en vérité elle ne comprenait pas grand-chose à tout ce que l'interne de neurologie venait de raconter – sauf peut-être le fait que le cerveau de Carl avait trinqué à cause d'une hypoxie, c'est-à-dire d'un manque d'oxygène. Son bref stage en neurologie avait été plus théorique, centré sur la neuroanatomie, que pratique.

– Comment peut-on avoir un accident hypoxique s'il n'y a eu aucun problème, dites-vous, du côté de l'anesthésie ?

C'était davantage l'étudiante en médecine qui posait cette question, par une sorte d'automatisme, que la compagne de Carl. Mais elle faisait bien car les praticiens et les internes appréciaient que les étudiants les relancent de la sorte.

Charles repassa en mode « désinvolte » :

– Mystère et boule de gomme. Ça, je crois que ça va être la question à un million !

L'infirmière, qui avait terminé de prendre la tension de Carl, annonça qu'elle retournait au poste de soins. Elle regarda Lynn en la croisant, mais ne dit rien. Lynn longea alors le lit, jusqu'à l'endroit où la femme s'était tenue, et se força à contempler le visage de Carl.

En dépit du fait que sa jambe libre était agitée par des convulsions, il donnait l'impression d'être parfaitement détendu – de dormir du sommeil du juste. Comme il ne s'était pas rasé avant de venir à l'hôpital ce matin-là, ses joues portaient le léger chaume de barbe qu'elles avaient le plus souvent le dimanche… quand ils se réveillaient côte à côte chez lui. Cette étrange association entre l'apparence de Carl et l'intimité de leur couple se fit malgré elle dans l'esprit de Lynn, mais elle lui parut totalement déplacée vu les circonstances.

Lynn dut faire un gros effort sur elle-même pour se retenir de tendre la main vers Carl, de le secouer, de lui crier qu'il devait réagir, répondre, prouver à l'interne de neurologie qu'il se trompait à son sujet. Ce qui rendait la situation encore plus horrible, c'était que le visage de Carl avait l'air affreusement *normal* – comme la veille au matin, quand Lynn s'était tournée dans le lit et l'avait regardé dormir, un petit moment, en admirant ses beaux traits masculins, la courbe de son épaule musclée…

La voix de Charles Stuart interrompit ses réflexions :

– Êtes-vous dans le groupe de tutorat du Dr Marshall ?

Il l'observait, depuis l'autre côté du lit, avec une expression attentive. Comme s'il *sentait*, se dit-elle, qu'elle avait des raisons personnelles de se trouver ici.

– Oui, répondit-elle.

Elle avait fait partie du groupe de tutorat du Dr Marshall, en effet, mais l'année passée. Mentir de la sorte ne lui était pas facile, mais avait-elle le choix ? Elle devait supposer que Charles la ficherait à la porte de la réanimation si elle avouait ne pas y être venue dans le cadre de ses études. L'hôpital se montrait très strict dans le domaine de la confidentialité des données des patients, et Lynn ne faisait pas partie, techniquement parlant, de la famille de Carl. En tout cas pas encore. Elle se força à soutenir quelques instants le regard de Charles qui ne cessait de la dévisager.

Elle approcha la main droite du visage de Carl et, après une seconde d'hésitation, toucha doucement sa joue. Sa peau était fraîche, mais normale. Elle avait craint de la trouver caoutchouteuse, *irréelle* d'une certaine façon. Prenant peur tout à coup que son geste ne paraisse étrange à l'interne, elle se réfugia une fois encore dans son rôle d'étudiante pour demander :

– Avez-vous fait un EEG ?

Elle savait qu'elle devait éviter de dire « électroencéphalogramme », pour évoquer cet examen de l'activité électrique du cerveau, car le personnel soignant n'utilisait jamais que le sigle.

– Un EEG a été fait au bloc, oui, quand l'anesthésiste essayait de réveiller le patient. Malheureusement le tracé a révélé des oscillations de très faible amplitude, notamment pour les ondes delta. Je veux dire que le tracé n'était pas complètement plat, mais qu'il indiquait de façon très claire une anomalie diffuse.

Lynn s'efforça de nouveau de lever les yeux pour soutenir le regard de Charles. Adoptant un ton aussi professionnel que possible pour dissimuler son émotion, elle demanda encore :

– Quel est votre pronostic, alors ?

– Avec un score de Glasgow à cinq, je dois dire que le pronostic est plutôt sombre. C'est en tout cas l'expérience que nous avons avec les patients comateux qui n'ont pas subi de traumatisme crânien. Je présume qu'avec l'IRM nous allons découvrir une importante nécrose corticale laminaire.

Lynn opina comme si elle comprenait cette explication. Elle n'avait jamais entendu l'expression *nécrose corticale laminaire*, mais elle savait que *nécrose* signifiait *mort*. Par conséquent, *importante nécrose corticale laminaire* devait signifier… *mort cérébrale*. Elle déglutit pour refouler la boule qui grossissait dans sa gorge. Elle avait envie de crier : « Non, non, non ! », mais elle réussit à se retenir. Elle voulait aussi s'enfuir, quitter tout de suite la réanimation, ne plus être ici, devant Carl – mais elle resta à sa place. Bouleversée. Sidérée. Elle se considérait comme une femme moderne, à qui la société offrait de vraies opportunités, et elle avait saisi la balle au bond pour décrocher des résultats brillants au lycée, en prépa puis en fac de médecine. Sa méthode avait toujours consisté à travailler aussi dur qu'elle en était capable. Et chaque fois qu'elle avait rencontré des problèmes ou des obstacles, comme cela s'était inévitablement produit de temps en temps, elle avait réagi en se battant encore plus fort. Mais ici… l'homme avec lequel elle en était arrivée à envisager de partager sa vie était peut-être en état de mort cérébrale – et elle ne pouvait absolument rien faire !

– Hé, dites, reprit Charles. Je pense à une chose. Avec ce monsieur, nous avons un vrai cas d'école pour observer le phénomène des yeux de poupée comme test du bon fonctionnement du tronc cérébral chez les patients comateux. L'avez-vous déjà observé ?

– Heu… non, s'obligea à répondre Lynn.

Elle n'avait aucune envie de voir le phénomène en question, car la manipulation nécessaire pour le révéler ne pourrait que rendre la situation de Carl encore plus réelle à ses yeux, mais elle ne voyait pas comment refuser sans risquer de trahir le fait qu'elle était ici sous un faux prétexte.

– Alors je vais vous montrer ça ! dit Charles avec enthousiasme. Mais j'ai besoin de votre aide. Vous maintenez ses yeux ouverts pendant que je fais tourner sa tête, d'accord ?

S'armant de courage, car elle avait l'impression de commettre un sacrilège, Lynn plaça sa main gauche sur le front de Carl et lui souleva précautionneusement les paupières avec le pouce et l'index. Ses pupilles légèrement dilatées étaient pareilles à des billes sombres, inertes, mais Lynn eut la sensation étrange de violer son intimité. Elle l'exhorta passionnément, par la pensée, à se réveiller, à sourire, à prendre la parole enfin pour déclarer que tout cela n'était qu'une comédie, une grosse blague, voilà, il se réveillait ! Mais il ne réagit pas davantage qu'une minute plus tôt. Il continuait juste de respirer tranquillement.

– C'est parfait, dit Charles. Allons-y…

Incliné au-dessus de la poitrine de Carl, il lui prit la tête à deux mains, autour des mâchoires et des oreilles, pour la faire pivoter lentement – d'abord vers Lynn, puis vers lui-même.

– Là ! Vous voyez ?

– Qu'est-ce que je dois voir, au juste ? demanda-t-elle d'une voix mal assurée.

Elle avait toutes les difficultés du monde à ne pas lâcher les yeux de Carl pour s'enfuir.

– Quand je fais pivoter la tête d'un côté, les yeux ont l'air de partir dans la direction opposée, dit Charles, répétant son geste. Comme ça…

Lynn voyait bien, à présent, que les yeux de Carl semblaient tourner comme l'interne l'expliquait. De fait, son regard absent continuait de fixer le plafond quand sa tête allait d'un côté ou de l'autre.

– C'est un réflexe vestibulo-oculaire, déclara Charles d'une voix monocorde, professorale, que Lynn ne connaissait que trop bien. Il montre que le tronc cérébral et les nerfs crâniens impliqués dans cette opération fonctionnent normalement. Si le patient simule, c'est-à-dire s'il fait semblant d'être inconscient comme cela se voit parfois aux urgences, ses yeux accompagnent la rotation de la tête. Si le tronc cérébral est mort, les yeux ne bougent pas du tout. C'est un phénomène assez remarquable, vous ne trouvez pas ? Je peux aussi vous faire la même démonstration par stimulation calorique. En lui mettant de l'eau froide dans les oreilles. Ça vous intéresse ?

– Ce n'est pas nécessaire, dit Lynn, lâchant les paupières de Carl qui se refermèrent doucement.

Il fallait qu'elle sorte d'ici. Elle ne savait pas où elle irait, ni ce qu'elle ferait, mais elle devait absolument quitter cette salle. En tant que membre de la communauté médicale, elle se sentait responsable de ce désastre. Et pas seulement parce qu'elle avait recommandé le Dr Weaver et le centre médical Mason-Dixon à Carl.

– J'ai tout le matériel, insista Charles. Il me faut dix secondes pour aller le chercher. Vous ne me dérangez pas…

– Merci, dit Lynn en commençant à s'écarter du lit. Je vous suis très reconnaissante de prendre le temps de me montrer ces choses, mais il faut que j'y aille. Désolée.

– D'accord. Cela ne fait rien, dit Charles en la dévisageant d'un air perplexe. S'il y a d'autres étudiants, dans votre groupe de tutorat, qui souhaitent voir ce cas typique de mouvement des yeux de poupée, je ne demande pas mieux que de refaire la démonstration.

– Merci, dit Lynn. Je les préviendrai !

Elle sortit presque en courant de la réanimation. Dans le couloir, elle s'immobilisa pour respirer profondément plusieurs fois de suite. Son cœur tonnait encore dans sa poitrine. C'était réconfortant, d'une certaine façon, de retrouver le tohu-bohu habituel de l'hôpital : les patients, les infirmières, les aides-soignants qui allaient et venaient autour d'elle. Et maintenant ?

Michael ! Sa première pensée fut qu'elle devait trouver son ami. Elle avait besoin d'un point d'ancrage, de quelqu'un à qui se raccrocher au milieu de cette tempête d'émotions où elle ne savait plus quoi penser.

5

LUNDI 6 AVRIL
12 H 25

Lynn trouva Michael à la cafétéria. Elle avait commencé par retourner au café, mais ni lui ni les autres n'y étaient plus. Elle avait aussi envisagé de le contacter par texto, mais elle n'avait pas su quoi écrire. Son objectif, de toute façon, était juste de se trouver en présence de Michael. Peut-être même ne lui dirait-elle rien du tout pendant un bon moment.

Voyant l'heure qu'il était, enfin, elle avait décidé de tenter sa chance à la cafétéria. Michael avait un appétit d'ogre, il sautait rarement un repas, et la cafétéria était le lieu de restauration le plus économique du centre médical. Lynn s'immobilisa à l'entrée pour parcourir la salle bondée du regard. L'affluence du personnel soignant et des étudiants était toujours très importante au moment du déjeuner. Elle repéra bientôt Michael au milieu de la file du self. Par chance, il ne semblait pas accompagné. Les quatre étudiants avec lesquels ils avaient entamé la matinée n'étaient nulle part en vue – tant mieux. Elle voulait être seule avec lui.

– Tiens, salut, dit-il quand il se tourna pour voir qui lui avait tapoté l'épaule. Alors ? Comment il va, Carl ?

– Faut que je te parle, dit-elle d'une voix rauque, et elle désigna les gens massés autour d'eux. Mais pas ici.

– OK. Pas de souci…

Michael dévisagea son amie. Il la connaissait assez bien pour se rendre compte qu'elle était bouleversée.

– Il y a un truc qui ne va pas ?

– Je ne sais pas, répondit-elle dans un murmure presque inaudible.

– Veux-tu prendre quelque chose à manger et t'asseoir avec moi ? proposa-t-il gentiment.

Lynn se racla la gorge.

– Là, tout de suite, je n'ai vraiment pas faim.

– D'accord. Ça t'ennuie si je croûte pendant qu'on discute ?

– Bien sûr que non !

– Alors donne-moi une minute pour attraper un truc et puis nous irons nous asseoir là-bas, à gauche, précisa Michael en pointant un doigt. Il y a deux tables libres, tu vois ?

Lynn regarda dans cette direction et hocha la tête. Pour la conversation qu'ils devaient avoir, ils seraient aussi bien ici, à la cafétéria, que n'importe où ailleurs. Le brouhaha ambiant l'aiderait peut-être même à maîtriser ses émotions.

Elle n'avait pas d'appétit, mais elle avait soif. Elle acheta une bouteille d'eau avant d'aller prendre une des tables libres repérées par Michael. Celles-ci se trouvaient près du mur du fond, du côté de la salle opposé aux portes-fenêtres qui donnaient sur un magnifique jardin intérieur. Il y avait là quelques tables très appréciées des clients de la cafétéria. Toujours prises d'assaut, bien sûr, quand le temps était aussi agréable qu'aujourd'hui. Lynn aperçut dehors plusieurs étudiants qu'elle connaissait.

Assise le dos au mur, elle scruta le bout du self. Michael attendait de payer son repas à la caisse. Son meilleur ami avait beaucoup de prestance, de manière générale, mais il se remarquait particulièrement dans cette cafétéria, au milieu des étudiants, des internes et des infirmières en blouse blanche, parce qu'il était très grand et parce qu'il était noir. En dépit des efforts très réels que produisait la faculté de médecine pour changer la donne, la promotion de Lynn et de Michael ne comptait que huit Afro-Américains, trois hommes et cinq femmes, soit six pour cent de ses étudiants. Michael était non seulement très grand, mais aussi hyper-baraqué et musclé. Il avait joué au football américain à l'université de Floride, pendant ses années de prépa, avec de tels résultats qu'il avait reçu des propositions pour faire une carrière professionnelle. Lynn savait qu'il avait refusé parce qu'il était déterminé, depuis toujours, à devenir médecin – une carrière qu'il avait choisie pour payer la dette qu'il estimait avoir envers sa mère. Il avait le cou épais, les traits pleins, et sa peau était acajou sombre. Ses cheveux, mi-longs, étaient coiffés en tresses afro serrées que Lynn avait d'abord crues être des dreadlocks courtes, mais qu'elle savait maintenant être des « twists » ou des « vanilles ».

La première fois que Lynn avait parlé avec Michael, parce qu'ils avaient été mis d'office en tandem au laboratoire d'anatomie, dès le lendemain de leur rentrée en première année de médecine, elle avait été un peu intimidée. Ce type taillé en armoire à glace semblait d'emblée l'avoir prise en grippe. À peine avaient-ils commencé à travailler ensemble qu'il s'était plaint de son attitude. Comme elle n'était pas du genre à se laisser marcher sur les pieds, cependant, elle avait très vite répliqué. En se plaignant de son attitude à lui. Conséquence, pendant plusieurs jours ils s'étaient tout juste tolérés et avaient dû faire de gros efforts pour bosser à peu près correctement ensemble.

Lynn ne s'était jamais considérée comme une personne raciste, mais Michael lui avait fait prendre conscience, au fil du temps, qu'elle avait certaines idées dans la tête, ainsi que des réflexes inconscients vis-à-vis des Noirs, qu'il fallait bien qualifier de racistes. Il lui avait aussi ouvert les yeux sur le fait que le racisme était encore une vraie réalité en Amérique. De son côté, Michael avait découvert grâce à Lynn qu'il avait tellement l'habitude, depuis toujours, d'essuyer la condescendance d'une bonne partie de ses interlocuteurs – parce qu'il était noir, parce qu'il était pauvre – qu'il *provoquait* souvent lui-même cette attitude condescendante à son égard. Il avait également appris au contact de Lynn que, malgré plus d'un demi-siècle de féminisme, la misogynie et le sexisme n'avaient pas disparu. Tous deux en étaient arrivés à comprendre, quant au racisme et au sexisme, qu'il fallait appartenir à une catégorie opprimée de la société pour bien prendre la mesure, dans leurs aspects les plus subtils comme les plus généraux, des discriminations qui avaient tellement influencé, façonné leurs existences. Depuis qu'elle était gamine, Lynn avait toujours eu le sentiment de devoir faire un peu mieux que les garçons avec lesquels elle était comparée. Michael, lui, avait toujours eu le sentiment de devoir faire beaucoup mieux que tout le monde.

Tout en découvrant qu'ils avaient cette expérience commune et qu'ils étaient en quelque sorte des âmes sœurs, ils avaient commencé à apprécier l'un chez l'autre les caractéristiques qui les différenciaient – outre leurs différences de couleur de peau et de sexe – et qu'ils devaient aux milieux sociaux très différents dont ils étaient issus. Lynn avait grandi dans une famille de la classe moyenne d'Atlanta, avec un frère et une sœur qui avaient récemment connu de sérieux revers de fortune. Michael avait grandi dans un ghetto, sur la côte, au sud de Charleston, avec sa mère et ses cinq frères et sœurs ; sa famille avait toujours eu de grandes difficultés à conserver un logement et à se nourrir tous les jours.

Autre ressemblance entre Lynn et Michael, ils étaient tous les deux des bosseurs acharnés, hyper-motivés, qui aspiraient à l'excellence. À l'adolescence, pendant le secondaire, ils avaient fait mentir les stéréotypes attachés aux Noirs et aux femmes en participant à des programmes destinés à booster les connaissances des élèves prometteurs dans les domaines de la science, de la technologie, de l'ingénierie et des mathématiques. L'un et l'autre, ils s'étaient également pris de passion très jeunes pour les jeux vidéo et la programmation informatique. Plus tard ils avaient survolé leurs années préparatoires d'université. Avec de tels résultats qu'ils avaient tous les deux décroché des bourses qui payaient entièrement leurs études de médecine. C'était la raison principale pour laquelle ils étaient entrés à l'université Mason-Dixon. L'un comme l'autre, à vrai dire, ils avaient été acceptés par toutes les facultés de médecine auxquelles ils avaient postulé, mais c'était à Mason-Dixon qu'ils avaient eu la meilleure offre financière. Enfin, Lynn avait perdu son père, dont elle était très proche, quand elle était en prépa : elle pouvait donc comprendre ce que signifiait être privé de père comme Michael l'avait été, lui, presque toute sa vie.

Michael avait payé son repas et venait dans sa direction. Lynn s'estimait chanceuse d'avoir cette amitié avec lui, et elle était reconnaissante à la faculté de médecine de les avoir obligés à travailler ensemble. Auparavant, jamais elle n'avait eu de garçon pour ami. Cette relation lui était précieuse car elle enrichissait sa vie de multiples façons. Et dans l'immédiat, si l'interne en neurologie ne se trompait pas au sujet de Carl, elle avait plus que jamais besoin du soutien de Michael.

– Alors ? S'passe quoi ? dit-il, jouant la décontraction, quand il posa son plateau sur la table.

La chaise sur laquelle il prit place en face de Lynn grinça quand il y posa ses cent kilos. Il saisit son sandwich pour l'attaquer à pleines dents.

Pendant une bonne minute, Lynn fut incapable de parler. Elle ne pleurait pas souvent. Ce n'était pas son genre – peut-être en réaction au stéréotype de la femme à la larme facile – et elle ne voulait surtout pas pleurer tout de suite. Et puis elle hésitait. D'un côté, elle avait besoin de Michael pour ne pas être seule face à la catastrophe qu'elle venait de découvrir. En même temps elle redoutait de rendre la chose encore plus réelle si elle en parlait. En tant qu'étudiante en médecine, elle en savait assez sur la psychologie de la réaction au chagrin, ou du deuil, pour comprendre qu'elle était en plein dans la phase initiale de déni.

Michael ne la bouscula pas. Il mâchait tranquillement son sandwich, déjà la troisième bouchée, les yeux sur le plateau, sur sa bouteille d'eau, sur le mur – partout sauf sur Lynn. Il savait être patient et cette attente ne le dérangeait pas, même s'il était inquiet. Manifestement son amie avait un gros souci. Sans doute en rapport avec Carl et son opération.

Lynn but une gorgée d'eau, reposa la bouteille et ferma les yeux un petit moment. Puis elle se pencha en avant, soutenant le regard de Michael, et laissa toute l'histoire sortir d'elle : le désastre qui s'était apparemment produit pendant l'opération de Carl, le coma dans lequel il était maintenant plongé, son score de Glasgow qui ne dépassait pas cinq et le pronostic « sombre » de l'interne qu'elle avait rencontré à la réanimation neurologique.

Pendant qu'elle parlait, Michael posa son sandwich et poussa son plateau de côté comme s'il avait perdu l'appétit.

– Cinq, le score de Glasgow ? C'est pas bézef.

Lynn dévisagea son ami. Une fois de plus, et comme bien souvent depuis quatre ans, il l'épatait. Ils avaient fait le même stage de neurologie en troisième année. Elle ne se souvenait absolument pas de ce qu'était le score de Glasgow. Michael, lui, se le rappelait. Il avait une capacité déconcertante à retenir les détails les plus abscons de leur formation.

– Comment tu fais ? demanda-t-elle. Moi je ne sais même pas si j'ai jamais entendu parler de ce truc.

– Disons que j'ai des raisons de m'en souvenir. L'échelle de Glasgow est une méthode d'évaluation des personnes plongées dans le coma. De leur état de conscience, plutôt. Comment il s'appelle, cet interne de neurologie que tu as vu ?

– Charles Stuart. Enfin je crois. Là maintenant, je n'en suis plus tout à fait sûre. Mon cerveau ne tourne pas très rond.

– Ce nom ne me dit rien. Nous n'avons pas dû l'avoir en stage.

– Ça, je te confirme que nous ne l'avons pas eu en stage. Je n'avais jamais vu ce type.

– Qu'est-ce qu'il a dit d'autre, en dehors du score de Glasgow et de son pronostic pessimiste pour Carl ?

– Qu'il s'attendait à trouver une importante nécrose laminaire dans le cerveau du patient. Carl doit passer une IRM.

– Nécrose laminaire ? Je ne sais pas ce que c'est.

– Moi non plus. Mais ce n'est pas difficile à deviner.

Michael hocha la tête, pensif, puis demanda :

– As-tu parlé à quelqu'un d'autre ? Le chirurgien, l'anesthésiste... ?

– À personne. Je voulais d'abord te voir.

– Et as-tu lu le rapport d'anesthésie ?

– Non. Je cherchais juste Carl, tu sais. Comme il n'avait pas été monté dans une chambre, je suis allée à la SSPI. Là j'ai appris qu'il était en réa neurologique, alors j'ai filé direct là-bas. Je n'arrivais pas à y croire, mais... il y est vraiment ! Dans le coma ! s'écria Lynn. Tu te rends compte, Michael ? Dans le coma, putain ! C'est moi qui lui ai recommandé ce chirurgien et qui l'ai encouragé à se faire opérer au Mason-Dixon !

– Écoute, frangine…

Michael tendit le bras en travers de la table pour saisir le poignet de Lynn. Quand ils étaient seuls, ils s'appelaient parfois « frangin » et « frangine ». C'était Michael qui avait importé cette habitude du ghetto dans leur mode de communication. Elle soulignait à la fois la nature platonique de leur amitié et l'affection profonde qu'ils avaient l'un pour l'autre. Autre signe de leur grande complicité, Michael utilisait de temps en temps certaines métaphores du basket qu'il avait autrefois utilisées au lycée avec ses potes :

– Déjà, mets-toi dans le crâne que tu n'es pas responsable de ce qui s'est passé aujourd'hui sur le terrain. T'étais même pas en tenue. Ah ça non, putain !

Malgré les efforts qu'elle faisait pour se contrôler, Lynn sentit des larmes monter à ses yeux et couler sur ses joues. Elle les sécha du bout des doigts et regarda la main de Michael, qui paraissait immense sur son poignet féminin, en disant :

– Je me sens quand même coupable. Au moins dans une certaine mesure. Je me connais, tu sais. Et ses parents ? Ils voulaient qu'il se fasse opérer à l'hôpital Roper. Mon Dieu, pourquoi je me suis mêlée de cette histoire ?

Le père de Carl, Markus Vandermeer, était lui aussi avocat à Charleston, mais il était spécialisé en droit civil et en droit criminel. Carl travaillait dans un autre cabinet et s'occupait de droit immobilier et de droit des affaires. Quant à sa mère, Leanne, elle était institutrice. Markus et Leanne vivaient encore dans la maison de West Ashley, une ville voisine de Charleston, où Carl avait grandi. Lynn les avait rencontrés en maintes occasions, surtout depuis que sa relation avec Carl était devenue plus sérieuse.

Michael les connaissait aussi. Il avait passé deux ou trois dîners d'anniversaire en leur compagnie.

– Les Vandermeer sont des gens intelligents, dit-il. Et il est clair qu'ils t'aiment beaucoup. Ils ne te reprocheront rien. Aucun risque !

– À leur place, je ne sais pas comment je réagirais.

– Nous allons plus vite que la musique, de toute façon. Nous ne savons pas encore vraiment ce qui se passe. Tu sais ce que je te propose ? Montons en vitesse à la réa neurologique, avant notre second cours d'ophtalmologie, pour jeter un œil sur le dossier de Carl. Son dossier physique, je veux dire.

Les DMP, ou dossiers médicaux personnels des patients, étaient totalement intégrés au système informatique du centre médical Mason-Dixon, et accessibles sur les ordinateurs et tablettes de qui avait à les consulter. Cependant les dossiers physiques, sur papier, existaient encore pour les patients hospitalisés. On parlait de temps en temps de les supprimer pour passer au tout numérique, mais cela n'avait pas encore été fait.

– Ça nous servira à quoi ? répliqua Lynn.

Elle n'était pas certaine d'avoir la force de retourner là-bas dès maintenant. Voir Carl dans le coma était une expérience pour le moins perturbante.

– Je ne sais pas très bien, mais je crois que ça pourrait nous donner une meilleure idée de ce qui s'est passé. Le dossier doit comporter le rapport d'anesthésie. Je veux dire… Il doit bien y avoir une explication à tout ça. Viens !

Michael commença à se lever, mais Lynn lui agrippa la main pour le retenir.

– Si des gens de la réanimation nous remarquent, ils ne vont pas beaucoup apprécier que deux étudiants se pointent là-bas, sans autorisation, pour consulter le dossier d'un patient.

– Laisse-moi faire. Je t'ai déjà dit bien des fois que la plupart des gens, dans cet hôpital, ont tendance à me prendre pour le Noir de service. C'est-à-dire pour un mec soit invisible, soit intouchable. Souvent c'est casse-couilles, mais ça peut aussi être utile. Comme aujourd'hui. Fais-moi confiance ! En plus je connais le terrain parce que j'ai déjà fait ça.

– Quoi donc ? Aller à la réa neurologique, tu veux dire ?

– Oui.

– Quand ?

– Il y a environ trois mois.

– Pour quelle raison ?

– On en parlera plus tard. Allons voir Carl et espérons que le Dr Stuart s'est gouré.

Michael se mit debout en tirant sur la main de Lynn. Elle avait l'air apeurée, indécise. Il lui offrit un sourire encourageant.

Lynn quitta sa chaise et se laissa guider. Elle appréciait, au fond, que quelqu'un prenne les décisions à sa place.

6

LUNDI 6 AVRIL
12 H 40

Michael observa Lynn pendant que la cabine s'élevait dans les étages. Ses yeux étaient rouges et humides. Elle contemplait les chiffres lumineux au-dessus des portes. Comme il y avait beaucoup de monde autour d'eux, ils ne pouvaient pas parler de la mission qu'ils s'étaient fixée. Pour Michael le drame qui touchait Carl avait un étrange et désagréable parfum de déjà-vu ; il espérait que cet événement s'avérerait n'avoir aucune ressemblance avec l'histoire qu'il avait à l'esprit.

Au cinquième, plusieurs passagers débarquèrent de l'ascenseur en même temps qu'eux. Lynn retint Michael par le bras pour les laisser s'éloigner, vers la droite ou vers la gauche, dans le couloir. La plupart prirent la direction du poste infirmier où l'activité semblait aussi intense qu'un moment plus tôt.

– Il nous faut un plan, dit-elle à mi-voix pour ne pas être entendue des personnes qui attendaient, tout près d'eux, une cabine descendant vers le rez-de-chaussée. À la réa, tout à l'heure, je ne me suis pas fait prendre parce que l'interne a supposé que j'étais en stage en neurologie. Mais toi, tu ne t'en tireras pas comme ça. Je regrette, mais tu n'es pas du genre à passer inaperçu. Le personnel se souviendra de toi. Comment tu prévois de faire ton coup ? Tu sais bien que les étudiants ne sont pas les bienvenus à la réanimation s'ils n'ont pas une bonne raison, une raison *officielle*, de s'y trouver.

Michael l'entraîna de l'autre côté du couloir.

– Je compte bien n'avoir aucun problème. Mais il ne faut pas que nous ayons l'air hésitants ou indécis.

– D'accord mais tu veux faire quoi, au juste ?

– Voir le dossier de Carl, pour l'essentiel. Mais nous ne pouvons pas aller droit au poste de soins et nous emparer de ce dossier sans même avoir jeté un œil sur le patient. Pas cool du tout, ce genre d'attitude. Tu te souviens du numéro de lit de Carl ? Ça nous aiderait. Évitons d'attirer l'attention sur nous en ayant l'air paumés.

– Il est dans la baie numéro huit, je crois. Mais je me trompe peut-être. C'est un tel remue-ménage dans ma tête…

– D'accord. Alors voilà le programme. En entrant, nous allons direct vers la baie huit. Si c'est la bonne adresse, nous voyons dans quel état est Carl. Sinon, nous le trouvons rapidos ! Ça te va ? Tu n'as rien à faire, tu sais. Si tu préfères, contente-toi de me suivre. Je me charge de donner l'impression que nous sommes là pour une bonne raison.

– D'accord, acquiesça Lynn en dépit du fait qu'elle n'était pas du tout sûre de pouvoir maîtriser ses émotions au chevet de Carl.

– Allez, on fonce ! dit Michael.

Ils s'élancèrent dans le couloir, Michael précédant Lynn, et longèrent le poste infirmier sans ralentir le pas. Devant la réanimation, Michael s'arrêta une seconde pour regarder Lynn. Ses sourcils se dressèrent en accents circonflexes au-dessus de ses yeux. Supposant qu'il voulait savoir si elle était prête, elle hocha la tête. Si elle n'était pas prête maintenant, de toute façon, elle ne le serait jamais.

Michael poussa l'un des lourds battants de la double porte. Derrière c'était un autre monde. Terminé le chahut des chariots à vaisselle, des conversations, des gens qui allaient et venaient dans le couloir. Le calme régnait dans l'unité de soins intensifs. Les patients étaient tous complètement immobiles. On n'entendait que les bips assourdis des appareils électroniques et les chuintements rythmés des respirateurs.

Comme il l'avait annoncé, Michael se dirigea vers la baie numéro huit. Lynn n'avait pas été trahie par sa mémoire. Carl était bien sur ce lit. Et seul, pour le moment. La douzaine d'infirmières et d'aides-soignants qui se trouvaient dans la salle s'occupaient d'autres malades.

Michael se posta à la droite de Carl, Lynn à sa gauche. Seules les étranges convulsions de sa jambe libre donnaient à penser qu'il ne faisait pas que dormir paisiblement. Une fois encore Lynn dut se retenir de le secouer pour le réveiller. Et l'espace d'un instant, pendant qu'elle refoulait cette impulsion, elle se surprit à éprouver de la colère – comme si Carl jouait la comédie.

– Il a l'air tellement tranquille, observa Michael. C'est trompeur.

Lynn se mordit la lèvre inférieure. Une fois de plus, les larmes menaçaient. Pour refouler son émotion, elle essaya de se demander froidement, professionnellement, ce qui se passait dans le cerveau de Carl en ce moment. Michael sortit sa lampe-stylo d'une poche de sa blouse. Soulevant les paupières de Carl avec le pouce et l'index, il en braqua le faisceau sur un œil, puis l'autre.

– Les pupilles sont peut-être lentes, mais égales et réactives. Pas de quoi s'extasier, mais c'est quand même quelque chose. Le tronc cérébral fonctionne, au moins.

Lynn hocha la tête. Elle se força à repenser au reflexe vestibulo-oculaire, ou mouvement des yeux de poupée, dont l'interne de neurologie lui avait fait la démonstration. Il signifiait en effet que certaines zones de son cerveau continuaient de travailler normalement.

– Les signes vitaux sont normaux, dit Michael.

Il avait tourné la tête vers l'écran fixé au-dessus du lit. Lynn l'imita. Tous les paramètres étaient tels qu'elle les avait vus lors de sa première visite, y compris la saturation en oxygène dont la valeur restait fixée à quatre-vingt-dix-sept pour cent.

– Bon, dit Michael à mi-voix. Pour le moment, pas de lézard.

Il parcourut rapidement la salle du regard. Le personnel de la réanimation était très occupé et ne semblait même pas avoir remarqué leur présence.

– Maintenant on va au poste de soins. Tranquillou. Et essaie de te décrisper, mademoiselle ! T'as une tronche de lascar prêt à dévaliser une banque.

Lynn ne se fatigua pas à répondre. Elle savait que Michael essayait juste de l'aider à tenir le coup – notamment avec ce « mademoiselle », qui n'avait rien de sexiste. Il l'interpellait ainsi, ou avec un « poulette », un « meuf » ou autre chose, lorsqu'ils étaient sûrs de n'être entendus par personne. Et elle lui rendait parfois un « mon garçon » ou un « OK, poulet ». C'était un autre signe de leur complicité.

Le poste de soins circulaire, au centre de la salle, était le plus souvent sous la coupe du duo que formaient l'infirmière en chef de la réanimation, Gwen Murphy, et son agent administratif, Peter Marshall – un homme qui travaillait ici depuis l'ouverture de l'hôpital et veillait jalousement sur son domaine. Depuis leur stage en neurologie, Michael et Lynn se souvenaient d'eux comme de personnes non seulement hyper-pro et compétentes, mais aussi très obligeantes. Pour le moment, seul Peter était à son poste ; Gwen devait être occupée ailleurs. Comme d'habitude, et à l'instar de tous les agents administratifs, il était au téléphone. Il esquissa un sourire quand il les vit approcher.

Ils pénétrèrent à l'intérieur du poste de soins. Sous le rebord du comptoir circulaire, plusieurs écrans plats affichaient les paramètres des signes vitaux de tous les patients. Par réflexe, Lynn fixa les yeux sur ceux du patient numéro huit. Tout était en ordre. Sur le comptoir se trouvait une colonne rotative dont chaque fente verticale contenait un dossier médical.

Michael entra dans son rôle de Noir cool comme il l'avait annoncé à Lynn :

– Salut, mec. Ça gaze ? dit-il à Peter.

Ce dernier répondit par une moue qui pouvait tout signifier. Sans lui laisser le temps de préciser sa pensée, Michael se tourna vers la colonne de dossiers et y donna une tape vigoureuse, de la main droite, pour la faire pivoter. Il l'immobilisa lorsque la fente du lit numéro huit arriva devant lui, en tira sans hésitation le dossier qu'elle contenait, puis désigna à Lynn deux chaises qui se trouvaient de l'autre côté du poste de soins, bien à l'écart de Peter. Quand ils furent assis, il ouvrit le dossier sur le plan de travail et le feuilleta rapidement jusqu'au rapport d'anesthésie.

Lynn avait légèrement tourné sa chaise pour surveiller Peter du coin de l'œil. Michael ne s'était pas trompé. Leur présence à la réanimation ne semblait étonner personne.

Comme il avait terminé sa conversation téléphonique, cependant, Peter éleva la voix pour demander :

– Vous avez besoin de quelque chose ?

– On nous a chargés d'examiner le rapport d'anesthésie de Vandermeer. Et il est là, justement, répondit Michael en tapotant le dossier. Merci ! Tiens, Lynn, regarde un peu ça…

Peter n'insista pas. Elle se pencha vers Michael. En plus du rapport électronique, imprimé sur trois pages, de la station d'anesthésie, le dossier contenait une note manuscrite de l'anesthésiste de Carl, le Dr Sandra Wykoff. Ils lurent d'abord celle-ci. Par chance, l'écriture de Wykoff était facile à déchiffrer. Ils s'étaient souvent arraché les cheveux, ces deux dernières années, avec les notes de nombre de médecins de l'hôpital.

Homme blanc de 29 ans en excellente santé. Opération du ligament croisé antérieur prévue sous anesthésie générale. Check-up automatique et manuel de la station d'anesthésie. Anxiété préopératoire élevée. Substance administrée : midazolam, 10 mg en IM à 07 h 17, avec un excellent résultat. Patient détendu. Cathéter intraveineux posé sans difficulté. 100 % d'oxygène avec masque facial à partir de 07 h 22. Induction avec 125 mg de propofol (IV) à 07 h 28. 100 % d'oxygène avec masque facial avant pose de masque laryngé (T4) installé et gonflé sans problème. Isoflurane, protoxyde d'azote et oxygène à partir de 07 h 35. Paupières closes avec sparadrap. Signes vitaux normaux et stables – ECG normal. Saturation en oxygène stable à 99-100 %. Respiration spontanée, volume et rythme normaux. Opération entamée avec placement du garrot sur la jambe droite. Signes vitaux et saturation en oxygène : pas de changement. Cinquante minutes après le début de l'opération, à 08 h 28, suite à ma demande, le chirurgien me signale qu'il lui reste quarante minutes max avant de suturer. À 08 h 38, coupure de l'isoflurane. Protoxyde d'azote et oxygène maintenus. À 08 h 39 l'alarme de la saturation en oxygène dans le sang retentit et le taux présente une chute brutale de 98 % à 92 %. Au même moment, l'ECG présente un pic de l'onde T. J'augmente l'apport en oxygène. La saturation en oxygène remonte rapidement à 97 %, à 08 h 42, et l'alarme s'éteint. L'onde T de l'ECG redevient normale. Je réduis l'apport en protoxyde d'azote à 08 h 44 et je commence l'assistance respiratoire. À 08 h 50, apparente rigidité de décortication dénotée par une hyper-extension des membres inférieurs (remarquée par le chirurgien) ; pupilles dilatées et peu réactives à la lumière. Assistance respiratoire interrompue à 08 h 58 car volume et rythme de la respiration du patient sont redevenus normaux. Le chirurgien retire le garrot et achève l'opération à 09 h 05. Le patient ne se réveille pas. Le chef du service d'anesthésie-réanimation, le Dr Benton Rhodes, est appelé. Sous sa direction, le patient reçoit du flumazénil – 3 × 0,2 mg – sans résultat notable. À 09 h 33, le patient est transféré en SSPI et continue de respirer de l'oxygène à 100 %. Un médecin de la réanimation neurologique est appelé. Signes vitaux, ECG et saturation en oxygène restent normaux et stables.

Dr Sandra Wykoff, anesthésiste.

Michael et Lynn, parvenus à la fin de la note presque au même instant, se regardèrent.

– Je ne connais pas grand-chose à l'anesthésie, dit Lynn. Nous n'avons eu qu'un seul cours magistral, tu te souviens ? En stage de chirurgie. Et uniquement sur les bases. Pour comprendre tout ça, je vais devoir faire des recherches.

– L'essentiel, c'est qu'il y a eu hypoxie. C'est clair, dit Michael. Le niveau d'oxygène a chuté pendant deux minutes. Et le tracé de l'ECG a changé.

– Pas beaucoup. L'oxygène n'est tombé qu'à quatre-vingt-douze pour cent, et seulement un petit moment, avant de remonter à quatre-vingt-dix-sept pour cent. Ce n'est pas une chute énorme. Ça correspond à peu près, je dirais, à ce qu'on peut connaître quand on descend d'un avion, à l'atterrissage, dans un endroit situé à deux mille ou deux mille cinq cents mètres d'altitude. Et puis surtout, ça n'a duré que trois minutes, précisa Lynn, pointant un doigt sur les lignes où le Dr Wykoff avait noté ces informations.

– Mais comment se fait-il que l'onde T de l'ECG ait changé ?

Lynn haussa les épaules.

– Je ne connais pas assez le sujet. Là, je n'ai vraiment aucune hypothèse…

– Regardons le rapport de la station d'anesthésie.

Michael tira les trois pages correspondantes du dossier. Les étudiants savaient que les stations d'anesthésie modernes enregistraient tout en temps réel, y compris ce que l'anesthésiste voyait sur le moniteur. Une fois l'opération terminée, données et tracés étaient imprimés sous forme de graphiques. Toutes les données, sans exception, se trouvaient sur le rapport, notamment les gaz, substances et fluides utilisés par l'anesthésiste, ainsi que les variables du monitorage du patient. Michael et Lynn s'intéressaient essentiellement à la partie du rapport qui portait sur l'opération elle-même.

– On peut savoir ce que vous faites ici, vous autres ? entendirent-ils tout à coup une voix ferme, mais absolument pas agressive, demander derrière eux.

Ils pivotèrent sur leurs chaises. Gwen Murphy, l'infirmière en chef, était une femme corpulente, aux cheveux d'un roux presque rouge et aux joues couperosées.

Michael répondit d'un ton posé :

– L'anesthésie nous a envoyés jeter un œil sur ce cas de réveil post-anesthésique retardé.

Gwen avait les yeux fixés sur Lynn, mais elle hocha la tête comme si l'explication de Michael lui paraissait convaincante.

– Le patient doit passer à l'IRM cet après-midi, dit-elle simplement, et elle tourna les talons pour aller s'asseoir devant les écrans à côté de Peter.

Lynn, ébahie, murmura à Michael :

– T'es trop bon, toi ! Comment t'as fait pour sortir ce bobard ?

Elle n'oubliait pas que l'administration de l'hôpital condamnait les consultations illicites, ou même simplement injustifiées, de dossiers médicaux, et l'apparition surprise et la question de Gwen l'avaient terrifiée. Elle savait qu'elle se serait emmêlée les pinceaux si elle avait essayé de prononcer le moindre mot. Heureusement, Michael avait pris les devants. Tous les étudiants en médecine étaient dûment prévenus quand ils entraient à la fac : ils ne devaient en aucun cas lire les dossiers médicaux personnels des patients, sur papier ou par voie électronique, s'ils n'avaient pas une bonne raison ou l'autorisation explicite de le faire. Et c'était particulièrement valable pour les dossiers de leurs amis ou même des membres de leurs familles. L'hôpital attachait une très grande importance à la protection des données personnelles. La consultation de ces données sous de faux prétextes était une infraction grave, passible de sanctions.

– L'habitude, je suppose, répondit-il le sourire aux lèvres. Tu as remarqué qu'elle ne m'a même pas regardé ?

– Ah oui, maintenant que tu le dis, je m'en souviens. Mais c'est peut-être parce qu'elle me dévisageait, moi, comme une dingue ! J'ai cru qu'elle soupçonnait quelque chose. J'ai l'impression que je me sens tellement coupable d'être ici que ça doit se voir sur ma tête.

– Mais non, t'inquiète. Moi, je crois qu'elle ne m'a pas regardé à cause de cette bonne vieille discrimination inconsciente dont on a bien souvent parlé ensemble. Parmi le personnel hospitalier, c'est très courant. Les médecins et les infirmières détournent les yeux devant moi. Mais ça n'a pas d'importance. J'y suis habitué. Et des fois c'est utile, non ? Surtout pour nous permettre de nous tirer d'affaire quand nous faisons des bêtises comme maintenant.

– C'est utile mais c'est dommage, observa Lynn.

– Ouais, fit-il avec un haussement d'épaules. Aujourd'hui ça m'indiffère. Bon ! Revenons à nos moutons.

Les étudiants se penchèrent de nouveau sur le rapport de la station d'anesthésie. Ils trouvèrent sans difficulté le moment où la saturation en oxygène avait tout à coup chuté jusqu'à quatre-vingt-douze pour cent. Lynn fit glisser son doigt, sur la page, jusqu'à la section correspondante du tracé de l'ECG, et ils purent constater ce qui s'était alors passé dans le cœur de Carl.

– C'est ça, alors, le signe de l'hypoxie sur l'ECG ? demanda Michael.

– Je suppose. Mais il va falloir que je vérifie. Sûr que j'ai du pain sur la planche.

– Comment ça ?

– Je te l'ai dit, je vais chercher des réponses pour comprendre ce qui s'est passé.

– Tu sais, frangine… J'ai déjà vu un cas très similaire.

Lynn leva des yeux étonnés vers son ami.

– Ah bon ? Quand ça ?

Michael ne répondit pas et pivota sur sa chaise pour regarder en direction de Gwen et de Peter. Ils semblaient occupés – penchés ensemble sur les moniteurs de contrôle ou sur quelque paperasse. Tout à coup, il tira son smartphone de sa poche de blouse, en coupa le son et le flash, puis photographia l'une après l'autre les trois pages du rapport d'anesthésie. Une seconde plus tard il avait rangé son appareil.

– Ouah ! fit Lynn, estomaquée. Pourquoi t'as pris un risque pareil ?

Elle jeta un coup d'œil anxieux de l'autre côté du poste de soins. Gwen venait de se redresser pour apostropher une infirmière. Peter était à nouveau au téléphone.

– Ça pourrait nous servir, répondit Michael d'un air rusé. Le rapport… Tu as terminé ?

– Je voudrais voir ce que le neurologue a noté. Même si j'ai déjà une assez bonne idée de ce qu'il peut raconter.

– D'accord, voyons ça en vitesse. Ensuite on se tire d'ici et je te parlerai de l'autre cas.

7

LUNDI 6 AVRIL
12 H 55

Dès que la porte de la réanimation neurologique se referma sur eux, Lynn assaillit Michael de questions sur le cas analogue à celui de Carl qu'il disait avoir déjà rencontré. Elle voulait savoir, en particulier, s'il y avait beaucoup de similitudes entre les dossiers.

– En fait, c'était un cas absolument identique, répondit Michael tandis qu'ils commençaient à marcher dans le couloir.

– Avec retard de réveil post-anesthésique ?

– Entre autres. Je te dis, c'était exactement la même chose !

– Et ça date de quand ?

– Il y a environ trois mois. Quand nous étions en pédiatrie.

Lynn ouvrait la bouche pour lui demander comment il avait eu connaissance de ce cas lorsqu'elle aperçut tout à coup, assez loin dans le couloir mais venant dans leur direction, le Dr Gordon Weaver. Et il était accompagné, ce qui était beaucoup plus problématique pour elle, des parents de Carl !

Elle se figea sur place comme un lapin apeuré. Markus et Leanne ne l'avaient pas vue car il y avait beaucoup de monde dans le couloir, sans parler des chariots de service pour le déjeuner. Sa première réaction fut de vouloir tourner les talons et s'enfuir. Comme elle n'avait absolument pas surmonté les émotions douloureuses qu'elle éprouvait depuis qu'elle avait découvert la situation de Carl, elle ne savait pas comment elle réagirait si elle devait essuyer des critiques ou des accusations de la part de ses parents. Elle était persuadée qu'ils devaient être aussi secoués qu'elle.

Michael avait lui aussi aperçu les Vandermeer. Percevant l'embarras de Lynn, il lui saisit le bras en murmurant d'un ton ferme :

– Reste zen, frangine.

– Je ne suis pas du tout sûre d'être prête pour cette rencontre, marmonna-t-elle.

Elle essaya de dégager son bras, mais Michael ne la lâcha pas.

– Tiens bon ! insista-t-il. Tu vas y arriver ! Et ça vaut beaucoup mieux de régler ça ici, à l'hôpital, tout de suite.

Le cœur battant la chamade, Lynn regarda le chirurgien et les Vandermeer approcher. Leanne fut la première à l'apercevoir. Sur son visage crispé par la douleur se peignit aussitôt une expression de profonde sollicitude. C'était une femme menue et elle portait aujourd'hui un tailleur classique, de couleur grise, qui lui donnait tout l'air de l'institutrice assez âgée qu'elle était. Sans la moindre hésitation, elle alla droit vers Lynn et la prit dans ses bras pour l'étreindre de longues secondes. Lynn était d'autant plus agréablement surprise que Leanne ne lui avait jamais accordé, pour la saluer, qu'une simple bise.

– Comment encaisses-tu le coup, ma chérie ?

Leanne s'était écartée d'elle et lui tenait à présent les mains. Comme elle mesurait quinze bons centimètres de moins que Lynn, elle devait lever le menton pour la regarder.

– Bon ! enchaîna-t-elle. Je veux que tu me promettes de ne pas trop te faire de soucis. Il va se réveiller. Bientôt. Fais-moi confiance. Tout va s'arranger, j'en suis certaine. Toi, je sais que tu es très,

très occupée. Les patients de cet hôpital ont besoin de toi. Alors tu penses d'abord à ton travail !

Lynn chercha du soutien dans les yeux de Michael. Que devait-elle répondre ? Elle savait, pour l'avoir fréquentée et grâce à ce que Carl lui avait dit à son sujet, que Leanne était une maîtresse femme. Mais son attitude, tout de suite, avait quelque chose d'insensé. Sa combativité l'aveuglait.

– Je suis vraiment, vraiment désolée pour toi qu'il y ait cette complication, reprit Leanne comme si elle déplorait un retard sur la ligne de métro. Mais tout va très vite s'arranger, j'en suis certaine.

– Moi aussi, je suis désolée, dit Lynn.

Elle se rendit compte que la réaction étonnante de Leanne, ce déni absolu à l'égard de la catastrophe qui avait brisé la vie de son fils, l'aidait en fait à contenir ses émotions. Elle avait craint d'entendre reproches et accusations, et voilà qu'elle avait droit à de la tendresse et à du réconfort. Elle était aussi soulagée que reconnaissante.

– Ma pauvre, reprit Leanne. Tu dois être bouleversée. L'as-tu vu ?

Lynn hocha la tête, hésitant à répondre par l'affirmative devant le Dr Weaver. Il risquait de comprendre qu'elle avait enfreint les règles de l'hôpital pour rendre visite à Carl. Mais le chirurgien paraissait préoccupé ; il prêtait à peine attention à leur conversation.

– Comment l'as-tu trouvé ? demanda Leanne – et l'ombre du chagrin commença à descendre sur son visage.

– Très calme. Il a l'air de dormir.

Leanne lui lâcha enfin les mains. Markus s'approcha pour l'étreindre à son tour, brièvement. C'était un homme grand et sportif, comme Carl, mais à l'ossature plus massive. Son visage creusé de rides était toujours hâlé ; il était grand amateur de golf et de bourbon. Il ne dit pas un mot. Contrairement à son épouse, il avait l'air sonné.

– Son état a-t-il changé, depuis… ? demanda Leanne.

– Je ne crois pas, répondit Lynn, et elle désigna Michael. Vous vous souvenez de Michael Pender, sans doute.

– Oui, bien entendu, dit Leanne, et elle salua l'intéressé du menton avant d'affirmer à Lynn : Nous allons faire en sorte que Carl soit vu par les meilleurs médecins. Et je suis sûre que la situation va très vite s'améliorer.

– Je l'espère.

Lynn regarda le Dr Weaver, qui était encore en pyjama de bloc. Il sourit poliment, déclara aux Vandermeer qu'ils n'avaient pas beaucoup de temps pour rendre visite à leur fils, et les invita à poursuivre en direction de la réanimation neurologique.

Leanne saisit brièvement la main de Lynn, promettant qu'elles se reverraient bientôt, puis emboîta le pas à son mari et au chirurgien. Les étudiants se remirent à marcher en direction des ascenseurs.

– Bon, dit Michael. Ça ne s'est pas si mal passé.

– Ils sont vraiment gentils, marmonna Lynn.

Mais ses pensées la ramenaient déjà au patient qu'ils avaient évoqué avant de rencontrer les Vandermeer.

– C'était quoi, alors, ce cas similaire à celui de Carl ? demanda-t-elle. Et comment tu en as entendu parler ?

– C'était une femme, une Afro-Américaine, qui avait à peu près le même âge que Carl. Genre vingt-neuf ou trente et un, je ne sais plus exactement. Elle a été opérée sous anesthésie générale après avoir été blessée par balle aux deux genoux. Et elle ne s'est pas réveillée. Il y a eu un épisode hypoxique, comme avec Carl, et… voilà.

– Opérée ici ? Au Mason-Dixon ?

– Oui. Tout pareil que Carl, je te dis.

Ils étaient presque arrivés aux ascenseurs. Lynn s'arrêta, tirant sur la manche de Michael. Elle préférait éviter de parler de cette histoire dans une cabine bourrée de monde, et elle ne voulait pas attendre pour en savoir davantage.

– Comment as-tu eu connaissance de ce cas ?

– Par ma maman, répondit Michael avec un sourire. Elle m'a appelé pour me dire qu'une lointaine cousine avait été opérée ici, mais qu'il y avait apparemment des complications. Elle m'a demandé de me renseigner. Alors je l'ai fait.

– Comment s'appelait cette femme ?

– Ashanti Davis.

– Et ton lien de parenté avec elle… ?

– Très lointain. Et par alliance. C'est la cousine du frère d'un beauf de quelqu'un du côté de ma mère – un truc compliqué de ce genre-là. Mais elle vivait à Beaufort, comme nous, et je l'ai un peu connue quand j'étais ado parce qu'on allait dans le même lycée. Mais elle était plus âgée que moi, donc pas dans la même classe, et on ne fréquentait pas les mêmes gens. En plus, elle a assez vite décroché du lycée.

– Blessée aux deux genoux par balle, tu dis ? Pour quel motif ? Un règlement de comptes… ?

– Quelqu'un devait être grave en rogne contre elle, ça c'est sûr !

– Et… Il lui est arrivé quoi, ici ?

– Cerveau bousillé à la sortie de l'opération. Quelques jours plus tard, l'hôpital l'a envoyée à l'institut Shapiro.

– C'est affreux. Elle est encore là-bas ?

– Pour autant que je sache. Je crois qu'elle ne reçoit aucune visite. Personne ne se soucie vraiment de son sort. Aucun membre de sa famille n'a envie de dépenser le genre de tune qu'il faut allonger pour être pensionnaire de cet établissement, si tu vois ce que je veux dire. En plus, elle n'était pas très aimée par son entourage. En le disant gentiment. Même par sa proche famille. Au lycée, je me souviens, elle était un peu considérée comme une pute avec un gros penchant pour les mecs promis à une belle carrière de racaille. Moi, je gardais mes distances. Elle a même réussi à faire tuer un de mes cousins, tu vois. Vu ses fréquentations, les balles qu'elle s'est prise dans les genoux ne sont pas si étonnantes. C'était une brebis galeuse.

– Quelle histoire horrible, dis donc... Et avant d'être flinguée, était-elle en bonne santé ? De manière générale ? Elle était comme Carl, je veux dire ?

– Apparemment oui.

Lynn laissa échapper un profond soupir. Avoir à quelques mois d'écart, dans le même hôpital, deux patients en bonne santé qui ne s'étaient pas réveillés au terme de leur opération, c'était extrêmement troublant. Cette coïncidence avait même quelque chose de terrifiant. Et l'idée que Carl puisse être transféré au Shapiro comme Ashanti Davis horrifiait Lynn. À la fin de la brève visite qu'elle avait faite à l'institut en deuxième année, elle s'en souvenait, tous les étudiants de son groupe avaient convenu que cet endroit était absolument glauque. Être envoyé là, avaient-ils conclu, c'était comme être envoyé en enfer.

– J'aimerais beaucoup consulter le dossier médical d'Ashanti Davis, dit-elle.

– Holà ! s'exclama Michael, inclinant le buste en arrière comme si elle venait de lui avouer avoir une maladie contagieuse. Ça, c'est le genre de truc qui pourrait te faire éjecter direct de la fac de médecine. Le dossier de Carl, c'est un peu différent, parce que l'affaire est en cours de développement et que des tas de gens y ont accès. Mais avec Ashanti, ce ne serait pas du tout le même genre de match. Tu serais obligée d'accéder à son DMP, et boum – l'administration te tomberait dessus illico.

– Je ne ferais pas ça moi-même, évidemment !

Lynn était déjà en train de se demander à qui elle pouvait s'adresser pour se procurer ce dossier. Dans la matinée, le Dr Scott lui avait proposé son aide ; elle avait affirmé que la porte de son bureau lui était toujours ouverte. Lynn songeait aussi à l'anesthésiste qui avait endormi Carl. Le Dr Wykoff. Peut-être serait-elle curieuse de voir le dossier d'Ashanti Davis – si ce n'était pas elle qui l'avait endormie, bien sûr.

– J'ai des photos quelque part, par contre, de son rapport d'anesthésie, dit Michael. Je les ai prises à la réa neurologique exactement comme je viens de le faire avec le rapport de Carl.

– Ah bon ? fit Lynn, étonnée. Et elles sont où, ces photos ? Tu peux les retrouver ?

– Sans doute. Je regarderai. Elles doivent être soit sur mon ordi, soit sur une clé USB qui traîne dans ma chambre.

Étant boursiers, Michael et Lynn logeaient à la résidence universitaire qui se trouvait dans le vaste complexe du centre médical Mason-Dixon. Arrivés en quatrième année, la plupart des autres étudiants de leur promotion préféraient avoir des appartements en ville. Mais Lynn ne voyait pas de mal à rester à la résidence. D'une part c'était un souci financier de moins, d'autre part elle appréciait de pouvoir dormir dans son propre lit, quand elle était de garde, en marchant trois minutes, plutôt que de rester dans une salle de repos de l'hôpital. De plus, elle était chez Carl la plupart des week-ends.

– Tu les chercheras ?

– Bien sûr. Mais pas tout de suite, si c'est à ça que tu penses, répondit Michael en regardant sa montre. Nous sommes déjà en retard pour le cours d'ophtalmologie. Nous devrions nous grouiller d'aller au BCE.

– Pas moi, dit Lynn d'un ton résolu. Dans l'état où je suis, aucune chance que je puisse rester le cul sur une chaise pendant deux heures. Je n'ai vraiment pas l'énergie mentale pour ça.

– Tu vas faire quoi ?

– Prendre mon vélo, descendre chez Carl et essayer de me détendre un minimum. Il faut aussi que je lise des trucs sur les complications de l'anesthésie, surtout sur le retard de réveil, et je pourrai faire ça sur son ordi. Là-bas, aussi, je me sentirai plus près de lui. Peut-être même que je prierai, je ne sais pas… Vu comment je suis désespérée…

Une moue de désapprobation plissa les lèvres de Michael. Ils avaient souvent parlé de religion ensemble, surtout en troisième année quand ils avaient abordé la médecine infantile, et plus récemment à nouveau, quand ils avaient été en stage de pédiatrie. Face aux enfants cancéreux, ils avaient conclu qu'il n'existait pas de Dieu, c'était impossible – en tout cas pas de Dieu aimant, attentionné, et sensible à la prière.

– Je sais, dit Lynn qui se doutait de ce qu'il avait dans la tête. Ça irait à l'encontre de tout ce qu'on s'est raconté. Mais avec ce qui arrive à Carl, je préfère m'assurer sur tous les fronts.

Michael hocha la tête. Il comprenait. Cette histoire déboussolait complètement son amie.

8

LUNDI 6 AVRIL
13 H 16

Pendant qu'elle se changeait au vestiaire pour remettre ses vêtements de ville, Lynn s'aperçut qu'elle commençait à éprouver de la colère. Elle était furieuse contre l'anesthésiste, contre l'hôpital, contre la médecine en général. Les événements de la journée lui rappelaient aussi l'état dans lequel elle avait été au moment du décès de son père. Elle eut envie de donner des coups de pied dans la porte du casier où elle venait de récupérer ses vêtements. Elle eut envie de casser quelque chose quand elle se coiffa devant le miroir en quelques coups de brosse nerveux.

Malheureusement pour elle, d'une certaine façon, elle en savait trop. Si elle n'avait pas été étudiante en médecine, elle aurait pu espérer que Carl se réveille bientôt. Et se rétablisse. Leanne et Markus Vandermeer nourrissaient encore, semblait-il, cette croyance. Elle aurait tellement aimé porter un regard optimiste sur la situation ! Mais c'était exclu : elle savait que Carl ne reviendrait pas. L'interne de neurologie s'attendait à ce que l'IRM révèle une importante « nécrose corticale laminaire ». Elle n'avait jamais entendu cette diablerie d'expression avant ce matin, mais après ses quatre années d'études de médecine, elle n'avait guère de difficultés à la comprendre. L'épisode hypoxique avait détruit une énorme quantité de neurones dans les régions du cerveau de Carl qui lui donnaient sa personnalité.

Même s'il se réveillait, en somme, il ne serait plus jamais le Carl qu'elle avait connu. Cette histoire n'aurait pas de retournement inattendu pour bien se terminer. C'était fichu pour Carl. Pour elle aussi. L'espace d'un instant, elle songea qu'il aurait mieux valu qu'il meure – puis elle refoula aussitôt cette pensée, honteuse de se montrer si égoïste. Pour le moment, tout de même, il restait une lueur d'espoir. Ténue, mais réelle. Il était encore vivant, après tout ! Peut-être un miracle se produirait-il.

Lynn attrapa sa blouse blanche pour l'enfiler et contempla le reflet de son visage dans le miroir. Ses lèvres, normalement charnues, formaient une ligne horizontale sévère. Ses yeux verts la dévisageaient avec hostilité. Après le déni, de toute évidence, elle était déjà entrée dans la phase de colère de son deuil. Elle ne pouvait s'empêcher de considérer que le système de santé américain l'avait *encore* trahie. La première fois, cela avait été pour son père, Ned, qui avait eu la malchance de souffrir d'une maladie du sang d'origine génétique au nom imprononçable : hémoglobinurie paroxystique nocturne. Une de ces maladies archi-rares, ou « orphelines », qui affectaient moins de dix mille personnes sur toute la planète. Après quatre années d'études de médecine, elle en savait évidemment bien davantage sur le sujet qu'au moment de la disparition de son père. Elle comprenait notamment comment la maladie détruisait les globules rouges du sang pendant la nuit. Elle savait aussi qu'elle n'en était pas porteuse.

En 2008, lorsque Lynn était en deuxième année d'université préparatoire, Ned avait perdu son travail – et donc son assurance santé – à cause de la crise économique mondiale. Or, c'était cette assurance qui avait payé le coût délirant du traitement dont il avait besoin pour rester en vie. La famille s'était débrouillée pour en payer les cotisations, sur ses propres deniers, pendant un an, mais la compagnie d'assurance avait elle-même résilié le contrat dès qu'elle avait pu ! Ces événements se passaient avant l'application de la loi Obamacare qui contraignait désormais les assureurs à garder leurs clients. Privé d'assurance santé, Ned avait été privé de traitement médical. Et par conséquent condamné à mourir. À l'époque, Lynn n'avait pas été complètement informée des tenants et aboutissants de l'histoire ; elle avait juste su que la famille était dans une situation financière très difficile. Quand elle avait appris ce qui s'était passé, un peu plus tard – et quand elle avait découvert, de surcroît, que le traitement de son père coûtait beaucoup moins cher en Europe, et même au Canada, qu'aux États-Unis –, elle avait été d'autant plus déterminée à devenir médecin pour contribuer à faire évoluer les choses. Mais aujourd'hui elle avait l'impression que le système de santé américain lui plantait de nouveau un couteau dans le dos.

Elle ouvrit le robinet d'eau froide, au lavabo, et s'aspergea le visage. Il fallait qu'elle se ressaisisse. Qu'elle aille chez Carl, comme prévu. Alors qu'elle redressait la tête devant le miroir, elle vit le Dr Scott entrer dans le vestiaire et se diriger vers son casier. L'espace de quelques secondes, elle hésita à engager la conversation avec elle pour lui demander de l'aider à découvrir ce qui avait pu arriver à Carl. Mais… Non, ce n'était pas une bonne idée. Il était trop tôt. Elle n'en savait pas encore assez pour poser des questions pertinentes. Les accidents comme celui de Carl, par exemple, étaient-ils nombreux chaque année à travers le pays ? Pour le moment, elle avait juste entendu dire qu'un autre patient du centre médical Mason-Dixon, une femme nommée Ashanti Davis, s'était retrouvé dans la même situation quelques mois plus tôt.

Lynn décida de sortir discrètement du vestiaire avant que la chirurgienne ne l'ait vue. Elle ne voulait parler à personne, en définitive, d'autant qu'elle était maintenant à cran.

Elle emprunta l'escalier pour ne pas risquer de croiser quelqu'un de sa connaissance dans l'ascenseur. Au rez-de-chaussée, elle se dirigea vers le passage couvert qui faisait la liaison entre l'immeuble principal de l'hôpital et le BCE, le bâtiment des consultations externes – c'était un raccourci pour atteindre la résidence universitaire. Elle traversa rapidement le BCE en prenant soin d'éviter le couloir de l'amphithéâtre où se déroulait le cours d'ophtalmologie.

Quand elle quitta l'atmosphère climatisée du bâtiment, le simple fait d'être à l'air libre, sous l'éclatant soleil de ce début de printemps, lui permit de se sentir déjà un petit peu mieux. Les oiseaux chantaient, la lumière était magnifique, il faisait chaud mais pas trop. Pendant qu'elle traversait ce qu'on appelait le quadrilatère du centre médical, un vaste espace planté d'arbres en pleine floraison, de buissons luxuriants et de parterres de fleurs multicolores, elle essaya de faire le vide dans son esprit. Ses idées noires et les questions que lui inspirait la situation de Carl l'assaillaient sans relâche, hélas, et elle ne parvint à les oublier que quelques secondes. Sur sa droite, de plus, l'imposante masse de l'institut Shapiro lui rappelait péniblement le sort qui attendait les patients comateux ou en état de mort cérébrale.

L'institut Shapiro avait pour particularité, comparé à tous les autres bâtiments du centre médical Mason-Dixon, de ne pas être très élevé. Il semblait ne comporter que deux ou trois niveaux – mais combien exactement, c'était difficile à savoir car il n'avait pour ainsi dire aucune fenêtre. À vrai dire, il ressemblait à un énorme bloc rectangulaire de granit poli. Sans doute pour adoucir ses lignes austères, on avait planté toutes sortes de haies et d'arbres sur son périmètre, mais Lynn trouvait que cette végétation soulignait, au contraire, son côté « bunker ». La seule porte qu'elle lui connaissait était là, du côté du quadrilatère : sans aucune aspérité ni marque distinctive, elle se serait confondue avec la façade si elle n'avait été surmontée d'une sorte d'auvent voûté, en granit lui aussi. Quand ils circulaient entre l'hôpital et la résidence universitaire, Lynn et Michael voyaient de temps en temps du personnel – jamais plus d'une poignée d'individus à la fois, et essentiellement des hommes – franchir cette porte. Les employés du Shapiro portaient un élégant uniforme blanc qui ressemblait un peu à un pyjama de bloc, mais beaucoup plus seyant et d'une seule pièce, comme une combinaison.

Lynn s'immobilisa pour regarder le bâtiment. Ashanti Davis s'y trouvait-elle encore ? Si oui, comment se portait-elle ? Et Carl ? Que deviendrait-il, s'il était amené à l'institut ? La simple idée de l'imaginer enfermé ici lui faisait horreur. Serait-elle autorisée à lui rendre visite ? Sans doute pas, puisqu'ils n'étaient pas mariés.

Elle se souvenait bien de la visite de l'établissement à laquelle elle avait eu droit, en deuxième année, avec Michael et d'autres étudiants de sa promotion. L'institut avait été baptisé Shapiro en l'honneur d'Arnold Shapiro, un étudiant texan qui avait passé quinze ans en état végétatif persistant. Un jour, quand il avait vingt et un ans, son cœur s'était arrêté de battre spontanément et il avait eu un grave épisode hypoxique – les ambulanciers, en tout cas, avaient mis longtemps à intervenir et à le ranimer. Une bataille juridique féroce s'était alors engagée entre les parents divorcés du jeune homme pour décider s'il fallait le maintenir en vie sans limite de temps, ou cesser de l'alimenter et le laisser mourir. Chaque camp avait essayé de s'approprier le patient pour en faire une icône de sa propre position sur la question. Si l'institut Shapiro portait le nom de ce jeune homme, avaient aussi appris Lynn et Michael, c'était parce qu'il avait été extrêmement bien soigné, tout au long de son supplice, pour la simple raison que l'on parlait de lui dans les médias. L'objectif de l'institut était d'offrir des soins de qualité supérieure à tous les patients, célèbres ou non, qui en avaient besoin.

N'empêche, imaginer Carl enfermé dans ce bloc de granit pendant des années… Un frisson d'effroi saisit Lynn. Elle secoua la tête et se remit à marcher en direction de la résidence universitaire. Elle devait absolument éviter de s'attarder sur ces pensées.

Sa chambre, qu'elle occupait depuis son arrivée à la faculté de médecine, se trouvait au quatrième étage. Elle était petite, mais agréable, et surtout elle avait sa propre salle de bains. Sa fenêtre offrait aussi une très jolie vue sur l'élégant pont Arthur Ravenel Jr. qui reliait Charleston à Mount Pleasant. Le fleuve Cooper était tellement large, à cet endroit, qu'il ressemblait davantage à un immense lac qu'à un cours d'eau.

Le cadre photo qui se trouvait sur la commode attira le regard de Lynn dès qu'elle entra dans la pièce. On y voyait Carl, hilare, une superbe piña colada à la main – avec triangle d'ananas, cerise au marasquin et parasol miniature sur le bord du verre. Ils avaient pris cette photo l'été précédent, à l'occasion de son vingt-neuvième anniversaire qu'ils avaient fêté à Folly Beach, une ville balnéaire proche de Charleston où ils avaient loué un adorable petit cottage pour le week-end.

Lynn saisit le cadre pour le poser à plat sur le meuble. Cette image lui rappelait douloureusement un lieu et un temps qui semblaient relever d'un autre univers. Après avoir jeté sa blouse sur le dossier de son fauteuil de bureau, elle se changea pour enfiler un short et un tee-shirt. Elle attrapa ensuite son casque de vélo, ses lunettes de soleil et son sac à dos dans lequel elle vérifia qu'elle avait son téléphone portable, un bloc-notes et deux crayons. Elle ne pensait avoir besoin de rien d'autre ; de toute façon elle avait un certain nombre de vêtements et d'affaires de toilette à elle chez Carl.

À la sortie du centre médical, elle poussa sur les pédales pour s'élancer tout droit jusqu'au carrefour de Morrison Drive, une artère qui continuait vers le sud pour devenir East Bay Street, puis, tout en bas de la péninsule de Charleston, East Battery. Le paysage urbain devint de plus en plus plaisant à mesure qu'elle roulait, en particulier quand elle parvint dans le centre historique. Après avoir croisé Broad Street, où l'on trouvait la plupart des plus anciennes propriétés de la ville, elle longea Rainbow Row, une portion d'East Bay Street où se trouvaient des maisons du début du dix-huitième siècle qui bordaient à l'époque la rive du fleuve Cooper. Héritage de colons britanniques arrivés ici de la Barbade, elles étaient toutes peintes dans les couleurs pastel des Caraïbes. L'humeur de Lynn s'éclaircit un brin. Charleston était une cité d'une beauté ensorcelante.

9

LUNDI 6 AVRIL
14 H 05

Michael glissa son stylo dans la poche de poitrine de sa blouse. Il avait voulu faire l'effort de prendre des notes pour rester concentré, mais le truc ne fonctionnait pas. Contrairement à ce qu'il avait cru, hélas, le cours magistral de ce début d'après-midi ne portait pas sur un aspect précis de la pratique de l'ophtalmologie. Non : le prof leur faisait une présentation assommante de l'anatomie du globe oculaire et de ses connexions avec le cerveau ! Un sujet que Michael, comme tous ses camarades présents dans l'amphi, avait étudié en long, en large et en travers en première année.

Si Michael avait eu des résultats brillants tout au long du secondaire, puis lors de ses années d'université préparatoire, puis à la faculté de médecine, c'était, entre autres raisons, parce qu'il savait lire extrêmement vite et avec un remarquable degré de mémorisation. Cette aptitude ne lui était pas venue par hasard : il avait commencé à la travailler très jeune, et avec beaucoup d'application. En veillant toutefois à la dissimuler à ses copains, surtout à partir du secondaire, car dans les cercles sociaux qu'il fréquentait à l'adolescence le fait d'être doué et de bosser pour arriver à quelque chose n'était pas un atout : cela rendait au contraire suspect.

Sa mère – sa mère qui faisait des ménages et lavait le linge des autres pour survivre – lui avait martelé dans le crâne dès sa plus tendre enfance que l'éducation était le train express dans lequel il fallait absolument embarquer pour échapper au piège de la pauvreté et du ghetto. Celui qui savait lire vite et bien en retenant ce qu'il fallait retenir, précisait-elle, était sûr d'avoir son billet pour ce train-là. Michael avait pris le conseil à cœur et, grâce aux bons gènes qu'il avait reçus de sa mère et de ce père qu'il n'avait jamais vraiment connu, avait réussi à réaliser son rêve : décrocher une place d'internat dans l'un des tout meilleurs hôpitaux des États-Unis. Du coup, ces deux heures de rabâchage d'informations qu'il connaissait déjà les lui brisaient menu. Il n'y avait pas d'autre façon de le dire. S'il avait eu à réviser ces données pour une raison ou une autre, il aurait pu les réapprendre par lui-même, en une fraction du temps qu'il était obligé de perdre ici, et pour bien mieux s'en souvenir ! De plus il avait la tête ailleurs. Il ne pouvait pas s'empêcher de penser à Lynn, à Carl et même à Ashanti Davis.

Il embrassa l'amphi du regard. Tous les étudiants souffraient autant que lui. C'était très clair. Ceux qui ne dormaient pas carrément avaient les yeux dans le vague, comme si une poignée de neurones seulement s'activaient encore dans leurs cerveaux. *Et puis merde*, pensa-t-il. *Je me barre*.

Profitant de ce que les lumières s'éteignaient pour la projection d'une nouvelle série de diapos, Michael se leva discrètement. Il fut dans le couloir un instant plus tard, car il avait pris un siège dans l'avant-dernière rangée de l'amphi, tout en haut, près de la sortie, mais il espéra quand même que le prof ne l'avait pas vu filer. Lui qui se préparait à entrer dans une profession, la médecine, où le pourcentage de Noirs était non seulement faible, mais aussi en chute constante, il savait qu'il ne passait pas inaperçu dans les cours.

Dans le hall du BCE il trouva l'animation des grands jours. Toutes les chaises, dans la zone d'attente, étaient occupées par des patients. Quand ils virent sa blouse blanche, bon nombre d'entre eux levèrent vers lui des yeux pleins d'espoir – pensant sans doute qu'il venait les chercher pour les conduire enfin en salle d'examen. Et parmi ceux-là, la plupart des Blancs détournèrent rapidement la tête. Leur réaction était similaire à celle de tant de praticiens hospitaliers, dont la grande majorité était blanche, qui étaient incapables de soutenir son regard. Au début de ses études, il avait assez mal pris la chose. Aujourd'hui il s'en fichait. Ce n'était pas son problème, après tout. Tant pis pour eux.

Michael avait de bons rapports avec les patients, quelle que soit leur couleur de peau, une fois qu'ils avaient surmonté le brin d'hésitation, ou de méfiance, qu'ils éprouvaient parfois à l'idée d'être pris en charge par un bonhomme noir en blouse blanche. Certains Noirs voyaient en lui un « Oreo » : ce qualificatif de l'argot noir américain désignait les individus jugés trop assimilés ou, comme les biscuits du même nom, « noir dehors et blanc à l'intérieur ». Mais ces gens avaient tort. Michael aimait ses racines, il ne tournerait jamais le dos à la communauté noire, et il avait bien l'intention de servir celle-ci en ramenant en Caroline du Sud, sinon dans sa ville natale de Beaufort, le savoir-faire qu'il aurait acquis à Harvard dans quelques années.

Comme il avait l'intention de retourner à la résidence universitaire pour récupérer dans sa chambre les images du rapport d'anesthésie d'Ashanti, il sortit du BCE par la porte que Lynn avait franchie un moment plus tôt et s'élança à travers le quadrilatère central magnifiquement arboré et fleuri du centre médical. Quelques instants plus tard il s'immobilisa presque au même endroit que Lynn, sans se douter bien sûr qu'il l'imitait, pour contempler l'institut Shapiro. À l'instar de son amie, il se demanda si Ashanti Davis se trouvait encore dans ce bâtiment, survivant tant bien que mal grâce à la médecine moderne. Il se demanda aussi avec inquiétude si Carl était destiné à être transféré à l'institut – une éventualité, il le comprenait bien, que Lynn aurait énormément de mal à accepter.

En théorie, Michael le savait, les patients en état végétatif pouvaient être maintenus en vie presque indéfiniment. On citait à ce titre le cas d'une personne qui avait ainsi « vécu » pendant trente-sept ans. Sur le plan scientifique, la méthode n'était même pas bien sorcière : il s'agissait, pour l'essentiel, de prendre soin de la peau du patient et de veiller sur l'environnement interne de son organisme, c'est-à-dire de préserver son équilibre hydroélectrolytique et de le nourrir correctement. Pour l'alimentation à long terme la meilleure solution était la gastrostomie percutanée endoscopique, c'est-à-dire la pose d'une sonde, à travers la paroi abdominale, permettant l'apport de nutriments directement à l'estomac.

Dernière exigence majeure, il fallait bien sûr tenir en respect tous les micro-organismes tels que bactéries, mycoses et virus hostiles. Les systèmes immunitaires des patients végétatifs, en effet, n'étaient en général pas très performants. Antibiotiques, antiviraux et autres traitements appropriés leur étaient administrés en cas de nécessité, mais le meilleur système de défense était l'isolement septique afin que les microbes, tout simplement, ne parviennent pas jusqu'à eux. Ce souci de prévention contre les maladies infectieuses expliquait que seuls les membres de la famille immédiate des patients fussent autorisés à entrer à l'institut. Les visites n'étaient d'ailleurs pas à proprement parler encouragées, dans cette optique, pour le bien de l'ensemble des pensionnaires. Quand les familles venaient, en outre, elles ne pouvaient ni se tenir au chevet des patients, ni les toucher : elles les voyaient dans une salle spéciale, divisée en deux sections par une baie vitrée.

Grâce au stage qu'il avait fait en réanimation pendant sa troisième année, Michael savait que les menaces les plus sérieuses, dans le domaine du traitement de longue durée des patients comateux et en état végétatif, étaient la pneumonie et les escarres. L'immobilité favorisait les infections et la dégradation de la peau à ses points de contact avec le lit. Pour éviter aux patients de rester dans une même position trop longtemps, il fallait donc régulièrement les tourner d'un côté et de l'autre. Plus ils étaient mobilisés, mieux ils se portaient, et c'était la raison pour laquelle leur prise en charge nécessitait une importante main-d'œuvre. Mais pas à l'institut Shapiro, apparemment : lors de la visite qu'il y avait faite avec Lynn et d'autres étudiants en deuxième année, Michael avait appris que l'informatisation et l'automatisation des tâches permettaient à l'établissement d'offrir à ses pensionnaires, selon la guide de leur groupe, « une qualité de soins inégalée ». Quant à savoir ce qu'il y avait derrière ces mots, Michael n'en était pas bien sûr car il n'avait pas vu les patients. Après un topo, dans une salle de conférences, sur la science des soins aux personnes en état végétatif, la « visite » proprement dite de l'institut s'était limitée à un passage (plutôt bref) dans une des salles où les familles venaient voir leurs proches. Et derrière la baie vitrée, c'était un mannequin qui avait servi à la démonstration.

Et donc, Ashanti Davis était peut-être encore dans ce bunker. Sa situation peu enviable de personne en état végétatif à la suite d'une existence peu enviable de femme du ghetto noir soulignait aux yeux de Michael l'immense chance qu'il avait eue, de son côté, de pouvoir déjouer le destin. Aujourd'hui il arrivait à la fin de ses études de médecine et il se préparait à faire l'internat dans l'une des plus prestigieuses universités du pays. La plupart des gens qu'il avait connus enfant, en revanche, étaient soit déjà morts, soit en prison, soit coincés dans des vies vraiment pas folichonnes, aux perspectives bien limitées. Comme Ashanti. Pour lutter contre l'anxiété dans laquelle le plongeait l'attente des résultats du programme de répartition des spécialités de l'internat, quelques semaines auparavant, il avait passé des heures, dans sa chambre, à surfer comme un dingue sur les réseaux sociaux. En croisant diverses sources d'informations, il avait cherché ce qu'étaient devenus ses anciens amis – tous ceux qu'il avait pu retrouver, en tout cas. Si cet étrange passe-temps l'avait déprimé au bout du compte, il l'avait aussi obligé à se demander pourquoi il avait eu, lui, autant de chance.

Il savait que c'était avant tout à sa mère qu'il devait sa pugnacité, son envie de réussir. Quand il était gamin, cette femme n'avait eu de cesse de l'aiguillonner sur la nécessité de travailler dur à l'école. D'apprendre à mémoriser vite et bien, surtout, ce qu'il lisait. Mais sans doute pouvait-il se féliciter, au moins un petit peu, d'avoir eu la force de ne pas tomber dans les pièges du milieu social dont il était issu. Il savait qu'il aurait pu avoir un parcours très différent. Et décrocher une place, peut-être, dans les statistiques de la criminalité de Beaufort. Il avait dealé de la drogue, pendant un temps, quand il était un jeune ado maigrichon, car il s'imaginait que ce commerce lui permettrait d'aider sa famille. Il était également doué en sport – déjà –, et ces deux activités avaient fait de lui une sorte de meneur parmi les jeunes de son quartier. Quand on devient chef, cependant, on s'expose à toutes sortes de problèmes. Pour protéger son honneur, il avait donc dû apprendre à répondre vite et bien aux menaces. Au début les poings avaient suffi. Mais à partir de l'âge de quatorze ans… les gars d'en face avaient commencé à être armés.

Ce cocktail de pistolets et d'ardeurs juvéniles avait tout changé. Heureusement, il avait eu assez de jugeote pour comprendre qu'il s'attirerait forcément des ennuis s'il acceptait de se balader avec une arme. Événement marquant, aussi, l'un de ses cousins avait été abattu par un type qui se prétendait son ami et qui jouait au basket dans la même équipe que Michael : les deux garçons s'étaient amourachés de la frivole Ashanti. À partir de ce jour-là, Michael avait coupé les ponts avec la drogue, les gangstas, les armes et la vie « à la cool ». Faire l'imbécile, ça ne l'intéressait plus. Il avait résolu d'éviter définitivement toutes les situations susceptibles de déboucher sur des confrontations, notamment draguer des filles qui sortaient avec des lascars de gang, insulter coéquipiers ou adversaires sur le terrain de basket, ou même se vanter du moindre de ses succès personnels dans quelque domaine que ce fût.

Revenant tout à coup à la réalité et écarquillant les yeux comme si ses pensées l'avaient plongé dans une sorte d'état second, Michael s'aperçut qu'il était assis – vautré, à vrai dire – sur l'un des nombreux bancs qui bordaient les allées du quadrilatère. Juste en face de l'entrée de l'institut Shapiro. Il secoua la tête, étonné d'avoir rêvassé comme il venait de le faire, et il se surprit à se demander encore une fois ce qui l'avait *réellement* sauvé. Étaient-ce les avertissements de sa mère, ou bien ses propres qualités, qui lui avaient évité d'être tué ou de tuer quelqu'un pour un geste de trop, pour trois mots perçus comme une insulte ? Il avait d'autant moins la réponse à cette question qu'elle en soulevait d'autres : quel genre de vie aurait-il mené aujourd'hui, par exemple s'il ne s'était pas entraîné à lire et à mémoriser les choses à toute vitesse ? Quel destin aurait-il eu s'il avait grandi avec un père ? Et cet homme – l'aurait-il aidé à aller dans la bonne direction, ou l'aurait-il au contraire entravé ?

La seule chose dont il était vraiment certain, au fond, c'était qu'il avait drôlement de la chance.

10

LUNDI 6 AVRIL
14 H 20

Lynn freina en douceur et tourna le guidon pour s'engager sur l'allée de briques menant à l'ancienne remise à attelages, aujourd'hui le garage, qui se trouvait derrière la maison. Elle n'était pas venue directement ici du centre médical, au bout du compte, car lorsqu'elle était arrivée dans le quartier elle s'était tout à coup demandé si elle n'avait pas tort d'aller chez Carl. Alors elle avait continué de pédaler jusqu'à l'extrémité d'East Battery Street et elle avait passé un moment là, assise sur un muret face à la rade de Charleston, pour essayer de mettre de l'ordre dans le tumulte de pensées et d'émotions qui l'assaillaient. Cet endroit lui faisait du bien, notamment parce qu'elle savait que Carl l'adorait. Elle y était venue très souvent avec lui. Droit devant, à l'horizon, elle apercevait le fort Sumter qui se dressait sur un îlot situé à l'embouchure de la rade, juste avant l'océan Atlantique.

Pendant qu'elle descendait vers le sud sur son vélo, une idée choquante s'était formée dans son esprit. Choquante mais aussi obsédante, lancinante comme l'équivalent mental d'une rage de dent. Cette idée, c'était celle de la *liberté* que Lynn venait de retrouver. Car il fallait bien regarder les choses en face : si Carl connaissait le destin qu'elle redoutait pour lui, c'est-à-dire s'il était bientôt bouclé à l'institut Shapiro, elle n'avait plus de raison de renoncer à l'université prestigieuse, dans le nord-est du pays, à laquelle ses résultats lui permettaient de prétendre. Elle n'avait plus de raison de rester au centre médical Mason-Dixon pour l'internat. Et si Carl n'était pas envoyé au Shapiro, il resterait alité et aurait besoin de soins constants aussi longtemps qu'il vivrait. Était-elle taillée pour ce genre de rôle ? Ils n'étaient même pas fiancés, bon sang ! Elle ne savait pas, par-dessus le marché – et elle n'avait maintenant aucun moyen de savoir –, si cette éventualité s'était profilée pour son couple. Chaque fois qu'elle avait évoqué la question de leur avenir devant Carl, ces derniers mois, il avait détourné la conversation. Cette attitude, d'ailleurs, ne l'avait guère aidée à prendre sa décision pour le choix du lieu où elle ferait l'internat.

Toutes ces pensées avaient beaucoup perturbé Lynn. Assise là face à la rade de Charleston, admirant ce paisible paysage qui la rattachait à son compagnon, elle s'était demandé si elle n'était pas profondément égoïste – voire mauvaise – de nourrir de telles idées. Surtout si peu de temps après la catastrophe qui avait brisé la vie de Carl. Au bout du compte, cependant, elle s'était convaincue qu'elle n'avait pas tort de se rendre chez lui. C'était bien qu'elle passe la fin de la journée dans cette maison qui lui appartenait, au contact de l'environnement et de tous les objets qui le définissaient en tant que personne Elle se doutait aussi qu'il lui serait très difficile, sur le plan émotionnel, de retourner à sa chambre de la résidence universitaire en sachant que Carl était là, tout près, dans le coma – le cerveau détruit par des lésions pour lesquelles elle était en partie responsable. Elle n'oubliait pas que s'il s'était fait opérer à l'hôpital Roper comme il en avait eu l'intention au départ, il aurait sans doute été en train de regarder la télé, à l'heure qu'il était, et de ronchonner qu'il avait hâte de rentrer chez lui.

Après avoir enfermé son vélo dans la remise à côté de la Jeep Cherokee rouge de Carl, Lynn se dirigea vers la maison.

Le droit de l'immobilier était, de loin, la spécialité préférée de Carl. Et l'immobilier était un secteur en plein essor à Charleston. Quantité de maisons des XVIIIe et XIXe siècles avaient déjà été rénovées dans la vieille ville – et celles qui restaient à moderniser attisaient les convoitises. Carl s'était personnellement occupé de la vente d'un certain nombre de ces propriétés. Comme il avait une excellente connaissance du marché et de très bons rapports avec les vendeurs, il avait pu acquérir pour lui-même une propriété très recherchée de Church Street, une petite rue particulièrement charmante du sud de la péninsule. L'orientation de la maison par rapport à la rue était typique de cette partie de Charleston : les taxes foncières, au début du développement de la ville, étant calculées sur le nombre de pieds occupés par les édifices le long des rues, les premiers résidents avaient construit leurs maisons « de flanc », c'est-à-dire leur côté le plus étroit, ou leur profondeur, face à la rue. Leur côté le plus long ou façade, *perpendiculaire* à la rue, comportait de longues vérandas, à chaque étage, dont les avant-toits formaient de vraies pièces d'extérieur. Avant l'ère de la climatisation, les gens de Charleston vivaient beaucoup dehors pendant la longue saison chaude et humide.

La maison de Carl avait deux caractéristiques qui lui donnaient un cachet particulier. Bien que rénovée et dotée de tous les attributs du confort moderne, d'abord, elle n'avait perdu aucun de ses ornements architecturaux d'origine. Ensuite, elle n'avait qu'une seule voisine proche – à l'arrière. Côté façade, où se trouvaient les vérandas, ses premiers propriétaires avaient acquis le terrain voisin pour en faire un vaste et superbe jardin qui possédait un petit étang à nénuphars, un kiosque, de beaux arbres pour l'ombrage et plusieurs essences de palmiers. Ce jardin avait un petit côté « jungle », pour le moment, car il n'avait guère été entretenu au cours des dernières décennies, mais c'était un vrai bonheur que de l'avoir. Et Lynn savait que Carl avait eu l'intention de le faire remettre en état pour encore mieux en profiter.

Revenue sur la rue, elle ouvrit la serrure d'une porte, dans le mur d'enceinte, qui ressemblait à une porte d'entrée mais donnait en réalité sur le niveau inférieur de la véranda. De fait, n'importe qui pouvait escalader ce mur, qui n'était pas très haut, pour accéder à la véranda. Cette bizarrerie architecturale tenait bien sûr à l'orientation de la maison par rapport à la rue : pour atteindre la « vraie » porte d'entrée, il fallait traverser la véranda sur environ la moitié de sa longueur. Sur la gauche de Lynn, le jardin touffu, envahi par les mauvaises herbes, résonnait comme une volière car il abritait une bonne partie de la population des oiseaux du quartier.

Dans le hall, elle referma la porte derrière elle et s'immobilisa quelques instants pour écouter le silence et humer les odeurs familières de la maison. Contrairement à elle qui était assez bordélique, Carl était quelqu'un de très ordonné ; il avait aussi une femme de ménage qui venait deux fois par semaine. Comme le jardin possédait de grands arbres, le soleil peinait à atteindre la maison : un net avantage pendant les mois chauds. Par contre il faisait relativement sombre au rez-de-chaussée. Lynn attendit que ses yeux s'habituent, après l'éclatante lumière de la rue, à la pénombre. Peu à peu, elle distingua les moulures d'époque du haut plafond du hall et la rampe sculptée de l'escalier. Un petit cri d'effroi lui échappa, tout à coup, lorsqu'elle sentit quelque chose effleurer sa jambe.

Pep, la chatte de Carl, leva vers elle des yeux perplexes.

– Oh c'est toi, ma belle ! s'exclama-t-elle.

Embarrassée par sa réaction, elle se baissa pour caresser l'animal.

– Excuse-moi. Je t'avais oubliée, dit-elle tandis que Pep se frottait contre son genou en ronronnant. Tu dois te sentir bien seule. Et ce soir, malheureusement, il n'y aura que toi et moi dans la maison.

Lynn se dirigea vers la cuisine pour vérifier que la chatte avait des croquettes dans sa gamelle, et de l'eau. Sur l'îlot central elle vit un mot de Carl, adressé à son copain Frank Giordano, concernant la quantité de nourriture qu'il fallait donner chaque jour à Pep. Lynn nota dans un coin de sa tête d'appeler Frank pour le prévenir qu'il pouvait oublier sa mission. Elle n'avait cependant aucune hâte d'avoir cette conversation. Frank voudrait inévitablement des nouvelles de Carl – et lui poserait alors des tas de questions auxquelles elle se sentait incapable de répondre.

La question du bien-être de la chatte étant réglée, Lynn retourna vers le hall et monta lentement l'escalier. Elle redoutait d'entrer dans la chambre de Carl. *Leur* chambre, quand elle était ici avec lui.

Sur le seuil de la pièce, cependant, elle ne put s'empêcher de sourire. Carl avait pris le temps de faire le lit. Ça, c'était complètement lui. Depuis qu'ils se connaissaient, cette différence de tempérament l'avait toujours vaguement inquiétée : elle se demandait si, avec le temps, sa propre tendance à laisser traîner ses affaires, à ne guère se soucier de « détails » comme le lit défait le matin, finirait par lasser Carl. Elle se demandait aussi, à l'inverse, si la méticulosité parfois excessive de Carl finirait par l'ennuyer. Lynn s'habillait avec goût, elle prenait soin de sa personne et elle était très consciencieuse et organisée dans son travail. Mais pour certaines choses du quotidien comme les vêtements épars à travers la chambre, la serviette mal suspendue dans la salle de bains ou le bouquin abandonné sur le parquet, elle avait du mal à se forcer.

Sur la commode, il y avait une photo d'elle qui datait de ce week-end à Folly Beach dont elle avait gardé un autre cliché, de Carl, dans sa chambre à la résidence. Ils étaient tous les deux tellement heureux, sur ces images ! Mais ce bonheur était perdu. Perdu à jamais, semblait-il. Comme elle l'avait fait dans sa chambre, elle saisit le cadre pour le poser à plat sur le meuble. Elle était certaine que si elle revoyait cette photo en revenant ici ce soir, le chagrin la submergerait. Or, elle avait l'intention de dormir dans le lit de Carl pour se sentir proche de lui. Pour se convaincre aussi, sans doute, qu'elle n'était pas aussi égoïste qu'elle le craignait.

Elle ressortit dans le couloir et gagna l'une des deux autres chambres de l'étage, plus petites que celle de Carl, qui était aménagée en bureau. La maison était vaste : elle comptait trois chambres supplémentaires au deuxième étage, et encore deux autres dans l'ancien grenier, avec les lucarnes du toit pour fenêtres. Le bureau, comme toutes les chambres, possédait une porte-fenêtre ouvrant sur la véranda. Avec son canapé et ses fauteuils club de cuir marron, ses lambris d'acajou sombre sur trois murs et sa bibliothèque, sur le quatrième, dont plusieurs étagères étaient remplies de médailles et de coupes que Carl avait remportées au football, au basket et au lacrosse, la pièce avait une atmosphère résolument masculine.

Lynn s'assit devant le bureau de Carl, une vaste table en bois à dessus de cuir, et alluma son ordinateur – un PC haut de gamme doté d'un large écran plat. Pendant que Windows démarrait, elle sortit smartphone, bloc-notes et stylos de son sac à dos. Sur le téléphone, elle chercha la fiche de Frank Giordano dans le répertoire et appela son numéro professionnel. Elle savait qu'elle avait fâcheusement tendance à remettre à plus tard les obligations désagréables : il valait mieux qu'elle se débarrasse de cette épreuve tout de suite. Elle aurait ensuite l'esprit libre pour se plonger dans l'étude de la situation médicale de Carl.

Une secrétaire répondit. Lynn lui donna ses coordonnées et précisa qu'il s'agissait d'une communication personnelle. La secrétaire l'invita alors à patienter. Quelques instants plus tard la voix de Frank s'éleva dans l'écouteur :

– Alors ? Comment il va, notre aventurier de l'hôpital ?

Lynn perçut une pointe d'inquiétude dans sa question. Elle savait que Frank aimait profondément Carl. Et qu'il l'avait accompagné au centre médical ce matin.

– Heu... En fait il s'est passé quelque chose...

– Non ! Dis pas ça ! l'interrompit Frank. Carl avait un mauvais pressentiment. Il avait peur que ça aille mal. C'est quoi, le problème ?

– Il y a eu une complication pendant qu'il était sous anesthésie. En plein milieu de l'opération, son niveau d'oxygène dans le sang a brutalement chuté. Ensuite... heu, il ne s'est pas réveillé. Il est dans le coma.

– Oh, merde ! cria Frank. Oh merde, putain ! C'est pas possible ! Et il est comment, alors, maintenant ?

– J'ai un peu parlé avec un interne de neurologie qui s'occupe de lui. Il pense que... Enfin il est persuadé, plutôt, que le cerveau de Carl est atteint. Qu'il y a de graves lésions, tu vois. On va lui faire une IRM cet après-midi.

– Putain de meeeerde ! Non, c'est pas vrai ! cria Frank d'un ton incrédule.

– Je suis désolée de t'annoncer ça. Mais je ne peux pas t'en dire plus tout de suite. Moi-même je suis complètement dans le brouillard. Je n'en sais même pas assez sur le sujet – sur cet accident, je veux dire – pour poser les bonnes questions. Mais je vais étudier tout ça ce soir. Demain j'aurai peut-être d'autres infos. Je te tiendrai au courant.

– Oui, s'il te plaît ! Oh, la vache ! Oh, putain ! Et ses parents ? Ils sont au courant ?

Frank et Carl étaient copains depuis l'école primaire. Leurs familles se connaissaient bien.

– Oui. Ils savent.

– Bon sang ! s'exclama encore Frank. Et toi tu dois être bouleversée. Je suis horriblement désolé, Lynn. Comment tu vas ?

Les questions qu'elle se posait sur sa réaction – sur ses pensées égoïstes – lui traversèrent l'esprit, mais elle dit simplement :

– Je suis paumée. Et en plus je me sens responsable parce que c'est moi qui ai recommandé ce chirurgien à Carl.

– N'importe quoi ! répliqua Franck du tac au tac comme l'avait fait Michael. Ce n'est absolument pas de ta faute. En aucun cas ! Moi aussi je pourrais penser que c'est de ma faute parce que je l'ai accompagné à l'hôpital. Arrête tout de suite ce genre de bêtises. Tu ne dois pas t'en vouloir une seule seconde !

– Je vais essayer. Mais franchement je suis accablée. Et je ne sais plus où j'en suis.

– Où es-tu, en ce moment ?

– À la maison, chez Carl. Au fait, tu n'as pas à te soucier de Pep. Je m'occupe d'elle.

– Veux-tu que je vienne te chercher ? Tu devrais venir chez nous, Lynn. Naomi sera contente. Tu resteras tout le temps qu'il faudra. Nous ne manquons pas de place.

Frank habitait à deux rues de là. Il possédait une maison similaire à celle de Carl.

– Je te remercie, c'est gentil de me proposer ça, mais je veux rester ici.

– Tu es sûre ?

– Aussi sûre que je peux être sûre de quoi que ce soit en ce moment. Tu sais, je vais prendre les choses comme elles viennent. D'heure en heure. Jour après jour. Je te rappelle si j'ai besoin de parler à quelqu'un, d'accord ? Ne t'inquiète pas pour moi. Je vais m'occuper l'esprit en découvrant tout ce que je pourrai sur l'état de Carl.

– Tu as mon numéro de portable. Appelle-moi quand tu veux. À n'importe quelle heure, d'accord ? Même au milieu de la nuit. Et si ça ne t'ennuie pas, je te passerai un coup de fil ce soir pour avoir des nouvelles.

– Entendu. Ça ne m'ennuie pas du tout.

– Bien. À plus tard, alors. Et je suis vraiment, vraiment désolé, conclut Frank.

– Merci, dit Lynn avant de couper la communication.

Son téléphone posé à côté du clavier de l'ordinateur, elle saisit la souris pour ouvrir le navigateur Chrome. Avant qu'elle ait tapé une seule lettre de la première des nombreuses recherches qu'elle avait en tête, un mouvement soudain, sur sa gauche, la fit sursauter et pousser un cri de frayeur. Elle se mit debout si brusquement que le fauteuil de bureau recula sur ses roulettes et heurta la bibliothèque. Deux livres posés de face sur une étagère tombèrent avec un bruit mat sur le parquet. La chatte – c'était elle qui avait déclenché cette réaction en chaîne – poussa un feulement de terreur et de colère. Puis elle détala pour quitter la pièce.

– Et merde, murmura Lynn.

Elle plaqua une main sur sa poitrine. Son cœur battait à tout rompre. Sans le vouloir, la chatte avait de nouveau réussi à la terroriser – cette fois parce qu'elle avait bondi sur la table, sans doute contente de la rejoindre dans le bureau. Quant à elle… la violence de sa réaction montrait bien à quel point elle était stressée. Lorsqu'elle fut un peu apaisée, elle ramassa les deux livres pour les remettre à leur place. Elle rapprocha ensuite le fauteuil de la table et se rassit.

Avant de poser les mains sur le clavier, elle prit encore quelques instants pour surmonter son émotion et mettre de l'ordre dans ses idées. Elle savait qu'elle voulait effectuer des recherches dans trois domaines. D'abord, elle avait besoin de connaître l'incidence des complications de l'anesthésie générale. Ensuite, il fallait qu'elle s'offre un cours accéléré sur l'anesthésie et la réanimation afin de pouvoir comprendre les données du dossier de Carl. Elle devait se renseigner en particulier sur les causes et les effets possibles de l'hypoxie – la chute du niveau d'oxygène dans le sang –, puisque ce problème était apparemment à l'origine du retard de réveil post-anesthésique de Carl. Pour finir, elle plancherait sur l'indicateur de l'état de conscience des patients comateux que l'on appelait échelle ou score de Glasgow.

Quelques minutes plus tard, Pep rentra dans la pièce de sa démarche chaloupée. Quand elle sauta sur le bureau pour s'y étendre de tout son long, cette fois, Lynn ne lui accorda même pas un regard. Elle était plongée dans un article sur les complications hospitalières. Les statistiques qu'elle découvrait la sidéraient autant qu'elles lui faisaient honte pour l'univers professionnel dans lequel elle s'apprêtait à entrer après de longues années d'efforts. Elle savait depuis toujours, bien sûr, que des complications étaient susceptibles de survenir, lors de toutes sortes d'opérations, dans certains hôpitaux. Mais elle ignorait que le problème touchait en fait un très grand nombre d'hôpitaux – et survenait beaucoup, beaucoup plus souvent qu'elle n'aurait jamais pu l'imaginer. Plus elle avançait dans ses lectures, plus elle était choquée. Cette découverte l'obligeait aussi à se demander pourquoi elle n'avait pas eu un seul cours, ou la moindre discussion en groupe de tutorat, sur le sujet, au cours de ses quatre années de formation.

Depuis le début de ses recherches, elle prenait des notes au crayon à papier sur son bloc – et en raturait parfois certaines. Jugeant qu'elle avait besoin d'une gomme, elle ouvrit le tiroir central du bureau. Sans surprise, puisqu'elle était dans le domaine de Carl, elle trouva trois gommes soigneusement empilées, sur la gauche, à côté d'autres fournitures. Elle allait saisir une des gommes, lorsqu'un objet attira son regard du côté droit du tiroir : une petite boîte turquoise, fermée par un ruban, qui portait le nom du joaillier Tiffany.

Lynn se figea, la gorge nouée. Après quelques instants d'hésitation, elle prit la boîte et la posa devant elle sur le bureau. Ses mains tremblaient lorsqu'elle dénoua le ruban blanc et souleva le couvercle. Comme elle l'avait supposé, la boîte contenait une bague de fiançailles. Avec un magnifique diamant. Elle la referma aussitôt. La remit dans le tiroir qu'elle repoussa d'un geste brusque.

Pendant de longues secondes elle regarda droit devant elle sans rien voir. Tout était différent, maintenant. Ainsi, Carl avait prévu qu'ils se fiancent. Et les événements de ce matin avaient fait dérailler ce projet. Un mélange d'immense tristesse et de colère brûlante envahissait Lynn – elle n'aurait su dire quelle émotion l'emportait sur l'autre. Au lieu d'y céder, elle prit une grande inspiration et posa les mains sur le clavier pour poursuivre ses recherches sur Internet. Elle se sentait plus décidée que jamais à découvrir précisément ce qui était arrivé à Carl, pour quelle raison, et à cause de qui. C'était absolument nécessaire, pour elle, si elle voulait éviter de penser à ces fiançailles perdues ou à la question troublante de sa liberté retrouvée.

11

LUNDI 6 AVRIL
14 H 53

Michael se trouvait depuis près d'une demi-heure sur son banc du quadrilatère paysager du centre médical, face au bâtiment massif, sinistre, de l'institut Shapiro, à réfléchir au cas Ashanti Davis et, par association d'idées, à sa propre enfance et au parcours qui avaient fait de lui l'homme qu'il était aujourd'hui. Il n'en revenait pas, au fond, de la chance qu'il avait eue d'échapper à ce milieu désespérément pauvre, voué à tous les échecs et générateur de comportements autodestructeurs, dans lequel ses amis d'enfance et lui avaient grandi.

Il se redressa tout à coup. Un homme venait de franchir, droit devant lui, la porte de l'institut Shapiro. Michael était un peu surpris. D'une part, ce n'était pas l'heure des changements d'équipe dans le centre médical. Ce type, ensuite, en jetait sur le plan vestimentaire : il ne portait pas la tenue si particulière des employés de l'institut, mais une élégante veste en cuir noir et un jean de toute évidence griffé.

Avec une spontanéité qui l'étonnerait lui-même, plus tard, lorsqu'il y repenserait, Michael se leva en criant :

– Hé ! Monsieur ! Une seconde !

L'inconnu s'éloignait, longeant le Shapiro d'un pas alerte – sans doute se rendait-il au parking qui se trouvait derrière. Plaquant les mains sur les poches de sa blouse pour y maintenir son téléphone, son carnet et les divers autres objets qu'elles contenaient, notamment sa tablette de l'hôpital, Michael se lança à sa poursuite.

– Excusez-moi ! dit-il, quelque peu essoufflé, lorsqu'il parvint à sa hauteur. Je peux vous parler, s'il vous plaît ?

L'homme s'immobilisa et parut le dévisager. Michael ne voyait pas ses yeux car il portait des lunettes de soleil. C'était un Blanc de taille moyenne, assez baraqué, aux traits lourds, avec des cheveux bruns raides. Il avait un bouc similaire à celui que Michael envisageait de temps en temps de se laisser pousser. Il avait aussi des écouteurs, dans les oreilles, dont le câble faisait un looping près de son cou avant de disparaître sous sa veste. Il tenait un ordinateur portable de la main droite et une sacoche en cuir souple de la gauche.

– Je vous ai vu sortir de l'institut Shapiro, reprit Michael. Je suis étudiant en médecine. En quatrième année. Je m'appelle Michael Lamar Pender. Je dois dire que l'institut me fascine !

L'homme retira l'un de ses écouteurs – Michael entendit un air de jazz à un niveau sonore pas piqué des hannetons – et pencha la tête de côté en fronçant les sourcils. Michael sourit puis répéta tout ce qu'il venait de dire. Il espérait que son petit topo et sa bonne mine inciteraient le type à engager la conversation. Pour lui livrer bientôt quelques infos sur le Shapiro. Manque de chance, il ne répondit pas. Il se contenta de froncer davantage les sourcils.

– Nous, les étudiants en médecine, nous avons droit à une visite de l'institut quand nous sommes en deuxième année, ajouta Michael. Ça nous renseigne un peu, mais...

Il s'interrompit pour voir si son interlocuteur allait enchaîner. Hélas il ne réagit toujours pas.

– Vous travaillez au Shapiro ? demanda encore Michael, un peu dépité, en désignant le bâtiment.

Cette fois, l'homme répondit :

– Non.

– Ah, d'accord. Vous étiez ici en visite, alors ? Vous avez quelqu'un de votre famille parmi les patients ?

– Votre question. Je… Je ne comprends pas, dit l'homme avec un fort accent étranger. Je suis analyste programmeur. Je… répare problèmes.

– Super ! dit Michael avec sincérité.

Analyste programmeur ? Ce mec l'intéressait encore plus ! D'autant qu'il avait identifié son accent : il était russe. Michael savait que le Mason-Dixon employait des Russes au service de génie clinique – le service, installé au sous-sol du bâtiment principal de l'hôpital, qui assurait la maintenance de toute l'informatique du centre médical. Il avait discuté avec certains d'entre eux à quelques occasions. Ils lui avaient paru plutôt sympas et, surtout, archi-compétents.

L'hôpital avait besoin de gros serveurs pour la gestion des dossiers médicaux personnels et de quantités d'autres données. Il utilisait aussi un nombre impressionnant de machines ultrasophistiquées – les stations d'anesthésie, les IRM, les scanners et ainsi de suite, qui étaient fondamentalement des ordinateurs. Il devait donc disposer d'une équipe d'informaticiens et d'ingénieurs réellement performants. Or, il était connu que la Russie produisait des informaticiens de haute volée. Dont certains n'étaient peut-être pas toujours parfaitement scrupuleux : des hackers russes avaient fait parler d'eux sur les marchés financiers, ces dernières années, dans le secteur du trading à haute fréquence. Michael avait d'ailleurs entendu dire que plusieurs membres de l'équipe de l'hôpital avaient été recrutés parmi les hommes impliqués dans ces affaires. Mais il ignorait si c'était une rumeur ou un fait avéré.

– Vous travaillez ici, à l'hôpital ? demanda Michael, parlant lentement, et sans doute trop fort, en pointant un doigt vers le bâtiment principal de l'hôpital, au-delà du Shapiro.

– Non, dit l'homme.

– Super, répéta Michael avec enthousiasme.

Il prit soudain conscience que cet homme ne parlait pas aussi bien l'anglais que les Russes avec lesquels il avait bavardé à l'hôpital. C'était ennuyeux, car il ne voulait pas renoncer à cette conversation. Dans la mesure où il avait envie de trouver des infos sur Ashanti, sa rencontre avec ce mec était un vrai coup de chance. Il y avait d'excellentes chances pour que ce Russe dispose des droits d'administrateur dans le système informatique du Shapiro. S'il travaillait ici comme analyste programmeur, c'était même évident.

– L'ordinateur est réparé ? demanda-t-il pour entretenir la discussion.

Avec des droits d'administrateur, ce type pouvait se révéler très utile – s'il le voulait bien, évidemment. Michael savait que lui, le simple étudiant, il n'avait aucune chance de pénétrer le système de l'institut Shapiro : il avait tenté le coup quelques mois plus tôt, sans succès, quand il avait voulu se renseigner sur Ashanti.

– Non. L'ordinateur est pas réparé, dit l'homme. Mais OK. Il fonctionne.

– Super ! répéta une fois de plus Michael.

Il se demandait comment s'attirer les bonnes grâces de son interlocuteur, lorsqu'une info encourageante lui revint à l'esprit. Pour avoir bavardé avec ses compatriotes de l'hôpital, il savait que les Russes admiraient, de manière générale, les Noirs et la culture afro-américaine. Cette attitude allait de pair avec les sentiments ambivalents que la Russie nourrissait à l'égard de l'Amérique – et confirmait, d'une certaine façon, l'adage selon lequel « l'ennemi de mon ennemi est mon ami ». La Russie, avait-il appris, était bien consciente que les États-Unis s'étaient très mal comportés, tout au long de leur histoire, envers leurs citoyens d'origine africaine.

– Je connais des Russes de l'hôpital, reprit Michael, parlant de nouveau lentement et trop fort. Vous travaillez pour qui, vous ?

L'homme regarda autour de lui comme s'il craignait que quelqu'un ne surprenne leur conversation. Michael prit cela comme un signe positif : ils partageaient déjà un secret, en quelque sorte. Mais son interlocuteur eut alors un autre comportement inattendu. Au lieu de répondre, il posa sa sacoche et son portable sur le sol, entre ses pieds, sortit son smartphone de sa poche, lança une appli et pianota quelques instants sur l'écran. Quand il eut terminé, il présenta l'appareil à Michael. La moitié supérieure de l'écran affichait un court paragraphe, en caractères cyrilliques, suivi de ce qui devait en être la traduction : « Je travaille pour Sidereal Pharmaceuticals à North Charleston. »

Michael hocha la tête. C'était logique. La relation qui unissait la société Sidereal Pharmaceuticals à Middleton Healthcare, la société propriétaire du centre médical, n'était un secret pour personne. Et non contente d'avoir financé une bonne partie, sinon la totalité du Shapiro, entendait-on même dire aujourd'hui, Sidereal prévoyait de s'appuyer bientôt sur sa colossale trésorerie pour prendre une participation majoritaire dans la chaîne d'hôpitaux de Middleton.

Michael prit le téléphone du Russe, examina l'appli et pigea rapidement comment y taper un message en anglais pour le faire traduire en russe. Ils poursuivirent ainsi la conversation par le biais de l'outil électronique :

MICHAEL : Je m'appelle Michael Lamar Pender. Je suis étudiant en médecine. En quatrième année. Comment tu t'appelles ? Tu viens d'où ?

VLADIMIR : Je m'appelle Vladimir Malaklov. Je viens d'Iekaterinbourg, dans l'oblast de Sverdlovsk.

MICHAEL : Depuis combien de temps es-tu aux États-Unis ?

VLADIMIR : Je suis arrivé à New York il y a trois mois. Je suis aussitôt venu ici.

MICHAEL : Tu travailles à l'institut Shapiro pour une raison particulière ?

VLADIMIR : Je suis spécialiste du langage de programmation MUMPS. Le système du Shapiro est écrit en MUMPS.

MICHAEL : Ça ne doit pas être toujours facile, pour toi, de vivre ici. À cause de la barrière de la langue, je veux dire.

VLADIMIR : L'anglais est difficile, c'est vrai. Je l'ai un petit peu appris en Russie, avant mon voyage, mais ça ne suffit pas. J'essaie d'apprendre, mais c'est compliqué.

MICHAEL : Tu connais les Russes qui travaillent à l'hôpital ?

VLADIMIR : J'en connais plusieurs, oui, parce que nous avons fait nos études dans la même université. Et je partage aussi un appartement avec l'un d'eux. Ce n'est pas toujours drôle. Il dit qu'à la fin de la journée il est trop fatigué pour parler anglais. Je n'ai pas beaucoup l'occasion de pratiquer la langue.

MICHAEL : J'ai presque terminé mon année. Je vais avoir du temps libre. Je t'apprendrai un peu de tchatche black, si tu veux.

VLADIMIR : « Tchatche black » ? Je ne comprends pas.

MICHAEL : Les mots qu'on utilise entre frères et sœurs afro-américains. Comme les paroles dans les chansons de rap, si tu préfères. Tu aimes le rap ?

VLADIMIR : J'adore le rap. Attends !

Vladimir activa une autre appli sur le smartphone, retira l'écouteur qu'il avait encore dans l'oreille gauche et tendit les deux écouteurs à Michael. Celui-ci n'eut qu'à les approcher de ses oreilles pour identifier le morceau : c'était *Hard Knock Life* de Jay-Z, une chanson qu'il connaissait par cœur.

Michael sortit son propre téléphone de sa poche de blouse, y lança le même titre sur son appli de musique et tendit ses écouteurs Beats à Vladimir. Trois secondes plus tard, ce dernier commença à dodeliner de la tête au rythme de la musique, un sourire ravi étirant ses lèvres. Sa réaction n'étonnait pas Michael : il savait que ses écouteurs Beats produisaient un son de bien meilleure qualité que les écouteurs basiques du téléphone de Vladimir. C'était même le jour et la nuit.

Michael désigna le téléphone de Vladimir, mima le geste de tapoter sur l'écran et éleva la voix pour dire :

– Relance ton appli de traduction, s'il te plaît.

MICHAEL : Le son de mes écouteurs est bien meilleur, non ?

Vladimir hocha vigoureusement la tête et leva le pouce, continuant de sourire et de remuer la tête sur *Hard Knock Life*. Il était heureux. Michael n'avait plus qu'à le faire venir doucement à lui.

MICHAEL : Je te donne ces écouteurs comme cadeau de bienvenue aux États-Unis.

VLADIMIR : Je ne peux pas accepter. Tu es trop gentil.

MICHAEL : Tu n'as pas le choix. Si tu refusais, tu me déshonorerais. Et là, pas cool. Tu prendrais le risque d'un putain de clash entre nous, mec, et je devrais te mettre une prune dans la cervelle puisque dans ce pays tout le monde porte un flingue.

Michael tendit le smartphone à son nouveau pote en se demandant comment l'humour qu'il avait mis dans ses propos serait rendu en russe. Un sourire fendit alors les lèvres de Vladimir. Il pianota rapidement au clavier.

VLADIMIR : J'accepte avec plaisir, pour ne pas risquer une « pouffiasse de choc », mais en ce cas tu dois aussi accepter un cadeau de ma part. À la maison, j'ai des souvenirs de Russie.

Michael éclata de rire et hocha la tête, disant :

– OK ! Un souvenir de Russie, ça me plaît bien. Et un selfie ? Ce serait cool aussi, non ? Nous deux ensemble.

Le Russe inclina la tête de côté, l'air intrigué. Michael activa la caméra frontale de son smartphone, se prit rapidement en photo, puis montra l'image à Vladimir en lui faisant comprendre par gestes qu'il souhaitait répéter l'opération avec leurs deux trognes devant l'objectif. Il tenait à avoir une photo de ce Russe, car il craignait que Lynn refuse de croire à cette extraordinaire rencontre. Vladimir sourit et opina.

– Oh, selfie ! Oui ! OK !

Tenant son smartphone à bout de bras, Michael glissa son bras libre autour des épaules de Vladimir et prit la photo. Vladimir lui fit alors signe qu'il voulait répéter l'opération avec son propre appareil. Quand ils eurent terminé, Michael lui demanda de relancer l'appli de traduction.

MICHAEL : J'ai tous les albums de Jay-Z sur mon ordinateur, si tu es intéressé. Je peux te les passer.

VLADIMIR : Je suis très intéressé.

MICHAEL : Comment je fais pour te contacter ? On pourrait se voir demain ou après-demain, peut-être ?

VLADIMIR : Je te donne mon numéro de portable et mon adresse e-mail.

MICHAEL : Parfait. Et je te donne les miens.

Pendant un petit moment, les deux hommes s'appliquèrent à enregistrer les informations en question dans leurs appareils respectifs. Constatant que le numéro de téléphone de Vladimir commençait par le chiffre sept – l'indicatif international de la Russie – et était suivi de dix chiffres, il se demanda combien le moindre texto à son nouveau pote lui coûterait sur sa facture mobile. Il s'efforçait d'améliorer sa situation financière toujours riç-rac de boursier avec divers petits boulots à travers le centre médical, notamment à la banque du sang, mais il était en général à sec à la fin du mois.

Quand ils eurent terminé d'échanger numéros de portable et adresses e-mails, Michael fit comprendre à Vladimir qu'il avait besoin d'utiliser l'appli de traduction encore une fois. Vladimir l'activa et lui tendit son smartphone.

MICHAEL : Enchanté d'avoir fait ta connaissance. Tu connais l'expression « à plus ! » ?

VLADIMIR : Non. Mais je comprends. À plus ! Et merci pour les écouteurs.

Vladimir tendit la main, avec un grand sourire, et serra énergiquement celle de Michael. Celui-ci ferma ensuite le poing et le tendit vers le Russe pour un *check* – en l'enjoignant du regard à l'imiter. Vladimir hocha la tête, l'air de dire qu'il avait déjà vu faire ça, et replia son propre poing pour le heurter doucement contre celui de Michael.

– *Check*, dit ce dernier d'un ton approbateur. Entre frères, c'est comme ça qu'on fait.

Vladimir répéta le geste, pouffa de rire et s'exclama :

– À plus !

– Nickel, dit Michael, riant à son tour.

Son nouveau pote était un drôle de numéro.

Après avoir récupéré sa sacoche et son portable entre ses pieds, Vladimir voulut qu'ils s'offrent un nouveau *check*. Cela l'obligea à caler l'ordinateur sous son bras droit, pour libérer sa main, mais il était manifestement très content. Enfin, il agita la main et s'éloigna le long de l'institut.

Michael attendit patiemment qu'il se soit éloigné d'une quinzaine de mètres, puis il l'apostropha et se mit à courir après lui – en plaquant à nouveau les mains sur ses poches pour ne pas perdre ses appareils électroniques et ses accessoires d'étudiant en médecine. Vladimir se retourna. Arrivant à sa hauteur, Michael mima le geste d'écrire quelque chose sur l'appli de traduction de son smartphone.

MICHAEL : Je viens de me souvenir d'un truc. Une de mes cousines a été transférée à l'institut Shapiro il y a quelques mois. Nous n'avons aucune nouvelle d'elle. J'ai promis à ma mère de me renseigner pour savoir si elle est encore ici, et si elle va bien, mais je n'ai pas réussi à trouver la moindre info. Quand tu retourneras à l'institut, tu veux bien essayer de te renseigner ? Ma mère serait vraiment contente.

VLADIMIR : J'ai besoin de son nom.

MICHAEL : Ashanti Davis.

VLADIMIR : Je peux vérifier tout de suite, si tu veux.

MICHAEL : Vraiment ? Je t'en serais extrêmement reconnaissant. Comme je ne suis pas de la famille proche, je n'ai pas le droit de lui rendre visite. Tu fais comment, pour te renseigner maintenant ?

VLADIMIR : Je retourne à l'institut et je regarde. Ce ne sera pas long.

MICHAEL : Je peux t'accompagner ?

VLADIMIR : Si tu veux, mais ce n'est pas nécessaire. J'en ai pour trois minutes. Attends-moi ici, si tu préfères.

MICHAEL : Je serais content de t'accompagner, si c'est possible. Mais tu penses que j'ai l'autorisation d'entrer dans l'institut ?

VLADIMIR : Personne n'en saura rien. Il y a rarement quelqu'un au COR, le centre d'opérations du réseau, et je suis certain qu'il est désert en ce moment. Les serveurs de l'institut sont surveillés depuis le centre médical, pour l'essentiel. Depuis un mois que je travaille au COR du Shapiro, je n'y ai jamais vu personne. En plus, la porte par laquelle tu m'as vu sortir, là-bas, donne sur le bon couloir.

MICHAEL : Génial. Allons-y !

Michael suivit Vladimir jusqu'à la porte surmontée d'un auvent voûté qui se confondait presque avec la façade du Shapiro. Juste au seuil – à hauteur de poitrine, du côté droit –, il y avait un petit clapet métallique sur une charnière horizontale. Vladimir le souleva, dévoilant un écran tactile sur lequel il appliqua son pouce droit. Presque aussitôt, une série de déclics retentirent dans la porte. Les verrous s'ouvraient. Vladimir poussa l'épais battant et fit signe à l'étudiant de le suivre. Michael n'était guère impressionné. Dans un endroit ultra-futuriste comme l'institut Shapiro, il s'était attendu à trouver un système de sécurité plus performant que cette technologie de reconnaissance d'empreinte de pouce déjà vieille d'une bonne décennie.

La porte donnait sur un couloir long d'une douzaine de mètres, aux murs parfaitement blancs, éclairé par des ampoules LED à forte luminosité installées au-dessus des dalles translucides du faux plafond. Pendant qu'ils avançaient dans ce couloir, Michael le scruta avec attention. Il vit un seul demi-globe en verre noir, dans le plafond, à peu près au milieu du passage, susceptible de dissimuler une caméra de surveillance. Mais devait-il s'inquiéter ? Sans doute pas. Vladimir avait l'air confiant, lui, et il savait manifestement ce qu'il faisait. Peut-être l'institut n'avait-il jamais eu de visiteur indésirable depuis quelques années qu'il était ouvert. Du coup, les gens chargés de la sécurité prenaient leur boulot à la cool…

Vladimir ouvrit la première porte qu'ils rencontrèrent. Michael découvrit une pièce relativement petite où se trouvaient quatre postes de travail : quatre ordinateurs, chacun doté de trois écrans, sur quatre bureaux, et autant de fauteuils ergonomiques. Comme dans le couloir, la lumière provenait du plafond. Sur le mur opposé à la porte, une large baie vitrée donnait sur la salle informatique et ses rayonnages de serveurs, de disques et de commutateurs bien ordonnés. La climatisation était tellement poussée que Michael eut l'impression d'entrer dans une chambre froide.

Lorsque Vladimir s'assit devant l'un des ordinateurs, Michael prit position derrière lui. Si le Russe fut ennuyé de le sentir là, debout près de son épaule, il ne fit aucune remarque. À l'écran, le système présentait deux champs, sur fond noir, que l'utilisateur devait remplir pour se connecter. Lorsque Vladimir entra son identifiant dans le premier, Michael s'aperçut qu'il s'agissait de son adresse e-mail. Il se déporta alors légèrement sur le côté pour voir le clavier. Pour le second champ, le Russe posa la main sur le pavé numérique. Michael vit que son mot de passe commençait pas le chiffre sept et se concentra sur la séquence de touches qui le suivait : habitué comme il l'était à lire et à mémoriser à toute vitesse, il pouvait tenir le rythme. Au sixième chiffre, cependant, il se rendit compte qu'il n'avait même pas à se fatiguer. Le mot de passe de son nouveau pote était son numéro de téléphone portable ! Après avoir entré les onze chiffres, Vladimir déplaça sa main vers la gauche et tapa un « m » minuscule suivi d'autres lettres. Michael comprit que la suite de son mot de passe n'était que son nom de famille. Tant pis pour les spécialistes de la sécurité informatique qui exhortaient le grand public à sécuriser ses mots de passe.

Une ligne de menus déroulants apparut en haut de l'écran.

– OK, c'est bon, dit Vladimir, cliquant sur l'un d'eux.

Un nouveau champ de saisie apparut. Il y entra le nom *Ashanti Davis* qu'il avait noté sur un bout de papier, sous la dictée de Michael, avant de se connecter. La page d'accueil du dossier d'Ashanti à l'institut Shapiro emplit aussitôt l'écran. Michael se pencha en avant. Les premières lignes disaient CLUSTER B-4 32 et DROZITUMAB +4 ACTIF.

– Elle est ici, dit le Russe.

– Carrément ! s'exclama Michael qui se demandait ce que pouvaient signifier « Cluster B-4 32 » et « drozitumab +4 actif ».

Songeant que Vladimir ne se formaliserait sans doute pas qu'il prenne l'initiative, il saisit la souris, guida le pointeur vers l'onglet ÉTAT DE SANTÉ de la barre des menus, puis cliqua sur SIGNES VITAUX quand le menu se déroula. Un instant plus tard, il eut sous les yeux un graphique animé, et en temps réel, des signes vitaux de la patiente. Les valeurs de sa tension artérielle, de son rythme cardiaque, de sa respiration et de sa saturation en oxygène étaient normales.

– Ah ouais, c'est bien ça, dit-il. Elle est encore dans la partie.

Il remonta le pointeur vers le menu ÉTAT DE SANTÉ et cliqua sur COMPLICATIONS. Une liste de problèmes s'afficha à l'écran – certains passés et résolus, d'autres actuels. Une information lui sauta alors aux yeux au milieu des complications qui étaient sinon normales, à tout le moins prévisibles pour une personne en état végétatif persistant : PNEUMONIE BACTÉRIENNE / GUÉRIE, par exemple, ou CYSTITE / GUÉRIE. L'écran affichait aussi qu'Ashanti avait un MYÉLOME MULTIPLE / EN COURS. Michael savait qu'il s'agissait d'un cancer hématologique grave qui touchait davantage les Noirs que les Blancs, plutôt les hommes que les femmes, et très rarement les personnes jeunes.

Il tira son smartphone de sa poche et fit le geste, avec un regard interrogatif à l'adresse de Vladimir, de photographier l'écran.

– Pour montrer à maman comment va Ashanti, précisa-t-il.

Vladimir haussa les épaules.

– OK !

Michael prit la photo et s'assura qu'elle était parfaitement nette. Il voulait pouvoir zoomer sur toutes les zones qui comportaient du texte. Elle semblait faire l'affaire. Il rempocha son téléphone. Bien sûr il avait envie d'examiner le dossier d'Ashanti de façon plus approfondie, mais… Il était déjà allé beaucoup plus loin qu'il n'aurait pu l'espérer quelques minutes plus tôt seulement. Il ne voulait pas se mettre son nouveau copain russe à dos en tirant trop sur la corde.

– C'est OK ? demanda Vladimir.

Michael sourit et leva les deux pouces. Il n'en revenait pas de la chance qu'il avait eue. Lynn allait être sur le cul !

12

LUNDI 6 AVRIL
23 H 48

Du point de vue de Darko Lebedev, la météo du jour se montrait tout à fait coopérative. Après une matinée et un après-midi ensoleillés et sans un nuage, le début de soirée avait vu le temps subitement changer. Le vent avait d'abord tourné, apportant de l'air tropical, lourd et humide, des Caraïbes, puis un brouillard épais était tombé sur la région de Charleston. À travers le pare-brise de la camionnette Ford dans laquelle il était assis, le sourire aux lèvres, Darko observait à présent les volutes de ce brouillard envelopper les arbres et les buissons de la vaste maison du numéro 1440 de Bayview Drive, à Mount Pleasant, que son partenaire et lui surveillaient. La pleine lune se réduisait à un halo, une tache lumineuse sans éclat au-dessus de leur tête. C'était parfait. Ils allaient travailler dans des conditions idéales.

Darko et son collègue, Léonid Choubine, avaient quitté Charleston en début de soirée. Ils avaient roulé vers le nord, sur une trentaine de kilomètres, jusqu'à une petite ville qui portait le nom de Summerville. Là, ils avaient volé la camionnette dont ils avaient besoin. Elle était parfaitement banale – bleu foncé, ni trop neuve ni trop vieille, et sans aucune inscription sur ses flancs –, donc parfaitement adaptée à leur mission. De Summerville, ils étaient venus tout droit à Mount Pleasant où ils avaient alors fait plusieurs passages de reconnaissance devant la maison, à différents moments de la soirée, pour l'étudier et prendre la mesure du quartier. Cette maison était la dernière propriété de la rue, et la rue était en impasse : un léger souci, cette donnée, car elle signifiait qu'ils n'avaient qu'une seule issue pour quitter les lieux après l'opération. Après l'attaque hyper-violente, à vrai dire, qu'ils devaient mener à bien.

Une demi-heure plus tôt, enfin, ils s'étaient garés au bord de la chaussée, un peu à l'écart de la maison mais suffisamment près pour en voir la plupart des fenêtres, et ils avaient coupé le moteur. Ils devaient attendre que la famille qui vivait là se mette au lit.

L'attente n'avait pas été longue.

– T'as vu ? dit Léonid en russe. La lumière vient de s'éteindre dans ce qui doit être la chambre des parents.

Les deux hommes parlaient très correctement l'anglais, car ils vivaient dans la région de Charleston depuis près de trois ans, mais entre eux ils préféraient utiliser leur langue maternelle. Ils avaient fait connaissance quinze ans auparavant au sein de l'unité Spetsnaz « Vympel » – un groupe d'élite des forces spéciales de la Sécurité d'État russe. Pendant dix de ces quinze années, ils avaient été en poste en Tchétchénie où ils avaient mené des dizaines d'opérations, un peu comme ce soir, consistant à prendre d'assaut des maisons, des appartements, pour attaquer les familles qui y vivaient. Ils s'étaient pour ainsi dire fait une spécialité de cette activité. Dans le Caucase du Nord la Russie ne cherchait pas à arrêter et à juger les terroristes présumés : elle les éliminait, simplement, avec tous les membres de leur famille. C'était sa méthode de prédilection face à tous ceux qu'elle qualifiait de « terroristes ». Et Darko et Léonid avaient compté parmi ses meilleurs agents pour ce travail.

– On fonce ! cria tout à coup Darko en russe.

Les deux hommes jaillirent de la camionnette. Ils portaient des combinaisons de saut noires, des baskets noires, et ils avaient avec eux tout le matériel dont ils pouvaient avoir besoin – dont plusieurs grenades assourdissantes. Chacun avait aussi un pistolet automatique Strike One, le préféré des forces spéciales russes, augmenté d'un silencieux. Dès qu'ils furent dans la rue ils baissèrent leurs cagoules noires, sans ouverture pour la bouche, sur leurs visages, puis mirent leurs jumelles de vision nocturne sur leurs yeux. Il leur avait tardé de passer à l'action. Ils étaient d'autant plus excités de faire ce job qu'ils avaient l'impression d'être sous-employés depuis leur arrivée en Amérique.

Darko, le plus grand des deux hommes, s'élança devant Léonid vers l'allée du garage. Il longea la grosse berline Mercedes que le maître des lieux avait laissée dehors pour la nuit, puis obliqua sur le chemin dallé menant à la porte d'entrée de la maison. Tous deux étaient en parfaite condition physique, car ils faisaient du vélo, du jogging ou de la musculation chaque jour de la semaine. Sans qu'ils aient besoin de se parler, Darko se positionna à droite de la porte, Léonid à gauche. D'un geste aussi précis que rapide, Léonid posa un petit bloc de C-4 dans l'angle du battant et du chambranle, juste à côté de la poignée.

Sur un hochement de tête de Darko, Léonid fit exploser la charge. La détonation parut bruyante dans le silence nocturne, mais elle n'était pas beaucoup plus sonore, ils le savaient, que l'explosion d'un ballon d'anniversaire. L'instant d'après, ils étaient à l'intérieur de la maison. Ils avaient deux priorités : maîtriser les adultes le plus tôt possible et s'occuper de l'alarme s'il y en avait une. En Tchétchénie les systèmes d'alarme étaient rares chez les particuliers – Darko et Léonid en avaient tout de même entendu sonner une de temps à autre. Si un système se déclenchait dans cette maison, et passait un coup de téléphone automatique à une société de sécurité privée, ce n'était de toute façon pas très grave. Ils seraient loin bien avant que quiconque ne débarque ici. S'il n'y avait pas de système d'alarme, par contre – ou si celui-ci était éteint, ou s'ils le neutralisaient –, ils pourraient prendre leur temps et s'amuser.

Ayant observé la maison lors de leurs différents passages de reconnaissance dans la rue, puis durant la dernière demi-heure, ils avaient une assez bonne idée de son architecture intérieure. Pour avoir vu une lumière briller plus longtemps qu'ailleurs à l'une des fenêtres de l'étage, en outre, ils pensaient savoir où se trouvait la chambre des parents. Ils s'élancèrent sans hésitation dans l'escalier, prenant les marches deux à deux, l'arme au poing. Aucun signal de temporisation d'entrée ne s'était activé quand ils avaient forcé la porte, donc il n'y avait apparemment pas d'alarme. Quelques secondes plus tard ils traversèrent le couloir du premier étage et firent irruption dans la pièce qu'ils visaient.

Le lit double se trouvait juste en face de la porte. Dans la lumière verte de leurs jumelles de vision nocturne, ils virent Kate et Robert Hurley se redresser en sursaut sous la couette, l'air stupéfait – yeux écarquillés et bouche en O.

Darko trouva un interrupteur sur le mur. Un lustre en verre ouvragé s'alluma au plafond. Kate Hurley laissa échapper un glapissement d'effroi. Darko remonta ses jumelles sur son front.

– Qu'est-ce que vous voulez ?! cria Robert Hurley. Qu'est-ce qui se passe, nom de Dieu ?

Darko ne répondit pas. Il fit un signe de tête à son partenaire. Tout se passait comme prévu. Léonid tourna les talons et sortit de la chambre. C'était à lui de s'occuper des enfants. On leur avait précisé que les Hurley avaient deux garçons en bas âge.

– De quel droit vous débarquez ici comme ça ?! hurla Robert.

Kate lui agrippa le bras pour le faire taire, mais il continua d'essayer de faire preuve d'autorité :

– Répondez ! Qu'est-ce que le SWAT vient faire chez nous, bordel de Dieu ?

Darko ne répondit pas mais sourit sous sa cagoule. Que cet homme le prenne pour un membre des forces spéciales de la police américaine, c'était tout de même comique. Ayant aperçu le clavier d'un système d'alarme sur le mur, à droite de la porte, il se pencha pour l'examiner. Confirmé : l'appareil était éteint. Léonid et lui n'avaient pas à se presser.

Robert repoussa la couette et se tourna pour se lever. Darko braqua le canon de son automatique sur lui.

– Ne bougez pas !

– Mais vous êtes qui, bon sang ? répliqua Robert en se figeant au bord du lit.

À la colère et à la surprise qu'il éprouvait s'ajoutait la perplexité : l'intrus avait un fort accent étranger. En outre, jamais personne ne l'avait menacé avec une arme. C'était une expérience pour le moins troublante.

– Vous êtes de la police, oui ou non ?!

Tout à coup, deux claquements sourds mais audibles, retentirent coup sur coup – un peu comme si quelqu'un frappait un canapé avec une batte de baseball. Darko savait ce que ces bruits signifiaient, mais pas les parents. Quelques secondes plus tard Léonid reparut dans la chambre et fit un signe du menton à son collègue : affaire réglée.

– Où est votre ordinateur ? demanda Darko à Robert Hurley.

Celui-ci jeta un regard interloqué à sa femme, l'air de dire « Ils sont incroyables, ces mecs ! ».

– Et avez-vous un ordinateur portable ? Une tablette ? ajouta Darko. Votre smartphone, aussi. Nous voulons tout.

– Alors c'est ça qui vous intéresse ? répliqua Robert d'un air scandalisé. Vous êtes ici pour voler nos ordinateurs ? Très bien ! Prenez-les !

– Où sont-ils ? demanda Darko d'une voix très calme.

Les choses se passaient bien et il ne voulait pas inutilement faire peur à ses victimes. Il préférait qu'elles se montrent coopératives.

– Tout est en bas, dans le bureau.

– Montrez-moi le chemin ! dit Darko, et il désigna la porte avec le canon de son arme.

– Je reviens tout de suite, dit Robert à sa femme en quittant le lit.

Il enfila un peignoir, glissa les pieds dans des chaussons, puis sortit dans le couloir en jetant un regard mauvais, au passage, à Darko et à Léonid.

– Amuse-toi bien, dit Darko à son collègue, en russe, alors qu'il se tournait pour suivre Robert.

Dans la camionnette, ils s'étaient réparti les rôles à pile ou face. Le perdant devait liquider les mômes, mais en compensation il s'occupait aussi de la nana. Il était essentiel que l'opération ne soit pas vue pour ce qu'elle était : un assassinat commandité. Elle devait passer pour l'agression horrible de victimes innocentes. Comme dans certains événements similaires qui terrifiaient de temps à autre la population américaine à la télévision, la violence était donc un composant essentiel de la scène. Les meurtres et le viol devaient frapper les esprits, le cambriolage serait interprété comme un extra décidé sur le moment par les agresseurs. Il fallait bien convaincre les médias.

– C'est mon intention, répondit Léonid en russe. Et ça ne va pas être difficile. Elle est bonasse !

Darko suivit le maître de maison dans l'escalier et à travers le rez-de-chaussée. Dans le bureau, Robert alluma la lumière et désigna d'un geste la table et l'ordinateur qui se trouvait dessus.

– Votre portable, votre tablette et votre smartphone ? demanda Darko.

Sans un mot, Robert ressortit du bureau pour aller à la cuisine. Darko le suivit – pistolet toujours en main, mais contre la hanche. Il ne pensait pas que cet homme tenterait quoi que ce soit, même s'il semblait moins intimidé que la plupart des gens dont Darko et Léonid s'étaient occupés, à l'époque, en Tchétchénie. Contrairement à Robert Hurley, bien sûr, les Tchétchènes savaient ce qui les attendaient.

Lorsque Robert eut tous les appareils électroniques voulus entre les mains, Darko lui signifia de regagner le bureau. Là, il le fit asseoir devant son PC.

– Je veux que vous vous connectiez au serveur de votre cabinet, dit Darko. Pour accéder à vos dossiers personnels.

– Vous plaisantez ? rétorqua Robert, l'air sidéré.

– J'ai l'air ? Dépêchez-vous ! ordonna Darko.

Robert lorgna le pistolet qu'il avait à la main, sembla hésiter quelques instants, puis obéit.

– Maintenant, dit calmement Darko qui avait pris place derrière lui pour surveiller le moniteur, je veux que vous effaciez tous les dossiers et tous les documents que vous possédez sur Middleton Healthcare et le centre médical Mason-Dixon. Vous faites ça sur le serveur de votre cabinet et sur cette machine.

– Très bien, marmonna Robert qui n'en croyait pas ses oreilles.

Il commençait à se demander qui pouvait être l'instigateur de cette scène très étrange. Pour le moment il avait un peu plus d'une semaine de travail sur la plainte collective contre Middleton Healthcare dont il était l'artisan. C'était ennuyeux de perdre tout cela, bien sûr, mais il savait qu'il reconstituerait ses fichiers et ses documents assez facilement car il en avait la plupart des éléments, notamment ses sources, bien en tête. Il pouvait donc donner satisfaction à ce voyou sans regimber.

– Voilà, tout est effacé, dit-il d'un air désinvolte lorsqu'il eut terminé. Vous êtes content ?

– C'est pas terminé, objecta Darko, et il pointa le canon de son pistolet vers les autres appareils électroniques. Il reste les documents et les dossiers de votre portable, de votre tablette et de votre smartphone.

– Vous et vos employeurs vous êtes vraiment trop, dit Robert, secouant la tête. Mais qui vous a envoyé faire un truc pareil ? Laissez-moi deviner : Josh Feinberg, le président du centre médical ? C'est complètement dingue, putain ! Mais d'accord ! Comme vous voulez. Ça ne me gêne pas.

Robert s'occupa d'abord de l'ordinateur portable. Quand il eut terminé, il saisit son smartphone.

– Voilà ! dit-il ensuite, jetant l'appareil sur la table. Dans la tablette il n'y a rien du tout. Je l'utilise à peine, et uniquement pour jouer. Ça veut dire que tous mes documents, tous mes dossiers sur Middleton Healthcare et sur le centre médical Mason-Dixon sont effacés. J'espère que vous êtes heureux.

Darko possédait d'assez bonnes connaissances en informatique. Il était donc à peu près certain que Robert ne mentait pas et, oui, il était « heureux » – même si le mot « satisfait » aurait mieux décrit, lui semblait-il, son sentiment. Il se pencha devant Robert pour pousser l'ordinateur portable, le smartphone et la tablette vers le bout de la table. Au même instant un cri aigu se fit entendre au premier étage, suivi par un claquement sourd similaire à ceux que Robert et Darko avaient entendus quand Léonid s'était occupé des enfants.

Robert leva les yeux et scruta le plafond comme s'il pouvait voir à travers.

– Nom de Dieu, qu'est-ce… ? grogna-t-il d'un ton exaspéré, en commençant à se lever.

Darko ne dit rien. Il pointa son arme sur le visage de sa victime. Le silencieux étouffa le bruit de la détonation. La tête de Robert bascula en arrière. Son corps retomba dans le fauteuil, les bras ballant de part et d'autre des accoudoirs. Un point rouge de la taille d'une bille apparut sur son front, juste entre les yeux.

Rapidement, Darko fouilla le bureau à la recherche d'objets de valeur à emporter en plus des appareils électroniques. Il était tout de même important que l'opération passe *aussi* pour un cambriolage. Léonid le rejoignit quelques instants plus tard, la fermeture éclair de sa combinaison encore ouverte.

– Alors ? Bon coup ? demanda Darko tout en rassemblant son butin dans un sac en toile noire qu'il avait apporté.

– Franchement je préfère les Tchétchènes, dit Léonid en remontant sa fermeture éclair. Ces petites cochonnes, elles résistent mieux. Tu veux monter te la taper ? Elle est encore chaude.

– Ta gueule, répliqua Darko, et il brandit un majeur à la face de son partenaire avant de demander : T'as pensé à regarder s'il y avait des bijoux ?

– Oui. J'en ai trouvé. Pas beaucoup, mais il y avait quelques trucs quand même. Le portefeuille de l'avocat et sa Rolex, aussi.

– Ça devrait suffire. Tirons-nous !

13

MARDI 7 AVRIL
05 H 45

Michael essaya de résister, de croire que les martèlements sourds qu'il entendait s'intégraient à son très agréable rêve, mais cela ne fonctionna pas. Bien à contrecœur, il consentit à se réveiller… et prit alors conscience que quelqu'un tapait du poing, sans relâche, sur sa porte.

– Et merde, dit-il en ouvrant les yeux.

L'agresseur qui le tourmentait ainsi n'avait pas l'air de vouloir renoncer. Michael jeta un coup d'œil au réveil quand il se tourna sur le lit, et poussa un grognement. Il n'était même pas six heures. Le cours magistral de dermatologie ne commençait qu'à neuf !

– C'est quoi, ce plan ? marmonna-t-il en se forçant à se mettre debout.

Il ne voyait pas du tout qui pouvait le déranger de cette façon. Pour quelle raison, en plus ? C'était absurde. Sans se préoccuper du fait qu'il était en caleçon, il ouvrit la porte en grand. Et écarquilla les yeux de stupéfaction. Il se trouvait nez à nez avec Lynn, la dernière personne qu'il aurait cru trouver là, et elle avait l'air exaspérée d'avoir dû attendre si longtemps – alors que c'était lui qui avait été arraché à son sommeil !

La veille, pendant la soirée, Michael avait frappé plusieurs fois à la porte de Lynn, qui se trouvait à trois chambres de distance de la sienne, pour voir si elle était revenue. À vingt-trois heures, constatant qu'elle était toujours absente, il avait eu l'idée de l'appeler ou de lui envoyer un texto pour prendre de ses nouvelles. Il avait aussi très envie de lui parler de sa rencontre avec Vladimir et de sa petite aventure à l'institut Shapiro. Mais il avait alors songé qu'elle avait dû décider de passer la nuit chez Carl, ce qui signifiait peut-être qu'elle dormait déjà ou, au minimum, qu'elle avait besoin de tranquillité. Après tout, elle pouvait le contacter elle-même si elle avait besoin de lui.

– Je dois te parler ! déclara Lynn.

Elle s'avança d'autorité dans la chambre, obligeant son ami à reculer pour la laisser passer. Près de la fenêtre, elle se baissa pour allumer l'ordinateur sous la table de travail – un PC doté d'une carte graphique survitaminée, car Michael était un gamer invétéré –, puis elle se laissa tomber dans le fauteuil de bureau. Elle portait une blouse blanche propre.

– Entre et fais comme chez toi, dit Michael d'un ton malicieux.

– Je veux te faire lire un article. Mais commence par te remuer un peu en passant sous la douche ou en faisant ce que tu fais d'habitude quand tu te réveilles. Nous devons d'abord aller voir où en est Carl et ensuite nous irons petit-déjeuner. Je meurs de faim parce que je n'ai pas mangé hier soir.

– Pas du tout ? Comment ça se fait ?

– J'étais trop occupée ! J'ai appris des tas de trucs, et justement il faut que je t'en parle. Magne-toi, tu veux ?

– À vos ordres ! répondit Michael en faisant le salut militaire.

Son père, dont il n'avait que de très vagues souvenirs, avait servi dans les Marines. Il avait été affecté à la base de Parris Island, qui se trouvait à quelques kilomètres de Beaufort. Michael n'avait que quatre ans quand ses parents s'étaient séparés, mais il revoyait encore son père le saluer ainsi, la main droite sur la tempe, comme s'ils étaient tous les deux de vaillants soldats.

Michael se rasa et se doucha en quelques petites minutes. Ses cheveux coiffés en twists n'avaient guère besoin de soins. Quand il ressortit de la salle de bains, Lynn était debout à la fenêtre. Elle tapait du pied sur le sol. De toute évidence elle était survoltée et se fichait bien qu'il apparaisse devant elle à poil – enfin avec une simple serviette nouée autour de la taille. Il prit un caleçon et des chaussettes propres dans la commode, puis ouvrit la penderie pour attraper des fringues. Sans oublier une paire de baskets. Lorsqu'il fut habillé, une minute plus tard, Lynn semblait hypnotisée par la vue sur le fleuve Cooper et, au-delà, sur la ville de Mount Pleasant. À croire qu'elle n'avait pas contemplé le même panorama de sa propre chambre pendant près de quatre ans.

– Hé, fit-il. Alors…

– L'article en question est sur ta bécane, l'interrompit-elle sans se retourner. Lis-le en vitesse, qu'on puisse se tirer d'ici.

Sentant qu'elle n'était pas d'humeur à discuter, Michael s'assit devant l'écran pour lire le document qui y était affiché. À ce moment-là, Lynn vint se poster derrière lui.

L'article portait en en-tête le logo du magazine *Scientific American*. Michael savait donc d'entrée de jeu qu'il était à prendre au sérieux – crédible. Sur Internet, bien souvent, on ne connaissait pas les sources, et par conséquent la fiabilité, des documents que l'on consultait. Les sources de ce papier de *Scientific American* étaient très probablement incontestables. Intitulé « Combien de décès pour cause d'erreurs médicales dans les hôpitaux américains ? », il était en outre relativement court. Michael le lut en une minute, puis leva les yeux vers Lynn.

– Arrête ton char, protesta-t-elle. T'as pas déjà terminé, quand même ?

– Ben si. Panier à trois points.

– OK, gros malin ! Quelle est la valeur supérieure de l'estimation du nombre de décès annuels pour les personnes qui entrent dans un hôpital américain et y connaissent un « événement indésirable évitable » ? Et bonjour l'euphémisme, à propos. Il faut plutôt appeler la chose comme dans le titre de l'article : une putain d'erreur médicale !

– Quatre cent quarante mille, répondit Michael sans hésitation.

– Oh, la vache ! fit Lynn, grimaçant. Mais comment tu fais pour lire si vite et mémoriser tout bien comme ça ? Pour les simples mortels, tu sais, c'est très décourageant.

– Je t'ai déjà dit, c'est ma maman qui m'a appris ce truc.

– Non, les mamans n'enseignent pas ce genre d'aptitude. Mais peu importe. Tu ne trouves pas cette statistique non seulement stupéfiante, mais hyper-embarrassante ? Si le chiffre est exact, comme le souligne l'article, l'erreur médicale est la troisième principale cause de mortalité dans ce pays !

– Attends, laisse-moi deviner. Maintenant tu es convaincue que Carl a été victime d'une erreur médicale, ou plus précisément d'une énorme bourde de la part du personnel de cet hôpital ? C'est bien ça que je dois lire entre les lignes ?

– Évidemment ! Un homme de vingt-neuf ans, sportif, très costaud et en parfaite santé, entre ici pour une simple opération du genou. Et il se retrouve dans le coma. Quelqu'un a merdé, *oui*, gravement ! Et si Carl ne se réveille pas, il va faire grimper la statistique que tu viens de citer à quatre cent quarante et un mille cas pour cette année ! Après une banale réparation du ligament croisé antérieur !

– Doux Jésus, Lynn, tu vas trop vite. Tu tires des conclusions qui n'ont pas lieu d'être. Ça ne fait même pas vingt-quatre heures et Carl n'est pas mort. D'accord ? Quand nous allons passer le voir, il sera peut-être assis dans son lit, peinard, en train de manger. Et à se demander comment il a pu rester au pays des songes toute la journée de lundi.

– Ce serait chouette, non ? dit Lynn d'un ton sarcastique. Sauf que l'interne de neurologie pense qu'il y a une « nécrose importante » dans son cerveau. Désolée de crever ta petite bulle d'optimisme, Michael, mais nous n'allons pas trouver Carl assis dans son lit devant un plateau-repas.

– La médecine est une science imparfaite. S'il y a une chose que nous avons apprise, en quatre ans, c'est bien ça. Chaque individu est unique, parce que l'ADN de chaque individu est unique. Peut-être Carl a-t-il eu une réaction négative, pour une raison imprévisible, à l'anesthésie. Ou à l'un des produits qui lui ont été donnés. Peut-être y a-t-il eu un souci quelque part, ouais, et peut-être pas. Peut-être la machine d'anesthésie a-t-elle eu un dysfonctionnement. Peut-être que mille autres choses ont pu se passer. Mais il n'y a pas forcément eu d'erreur médicale !

– Je crois que l'anesthésiste a merdé, objecta Lynn. D'une façon ou d'une autre. Mon intuition me dit que c'est un problème de « personnes », comme le suggère l'article. Pas une réaction physiologique propre à Carl. Ni un problème technique. Les erreurs, vois-tu, ce sont les *gens* qui les commettent.

– C'est une possibilité, d'accord. Mais il y a plein de possibilités ! Il y a aussi des erreurs système, Lynn. Comme il y a des erreurs humaines. Même les ordinateurs font des erreurs.

– Je peux te dire un truc, en tout cas, répliqua Lynn. Nous allons découvrir ce qui s'est passé, c'est-à-dire *qui* a merdé, et nous allons faire ce qu'il faut pour que les responsables de ce truc répondent de leurs actes. Afin que ça ne se reproduise pas.

– Attends une seconde ! dit Michael avec un sourire narquois. Comment ça, *nous*, homme blanc ?

Cette phrase, c'était la chute de la seule blague de Ronald Metzner, parmi toutes celles qu'il avait racontées à leur groupe depuis quatre ans, que Michael avait jamais trouvée réellement drôle. Elle provenait d'une scène de la série télévisée *The Lone Ranger*, le cow-boy justicier accompagné de Tonto, son acolyte indien, dans laquelle les deux hommes se retrouvaient encerclés par une bande de Peaux-Rouges assoiffés de sang. « Comment ça, *nous*, homme blanc ? » était la réponse de Tonto au Lone Ranger quand celui-ci disait : « Je crois que nous sommes bien dans la merde. »

Lynn garda le silence quelques secondes. Elle n'était pas d'humeur à réagir à l'évocation de l'une des blagues crétines de Ronald. L'attitude de Michael l'étonnait et la contrariait.

– La situation de Carl ne te démonte pas ? demanda-t-elle enfin. Tu n'es pas de mon avis ?!

– Je veux juste te rappeler qu'il est un peu tôt, dans cette tragédie, pour péter un câble et se lancer dans toutes sortes d'hypothèses…

– À ta convenance ! Mais moi je refuse de rester le cul sur une chaise à attendre que Carl se réveille, ce qui m'étonnerait beaucoup, et à laisser la piste refroidir. Je veux découvrir ce qui s'est passé et je ne m'arrêterai que quand j'aurai des réponses. Je dois ça à Carl. Si je suis arrivée où je suis aujourd'hui, aussi, c'est parce que je suis quelqu'un qui agit. Tout comme toi, pourrais-je ajouter.

– Écoute-moi ! Je comprends ce que tu ressens. Tu as bien le droit d'être en rogne. Mais moi qui suis ton ami, et sans doute ton meilleur ami, je dois essayer de te calmer un minimum. Tu risques de mettre ta carrière de médecin en danger. Personne ne va apprécier l'enquête que tu as l'air décidée à entreprendre. Au contraire, cette affaire va rendre toutes les parties prenantes très susceptibles. Et il y a plus grave encore : permets-moi de te rappeler que selon l'HIPAA, consulter un dossier médical sous un faux prétexte, comme nous l'avons fait, est un délit passible de poursuites ! Si tu continues sur cette lancée, tu vas en prendre plein la gueule. Tu me suis, là ?

Les mains sur les hanches, Lynn le regarda d'un air buté. Michael espérait avoir fait mouche, notamment en évoquant l'HIPAA, la loi sur la protection et la gestion des données médicales électroniques, mais elle répliqua :

– T'as fini ? C'est bon ?

– Ouais. Pour le moment en tout cas. Magnons-nous d'aller à la cafétéria, tu veux ? Là, poulette, je crois que t'es à la limite de l'hypoglycémie. Ça affecte tes capacités de raisonnement.

Lynn tint sa langue le temps qu'ils quittent la chambre et longent le couloir. Mais dans l'ascenseur elle repassa à l'attaque :

– Je trouve extraordinaire que nous, les étudiants en médecine, nous soyons si peu informés des erreurs médicales et des complications qui surviennent à l'hôpital. Les erreurs qui tuent les patients, en plus, ce n'est que la pointe de l'iceberg ! Pense à tous les malades qui entrent à l'hôpital pour une raison donnée et en ressortent avec un autre problème de santé important, sans aucun rapport avec le premier. Le chiffre, pour cette statistique, dépasse le million d'individus par an. C'est… c'est obscène !

– Je ne suis pas tellement étonné, vois-tu, que ces statistiques soient plus ou moins mises sous le tapis. Bon nombre d'hôpitaux, y compris le nôtre, appartiennent à des sociétés commerciales. Qui veulent faire du pognon, Lynn ! Et même les hôpitaux à but soi-disant non lucratif sont en réalité des machines à fric déguisées. Ça signifie qu'il y a toujours une espèce de conflit d'intérêts intrinsèque qui incite tous ces établissements à *éviter* de parler de ce genre de statistiques. Comme de tant d'autres choses dans le domaine des soins de santé. Les hôpitaux ne veulent pas parler de leurs défauts, point barre ! Nous, les petits étudiants en médecine tout gentils, nous nous berçons encore de l'illusion que la médecine est une vocation. Mais s'il faut appeler un chat un chat, c'est un business. Un gros business. Et un business qui n'est pas réglo du tout vis-à-vis du grand public. Dans ce milieu, tu sais, tout le monde ou presque ne pense qu'à s'en mettre plein les poches.

– Putain, je ne savais pas que t'étais cynique comme ça !

– Je suis un Black qui essaie de se faire une place dans une profession ultra-majoritairement blanche. Je dois être réaliste.

– Si tu veux, mon poulet, mais c'est le genre d'attitude qui interdit de faire évoluer les choses.

Michael sourit.

– T'es incontrôlable, meuf.

– Je suis en colère, admit Lynn, et elle respira un grand coup avant d'ajouter : Désolée d'être teigneuse comme ça. La situation de Carl, et puis ce que j'ai appris cette nuit... Ça me pose vraiment un gros problème. Je savais qu'il y avait des machins louches dans notre système de santé, mais pas... pas des trucs aussi graves.

– Je te comprends. Mais tu dois te calmer. Pour le moment, en tout cas.

– Je ne vois pas les choses de cette façon. Je compte bien découvrir ce qui s'est passé.

– Allons nous mettre quelque chose dans le ventre. Tu en as besoin. Là, tout de suite, ton cerveau ne fonctionne pas beaucoup mieux que celui de Carl. Et pis moi j'ai des putains de trucs à te raconter.

14

MARDI 7 AVRIL
06 H 12

Le soleil n'était pas levé mais il s'annonçait déjà par une lueur rosée, à l'est, lorsque Lynn et Michael sortirent de la résidence universitaire. Il n'y avait pas un seul nuage dans le ciel pastel. La journée promettait d'être magnifique. Cette fabuleuse météo printanière, cependant, Lynn n'en avait cure. Son esprit battait la campagne. Elle avait déjà décidé que si Michael refusait de l'aider à élucider la catastrophe qui avait brisé la vie de Carl, elle se débrouillerait seule. C'était ça, de toute façon, ou devenir folle.

– Veux-tu entendre une autre chose que j'ai apprise hier soir ? demanda-t-elle, obligée d'élever la voix pour se faire entendre par-dessus la cacophonie des oiseaux qui accueillaient le lever du jour.

– Ai-je le choix ? marmonna Michael. Vas-y.

– Le taux moyen de complication majeure, en cours d'anesthésie, pour un patient en bonne santé, est d'une opération sur deux cent mille. Sachant qu'une centaine d'opérations sont pratiquées chaque jour ici, au centre médical Mason-Dixon, le taux y est de deux opérations sur environ cinq mille si nous prenons *uniquement* en compte les cas de ta lointaine cousine, Ashanti Davis, et de Carl. Sais-tu quel multiple ça représente, par rapport au taux moyen ?

– Un vilain multiple, je suppose, répondit Michael qui n'avait pas envie de se prendre la tête avec des calculs mathématiques avant de petit-déjeuner.

– C'est quatre-vingts fois le taux normal. Quatre-vingts ! Et nous ne savons pas s'il n'y a pas d'autres cas comme ceux d'Ashanti et de Carl. Là, le multiple serait encore pire.

Michael sentait que Lynn se regonflait déjà à bloc. Quant à lui, il ne pouvait plus attendre de lui parler de sa rencontre avec Vladimir Malaklov. Le moment n'était pas mal choisi, d'ailleurs, puisqu'ils marchaient le long de l'institut Shapiro.

– Au sujet d'Ashanti… J'ai découvert qu'elle crèche encore ici, dit-il, désignant le bâtiment. Avec des signes vitaux normaux, mais un vilain diagnostic de myélome multiple.

– Ah bon ? Comment t'as fait ?

– C'est une histoire un peu étrange. Hier après-midi je me suis tiré du cours d'ophtalmologie. Qui était vraiment nul, à propos. C'était une simple révision de neuroanatomie, donc tu n'as rien manqué. Et alors que je retournais à la résidence pour récupérer les JPEG du dossier d'anesthésie d'Ashanti dans ma chambre… j'ai abouti là-dedans. À l'institut Shapiro.

Lynn s'immobilisa, dévisageant Michael comme s'il venait de lui avouer avoir dévalisé une banque.

– Tu es *entré* au Shapiro ? C'est dingue ! Mais comment ?

Michael pouffa de rire.

– Je me suis offert un petit tête-à-tête avec un lascar russe qui n'habite que depuis deux ou trois mois aux États-Unis. Un petit génie de la programmation qui a été engagé pour régler quelques pépins dans le système informatique du Shapiro. Je m'étais assis sur un banc, là-bas, pour réfléchir, quand j'ai vu ce mec sortir de l'institut. Alors je me suis levé…

– Et t'as engagé la conversation avec lui ? Comme ça ? s'exclama Lynn, sidérée.

– C'était pas vraiment une conversation. Le mec est nul en anglais. Mais on a communiqué via une appli de traduction sur son smartphone. Comme je savais que tu ne me croirais pas, j'ai pris un selfie de nous deux, précisa Michael en tirant son téléphone de sa poche. Il travaille, m'a-t-il dit, au « COR » du Shapiro. Ça veut dire centre d'opérations du réseau.

Il ouvrit la photographie et tendit son appareil à Lynn.

– Le Russe, c'est lequel des deux ? demanda-t-elle.

– Très drôle, répliqua-t-il en lui reprenant le téléphone des mains pour le rempocher.

– Et tu as vu Ashanti, alors ?

– Quand même pas, mademoiselle ! J'ai juste vu le couloir derrière la porte qui est là, et la salle du COR. Et puis deux pages du dossier médical d'Ashanti au Shapiro sur l'écran d'un ordinateur.

– Et c'est à *moi* que tu dis de ne pas enfreindre l'HIPAA ? répliqua Lynn.

– Hé, attends. Je ne suis pas entré de force ou avec des manips illégales dans le système. C'est mon pote russe qui s'est connecté, réglo et tout, et qui a ouvert le dossier.

– Tu lui as demandé de te rendre ce petit service et il l'a fait. Tout simplement, dit Lynn d'un air narquois, comme si elle avait du mal à croire Michael.

– Non. J'ai dû l'entortiller un minimum. Je lui ai donné mes écouteurs Beats et j'ai proposé de lui passer les fichiers de tous les albums de Jay-Z. Tu vois le plan ! Je me doutais qu'il devait avoir des droits d'administrateur dans le système du Shapiro, et j'ai pensé qu'il accepterait peut-être de jeter un œil, un de ces quatre, sur le dossier d'Ashanti. Ce qui m'a carrément étonné, c'est qu'il m'a proposé d'aller regarder ça illico.

– C'est trop fort ! Tu connais son nom ? Il pourrait nous être vachement utile.

– Vladimir Malaklov, il s'appelle. J'ai aussi son numéro de portable et son e-mail.

– Génial ! Mais la surveillance et la confidentialité des données, ce genre de trucs... Ça ne l'a pas dérangé ?

– Il avait l'air de n'en avoir rien à cirer. À l'institut, en plus, j'ai eu l'impression que la sécurité était plutôt laxiste. J'ai vu une caméra de surveillance dans le plafond du couloir, je veux dire, et Vladimir est passé dessous hyper-cool. Je crois qu'il savait que personne n'était derrière les écrans au poste de surveillance. Un truc comme ça, tu vois. En plus, il m'a dit que depuis qu'il travaille là, au COR, il n'y a jamais vu personne.

– C'est bizarre. J'avais plutôt l'impression que le Shapiro ne rigolait pas avec la sécurité. C'est ce qu'on nous a laissé entendre pendant la visite, non ? Et cet endroit ressemble à un vrai bunker.

Elle tourna les yeux vers le bâtiment trapu, massif, sans aucune fenêtre sur la façade.

– Peut-être qu'ils ne rigolent pas avec la sécurité *en principe*, mais comme ils n'ont eu aucun problème depuis huit ans qu'ils sont opérationnels, à peu près, eh ben... ils se sont relâchés, dit Michael avec un haussement d'épaules. Tu sais, même le système de sécurité de la porte n'est pas bien impressionnant. L'ouverture est contrôlée par un simple scanner d'empreinte de pouce. C'est une technologie déjà ancienne. Dépassée.

– Et comment tu sais qu'Ashanti a un myélome multiple, alors ?

– Vladimir a fait apparaître son dossier à l'écran. Là j'ai pris la souris et cliqué sur l'onglet État de santé. J'ai vu que ses signes vitaux étaient bons mais qu'elle avait aussi ce myélome multiple.

J'aurais bien fouillé le dossier un peu plus, évidemment, mais je ne voulais pas trop tenter le sort. Par contre j'ai pris une photo de la page des complications.

– Fais voir !

Michael ressortit son téléphone, ouvrit l'image voulue et la présenta à Lynn qui plissa les yeux pour essayer de la déchiffrer.

– C'est un peu difficile de lire ça ici, dit-elle.

– Ouais. Il y a trop de lumière. Et tu peux zoomer, aussi.

– Je n'arrive pas à croire que tu aies réussi un tour pareil.

– Sur la page d'accueil du dossier d'Ashanti, il y avait écrit « Cluster B-4 32 ».

– Ah. Et ça veut dire quoi ?

– Aucune idée. Il y avait aussi écrit « drozitumab +4 actif ». Je n'avais jamais vu ce nom, drozitumab, mais j'ai cherché hier soir. C'est un anticorps monoclonal humain utilisé pour le traitement du cancer.

– C'est peut-être ce qu'ils lui donnent pour son myélome multiple.

– J'en doute. Dans les articles que j'ai lus, il était bien précisé que le drozitumab a été développé pour un type particulier de cancer des muscles.

– Alors je ne vois pas ce que ça signifie, dit Lynn, rendant son téléphone à Michael. Mais je voudrais revenir sur un truc. La confidentialité des données personnelles, ça ne lui pose pas de problème à ton copain Vladimir ?

– Il avait l'air de s'en foutre royalement, je te dis. Je parie même qu'il n'a jamais entendu parler de l'HIPAA. Ça ne doit pas exister en Russie. Et puis question sécurité, il est lui-même assez light. Un hacker n'aurait qu'à se renseigner un minimum à son sujet pour connaître l'identifiant et le mot de passe qu'il utilise sur le système du Shapiro. Son identifiant c'est son adresse e-mail, et son mot de passe c'est son numéro de portable suivi de son nom de famille en minuscules. Tu te rends compte ?

– Tu m'impressionnes, Michael. Tu es sûr de ne pas avoir été formé par la CIA ?

– Tu en aurais fait autant. Et tu vois, ce mec ne se tracasse vraiment pas pour les questions de sécurité. J'étais là, juste à côté de lui, pendant qu'il tapait son identifiant et son mot de passe au clavier, et il avait l'air de trouver ça normal.

Lynn désigna l'hôpital d'un geste. Ils se remirent à marcher sur l'allée.

– Ashanti est donc encore dans le coma, dit-elle.

– Sans doute, puisqu'elle crèche toujours au Shapiro.

– Tu n'as rien appris de plus là-dessus, quand tu as regardé son dossier ? Ça, quand même, c'est dommage…

– Hé ! Je t'ai dit que je ne voulais pas trop tenter le sort, ou abuser de la patience de Vladimir, dès la première séance.

– Je ne te critique pas. Je suis raide d'admiration pour ce que tu as fait.

– Moi aussi, tu peux me croire, j'étais super étonné, admit Michael. Et mon nouveau copain va avoir de mes nouvelles.

Comme ils arrivaient devant la porte du BCE, Lynn demanda :

– Et les photos du rapport d'anesthésie d'Ashanti ? Tu les as trouvées ?

– Ouais. Elles étaient dans un dossier sur mon ordi. Comme je te l'ai dit, ce rapport ressemble beaucoup à celui de Carl. Mais je voudrais les imprimer tous les deux pour qu'on puisse les comparer sérieusement.

– J'ai hâte de voir ça.

– J'essaierai d'y penser… un de ces jours, précisa Michael pour taquiner Lynn.

Ils traversèrent le BCE encore à peu près désert à cette heure. Dans les couloirs et les salles d'attente, de fait, ils ne virent que les agents d'entretien qui passaient la cireuse sur les sols et frottaient le mobilier avec du produit désinfectant.

Quand ils franchirent le passage couvert reliant le BCE au bâtiment principal de l'hôpital, cependant, l'ambiance changea du tout au tout. Dans le grand hall, il y avait pas mal de monde. Si les consultations n'avaient pas encore commencé au BCE, une nouvelle journée chargée démarrait déjà à l'hôpital.

Lorsque Michael obliqua en direction de la cafétéria, Lynn partit dans la direction opposée – vers les ascenseurs. Michael fut le premier à remarquer qu'ils n'étaient plus ensemble. Il se retourna, courut après Lynn et lui saisit le bras pour l'arrêter.

– Je croyais qu'on allait à la cafèt, dit-il, élevant la voix pour se faire entendre par-dessus le brouhaha du hall.

– Non. Il faut d'abord monter voir Carl. C'est le bon moment. L'équipe de nuit doit être en train de s'en aller, et le personnel de jour d'arriver. Du coup les uns et les autres risqueront moins de se demander ce que toi et moi nous faisons là.

– Tu n'as pas tort, convint Michael. Mais tu disais avoir besoin de manger. Tu as l'air vraiment à plat. Tu es sûre de pouvoir tenir le coup ?

– Je me sens très bien ! Allons-y.

Ils prirent la direction des ascenseurs, souvent obligés de se séparer pour slalomer entre les gens. Lynn profita d'un moment où Michael se trouvait près d'elle pour dire :

– Même s'ils sont en plein changement d'équipe, à la réa neurologique, quelqu'un pourrait nous demander ce qu'on fait là. En ce cas, utilisons l'argument de l'examen du rapport d'anesthésie dont tu as eu l'idée hier. J'ai trouvé ça génial. Mais pour avoir l'air encore plus crédibles, nous devrions enfiler des pyjamas de bloc. Comme ça, on sera à fond dans le rôle.

– Ouais. C'est rusé.

Au lieu de se joindre à la foule massée devant les ascenseurs, ils prirent les escaliers. Une minute plus tard, arrivés dans la salle de détente du bloc opératoire, ils se séparèrent.

Il était encore loin de sept heures quand Lynn entra dans le vestiaire des femmes, mais celui-ci était très animé. La plupart des femmes qui se changeaient pour enfiler des pyjamas de bloc étaient des infirmières qui venaient de prendre leur service. Les chirurgiennes programmées pour les premières opérations de la journée, à sept heures et demie, ne passeraient ici qu'un quart d'heure plus tard, environ, après avoir fait la tournée de leurs opérés des jours précédents. Lynn ouvrit un casier vide, parmi ceux qui n'avaient pas une occupante attitrée, et commença à déboutonner son chemisier. Deux haut-parleurs montés dans le plafond grésillèrent alors. Elle leva les yeux, un peu étonnée comme plusieurs femmes autour d'elle – l'interphone de l'hôpital ne servait plus beaucoup, désormais, puisque tout le monde avait un téléphone portable –, tandis que la voix de la chef de bloc opératoire emplissait le vestiaire :

– Docteur Sandra Wykoff ! C'est Geraldine Montgomery qui vous parle. Êtes-vous au vestiaire ?

– Oui, je suis là ! répondit l'intéressée, le visage tourné vers le plafond.

Par politesse, toutes les femmes présentes dans la pièce interrompirent leurs conversations.

Lynn se retourna subitement. Elle connaissait ce nom. Sandra Wykoff était l'anesthésiste qui avait endormi Carl. Et maintenant cette femme était là, devant elle, à quelques casiers de distance du sien. Lynn la dévisagea. Sandra Wykoff était petite et menue, ses traits fins et anguleux lui donnaient l'air d'un oiseau fragile et elle aurait dû mieux soigner ses cheveux châtain terne, mais elle projetait l'image d'une personne extrêmement intelligente et déterminée. Ses bras nus étaient minces, mais musclés – elle faisait sans doute régulièrement du sport. Lynn sentit d'emblée que Sandra Wykoff, malgré son petit gabarit, n'était pas du genre à se laisser facilement impressionner.

– Docteur Wykoff, la sonnerie de votre téléphone doit être coupée, continua Geraldine dans l'interphone. J'ai Dorothy Wiggens, des admissions de la chirurgie, en ligne. Elle essaie de vous joindre depuis un moment.

Lynn vit Wykoff tirer précipitamment son smartphone de son sac à main. Puis s'exclamer :

– C'est vrai, la sonnerie est coupée ! Dites à Dorothy que je suis désolée !

– Ce n'est pas grave, répondit Geraldine. Elle voulait vous prévenir que votre premier cas de la journée a été annulé. La patiente a oublié ses consignes préopératoires et a petit-déjeuné.

– Entendu ! Je vous remercie de m'avoir prévenue.

– Nous allons aussi avertir le Dr Barker qui doit opérer votre second patient de la matinée. Peut-être pourrons-nous avancer l'heure de cette opération. Nous vous tiendrons au courant.

– Ce serait super ! Merci !

Dès que Geraldine eut coupé l'interphone, les conversations reprirent dans le vestiaire.

Le Dr Wykoff s'aperçut que Lynn la dévisageait et dit avec un sourire :

– Mieux vaut découvrir ça dès l'admission plutôt qu'au moment où le patient entre en salle d'opération.

– Oui, sans doute, acquiesça Lynn, et elle détourna les yeux.

Maintenant, que devait-elle faire ? Cette rencontre était un heureux hasard dont il fallait absolument qu'elle tire quelque chose.

Comme elle avait passé un certain nombre d'heures, la veille au soir et jusque tard dans la nuit, à lire quantité de textes sur l'anesthésie, elle se sentait apte à soutenir une conversation technique sur l'opération de Carl. Mais était-ce l'endroit et le moment pour aborder ce sujet ? Sujet sans doute délicat pour l'anesthésiste ainsi que Michael avait eu raison de le lui rappeler… Lynn enfila sa blouse par-dessus son pyjama de bloc et ferma le casier où elle avait rangé ses vêtements de ville. Puis elle décida de se jeter à l'eau.

– Excusez-moi, docteur Wykoff…

Elle fit un pas vers l'anesthésiste et se figea, éperdue. Elle savait d'autant moins ce qu'elle devait dire que le simple fait de s'adresser à cette femme, elle le constatait tout à coup, ravivait les émotions douloureuses que la situation de Carl lui inspirait.

Le Dr Wykoff referma son propre casier et se tourna vers Lynn. Elle avait des yeux d'un bleu très clair – lumineux. C'était troublant.

– Je… Je crois savoir que c'est vous qui avez fait l'anesthésie de Carl Vandermeer, dit Lynn d'une voix mal assurée. Hier matin… ?

Sandra Wykoff fronça les sourcils. Elle ne répondit pas tout de suite, regardant Lynn de la tête aux pieds et scrutant son visage comme si elle se méfiait d'elle. Enfin elle hocha la tête.

– C'est moi qui ai endormi ce patient, en effet. Pourquoi ?

– J'ai lu votre rapport, hier, à la réanimation neurologique, dans le dossier de Vandermeer. Le rapport que vous avez écrit à la main. Il… Il faut que je vous parle de ce patient.

– Tiens donc ? répondit le Dr Wykoff avec une pointe de curiosité dans la voix. Et vous êtes… ?

– Je m'appelle Lynn Peirce. Je suis étudiante. En quatrième année.

Lynn se dispensa bien entendu de préciser pourquoi elle était montée à la réanimation neurologique et avait consulté le dossier de Carl. Elle savait que l'excuse du stage en anesthésie ne fonctionnerait pas avec une praticienne hospitalière qui était elle-même anesthésiste.

– Et pour quel motif, au juste, voulez-vous me parler de ce malheureux patient ? demanda le Dr Wykoff qui se tenait encore sur la réserve.

– J'ai découvert qu'un million de personnes, tous les ans, entrent à l'hôpital pour un problème médical donné et en ressortent avec une autre maladie, grave, qu'ils n'avaient pas au moment de leur admission. Il me semble que c'est une question importante. Mais les étudiants ne reçoivent aucune information là-dessus. Or, le cas Vandermeer pourrait relever de cette catégorie.

– Hmm... Je suppose que nous pouvons en parler, en effet, concéda le Dr Wykoff. Mais pas ici et pas tout de suite. Vous avez entendu que ma patiente de sept heures et demie a été annulée. Si mon patient suivant n'est pas avancé, nous devrions pouvoir avoir cette conversation dans la matinée.

– Je vous en serais très reconnaissante, dit Lynn. Comment je fais pour vous trouver ?

– Demandez à Geraldine au bloc. Elle saura où je suis.

Et sur ces mots, l'anesthésiste tourna les talons pour sortir du vestiaire.

15

MARDI 7 AVRIL
06 H 33

Dès qu'il eut enfilé sa blouse blanche par-dessus le pyjama contre lequel il avait troqué ses vêtements de ville, Michael quitta le vestiaire et la salle de détente. Il préférait ne pas traîner dans ces deux pièces et risquer d'être questionné par quelqu'un qui se sentirait obligé de lui demander ce qu'il fichait là, petit étudiant de quatrième année, et en tenue de bloc par-dessus le marché. Il longea le couloir, au pas, en direction des ascenseurs. Lynn le rejoignit une minute plus tard.

– Devine qui je viens de rencontrer ? dit-elle sans préambule, et elle baissa la voix pour ne pas être entendue des nombreuses personnes qui se trouvaient autour d'eux. L'infâme Dr Sandra Wykoff ! Elle se changeait, au vestiaire, juste à côté de moi.

– Et c'est qui, ça, l'infâme Dr Wykoff ?

– Arrête, quoi ! répliqua Lynn avec agacement. C'est l'anesthésiste de Carl ! La responsable de ce merdier. T'as pas oublié ça, quand même ?

– J'essaie juste d'attirer ton attention sur un petit détail, très chère. Rien ne te permet d'affirmer qu'elle est responsable de ce qui est arrivé. Tu devrais faire gaffe, parce que ce genre de remarque pourrait te valoir de vraies emmerdes.

– Techniquement parlant, tu as raison, concéda Lynn. Mais elle était tout de même sur le pont quand il est arrivé ce qui est arrivé. La responsable de l'anesthésie de Carl, c'est elle ! Tu ne peux pas revenir là-dessus. Et si elle n'a pas provoqué la catastrophe, elle aurait pu l'arrêter ou la prévenir.

– Ça, tu n'en sais rien, ma fille. Et je te le répète : si tu continues sur cette lancée, tu vas te prendre une belle raclée.

Les portes de l'un des six ascenseurs s'ouvrirent. La cabine était bondée. Les personnes qui s'y trouvaient déjà firent sans enthousiasme de la place à Lynn, à Michael et à plusieurs autres individus. Serrés l'un contre l'autre, les étudiants laissèrent la conversation en suspens le temps que l'ascenseur s'élève dans les étages en faisant halte à chacun d'eux. Enfin parvenus au cinquième, ils sortirent de la cabine sans urgence et laissèrent les gens qui en débarquaient avec eux s'éloigner : des infirmières et des aides-soignants, pour la plupart, qui arrivaient pour prendre leur service.

– La première opération à laquelle Wykoff devait participer aujourd'hui est annulée, dit Lynn quand elle fut certaine de ne pas être entendue. Du coup, elle accepte de me parler, ce matin même, si son second patient n'est pas avancé au programme du bloc.

– Il faudra que je t'accompagne pour modérer tes ardeurs, dit Michael. J'ai l'impression que tu as de vraies tendances autodestructrices, aujourd'hui.

– Tu penses venir ? Ah bon ? répliqua Lynn avec une pointe de dédain. Je croyais que tu ne voulais pas m'aider.

– Il faut que quelqu'un te protège de toi-même. Je te l'ai déjà dit. Et te force à lâcher un peu les basques de cette femme. Tu me captes, là ?

Alors qu'ils approchaient de la réanimation neurologique, Lynn sentit les battements de son cœur s'accélérer. Son anxiété se raviva. L'hôpital ne l'aurait pas prévenue, si l'état de Carl avait changé depuis la veille, car elle ne faisait pas partie de sa famille proche. Certes, elle ne pensait pas que la situation ait pu réellement évoluer. Mais elle savait qu'il y avait quand même une petite chance pour qu'il aille mieux – ou moins bien. Et vu le pronostic de l'interne concernant l'état de son cerveau, hélas, les chances de le trouver mieux que la veille étaient minimes.

Devant la double porte, elle hésita. L'inquiétude la paralysait presque. Percevant son trouble, Michael demanda :

– Veux-tu que j'y aille d'abord, pour voir ce qui se passe ? Et je reviens te dire ça...

– Non, l'interrompit-elle. Je veux le voir tout de suite.

Quand ils entrèrent dans la salle, ils remarquèrent que plusieurs membres de l'équipe de jour, tout juste arrivés, et une bonne partie de l'équipe de nuit, qui s'apprêtait à partir, étaient rassemblés autour d'un patient, dans la baie numéro cinq, qui venait manifestement d'être amené à la réanimation. Il n'y avait personne au chevet des autres patients. Carl lui aussi était seul.

Peter Marshall, l'agent administratif, était au poste de soins. Penché sur un écran, il semblait scruter les données d'un patient. Sa journée avait déjà commencé alors que techniquement il ne prenait le travail qu'à sept heures. Mais Lynn se souvenait qu'il aimait cela : il arrivait toujours en avance pour bien démarrer la matinée.

Une femme se trouvait aussi à l'intérieur du large cercle du poste de soins. Elle semblait étudier une pile de dossiers médicaux dont l'un était ouvert devant elle sur le plan de travail. À sa longue blouse blanche qui lui donnait un air professoral, Lynn et Michael comprirent qu'il ne s'agissait pas d'une interne, mais d'une praticienne hospitalière. Une neurologue, peut-être ? Ils ne la connaissaient pas.

Michael se dirigea d'un pas résolu vers la baie numéro huit. Lynn se força à refouler son anxiété pour le suivre. Carl n'était pas en position assise dans le lit avec un plateau de petit déjeuner devant lui, mais il n'était pas mort non plus. Il était allongé sur le dos, exactement dans la même position que la veille, l'appareil de mobilisation passive continuant de fléchir et d'étendre sa jambe opérée. Les yeux fermés, l'air paisible, il semblait dormir. Seul changement notable, l'intraveineuse qu'il avait auparavant à l'avant-bras droit avait été remplacée par une voie veineuse centrale dont le cathéter était inséré dans sa jugulaire.

– Il est comme hier, j'ai l'impression, observa Michael. À ton avis ?

Lynn hocha distraitement la tête. Elle luttait contre son envie de tendre la main pour toucher le visage de Carl. Sur ses joues, le chaume de barbe avait foncé. Baissant les yeux, elle constata que ses deux bras étaient détendus le long de son corps. Apparemment, donc, la posture de décortication appartenait au passé. Quant à savoir si c'était bon signe ou pas, Lynn n'en avait pas la moindre idée. Les myoclonies de sa jambe libre avaient aussi disparu.

Pour donner l'impression qu'il avait une raison valable de se trouver au chevet de ce patient, Michael sortit sa lampe-stylo de sa poche afin de tester le réflexe pupillaire de Carl. Lynn leva le menton vers le moniteur au-dessus du lit ; elle ne voulait pas voir les yeux de Carl – ce regard vide, absent, qui l'avait déjà bien assez troublée la veille. Elle remarqua que sa tension était normale, ainsi que la saturation en oxygène. L'ECG semblait normal, lui aussi. Mais pas le tracé de sa température. Étonnée, Lynn se rapprocha de l'écran. Carl avait de la fièvre ! Sa température était actuellement de trente-neuf degrés et demi, et elle était montée jusqu'à quarante degrés et demi ! Ce n'était pas une bonne nouvelle.

– Les pupilles réagissent mieux qu'hier, dit Michael en se redressant. Je me demande si c'est bon signe.

– Sa température est beaucoup trop haute, dit Lynn d'un ton anxieux, désignant l'écran de la main.

Michael scruta l'affichage.

– En effet. De la fièvre, ça ne peut pas être bon…

– C'est carrément inquiétant. La pneumonie est une vraie menace pour les gens qui sont dans le coma. J'ai lu ça, hier soir.

– Sans doute. Dis donc, j'ai l'impression qu'en une seule soirée tu as appris bien des choses.

– C'est fou tout ce qu'on peut faire quand on se passe de manger et de dormir.

– Ouais. Justement. Descendons à la cafétéria avant que tu ne tombes dans les vapes.

– Regardons d'abord son dossier. Je veux voir les résultats de l'IRM qui devait être faite hier après-midi.

Ils quittèrent la baie de Carl. Pendant qu'ils traversaient la salle, Lynn croisa le regard de Gwen Murphy qui entrait à ce moment-là dans la baie numéro six avec les autres infirmières. L'expression de Gwen, heureusement, ne changea pas. Lynn se sentait très mal à l'aise dans le rôle de l'intruse qu'elle devait jouer ici. La décontraction de Michael l'impressionnait.

Quand ils entrèrent dans le poste de soins, Michael sourit à Peter qui lui rendit distraitement son sourire. L'agent administratif était à ce moment-là au téléphone avec le labo pour essayer d'avoir certains résultats d'analyse avant qu'ils ne soient entrés dans le système informatique de l'hôpital. La praticienne qu'ils avaient vue en arrivant, du côté du comptoir opposé à Peter, était toujours devant sa pile de dossiers et ne leur prêta aucune attention.

Comme la veille, Michael s'approcha de la colonne des dossiers médicaux et lui donna une poussée énergique, de la main, pour la faire pivoter. Il l'arrêta sur la fente de la baie numéro huit. Elle était vide.

Imperturbable, Michael se pencha pour tapoter l'épaule de Peter et articuler en silence « Vandermeer ? » en désignant la colonne. Sans interrompre sa conversation téléphonique, Peter désigna la femme en blouse blanche. Michael força un sourire. D'accord. Elle avait pris le dossier de Carl.

C'était une complication imprévue et potentiellement problématique.

Il croisa le regard de Lynn, haussa les épaules et commença à se diriger vers la praticienne. Mais Lynn le retint par la manche de sa blouse.

– Tu vas lui dire quoi ? murmura-t-elle.

Michael fit la moue.

– Je vais improviser, comme d'hab.

– Elle est peut-être anesthésiste. Tu ne peux pas utiliser la feinte du stage en anesthésie.

– Ah ouais. T'as raison.

– Attends.

Lynn s'approcha de Peter et attrapa le bloc-notes qu'il avait devant lui pour écrire rapidement : *C'est qui ? Quelle spécialité ?* Elle lui présenta ses questions en désignant la femme du pouce.

Sans cesser de parler au téléphone, Peter gribouilla sur le bloc : *Dr Siri Erikson, hémato.*

Lynn articula un « Merci » et s'éloigna en emportant le bloc pour le montrer à Michael.

– C'est une hématologue ? dit ce dernier, l'air étonné, parlant toujours à voix basse. Pourquoi une hématologue ? Carl a une maladie du sang, maintenant ?

– Comment savoir ? J'espère que non. Peut-être que c'est lié à sa fièvre ?

– Pour une poussée de fièvre chez un patient comateux, je verrais plutôt intervenir un infectiologue. Pas un hématologue.

– Je suis complètement d'accord. Voyons si cette hématologue est bien disposée envers les étudiants de quatrième année. D'accord ?

Arrivés au terme de leur formation, Michael et Lynn savaient que certains praticiens hospitaliers adoraient endosser le rôle de prof avec les étudiants en médecine, tandis que d'autres prenaient leur rôle de formateur comme une corvée – et se comportaient en conséquence.

– Ouais, allons-y, murmura Michael. La bonne nouvelle, c'est qu'elle n'est pas anesthésiste. Donc notre couverture tient encore la route. En cas de besoin.

– C'est toi qui parles, dit Lynn. T'es vachement plus doué que moi pour tromper ton monde.

– Je vais faire comme si je n'avais pas entendu ça, fifille.

– OK, mon garçon !

Michael traversa le poste de soins et se racla la gorge pour s'annoncer.

– Excusez-moi, docteur Erikson…

L'hématologue redressa le menton. C'était une femme séduisante, en léger surpoids, qui devait avoir autour de cinquante ans. Comme son nom pouvait le laisser supposer, elle avait les cheveux très blonds, le teint pâle et les yeux bleus des Scandinaves.

– Oui ?

– Avec ma collègue, nous nous demandions si nous pouvions jeter un rapide coup d'œil sur le dossier Vandermeer ? Si vous ne l'utilisez pas en ce moment, bien sûr…

Siri Erikson redressa la tête vers la pile de dossiers posée sur le comptoir, au-dessus d'elle, et en extirpa celui de Carl. Elle le tendit à Michael, mais sans le lâcher.

– J'en ai encore besoin, dit-elle. Vous me le ramenez, s'il vous plaît ?

– Certainement. Nous n'en avons pas pour longtemps.

– Je suppose que vous êtes étudiants, tous les deux ? dit le Dr Erikson en jetant un coup d'œil en direction de Lynn – et toujours sans lâcher le dossier. En quoi vous concerne-t-il, ce patient ?

– Je m'appelle Michael Pender. Et voici Lynn Peirce. C'est en anesthésie qu'on nous a demandé de suivre ce cas.

– Je vois, dit le Dr Erikson, et elle lâcha enfin le dossier. On vous y a intéressés parce que c'est un retard de réveil post-anesthésique ?

– Tout juste, docteur Erikson, dit Michael avec aplomb.

Il sourit poliment, passa le dossier à Lynn et commença à reculer, espérant que la conversation était close. Mais la praticienne demanda :

– Vous vous intéressez uniquement à Carl Vandermeer, ou vous suivez aussi Scarlett Morrison ?

Michael haussa les sourcils.

– Nous devrions ?

– Pas forcément. Mais le cas est à peu près identique.

– Vous voulez dire que c'est un autre retard de réveil après anesthésie ?

Michael regarda brièvement Lynn. Elle écarquillait les yeux, l'air estomaqué.

– Tout à fait, répondit le Dr Erikson. Cette femme a été opérée vendredi. Le cas est tout à fait similaire, malheureusement. Je suis un peu étonnée que personne ne vous en ait parlé en anesthésie.

– Moi aussi, dit tranquillement Michael. Nous devrions aussi nous intéresser à ce cas, c'est clair.

Il regarda de nouveau Lynn. Elle avait la tête de quelqu'un qui vient de recevoir une gifle.

– Je suis justement sur le dossier Morrison, dit le Dr Erikson. Mais je vous le passerai quand vous aurez terminé avec Vandermeer.

– Ça marche, dit Michael avec le sourire, et il prit Lynn par le bras pour l'entraîner vers deux chaises qui se trouvaient de l'autre côté du poste de soins, à l'écart de l'hématologue et de Peter.

Comme ils s'asseyaient l'un à côté de l'autre, Lynn dit dans un murmure mi-horrifié, mi-fasciné :

– S'il y a vraiment un autre cas, c'est pire que je ne le pensais ! Du coup, l'incidence des complications majeures au centre médical Mason-Dixon est de trois cas sur cinq mille. C'est-à-dire qu'elle n'est pas quatre-vingts fois, mais *cent vingt* fois supérieure à la moyenne nationale !

– Hé, du calme, répliqua Michael à voix basse.

Il jeta un coup d'œil vers le Dr Erikson. Par chance, celle-ci était de nouveau absorbée dans son travail et ne semblait pas s'intéresser à eux.

– Une chose à la fois, d'accord ? reprit-il. On est ici pour voir le dossier de Carl. Alors on fait ça et on se barre ! Les stats flippantes, plus tard !

Lynn inspira profondément et hocha la tête. Elle posa le dossier de Carl sur le plan de travail et l'ouvrit. La dernière entrée était une courte note manuscrite de l'interne en neurologie, Charles Stuart, qui avait été appelé pendant la nuit lorsque la température de Carl avait subitement grimpé. Stuart avait demandé une radio de ses poumons, réalisée avec un appareil mobile, qui n'avait rien révélé – donc pas de pneumonie. Il précisait aussi que le site opératoire n'était ni rouge, ni enflé – donc pas d'infection, a priori, à cet endroit. Il avait envoyé au labo de l'urine pour un examen bactériologique et du sang pour une numération et une hémoculture. Il concluait sa note par : « Fièvre d'origine inconnue. À suivre. Consultation demandée. »

– Consultation ? dit Lynn. C'est peut-être le Dr Erikson, la consultation ?

– Possible. Mais pourquoi une hématologue et pas un infectiologue ? Ça ne colle pas.

Lynn feuilleta le dossier à la recherche des résultats des divers examens pratiqués sur Carl. Elle voulait voir en particulier le rapport de l'IRM. Surprise, elle découvrit alors qu'en plus de l'IRM, il avait aussi eu droit à un scanner. Elle déplia les feuillets des deux rapports. Michael fut le premier à en terminer la lecture, comme d'habitude, et il attendit qu'elle ait fini pour dire :

– Il y a des tas de mots que je ne comprends pas.

– Moi pareil. Mais même si nous ne pigeons pas tous les détails, les nouvelles ne sont pas bonnes. « Œdème cérébral sévère et diffus » dans le compte rendu de la tomodensitométrie, et « hypersignal cortical », dans le compte rendu de l'IRM, qui signe une nécrose laminaire étendue – c'est assez clair, non ? Exactement ce que le Dr Stuart m'avait annoncé. Et termes simples, ça veut dire mort cérébra…

La voix de Lynn se brisa ; elle ne put terminer sa phrase.

– Je suis désolé, dit Michael posant une main sur la sienne. Affreusement désolé, ma sœur.

– Merci, bafouilla-t-elle.

Lynn se força à déglutir. Elle devait se ressaisir. Refouler les larmes. Ici elle n'était pas la compagne de Carl, mais une étudiante en médecine blindée contre les malheurs des patients.

– Veux-tu voir autre chose, dans ce dossier ? demanda Michael.

Elle secoua la tête. À quoi bon ? Le verdict était rendu. Carl retrouverait peut-être un certain niveau de conscience – un jour ou l'autre, cela restait encore à voir – mais de toute façon il ne serait plus jamais la personne qu'elle connaissait. Au mieux, sans doute, il survivrait en état végétatif persistant : une situation atroce à propos de laquelle elle avait lu pas mal de choses pendant la nuit. Son tronc cérébral fonctionnerait, oui, mais les régions de l'intelligence, dans son cortex, resteraient éteintes. Cela signifierait qu'il aurait peut-être des cycles veille-sommeil, mais en restant à jamais inconscient de lui-même et de son environnement. Et il aurait besoin d'être totalement pris en charge – nourri, soigné, mobilisé –, en permanence et jusqu'à sa mort. Bref, il mènerait une existence déshumanisée. Un frisson glacial parcourut Lynn. Elle se répéta qu'elle ne devait pas craquer.

Michael se leva et emporta le dossier de Carl. Quelques instants plus tard, il était de retour avec le dossier de Scarlett Morrison que lui avait passé le Dr Erikson. Il le posa devant eux. Lynn n'avait pas fait le moindre geste. Elle regardait droit devant elle, l'air absent.

– Hé, fit-il. Ça va ?

Elle tourna lentement la tête vers lui et sortit de son état second.

– Aussi bien que tu peux imaginer, murmura-t-elle.

Elle ouvrit le dossier de Scarlett Morrison avec un profond soupir.

16

MARDI 7 AVRIL
06 H 52

Michael et Lynn parcoururent un moment le dossier sans se parler, hochant juste la tête quand ils terminaient une page. Lynn se demandait pourquoi Charles Stuart, l'interne de neurologie, ne lui avait pas dit qu'il y avait un autre cas, identique à celui de Carl, qui datait de trois jours plus tôt seulement. La réponse se révéla assez simple : c'était un autre interne, le Dr Mercedes Santiago, qui avait veillé sur Scarlett Morrison à la réanimation neurologique. La communication au sein même des différents services de l'hôpital étant ce qu'elle était, il était fort possible que les neurologues n'entendent pas parler de cette coïncidence de cas avant leur prochaine réunion hebdomadaire.

Au fil de leur lecture, Lynn et Michael relevèrent d'importantes similitudes entre les deux cas. Scarlett Morrison avait presque le même âge que Carl et n'était pas mariée. C'était aussi une personne en excellente santé dont le seul souci, ponctuel, avait été de souffrir de calculs biliaires. Comme Carl, elle avait préféré se faire opérer même s'il n'y avait pas urgence. La cholécystectomie, ou ablation de la vésicule biliaire, avait été réalisée par laparoscopie, c'est-à-dire via quatre petites incisions dans l'abdomen. C'était une intervention très courante, facile, qui s'était tout à fait bien déroulée – comme celle de Carl. Autre point commun avec Carl, enfin, la patiente avait été prise en charge vers sept heures du matin, donc tout le monde était frais et dispos.

Contrairement au dossier de Carl, celui de Scarlett Morrison ne contenait pas de rapport manuscrit détaillé de son anesthésiste, le Dr Mark Pearlman, mais un simple mot, plutôt laconique, mentionnant le retard de réveil post-anesthésique et la liste des substances qui avaient été essayées au terme de l'opération, sans succès, comme antidotes aux agents sédatifs et paralytiques – au cas où il y aurait eu surdosage accidentel de l'un d'eux. Pour en apprendre davantage sur le déroulement de l'anesthésie pendant l'intervention, Lynn et Michael durent donc se pencher sur le rapport des données enregistrées en temps réel par la station d'anesthésie.

Comme dans le cas de Carl, l'anesthésie s'était déroulée normalement jusqu'à ce que le taux d'oxygène dans le sang de la patiente ne chute subitement, sans raison apparente, à peu près aux trois quarts de l'opération. Scrutant les graphiques, Lynn et Michael virent que la saturation en oxygène passait brutalement de près de cent pour cent à quatre-vingt-dix pour cent, et restait alors à ce niveau pendant deux minutes avant de remonter à quatre-vingt-dix-huit pour cent. Comme cela s'était passé pour Carl, en outre, il y avait un bref épisode d'irrégularité cardiaque, du fait de l'hypoxie, au moment où la saturation en oxygène dégringolait.

L'examen du dossier leur révéla aussi certaines différences avec le cas de Carl – outre le fait que l'intervention avait eu lieu dans la salle d'opération dix-huit, et non dans la douze. D'abord, l'agent volatil de l'anesthésie n'avait pas été l'isoflurane, mais le desflurane. Ensuite l'anesthésie ne s'était pas faite au masque laryngé, mais par intubation trachéale. L'anesthésiste, enfin, avait également employé un curare dépolarisant, la succinylcholine, qui facilitait la chirurgie intra-abdominale. En revanche, le relaxant préopératoire et l'agent d'induction avaient été les mêmes que pour Carl – midazolam et propofol. Et les patients avaient reçu ces deux produits à peu près dans les mêmes dosages en proportion de leurs poids respectifs.

Lynn leva les yeux vers Michael quand elle eut terminé d'examiner le rapport de la station d'anesthésie. Redressé sur sa chaise, il venait de sortir son smartphone de sa poche et le tenait discrètement au creux de sa paume pour ne pas être vu de Peter et du Dr Erikson. Il fit signe à Lynn de tenir le dossier de Morrison à l'oblique afin qu'il puisse prendre des clichés des trois pages du rapport sans avoir à se mettre debout. Elle obtempéra en dépit du fait qu'elle se sentait terriblement gênée.

Michael rempocha un instant plus tard son appareil. Ils jetèrent l'un et l'autre un coup d'œil vers Peter et le Dr Erikson… qui n'avaient rien remarqué. Lynn poussa un soupir de soulagement. Michael sourit ; il avait presque l'air de s'amuser.

– Tu penses quoi des différences entre le dossier de Carl et celui de cette femme ? demanda-t-il.

– D'après mes lectures d'hier soir, je sais que la récupération doit être plus rapide avec le desflurane qu'avec l'isoflurane. Mais bon, ils ne se sont réveillés ni l'un ni l'autre de toute façon. L'intubation est plus sûre que le masque laryngé, mais je ne vois pas en quoi ce serait important ici. Et l'utilisation de l'agent paralysant ne doit pas poser de problème tant que le patient est ventilé. Bref, je ne trouve pas ces différences significatives.

– Ouah ! T'as vraiment couvert du terrain, frangine, avec tes lectures…

– J'y ai passé de longues heures, c'est vrai, dit Lynn d'un ton las.

Elle tourna les pages du dossier pour trouver le graphique des signes vitaux de Morrison à partir du moment où elle avait été amenée à la réanimation neurologique. Là, elle désigna à Michael le tracé de la température corporelle : il révélait que Scarlett Morrison avait eu une importante poussée de fièvre dans la nuit qui avait suivi son opération. Sa température avait atteint la valeur maximale de quarante degrés et demi – exactement comme Carl. Ensuite, sa température était restée élevée le dimanche et le lundi, avant de retomber peu à peu jusqu'à trente-sept degrés sept, un chiffre considéré comme normal par la plupart des gens.

– Je suis stupéfaite, murmura-t-elle. Pour le moment les deux cas, Morrison et Vandermeer, sont identiques. Ça peut arriver par hasard, un truc pareil ?

Michael haussa les épaules.

– Autant que je me souvienne, ces deux cas sont aussi similaires à celui d'Ashanti. Je suis quasi certain qu'elle a eu de la fièvre. Crois-tu que ça pourrait être une espèce de réaction à l'anesthésie – une réaction nouvelle, inconnue auparavant – qui donnerait dans un deuxième temps de la fièvre aux patients ?

– Qui peut savoir, à ce stade ? marmonna Lynn, et elle feuilleta le dossier pour trouver la page des analyses sanguines. Apparemment, il y a eu une augmentation de ses leucocytes en même temps qu'elle avait de la fièvre. Les globules blancs en hausse, c'est un signe d'infection.

– Hmm, ouais, mais… Il n'y a pas d'augmentation des neutrophiles, ni de déviation à gauche.

Les étudiants savaient que l'organisme, confronté à une infection, réagissait normalement par une multiplication immédiate des neutrophiles, sa ligne de défense cellulaire contre les bactéries. L'expression « déviation à gauche » avait trait à la mobilisation de nouvelles cellules pour répondre à une attaque microbienne aiguë.

– Regarde ici, dit Lynn, posant un doigt sur le document. Parmi les leucocytes, ce sont les lymphocytes qui ont grimpé, pas les neutrophiles. Quand le système immunitaire réagit normalement, la hausse des lymphocytes ne survient-elle pas plus tard dans l'infection ?

– Ouais. C'est comme ça que c'est censé fonctionner, en tout cas.

– Et regarde : la numération des lymphocytes augmente petit à petit au fil des jours. Qu'est-ce qui provoque cette augmentation, à ton avis ?

– Là il faut que je triche, dit Michael.

Il tira sa tablette de sa poche, lança le navigateur et tapa *augmentation lymphocytes signification* dans la fenêtre de recherche. Google lui livra de multiples résultats en une fraction de seconde. Il lut à voix haute les informations du lien dont le titre lui avait paru le plus pertinent :

– Leucémie, mononucléose, VIH, cytomégalovirus, autres infections virales, tuberculose, myélome multiple, vascularite et coqueluche.

Comme Lynn ne réagissait pas, Michael leva les yeux de l'écran. Elle était en train de lire le diagnostic de l'infectiologue dans le dossier de Scarlett Morrison.

– Pas d'infection, dit-elle d'un ton étonné. On ne lui a trouvé aucune maladie infectieuse ! La radio de la poitrine est normale, l'urine est normale, il n'y a rien au niveau des sites d'incision… Rien du tout pour ce qui est d'un éventuel foyer infectieux !

– As-tu entendu la liste des causes possibles de l'augmentation des lymphocytes ?

– Désolée. Encore une fois, steuplaît ?

Michael relut les infos qu'il avait sur la tablette. Lynn réfléchit quelques instants, avant de dire :

– On peut ignorer la plupart de ces trucs. Par contre je suppose que « autres infections virales » et « vascularite »…

– Eh oh ! Il n'y a pas un autre truc qui te fait tiquer ?

– Quoi donc ?

– Le myélome multiple peut provoquer l'augmentation des lymphocytes. Souviens-toi de ce que j'ai découvert hier dans le dossier d'Ashanti au Shapiro. Elle a un myélome multiple. C'est peut-être aussi le cas de Morrison !

– Alors là, la coïncidence serait quand même un peu énorme. Cela dit… je n'ai jamais rencontré de cas de myélome multiple et je ne sais pas grand-chose sur cette maladie, sinon qu'elle révèle un excès de plasmocytes. Mais c'est pas un truc vraiment rare ?

– Hmm… Si je me souviens bien, ce n'est pas une maladie si rare que ça. Bien sûr tout est relatif. On nous en a parlé en sémiologie…

– Tu te souviens qu'on nous a parlé du myélome multiple en sémio ? l'interrompit Lynn, ébahie une fois de plus par la mémoire d'éléphant de son ami.

– Je ne me rappelle pas grand-chose sur la maladie elle-même, à part le fait qu'il y a excès de plasmocytes comme tu viens de le dire. Par contre, je me souviens que le myélome multiple fait partie des dix cancers les plus mortels chez les Noirs. C'est sûrement pour cette raison que j'ai mémorisé le truc, d'ailleurs. Enfin tout ça pour dire qu'entre toutes les causes possibles de l'augmentation du nombre de lymphocytes, je ne pouvais pas ne pas tiquer sur le myélome multiple.

– Je me demande si c'est cette augmentation des lymphocytes qui explique la présence du Dr Erikson, observa Lynn.

– Bonne idée ! Ça paraît logique. Tu crois que nous devrions prendre le risque de lui poser la question ?

Lynn pivota sur sa chaise. La praticienne était encore penchée sur un dossier. Elle semblait dicter une note audio sur sa tablette, sans doute pour le dossier électronique du patient. Quelques minutes plus tôt, Lynn l'avait vue prendre des notes au stylo. Comme l'hôpital n'avait pas encore complètement basculé vers le tout informatique et abandonné les dossiers physiques, le personnel soignant était obligé de faire les deux choses : la version papier *et* le DMP. Et il s'en plaignait amèrement.

– Il vaut mieux éviter, dit Lynn. Si nous engageons la conversation avec Erikson, elle va forcément nous demander des précisions sur la raison de notre présence ici. Et comme tu l'as toi-même fait remarquer, les médecins concernés par ces cas doivent être assez chatouilleux sur le sujet.

– T'as raison, meuf.

– Voyons si elle a laissé une note ici. Ça pourrait répondre à notre question.

Lynn feuilleta à nouveau le dossier de Scarlett Morrison pour atteindre la section des notes d'observation. Coup de chance, la dernière était signée par le Dr Erikson. Son écriture n'était par contre pas facile à déchiffrer.

Merci de m'avoir demandé de revoir cette patiente. Comme je l'avais écrit dans mon précédent [mot illisible], sa température a d'abord beaucoup augmenté, avant de redescendre lentement, et elle est aujourd'hui de 37,7. La numération sanguine présente encore une lymphocytose modérée et [mot illisible], actuellement à 6 300 lymphocytes par mm^3 qui représentent 45 % de la lignée blanche. Je suis satisfaite qu'aucune infection n'ait été trouvée. Les globulines, au total, sont élevées et [mot illisible]. L'électrophorèse des protéines révèle un pic étroit des gammaglobulines, signe de développement [mot illisible] d'une gammapathie monoclonale (GMSI). Quoi qu'il en soit, ni cette hypothèse ni la légère fièvre dont la patiente souffre encore ne me paraissent interdire son installation à l'institut Shapiro. Je pense que ce transfert sera même tout à fait [mot illisible] pour elle, et je continuerai de la suivre là-bas. Dr Siri [mot illisible, mais sans doute : Erikson].

– C'est quoi, une gammapathie ou GMSI ? demanda Michael avec un soupir de frustration. Bonjour les termes ésotériques, putain ! Des fois j'ai l'impression d'être encore un ignare malgré mes quatre années d'études.

– À moi de tricher, dit Lynn en sortant sa tablette de sa poche.

Elle googla *gammapathie*. Si elle ignorait le sens exact de ce terme, elle se doutait tout de même un peu de ce qu'elle allait trouver. Ayant sélectionné le résultat de Wikipédia, un article intitulé « Gammapathie monoclonale de signification indéterminée », elle posa la tablette entre eux pour que Michael puisse le lire avec elle.

– T'en penses quoi ? demanda ensuite Michael.

Lynn soupira. Pendant sa lecture, elle avait subitement éprouvé une légère nausée. La tête lui tournait.

– Heu… Je suis tellement fatiguée que j'ai du mal à avoir la moindre pensée cohérente, avoua-t-elle.

– Pas étonnant. Tu es crevée et tu meurs de faim. Viens ! On redescend. Il faut que tu manges. Tu es complètement à plat.

– Dans une minute, dit Lynn qui essayait de reprendre le dessus. Là-dedans j'ai au moins compris que dans la GMSI il y a un groupe donné de lymphocytes qui surproduisent le même anticorps. Et ce qui m'étonne, c'est de lire que c'est une affection tout compte fait assez courante. Si je me souviens bien, on nous en a à peine parlé en sémiologie.

– Pas si courante, quand même. Et puis elle touche les gens âgés de plus de cinquante ans. Cette patiente en a vingt-huit.

– En effet. En plus, je suppose qu'elle n'est pas si grave…

– Elle n'est pas grave si elle n'évolue pas pour donner un myélome multiple. Du coup, je me demande si Ashanti n'a pas commencé par avoir une GMSI avant d'avoir un myélome multiple.

– Je suppose que c'est une hypothèse envisageable, dit Lynn, songeuse. Regardons l'analyse dont Erikson parle dans sa note. L'électrophorèse des protéines. Je sais quelques trucs, là-dessus, parce que j'ai utilisé cette analyse l'année dernière, en stage de médecine interne, pour un patient qui avait une vilaine hépatite.

Elle tourna encore une fois les pages du dossier, jusqu'à la section des analyses de laboratoire, et il ne lui fallut qu'un instant pour trouver les résultats de l'électrophorèse des protéines. Les valeurs des différentes protéines plasmatiques étaient présentées en liste et sur un graphique. Michael et elle examinèrent ce dernier. Sur la partie droite de la courbe, où les gammaglobulines dessinaient normalement une sorte de dôme, il y avait un pic étroit.

– Sous forme graphique, c'est parlant, observa Michael. Marrant, ce petit chapeau pointu dans la courbe. Le système immunitaire de cette femme produit donc un anticorps particulier. Pour quelle raison, tu penses ?

– À cause d'un antigène quelconque, je présume. Et peut-être que l'antigène qui a incité le premier lymphocyte à produire des globulines est encore dans le corps de Scarlett Morrison. Il continue de stimuler la production de toujours plus d'anticorps. À ton avis ?

– C'est carrément possible. À moins que le premier lymphocyte ait juste pété un câble, si tu vois ce que je veux dire.

– Genre… comme une cellule cancéreuse ?

– Un truc comme ça, ouais. La machine cellulaire de production d'anticorps a été lancée, et personne n'est venu l'éteindre.

– Tu te demandais si l'anesthésie pouvait faire venir la fièvre, tu te souviens ? Je me demande maintenant si elle pourrait avoir déclenché la production de cet anticorps monoclonal…

Michael regarda Lynn avec une moue dubitative. Il comprenait ce qui se passait dans sa tête. Comme elle avait désespérément besoin d'une explication à la catastrophe qui avait plongé Carl dans le coma, elle était prête à accepter à peu près n'importe quelle hypothèse.

– Je pense à une sorte de réaction archi-spécifique qui n'aurait encore jamais été décelée, précisa-t-elle.

– Non ! dit-il avec fermeté. Dans l'anesthésie, il n'y a strictement rien qui puisse avoir un caractère antigénique. J'aimerais te répondre que c'est une bonne idée, pour que tu arrêtes de penser que quelqu'un a merdé pendant l'opération de Carl, mais c'est exclu. Les agents anesthésiants sont utilisés depuis tellement longtemps ! Et sur tellement de gens ! Si l'un d'eux provoquait une réaction immunologique qui donne de la fièvre, déclenche la production d'anticorps monoclonaux et plonge les gens dans le coma, ça se saurait ! Désolée, mademoiselle, mais ton idée est complètement… C'est impossible.

– Je savais que tu dirais ça.

– Ben oui. Maintenant, allons à la cafétéria. Nous avons un cours magistral de dermatologie à neuf heures.

– Je n'ai pas terminé.

Lynn rempocha sa tablette avant de chercher le compte rendu et les films de l'IRM dans le dossier de Scarlett Morrison. Les étudiants découvrirent alors que, comme chez Carl, l'examen avait révélé une nécrose laminaire étendue dans son cerveau. Lynn tourna la tête vers le Dr Erikson. À présent, celle-ci était en train de rédiger une note à la main tout en dictant quelque chose à sa tablette.

– Je veux revoir le dossier de Carl.

Lynn se leva, le dossier de Morrison à la main.

– Pourquoi ? protesta Michael, et il la retint par la manche de sa blouse. Pourquoi tu veux prendre un risque pareil ? Son dossier n'a pas changé depuis dix minutes !

– Nous n'avons pas regardé sa numération sanguine. Et détrompe-toi. Depuis dix minutes, peut-être qu'Erikson y a écrit quelque chose. Je veux vérifier.

17

MARDI 7 AVRIL
07 H 20

Lynn s'approcha du Dr Erikson et lui tendit le dossier de Scarlett Morrison en disant :

– Excusez-moi de vous déranger à nouveau. Merci beaucoup d'avoir attiré notre attention sur ce cas. Il est très similaire au cas Vandermeer, c'est vrai, et bien sûr nous devons le suivre aussi.

L'hématologue leva brièvement les yeux vers elle, mais ne répondit pas.

– Je… Je remets le dossier Morrison à sa place, dans la colonne, ou vous préférez l'avoir ici ?

Le Dr Erikson désigna le comptoir juste au-dessus d'elle.

– Ici, c'est bien, dit-elle, penchée sur ses notes.

– Je suis désolée, mais nous voudrions jeter un autre rapide coup d'œil au dossier Vandermeer. Nous avons oublié quelque chose.

Le Dr Erikson redressa soudain la tête. Le bleu glacier de ses yeux sembla s'assombrir, ses narines se dilatèrent, et pendant quelques instants Lynn crut qu'elle allait l'envoyer sur les roses. Puis son expression se radoucit.

– Je perturbe votre travail, dit Lynn d'un ton embarrassé. Vous avez sans doute encore besoin du dossier. Nous reviendrons plus tard. Aucun problème.

Elle n'avait rien remarqué au premier abord, mais maintenant qu'elle l'observait plus attentivement, l'hématologue lui donnait l'impression de ne pas être dans son assiette. Son visage était d'une pâleur étonnante – sa peau, presque translucide –, ses joues étaient creuses et elle avait des cernes sombres, violacés, sous les yeux.

– Vous ne me dérangez pas, dit enfin Erikson.

Elle attrapa le dossier de Carl parmi ceux qui étaient posés sur le comptoir au-dessus d'elle, puis le tendit à Lynn en demandant :

– Vous êtes en quelle année, tous les deux ?

– Quatrième.

Lynn saisit le dossier mais son interlocutrice ne le lâcha pas. Elles se dévisagèrent un instant, puis Lynn baissa les yeux. Tout à coup, il lui parut évident que l'hématologue n'était pas en *surpoids* comme elle l'avait cru auparavant. Sa silhouette avait quelque chose d'étrange, en réalité, parce que son abdomen était gonflé… ou distendu. Était-elle enceinte de quatre ou cinq mois ? À l'âge qu'elle avait, cela paraissait bien peu probable.

– Et vous êtes en stage d'anesthésie ?

Lynn hocha la tête et s'obligea à préciser :

– C'est notre dernier stage avant la remise des diplômes.

Il ne lui restait plus qu'à espérer que l'hématologue la croyait et ne déciderait pas de vérifier l'information.

Erikson jeta un coup d'œil en direction de Michael, puis demanda :

– Êtes-vous parvenus à une conclusion, l'un ou l'autre, quant à l'origine des comas de ces patients ?

– Non, répondit Lynn, de plus en plus embarrassée – elle regrettait de tout son cœur de s'être laissée embarquer dans cette conversation. Et vous ?

– Bien sûr que non ! Je suis hématologue, pas anesthésiste.

Lynn voulait battre en retraite, mais c'était impossible car l'hématologue tenait encore le dossier de Carl et la considérait avec attention. Après quelques secondes de silence tendu, elle demanda :

– À défaut d'explication concluante, avez-vous... un pressentiment quelconque au sujet de ce qui aurait pu se passer ?

– Non, nous ne voyons rien pour le moment.

– Eh bien, s'il vous vient une idée, prévenez-moi, s'il vous plaît ! dit le Dr Erikson d'un ton impératif.

Elle lâcha enfin le dossier.

– Certainement, dit Lynn. Nous ne manquerons pas de revenir vers vous.

– J'y compte bien.

Erikson tira une carte de visite de la poche de poitrine de sa blouse et la lui tendit.

– Voici mes coordonnées. Si vous parvenez à la moindre conclusion, prévenez-moi immédiatement.

– Entendu, dit Lynn, baissant poliment les yeux sur la carte. Merci !

Elle commençait à reculer pour retourner auprès de Michael, lorsque l'hématologue la relança :

– Aviez-vous autre chose à me demander ?

Malgré sa fatigue, Lynn essaya de trouver une question à lui poser. Elle avait envie de ficher le camp, mais elle devait continuer de jouer son rôle pour ne pas inciter le Dr Erikson à s'interroger sur sa présence et celle de Michael à la réanimation neurologique. Si celle-ci découvrait qu'ils consultaient des dossiers médicaux sans autorisation, ils auraient de sérieux ennuis.

– Eh bien... Dans la note que vous avez écrite pour Morrison, vous évoquez un risque de gammapathie monoclonale. Pensez-vous que cette gammapathie pourrait être une conséquence, d'une façon ou d'une autre, de l'anesthésie ?

– Mais non ! répondit le Dr Erikson avec un petit rire moqueur, comme si c'était l'idée la plus ridicule qu'elle eût jamais entendue. Il est rigoureusement impossible qu'une anesthésie déclenche l'apparition d'une gammapathie. La patiente devait avoir cette gammapathie avant l'opération, voilà tout. Mais elle n'avait pas été décelée. La gammapathie asymptomatique, si vous l'ignorez, ne se découvre qu'à l'occasion d'une électrophorèse. Et cet examen n'avait jamais été fait à la patiente parce qu'il n'y avait jamais eu de raison pour le faire. En tout cas jusqu'à ce que je le demande dans le cadre de notre recherche sur les causes possibles de son étonnante poussée de fièvre.

– Je vois, dit Lynn qui se creusait la tête pour trouver une question plus judicieuse. Vous chargez-vous aussi de la consultation d'hématologie de Carl Vandermeer ?

– Pourquoi voulez-vous savoir ça ? répliqua Erikson, plissant les yeux.

– Heu… Parce que vous avez son dossier et c'est vous qui vous êtes occupée de Scarlett Morrison.

– La réponse est non. Je suis venue voir le patient par courtoisie envers mes collègues. L'équipe de la réanimation m'a dit qu'il avait de la fièvre, comme Morrison, sans infection apparente, et j'y jette un coup d'œil.

– D'accord. Pour ce qui concerne Morrison, pensez-vous qu'il y ait un lien entre sa fièvre et sa gammapathie ?

– Ah ! Voilà une excellente question !

Lynn retint un soupir de soulagement. Maintenant elle pouvait repartir sans laisser derrière elle une praticienne agacée et tentée de se renseigner sur son compte et sur celui de Michael.

– La réponse immunitaire peut en effet provoquer une hausse de la température corporelle, déclara le Dr Erikson, adoptant un ton professoral. Il est impossible d'en avoir la certitude, mais comme l'hypothèse de l'infection est écartée, je crois que l'on peut supposer, en effet, que sa température élevée est liée à sa gammapathie.

– Y a-t-il quelque chose, alors, qui stimule son système immunitaire et entretient sa fièvre ?

– Je dois supposer que c'est le cas. Peut-être le stress, simplement, de ce qui lui est arrivé. Mais strictement parlant, je ne sais pas !

– Existe-t-il un traitement pour la gammapathie ?

– Il n'est pas nécessaire de traiter cette maladie, sauf si l'augmentation des protéines perturbe la fonction rénale. Ou si la gammapathie évolue en cancer du sang.

– Comme le myélome multiple, vous voulez dire ?

– Par exemple. Le myélome multiple, le lymphome ou la leucémie lymphoïde chronique.

– Vandermeer a lui aussi de la fièvre et pas d'infection apparente. Pensez-vous qu'il puisse avoir une gammapathie ?

Le Dr Erikson ne répondit pas immédiatement. Elle plissa de nouveau les yeux. Ses narines se dilatèrent. Lynn craignit de l'avoir irritée, une fois de plus, et se maudit de ne pas s'être débinée quand elle en avait eu l'occasion.

– Les analyses de Vandermeer ne sont pas terminées, dit enfin la praticienne. Donc pour l'infection, ce n'est pas tranché. Il faut patienter.

– Merci d'avoir pris le temps de me parler.

Lynn tourna les talons et regagna rapidement sa chaise à côté de Michael. Quand elle posa le dossier de Carl sur le plan de travail, il poussa un grognement mécontent.

– Putain de conversation, frangine ! murmura-t-il. Tu joues à quoi, là ?

– Je suis désolée, répondit-elle, parlant elle aussi à voix basse. Je n'arrivais pas à m'en défaire.

– Ouais, tu parles.

– Sérieux ! D'abord elle m'a tendu le dossier mais sans le lâcher, comme elle l'a fait avec toi, et puis elle m'a cuisinée. Elle voulait savoir en quelle année on était. J'étais certaine qu'elle allait me dire que notre histoire de stage en anesthésie, c'était du pipeau. Miracle, elle ne l'a pas fait ! Le truc qui est sûr, en tout cas, c'est qu'elle est un peu bizarre.

– Ah bon ? Comment ça ?

– C'est difficile à expliquer… Pendant un moment j'ai eu l'impression qu'elle n'appréciait pas du tout de nous voir ici, de voir qu'on s'intéressait à ces dossiers, et j'ai vraiment craint le pire. Et puis son attitude a changé. Enfin je crois. Mais fatiguée comme je suis, je n'ai pas le cerveau qui tourne rond. Peut-être que je me fais des idées. Mais dis-moi un truc : te donne-t-elle l'impression d'être en bonne santé ?

– Heu… Je n'ai ni pensé qu'elle avait l'air en bonne santé, ni le contraire.

Michael commença à se tourner pour regarder Erikson, qui n'était pas à cinq mètres d'eux, mais Lynn lui saisit le bras en murmurant :

– Ne la regarde pas ! Sois cool, quoi ! Je te dis qu'elle est bizarre et qu'elle pourrait nous valoir des soucis. Fais-moi confiance ! Ne lui donnons pas de raisons supplémentaires de nous interroger. J'ai vraiment eu le sentiment, à un moment, qu'elle allait exiger une explication sur notre présence ici. Et sur l'intérêt que nous portons à ces dossiers. Heureusement elle ne l'a pas fait. Dis-moi un autre truc : as-tu remarqué qu'elle a le ventre boursouflé, ou gonflé, comme si elle était enceinte ?

– Ah ?

Michael voulut de nouveau se tourner vers l'hématologue, mais Lynn l'en empêcha.

– Ne la regarde pas, je te dis !

– Enceinte ? C'est difficile à imaginer. Elle n'est pas toute jeune.

– Moi non plus, je ne vois pas comment elle pourrait être enceinte. Mais avec les techniques modernes de procréation médicalement assistée, ce n'est pas complètement exclu. En fait, je dirais plutôt qu'elle doit avoir une maladie du foie ou des reins.

– Ouais, je suppose que c'est possible, marmonna Michael.

Cette conversation sur Erikson le lassait. Il en avait vraiment marre d'être ici. Et il était affamé.

– Le truc le plus bizarre qu'elle m'a dit, c'est qu'elle veut être prévenue si nous trouvons une explication, quelle qu'elle soit, au fait que Carl et Morrison ne se sont pas réveillés de leur anesthésie.

– J'espère que tu n'as pas répondu que tu soupçonnes quelqu'un d'avoir merdé ?

– Non, je n'ai pas dit ça.

– Alléluia !

– J'ai répondu, bien sûr, que nous ignorions ce qui a pu se passer.

– Et c'est la vérité toute nue. Tu progresses, Lolita.

– Elle m'a fait promettre de la contacter s'il nous vient la moindre idée sur ce qui a pu se passer. Elle m'a même donné sa carte. Tiens…

Lynn montra la carte de visite du Dr Erikson à Michael, qui haussa les épaules.

– Tu ne trouves pas ça un peu étrange ? relança-t-elle. Pour quelle raison peut-elle bien souhaiter avoir l'opinion de deux étudiants en médecine ? En tant que praticienne, elle a le loisir d'interroger n'importe qui. Depuis le chef du service d'anesthésie jusqu'aux infirmières.

– Ouais, d'accord, c'est étrange, convint Michael. Tu es contente ?

Lynn ferma quelques instants les yeux, comme si elle avait besoin de faire redémarrer son cerveau. Quand elle regarda de nouveau Michael, elle dit :

– Pour finir, je lui ai demandé s'il était possible que Carl ait une gammapathie, comme Morrison, qui expliquerait sa fièvre. Et là, elle a eu l'air furax.

– Ah ? Ça aussi c'est étrange. Elle a dit quelque chose ?

– Que les analyses étaient en cours, pour voir s'il avait une maladie infectieuse, et qu'il fallait patienter. Mais elle m'a répondu d'un ton hyper-agacé, comme si ma question l'avait vraiment ennuyée.

– D'accord, tu m'as convaincu. Elle est bizarre. Et maintenant que dirais-tu de descendre à la cafétéria ?

– Ouais, attends une seconde…

Elle ouvrit le dossier de Carl aux notes des praticiens : il n'y en avait pas du Dr Erikson. À la page des examens programmés, par contre, elle tomba sur une demande d'électrophorèse des protéines signée par l'hématologue. Elle redressa le menton, songeuse, mais la voix impatiente de Michael interrompit ses réflexions :

– Bon, c'est fini ? Allez, quoi !

– Dernier truc ! Je regarde la numération sanguine de Carl, dit-elle, feuilletant à nouveau le dossier. Heu, voilà… Ses globules blancs sont à onze mille. Pour certaines personnes ce n'est pas un chiffre excessif, mais tout de même. Et l'essentiel, ici, c'est que ses lymphocytes sont à près de cinq mille, donc eux aussi élevés, ce qui est un argument de poids contre l'hypothèse de l'infection.

– Cool. Peut-on enfin aller petit-déjeuner ?

– D'accord. Dès que j'ai rendu ce dossier, dit Lynn en se levant.

– Ne te laisse pas embarquer dans une nouvelle conversation !

– Zéro risque. Je vais le donner à Peter.

Ils partaient au bon moment : la plupart des infirmières avaient terminé leur tournée des patients, à travers la salle, et commençaient à converger vers le poste de soins. Gwen Murphy, la chef, s'immobilisa les mains sur les hanches et regarda les étudiants avec curiosité – il ne lui échappait pas grand-chose de ce qui se passait à la réanimation neurologique –, mais heureusement elle ne dit rien.

Michael poussa la double porte donnant sur le couloir du cinquième étage. Juste avant de la franchir, Lynn risqua un dernier regard en direction de Carl. Une infirmière était à son chevet, penchée au-dessus de la tête de lit. L'appareil de mobilisation passive étendait et fléchissait sa jambe opérée, mais à part cela il avait l'air aussi tranquille que jamais.

Un frisson saisit Lynn. Hélas, cette tranquillité n'était pas celle du sommeil et de la convalescence, mais le calme sinistre d'après la tempête qui avait dévasté son cerveau. L'IRM et le scanner avaient confirmé l'horrible diagnostic. Voir Carl dans cette situation lui redonnait cependant l'énergie et la volonté de trouver des réponses. Et pour le moment, tant pis si elle était en partie motivée par la culpabilité qu'elle éprouvait à l'idée d'associer le triste sort de Carl à une forme de liberté retrouvée pour elle – la liberté, surtout, de poursuivre ses études ailleurs qu'à Charleston. Son intuition, qui l'avait toujours bien guidée, lui murmurait de façon insistante qu'il y avait quelque chose de louche dans cette affaire. Elle devinait aussi que l'hôpital ne demanderait pas mieux que de laisser le problème tomber aux oubliettes. Or, cette perspective lui paraissait inadmissible. Elle découvrirait coûte que coûte ce qui était arrivé à Carl. Elle lui devait bien cela. Ainsi qu'à tous les patients susceptibles de souffrir comme lui.

– Tu viens ou quoi ? demanda Michael qui tenait la porte ouverte. Il faut absolument qu'on mange, là, et le cours de dermatologie ne va pas nous attendre.

– On y va !

Ils marchaient à grands pas en direction des ascenseurs lorsque les haut-parleurs du plafond se mirent à grésiller. Comme la plupart des gens qui les entouraient, ils s'immobilisèrent. Autrefois l'interphone servait beaucoup : annonces, alertes et messages personnels s'entendaient régulièrement d'un bout à l'autre de l'hôpital. Mais depuis l'avènement des smartphones et des tablettes connectées au serveur du centre médical, il n'était plus guère utilisé que pour les situations d'urgence. Quand une voix s'y faisait entendre, du coup, tout le monde – y compris les chirurgiens dans les salles d'opération – tendait l'oreille.

À tout le personnel disponible ! Un grave carambolage vient de se produire sur l'autoroute, à quelques kilomètres d'ici. Il y a les passagers d'un autocar, le chauffeur d'un semi-remorque et des quantités d'automobilistes parmi les victimes. Comme nous sommes l'hôpital le plus proche du site de l'accident, nous allons recevoir immédiatement le plus gros des blessés. Si vous en avez la possibilité, rendez-vous immédiatement aux urgences pour aider ! Le bloc opératoire, libérez le maximum de salles possible. Merci !

Lynn et Michael se regardèrent.

– À ton avis ? demanda-t-il. Nous sommes concernés aussi, les étudiants ?

– Nous sommes quasiment médecins, dit-elle. Il faut y aller !

Ils repartirent au pas de course dans le couloir, slalomant entre les infirmières, les aides-soignants, les patients et les chariots. Au lieu d'attendre un ascenseur, ils poussèrent la porte des escaliers. Pendant qu'ils dévalaient les volées de marches métalliques, ils furent rejoints par une véritable troupe de médecins et d'infirmières qui grossissait d'étage en étage.

18

MARDI 7 AVRIL
07 H 52

Aux urgences c'était le chaos. Les ambulances se succédaient déjà devant la porte, déchargeant d'innombrables brancards qui passaient sous l'œil averti de plusieurs médecins pour un premier triage. Les patients étaient alors rapidement conduits soit vers une baie d'examen, soit vers une salle de déchocage, soit directement au bloc opératoire. Des urgentistes et des infirmières accompagnaient les cas les plus graves à travers le hall et les couloirs pour commencer à leur donner des soins sur-le-champ. Les blessés légers, qui tenaient sur leurs jambes, étaient invités à prendre place dans la salle d'attente.

Ni Michael ni Lynn n'avaient beaucoup d'expérience dans le domaine de la médecine d'urgence. Ils avaient eu quelques cours magistraux sur le sujet, ils avaient fait le tour du service quand ils étaient en stage de chirurgie en troisième année, et voilà tout. En outre ils n'y connaissaient absolument personne. Contrairement à la plupart des internes avec qui ils étaient arrivés au rez-de-chaussée par les escaliers, donc, ils n'avaient aucune idée de ce qu'ils devaient faire. Décidés malgré tout à essayer de se rendre utiles, ils convinrent de se diriger vers le comptoir de l'accueil des patients. Hélas, personne ne leur prêta la moindre attention. Ce dont ils ne se rendaient pas compte, c'était qu'avec leurs pyjamas de bloc et leurs blouses blanches, ils étaient pris pour des internes, et non pour des étudiants, par le personnel de l'hôpital.

– On peut vous aider ? se risqua enfin Lynn à une infirmière qu'elle observait depuis une minute ou deux.

Cette femme, qui se tenait derrière le comptoir au milieu d'une bonne quinzaine d'autres personnes, semblait se charger de la répartition des malades. Elle ne cessait, notamment, de crier des ordres aux uns et aux autres. Autour d'elle, tout le monde était soit au téléphone, soit à remplir des papiers, soit à échanger des infos sur les patients. Certains s'éloignaient tout à coup du comptoir pour partir au pas de charge vers une salle ou une autre, tandis que d'autres y accouraient. Par-dessus le brouhaha des voix résonnaient continuellement les sirènes des ambulances qui amenaient de nouveaux blessés.

L'infirmière en chef à qui Lynn s'était adressée la regarda une fraction de seconde mais ne répondit pas. Elle avait l'air lointain de quelqu'un dont le cerveau traite trop d'informations différentes à la fois. Lynn répéta sa question d'une voix plus pressante. La femme cligna alors des yeux, tendit la main vers la pile de quinze ou vingt écritoires à pince qui se trouvait sur le comptoir, attrapa celle du dessus, y jeta un bref coup d'œil et le tendit à Lynn en criant :

– Ce patient, voulez-vous ! Traumatisme thoracique, légère difficulté respiratoire. Salle d'examen vingt-deux.

Avant que Lynn ait pu ouvrir la bouche pour répondre, l'infirmière en chef se tourna pour hurler à une collègue, à l'autre bout du hall, de faire venir davantage d'appareils de radiologie mobile et de les dispatcher là où on en avait besoin. Puis elle pivota encore et demanda à une autre infirmière, derrière elle, d'aller voir en salle de déchocage numéro un si le patient était prêt à être opéré.

Lynn lut le nom du patient sur la feuille retenue par la pince de l'écritoire : Clark Weston. À côté, quelqu'un avait griffonné : *Difficultés respiratoires. Traumatisme thoracique.* La tension de l'homme était normale, mais son pouls, à cent pulsations par minute, était un peu rapide. Un gribouillage presque illisible, dessous, précisait : *Dyspnée légère mais teint OK (absence de cyanose). Trauma mais côtes sans points douloureux, pas de lacérations, extrémités normales. Pas de fracture ailleurs.* C'était tout. Il n'y avait rien d'autre sur la feuille. Lynn releva les yeux pour tenter de parler à nouveau à l'infirmière en chef. Mais celle-ci avait disparu. Elle interrogea alors Michael qui avait lu les informations concernant Clark Weston par-dessus son épaule :

– À ton avis ? On peut s'en charger ?

– Allons voir !

Ils n'avaient pas conscience, là encore, que l'infirmière en chef ignorait qu'ils étaient juste étudiants. Bien sûr ils avaient leurs plaques d'identification sur la poitrine, au bout d'une sangle passée autour du cou, mais il fallait se pencher et y regarder de près pour voir leurs noms et leurs titres d'étudiants de quatrième année.

Se frayant un chemin au milieu des brancards et des dizaines de personnes qui circulaient en tous sens dans le hall, ils parvinrent bientôt au couloir, à peine moins chaotique, des salles d'examen. La porte de la numéro vingt-deux était fermée. Lynn l'ouvrit et entra la première dans la petite pièce. Quand Michael referma le battant sur eux, le vacarme du couloir sembla s'évanouir ; ils eurent l'impression étrange de débarquer sur un îlot de tranquillité au milieu d'une tempête.

Clark Weston était seul. Installé sur un brancard, mais redressé sur les coudes, il semblait avoir des difficultés à respirer. Son souffle était trop rapide et saccadé. C'était un homme d'une quarantaine d'années, blond, en léger surpoids. Il portait une veste de complet par-dessus une chemise blanche, une cravate sombre à motifs et un pantalon noir. Le nœud de la cravate était relâché et la chemise était presque complètement déboutonnée, ses pans écartés révélant une poitrine pâle, gonflée comme s'il n'arrivait plus à expirer complètement – avec une ecchymose très visible dans la région du sternum. Les deux étudiants remarquèrent aussi que contrairement à ce que la feuille de l'écritoire indiquait, son teint n'était pas « OK » du tout : sa peau, ainsi que ses lèvres, avait des reflets bleutés. Quant à son expression, c'était celle du désespoir absolu. Il semblait incapable de parler, car il mettait toutes ses forces dans l'acte de respirer. Il était clair qu'il se sentait sur le point de mourir.

Lynn se précipita d'un côté du brancard, Michael de l'autre. Tous deux avaient extrêmement peur, tout à coup, car ils se rendaient compte que le patient n'avait pas une simple gêne respiratoire : il était moribond ! Mais eux n'étaient que de simples étudiants. La situation les dépassait complètement.

– J'espère que tu as une idée de ce qu'il faut faire, bafouilla Michael.

– Je comptais sur toi, dit Lynn.

Le patient, entendant cet échange, leva les yeux au ciel – avant de les fermer pour rester concentré sur sa respiration.

– Faut aller chercher un interne, marmonna Michael.

Avant que Lynn ait pu répondre, il tourna les talons et ressortit de la salle, laissant la porte entrouverte derrière lui.

Songeant qu'elle devait quand même tenter quelque chose en attendant, Lynn ouvrit la valve de l'arrivée d'oxygène et posa une canule nasale autour de la tête du patient. Elle mit ensuite les embouts de son stéthoscope dans ses oreilles, en posa le pavillon sur la poitrine de Clark Weston – du côté droit – et écouta sa respiration. Celle-ci était si superficielle et rapide qu'elle n'entendit presque rien. Et les bruits de l'hôpital qui pénétraient dans la pièce par la porte entrouverte ne l'aidaient pas.

À ce moment-là elle s'aperçut que la poitrine de l'homme était en fait extrêmement gonflée – comme un gros ballon trop plein d'air. Qu'est-ce que cela signifiait ? Elle essaya de sonder sa mémoire pour retrouver ce qu'elle avait appris sur le sujet pendant ses études, mais son incompétence dans cette situation d'urgence la rendait tellement anxieuse qu'elle avait toutes les peines du monde à réfléchir. Elle se rappelait vaguement, oui, que la poitrine gonflée signifiait quelque chose d'important, mais quoi ? La réponse ne lui venait pas.

Quand elle déplaça le pavillon du stéthoscope vers le côté gauche de la poitrine du patient, elle fut étonnée de n'entendre quasiment rien. Au début elle crut se tromper, c'est-à-dire mal s'y prendre, mais quand elle compara les deux côtés, elle constata qu'elle entendait bel et bien des bruits de respiration, quoique ténus, du côté droit – et rien ou presque du côté gauche. Une hypothèse se fit soudain jour dans son esprit. Ayant retiré les embouts du stéthoscope de ses oreilles, elle utilisa la technique de la percussion : elle posa le majeur de sa main gauche sur le torse de Clark Weston, d'abord à gauche puis à droite, pour le tapoter avec le majeur de sa main droite. Les résultats qu'elle obtint de chaque côté n'étaient pas les mêmes. À gauche, la poitrine du patient rendait un son hyper-tympanique, comme celui d'un tambour, qu'il n'y avait pas à droite.

Michael fit irruption dans la salle.

– Je n'ai trouvé personne de libre, dit-il, à bout de souffle. Y a juste un urgentiste, dans une salle voisine, qui m'a promis d'essayer de venir dès qu'il aura remis une épaule luxée en place. Comment va le patient ?

– Je lui ai donné de l'oxygène, tu vois, ça devrait l'aider un minimum. Mais il va mal. Par contre je crois savoir ce qui lui arrive !

– Quoi ?!

– Écoute sa poitrine et dis-moi ce que tu en penses. Fais ça vite !

Michael s'approcha en mettant les embouts de son stéthoscope dans ses oreilles. Il soutint le regard de Lynn pendant qu'il écoutait d'abord le côté gauche de la poitrine du malade, puis le droit, puis de nouveau le gauche.

Pendant ce temps, Lynn prit le pouls de Clark.

– Il n'y a aucun bruit du côté gauche, dit enfin Michael.

– Ouais. Essaie la percussion ! Dépêche ! Son pouls est monté à cent vingt. Ça n'est pas bon signe, répondit Lynn qui sentait son propre cœur cogner dans sa poitrine.

Michael obtempéra, remarqua aussitôt le tympanisme du côté gauche et le fit savoir à son amie.

– Ça te fait penser à quelque chose ? demanda-t-elle, et elle désigna le cou du patient. Regarde comment ses veines sont dilatées.

– Pneumothorax sous tension !

– Ouais ! Je pense pareil. Et si on a raison, c'est une vraie urgence. Son poumon gauche doit s'être affaissé, et à chaque respiration le droit est comprimé. Il faudrait faire une radio, mais nous n'avons pas le temps.

– Il a besoin d'une exsufflation à l'aiguille ! s'exclama Michael. Et tout de suite !

Ils se regardèrent, paniqués, par-dessus le patient étendu sur le brancard. Pendant une seconde ou deux, la terreur les paralysa si bien qu'ils oublièrent le caractère hyper-urgent de la situation. Jamais ils n'avaient fait eux-mêmes d'exsufflation à l'aiguille. Ils n'avaient même jamais *observé* cette technique. Ils la connaissaient pour l'avoir étudiée en cours, ils en avaient vu des illustrations dans leurs livres – mais il y avait un pas de géant entre l'apprentissage dans un bouquin et la pratique.

– Dans combien de temps l'interne sera là, à ton avis ? demanda Lynn d'un ton anxieux.

– Je sais pas, marmonna Michael, essuyant une goutte de sueur qui glissait sur son front.

– Monsieur Weston ! cria Lynn en secouant le patient par l'épaule.

Il ne répondit pas. Incapable de se soutenir plus longtemps sur les coudes, il s'effondra sur le brancard.

– Monsieur Weston ! cria-t-elle à nouveau, plus fort, en le secouant vigoureusement.

Pas de réaction. Clark Weston était à l'agonie.

– Nous ne pouvons pas attendre, dit-elle.

– Ouais t'as raison, répondit Michael, l'air épouvanté.

Ils se précipitèrent vers le chariot d'urgence, dans l'angle de la pièce, où ils savaient pouvoir trouver le matériel dont ils avaient besoin. Ses tiroirs leur livrèrent une grande seringue, un cathéter périphérique seize Gauge et une poignée de compresses stériles. Ainsi équipés, ils retournèrent auprès du patient.

– J'ai le souvenir qu'il faut faire ça au deuxième espace intercostal, dit Michael. Entre la deuxième et la troisième côte.

– Vas-y ! dit Lynn en lui tendant le cathéter. Comment tu fais, putain, pour te souvenir de ce genre de détail ?

– Là franchement je ne sais pas, marmonna-t-il tandis qu'il enfilait des gants stériles.

Il déchira l'emballage du cathéter. Celui-ci se composait d'un tube en plastique à l'intérieur duquel se trouvait un mandrin métallique pour en faciliter l'insertion.

– Et si c'est un hémothorax, au lieu d'un pneumothorax, et qu'il n'y a pas de l'air mais du sang ? demanda Lynn d'une voix anxieuse. Notre truc aggravera sa situation, tu crois ?

– Je ne sais pas. Là on est en terrain complètement inconnu. Mais il faut faire quelque chose, sinon il va claquer.

Lynn ouvrit plusieurs compresses stériles et essuya une large zone sous la clavicule gauche du patient. Michael posa la pointe biseautée du mandrin du cathéter à l'emplacement qu'il pensait être le bon, après avoir repéré celui-ci en palpant les premières côtes du patient. Mais il hésitait encore. L'idée de plonger presque au petit bonheur une aiguille dans la poitrine d'un homme – surtout du côté gauche, où se trouvait le cœur – était très intimidante.

– Vas-y ! ordonna Lynn.

Elle se rendait bien compte qu'ils formaient un duo de bras cassés, mais ils n'avaient pas le choix. L'exsufflation à l'aiguille devait être faite, et sur-le-champ. Malgré la canule nasale qui lui livrait de l'oxygène, le patient était de plus en plus bleu.

Serrant les dents, Michael poussa le cathéter à travers la peau jusqu'à ce qu'il sente la pointe du mandrin toucher la côte. Il l'inclina alors légèrement, et poussa de nouveau. Quand il eut progressé d'environ un centimètre, il sentit quelque chose céder sous ses doigts – comme si le cathéter franchissait une paroi.

– Je crois que je suis à l'intérieur.

– Bravo. Retire le mandrin !

Michael s'exécuta. Il ne se passa rien.

– Merde ! Je suppose que je dois l'enfoncer un peu plus, non ? Je ne dois pas encore être dans la cavité pleurale.

– Ou bien nous nous sommes gourés, dit Lynn. Mauvais diagnostic…

– Ouais, merci pour la joyeuse bonne idée ! grogna Michael d'un ton sarcastique.

Il réinséra le mandrin dans le cathéter et poussa plus profondément l'ensemble dans la poitrine du patient. Bientôt il sentit une résistance – et quelque chose céder, de nouveau, sous ses doigts. Quand il retira le mandrin, cette fois, ils entendirent clairement de l'air jaillir du cathéter. La poitrine du patient émit un bruit de ballon qui se dégonfle.

Michael et Lynn se regardèrent avec des sourires hésitants. Ils patientèrent et leurs sourires s'élargirent quand ils virent que la respiration du patient s'améliorait, que son pouls se calmait et qu'il commençait à retrouver des couleurs. Au bout d'un moment, il reprit aussi peu à peu conscience. Les étudiants durent alors lui tenir les mains pour l'empêcher de gigoter et de toucher le cathéter planté sur sa poitrine. Ils attendirent encore quelques instants, puis Michael dit :

– Toi et moi, on devrait faire l'internat ensemble. On forme une équipe du tonnerre.

Lynn perdit son sourire. Elle s'efforça de chasser cette idée de son esprit – de ne pas convenir qu'elle avait envie, oui, de prendre la route de Harvard avec Michael.

– Peut-être, murmura-t-elle.

Un interne des urgences à la blouse couverte de sang fit irruption dans la salle d'examen. Il s'appelait Hank Cotter. Une infirmière l'accompagnait. Ils se précipitèrent vers le patient en faisant signe à Lynn et à Michael de s'écarter. Pendant que l'infirmière prenait la tension de Clark Weston, l'interne écouta sa poitrine. Il désigna le cathéter de l'exsufflation à l'aiguille pour demander :

– C'est vous qui avez fait ça ?

– Oui, répondirent Lynn et Michael d'une même voix.

Lynn se rapprocha du brancard, imité par Michael, et ajouta :

– Nous avons décidé ensemble que le patient devait souffrir d'un pneumothorax sous tension.

– Et nous avons pensé qu'il fallait faire quelque chose parce qu'il était sur le point de mourir, précisa Michael. Nous avons jugé qu'il ne pouvait pas attendre.

– Et vous êtes étudiants, tous les deux ? demanda Hank. Je suis impressionné. Vous avez été en stage aux urgences ?

Lynn et Michael firent non de la tête.

– Je suis encore plus impressionné, alors ! Vous avez eu une excellente réaction, dit Hank, puis il s'adressa à l'infirmière : Un chariot de radiologie, s'il vous plaît, pour faire un film de la poitrine. Ensuite apportez ce qu'il faut pour un drainage thoracique.

L'interne baissa un instant les yeux sur Clark Weston, puis il sourit à Lynn et à Michael :

– Maintenant je crois que je vais vous laisser faire la pose du drain. Vous êtes partants ?

DEUXIÈME PARTIE

19

MARDI 7 AVRIL
09 H 38

C'était Lynn qui avait posé le drain thoracique sur le patient, Clark Weston, après lui avoir fait une anesthésie locale. Michael l'avait observée. L'opération leur avait été beaucoup plus facile que l'exsufflation à l'aiguille car ils avaient eu Hank Cotter, l'interne de troisième année, pour les accompagner. Tout s'était passé comme sur des roulettes, au bout du compte, et Lynn et Michael avaient désormais le sentiment d'être beaucoup mieux armés pour traiter les cas urgents de traumatisme thoracique qu'ils seraient susceptibles de rencontrer à l'avenir.

Lorsque l'état du patient avait été stabilisé, Lynn et Michael étaient retournés à l'accueil pour voir s'ils pouvaient à nouveau se rendre utiles. Mais là, ils avaient découvert que le coup de feu était passé. Le calme était à peu près retombé sur les urgences. Pendant qu'ils avaient été occupés avec Clark Weston, toutes les victimes du carambolage avaient été prises en charge et réparties, selon leurs blessures, dans les différents services du centre médical.

Ils se tenaient auprès du comptoir d'accueil, où une infirmière venait de les informer qu'ils pouvaient vaquer à leurs occupations normales, lorsque Lynn aperçut le Dr Sandra Wykoff qui se dirigeait vers les ascenseurs. L'anesthésiste devait elle aussi avoir répondu à l'appel à l'aide des urgences. Lynn la rejoignit et, s'efforçant de maîtriser ses émotions, se présenta de nouveau à elle avant de demander si elles pouvaient se parler dans la matinée comme prévu. Le Dr Wykoff acquiesça de bonne grâce, puis précisa :

– Nous devons faire ça maintenant, par contre, parce que j'ai bientôt une opération. Est-ce possible pour vous ?

– Bien sûr, dit Lynn.

– Venez donc me voir au bureau des anesthésistes. Vous connaissez ? C'est au deuxième, à côté de l'anatomopathologie. On s'y retrouve dans un petit moment, d'accord ? Ne lambinez pas.

– Je viens tout de suite, promit Lynn.

Elle retourna au pas de course vers Michael et pointa un pouce par-derrière son épaule pour dire :

– T'as vu la bonne femme à qui je parlais, là ? C'est Wykoff ! L'anesthésiste qui a merdé l'opération de Carl !

Michael regarda l'intéressée disparaître à l'angle du hall des ascenseurs, puis dit :

– Hé, frangine. On a déjà parlé de ça, non ? Pour la dixième fois : calmos ! Rien ne te permet d'affirmer que qui que ce soit a merdé l'opération de Carl.

Lynn poussa un petit rire narquois.

– Nous verrons bien. L'essentiel, c'est qu'elle accepte de me recevoir. Tout de suite. Ça t'intéresse ?

– Vu que nous avons raté le cours de dermato, je suppose que je n'ai aucune excuse pour me défiler. Et puis il faut que quelqu'un te tienne à l'œil. Mais d'abord, nous passons à la cafétéria pour bouffer un truc. C'est impératif. Il nous faut des calories. Moi je suis à plat et toi tu tournes à vide depuis encore plus longtemps.

– On y va en vitesse, alors. Et on prend des trucs à manger en route. Wykoff va bientôt entamer une opération. Nous avons un tout petit créneau. Elle m'a même dit de ne pas « lambiner ». Tu te rends compte ? Je ne pense pas avoir jamais entendu quelqu'un utiliser le mot *lambiner*.

– Tout est bon pour la dénigrer, c'est ça ? *Lambiner* est un mot parfaitement normal. Et plus courant que tu ne fais semblant de le croire. Tu me suis, là ?

– Ouais, ça va, marmonna Lynn.

Elle voulait bien prendre quelques minutes pour passer par la cafétéria, car elle savait que Michael était incapable de se passer de manger. Elle le taquinait parfois sur le sujet – lui disait par exemple qu'il était un gros bébé en pleine croissance. Le laisser se remplir le ventre, c'était aussi une façon de montrer qu'elle lui était reconnaissante de l'accompagner à son entretien avec Wykoff. Elle était réaliste et se rendait bien compte que fatiguée et nerveuse comme elle l'était, elle avait sans doute besoin d'être protégée d'elle-même. Si elle se laissait gagner par le dépit et le ressentiment qui la minaient, et si elle s'emportait contre l'anesthésiste, elle n'obtiendrait sûrement pas les réponses qu'elle cherchait. Rien qu'en étant à son côté, Michael l'aiderait à garder la tête froide.

Ils s'achetèrent chacun un fruit, un petit pain au lait et un gobelet de café qu'ils convinrent d'engloutir pendant qu'ils retourneraient vers le hall des ascenseurs. Lynn était d'autant plus contente de la brièveté de leur passage à la cafétéria qu'elle préférait éviter de rencontrer quelqu'un de sa connaissance – une réelle éventualité à cette heure de la journée. Elle craignait de ne pas réussir à retenir ses larmes si des amis lui demandaient comment s'était passée l'opération de Carl.

Cinq minutes plus tard, quand ils arrivèrent en vue de la porte du bureau des anesthésistes, Michael la retint par le bras en disant :

– Attends une seconde. Si le Dr Wykoff nous demande pourquoi nous nous intéressons au cas de Carl, il faut que nous ayons quelque chose à lui répondre. Elle risque aussi de nous demander comment il se fait que nous ayons lu son rapport d'anesthésie. C'est même évident ! Et avec elle, nous ne pouvons pas utiliser le truc du stage en anesthésie.

– Ouais, t'as raison, convint Lynn avec une moue ennuyée. Mais on dit quoi, alors ?

Elle avait l'impression d'avoir le cerveau au point mort, car elle était impatiente de se présenter à l'anesthésiste. Même si leur détour par la cafétéria avait été rapide, elle savait qu'ils manquaient de temps. Wykoff pouvait être appelée au bloc à tout instant.

– Le seul truc qui me vient à l'esprit, reprit Michael, c'est de dire que nous sommes en stage en neurologie. En plus c'est assez drôle, d'une certaine façon. Tu ne trouves pas ? Ça veut dire que nous utilisons l'anesthésie en neurologie et la neurologie en anesthésie.

– Hmm... Je ne sais pas, objecta Lynn avec une moue dubitative.

L'idée du stage de neurologie ne lui paraissait pas très crédible. Réfléchissant à voix haute, elle ajouta :

– C'est vrai qu'elle risque de nous interroger sur nos motivations. Tout comme elle risque d'être chatouilleuse au sujet de l'opération de Carl. Le problème, c'est qu'une praticienne comme Wykoff n'aurait aucune difficulté à découvrir que nous mentons. Il lui suffirait d'un coup de fil. Et là nous serions bien dans la merde. Toutes les portes nous claqueraient au nez et adieu notre enquête sur ce qui est arrivé à Carl. Alors je crois qu'il faut trouver autre chose. Pour ne pas mentir. Ou mentir le moins possible. Pourquoi ne pas dire que nous faisons des recherches sur la morbidité hospitalière ? C'est une justification qui a au moins le mérite d'être à peu près vraie.

– La morbidité hospitalière ? Hmm... Ça ne me paraît pas beaucoup mieux. Pour l'administration du centre médical, l'idée de voir des étudiants se pencher sur ce genre de problématique doit être aussi peu marrante qu'une blague de Ronald.

– Eh ben, je ne vois rien d'autre, marmonna Lynn. Et tout de même… Si, je crois que l'excuse de la morbidité hospitalière tiendrait la route. À condition que Wykoff nous réclame des explications, bien sûr ! Peut-être qu'elle ne demandera rien. Bon, allons-y. Le temps presse.

– D'accord, dit Michael, levant les mains en signe de capitulation. C'est toi le chef.

– Tu parles.

Lynn s'approcha de la porte, qui indiquait seulement ANESTHÉSIE, et hésita un instant. Devait-elle juste ouvrir et entrer, ou frapper au préalable ? Par prudence elle choisit la voie de la politesse et toqua doucement sur le battant. Une voix, à l'intérieur, lui cria d'entrer.

Les deux étudiants découvrirent un bureau relativement petit, occupé par quatre tables de travail que les anesthésistes de l'hôpital se partageaient pour assurer leurs tâches administratives. Chaque table possédait un ordinateur et un fauteuil ergonomique. Des étagères bourrées de livres et de revues d'anesthésie couvraient le mur de droite. Sandra Wykoff était assise devant l'un des ordinateurs. Et seule dans la pièce. Elle fit signe à Lynn et à Michael de prendre deux chaises à dossier droit qui étaient contre le mur, pour s'installer à côté d'elle. Elle demanda alors à Michael :

– Et vous, monsieur, qui êtes-vous ?

Contrairement à la plupart des praticiens hospitaliers, elle le regardait droit dans les yeux. Et dans sa voix il n'y avait ni hostilité latente, ni excès de politesse. Elle était juste curieuse de savoir à qui elle avait affaire.

– Je suis étudiant de quatrième année. Comme Lynn, répondit Michael.

– Vous aussi, alors, vous étudiez le cas Vandermeer ?

– Voilà.

Michael était impressionné : l'anesthésiste continuait de soutenir paisiblement son regard. Il ne lui livra pas davantage de précisions, car il estimait que c'était à Lynn de prendre la balle et de monter au panier. Lui, il était juste ici pour calmer le jeu si nécessaire.

Comme si elle avait compris cette dynamique, Sandra Wykoff tourna les yeux vers Lynn.

– Pour quelle raison vous intéressez-vous à ce cas, au juste ?

– Eh bien…

Lynn jeta un coup d'œil nerveux en direction de Michael, puis se racla la gorge :

– Nous avons découvert récemment une chose que nous ignorions, à savoir que la morbidité hospitalière est un problème important. Considérable, à vrai dire. Le nombre de patients qui connaissent des complications, dans les hôpitaux américains, ou en ressortent avec des affections qu'ils n'avaient pas à leur admission, est très important. Et apparemment, eh bien… le cas Vandermeer relève de cette catégorie.

Le Dr Wykoff hocha lentement la tête, l'air songeuse.

– Avez-vous lu la note que j'ai laissée dans le dossier Vandermeer ?

Lynn et Michael n'eurent d'autre choix que de répondre par l'affirmative, mais ils redoutaient ce qui risquait de suivre : une question sur la *raison* pour laquelle ils avaient consulté ce dossier, et surtout sous l'autorité de qui. À leur grand soulagement, cependant, l'anesthésiste demanda :

– Et qu'est-ce qu'il vous dit, ce cas ? Que voulez-vous savoir, au juste… ?

– Nous voulons une explication, bien sûr ! Que s'est-il passé ? Je veux dire, comment un homme de vingt-neuf ans en excellente santé peut-il se retrouver dans le coma, en état de mort cérébrale, après une banale opération du genou ?

Michael eut envie de gifler Lynn. Elle avait parlé sur un ton indigné et passablement agressif. Il fut très surpris d'entendre le Dr Wykoff répondre avec calme, comme si l'attitude de Lynn lui passait au-dessus de la tête :

– Si vous avez lu ma note, vous savez déjà qu'il ne s'est rien passé. Rien d'inhabituel, je veux dire. L'opération s'est déroulée normalement. J'avais vérifié la station d'anesthésie au préalable. Et je l'ai revérifiée après coup. Elle fonctionnait très bien. Les alimentations des gaz, les gaz eux-mêmes, la ventilation, etc., ont été contrôlés plusieurs fois par la suite. Ainsi que les produits utilisés et leurs dosages. J'ai aussi examiné toutes les données à la loupe, et plusieurs de mes collègues ont fait le même travail. Il ne s'est rien passé, du côté de l'anesthésie, qui puisse expliquer cette issue regrettable. Le patient a dû avoir je ne sais quelle réaction idiosyncrasique.

– Il y a bien un truc qui a dû foirer quelque part ! rétorqua Lynn.

Michael lui décocha un regard noir et, pour tenter de faire oublier son éclat de voix, prit la parole d'un ton posé avant que l'anesthésiste ait eu le temps de réagir :

– Nous avons vu dans votre note, ainsi que dans le rapport de la station, que la saturation en oxygène dans le sang a brusquement chuté. Comment expliquez-vous ce phénomène ?

– La saturation en oxygène a baissé, c'est vrai, acquiesça le Dr Wykoff. Mais d'une part elle n'est descendue qu'à quatre-vingt-douze pour cent, ce qui n'est pas si grave, et d'autre part elle a aussitôt commencé à remonter. Très vite, elle a retrouvé sa valeur normale proche de cent pour cent. Pour répondre à votre question, hélas je n'ai aucune explication. Je ne sais pas ce qui a provoqué ce phénomène. Et je précise, au cas où vous n'auriez pas vu ces chiffres dans le rapport de la station, que la concentration de l'oxygène inspiré par le patient et son volume courant n'ont jamais changé.

Voyant Lynn ouvrir la bouche, Michael lui agrippa discrètement le bras pour la faire taire. Il reprit :

– Je suppose que cette histoire doit beaucoup vous préoccuper.

– Ah, comme vous n'avez pas idée ! Je suis extrêmement troublée, dit le Dr Wykoff. Vous savez… Pour moi c'est une première. Jamais je n'avais eu la moindre complication sérieuse avec un patient.

– Si je peux me permettre cette question, heu… Avec le recul, pensez-vous que vous auriez dû faire quelque chose différemment ?

Le Dr Wykoff réfléchit quelques instants avant de répondre :

– Je me suis demandé la même chose. Et la réponse est non. Je ne vois rien, strictement rien que j'aurais pu faire autrement. Je me suis occupée de ce patient comme je me suis occupée de milliers d'autres avant lui. Rien n'a « foiré » nulle part, je peux vous l'assurer, précisa-t-elle en soutenant le regard de Lynn.

– Il s'est forcément passé quelque chose, répliqua cette dernière, d'un ton à peine moins agressif qu'auparavant, en dépit du fait que Michael crispait les doigts sur son avant-bras. Il a dû arriver un truc pas ordinaire, pendant l'anesthésie, dont vous ne vous êtes peut-être pas rendu compte. Et ce truc a eu les conséquences qu'il a eues, voilà.

Le Dr Wykoff dévisagea Lynn en silence plusieurs secondes. Michael avait envie de planter ses ongles dans la chair du bras de son amie pour lui faire mal. Là, elle était allée vraiment trop loin ! Mais à sa grande surprise, une fois de plus, la praticienne ne s'énerva pas. Elle ne remit même pas Lynn sèchement à sa place comme il s'attendait à la voir faire.

– Il y a une chose, en effet… Mais c'est une toute petite chose. Et qui ne peut pas avoir été significative pour le patient. De plus il ne s'agit pas d'une chose que j'ai faite, mais d'une chose que j'ai remarquée. Et... j'avoue qu'elle m'a rendue soucieuse sur le moment.

– Quelle chose ? relança Lynn avec encore trop d'agressivité dans la voix.

Michael se demanda s'il devait à nouveau intervenir pour rattraper son manque de courtoisie. Ce ton accusateur sur lequel elle s'adressait à l'anesthésiste risquait de leur valoir des ennuis à tous les deux. Ils avaient tout de même enfreint l'HIPAA, très concrètement, en consultant les dossiers de Carl et de Scarlett Morrison. Sans parler des photos de certaines pages de ces dossiers que Michael avait prises. Et voilà que Lynn faisait tout son possible pour se mettre à dos une femme qui se montrait étonnamment coopérative avec eux, deux étudiants à qui elle ne devait rien, alors qu'elle était elle-même très affectée, cela se voyait bien, par ce qui était arrivé à Carl. D'un autre côté, Michael sentait que c'était peut-être *justement* parce qu'elle était bouleversée qu'elle leur parlait ainsi. Elle avait besoin de parler, d'une façon ou d'une autre, de ce qui s'était passé.

– C'est le matériel électronique, dit l'anesthésiste d'une voix très calme. Il m'a paru...

Elle s'interrompit, tournant la tête vers les étagères, le regard perdu dans le vague. Michael entendit Lynn soupirer ; il crispa à nouveau les doigts sur son avant-bras, pour lui signifier de la boucler, et demanda :

– Vous voulez dire... la station d'anesthésie ?

– Pas la station proprement dite, répondit le Dr Wykoff, fixant les yeux sur lui. Juste son écran principal. Et si j'ai vu cette petite chose à laquelle je faisais allusion, c'est uniquement parce que je regardais l'écran, par hasard, pile au bon moment. C'est arrivé quand le chirurgien a commencé à percer le tibia. J'ai voulu m'assurer que l'anesthésie était assez profonde et que le patient ne souffrait pas.

Vous savez que le périoste comporte beaucoup de fibres nerveuses. Par conséquent, je surveillais les signes vitaux avec attention.

– Et donc ? Que s'est-il passé ? relança Michael.

– Hmm... Attendez, je vais vous montrer. Vous comprendrez mieux. Cela se voit bien sur le rapport d'anesthésie de la machine.

Sandra Wykoff saisit la souris de l'ordinateur. Elle cliqua ici et là, puis entra des chiffres au clavier.

Michael profita de cet intermède pour secouer légèrement le bras de Lynn. Quand elle tourna la tête, il la fusilla du regard et articula en silence : « Du calme ! » Elle essaya de dégager son bras, mais il refusa de la lâcher. Il se pencha vers elle pour murmurer :

– Laisse-moi parler ! T'es grave !

Le Dr Wykoff fit pivoter le moniteur vers les étudiants en disant :

– Voilà, c'est ici.

Elle avait ouvert une fenêtre qui montrait les tracés des données suivies et enregistrées en temps réel par la station d'anesthésie pendant l'opération : tension, pouls, ECG, oxygénation sanguine, concentration de CO_2 dans l'air expiré, volume courant expiré, température corporelle. Michael et Lynn se penchèrent vers l'écran. Ils reconnurent les tracés qu'ils avaient déjà vus dans le dossier de Carl.

Wykoff zooma sur une zone de l'image, puis saisit un stylo pour le pointer sur l'écran.

– Regardez bien, dit-elle. Ici. Vous voyez, c'est le moment où l'oxygénation est tombée de près de cent pour cent à quatre-vingt-douze pour cent. Le moment où le signal d'alarme a retenti. Il est huit heures trente-neuf. L'opération a commencé depuis soixante et une minutes. Au même moment, comme vous pouvez le voir sur l'ECG, nous avons ce pic de l'onde T en forme de tente. C'est le signe que le cœur ne reçoit pas la quantité d'oxygène dont il a besoin. Mais cela n'a aucun sens. Dans un cœur normal et sain, une saturation en oxygène de quatre-vingt-douze pour cent ne peut pas provoquer l'apparition immédiate de ce pic de l'onde T. De plus, il n'y a aucun changement dans les autres paramètres surveillés. Or, cela devrait être le cas si l'oxygène tombe assez bas pour que le cerveau soit abîmé.

– Oui, nous avons vu tout cela dans le dossier, observa Michael pour entretenir la conversation – il ne comprenait pas où l'anesthésiste voulait en venir.

– Difficile de passer à côté, n'est-ce pas ? Cela saute aux yeux, puisque le tracé de l'oxygénation est régulier jusqu'à cet instant. Mais ce que je veux vous montrer, ce n'est pas la baisse de la saturation en oxygène.

Saisissant la souris, l'anesthésiste fit défiler l'agrandissement des tracés pour remonter jusqu'à la cinquante-deuxième minute de l'opération.

– Ici, dit-elle, le stylo toujours en main. Vous voyez quelque chose ?

Michael plissa les yeux. À la cinquante-deuxième minute de l'opération, le tracé de la saturation en oxygène semblait tout à coup s'élever très légèrement avant de poursuivre sur sa lancée quasi rectiligne.

– Oui, répondit-il. Il y a cette minuscule hausse du tracé sur la page. Pas la valeur de la saturation, mais le tracé lui-même. Il remonte sur l'affichage. Qu'est-ce que cela signifie ?

– Sans doute rien du tout, admit le Dr Wykoff. D'autant qu'il faut remarquer autre chose. Cette minuscule hausse des données est visible sur l'ensemble des tracés du moniteur : pression sanguine, volume courant – tous les paramètres subissent le même phénomène. Tout à coup, ils remontent tous très légèrement. Cela m'a fait très peur, quand c'est arrivé, parce qu'à cet instant j'avais les yeux rivés sur le chiffre du pouls. Si le patient ressent de la douleur au moment où le chirurgien traverse le périoste, le cœur accélère.

C'est le signe que l'anesthésie n'est pas assez profonde. Dans le cas qui nous intéresse, comme vous pouvez le constater, le pouls n'a pas augmenté. Mais à cet instant, je veux dire pile à l'instant où vous avez cette petite hausse des tracés, l'écran a semblé… Comment dire ? J'ai eu l'impression que l'écran vacillait, ou clignotait, je ne sais pas bien comment dire, très brièvement.

– Il a *clignoté* ? répéta Michael. Cela arrive souvent, ce genre de chose ?

– Jamais ! Enfin pas à ma connaissance. Nous, les anesthésistes, vous savez, nous n'avons pas tout le temps les yeux rivés sur l'écran de la station. Nous ne le regardons même pas si souvent que ça, et quand nous le faisons c'est toujours pour une raison précise. Mais j'avais les yeux sur l'écran au moment où ce… ce sursaut s'est produit, et j'ai eu très peur. C'est pour cela que je m'en souviens.

– Mais pourquoi avez-vous eu peur ?

Michael était perplexe. Le détail que le Dr Wykoff leur montrait lui semblait insignifiant.

– Pendant une seconde, j'ai cru que l'écran vacillait parce qu'il avait perdu le flux des données des différents paramètres. C'est-à-dire que j'ai cru que j'allais être privée du monitorage électronique du patient. Heureusement, cela n'a pas été le cas. Et à mon grand soulagement, le phénomène ne s'est pas reproduit.

– Vous n'aviez jamais vu ça auparavant ? insista Michael.

Il inclina davantage le buste pour scruter l'image affichée à l'écran. Le sursaut des tracés était visible, oui, mais il lui paraissait pour le moins anodin.

– Non, jamais, répondit Wykoff. Mais peut-être ce phénomène se produit-il de temps en temps. Peut-être même est-il assez courant. Je n'en sais rien ! Il faut reconnaître que le changement est très subtil. L'écran a juste eu ce… cette espèce de petit hoquet, et les tracés ont juste un tout petit peu remonté comme on le voit sur le rapport. Je ne connais pas bien l'électronique. Mais de toute façon le phénomène ne peut pas être significatif pour nous, puisque tous les signes vitaux, comme vous le voyez très bien à l'image, sont restés complètement normaux jusqu'au moment où l'alarme de la saturation en oxygène a sonné. Si je me souviens de cet événement, c'est parce que les anesthésistes ne peuvent pas se passer du monitorage électronique du patient. Opérer un patient sous anesthésie sans cet outil, ce serait comme piloter un avion les yeux fermés. Et pendant une seconde, j'ai eu peur de perdre mon affichage.

– Tu vois le sursaut en question ? demanda Michael à Lynn, pointant un doigt vers le moniteur.

– Évidemment !

Michael serra les dents et saisit de nouveau le bras de Lynn pour qu'elle s'écarte avec lui de l'écran. Il regrettait de l'avoir réinvitée dans la conversation. Maintenant il craignait qu'elle ne bousille d'une seule remarque la relation cordiale qu'il avait réussi à établir avec le Dr Wykoff. Il était temps qu'ils s'excusent et partent d'ici.

– Nous tenons à vous remercier, docteur Wykoff, de nous…

Il ne termina pas sa phrase. La porte du couloir venait de s'ouvrir, brusquement, puis de claquer sur un homme en pyjama de bloc. Il se dirigeait vers l'un des ordinateurs au pas de charge, en baissant le masque chirurgical qu'il avait sur le visage, lorsqu'il aperçut Wykoff et les deux étudiants. Il s'immobilisa, l'air étonné – mais très vite son expression passa de la surprise à la contrariété. Peut-être était-il déçu de ne pas trouver la pièce déserte. Il fixa Michael et Lynn les yeux plissés. Eux le connaissaient pour l'avoir rencontré en stage de chirurgie en troisième année. Cet homme était le Dr Benton Rhodes, le chef du service d'anesthésie. Originaire de Nouvelle-Zélande, il était grand, baraqué, et il avait des mains immenses. Il avait aussi le teint hâlé du joueur de golf passionné qu'il était. À l'hôpital, il était réputé pour ne pas avoir un caractère facile et, surtout, pour n'avoir aucune patience avec les étudiants en médecine.

– Nous partions, s'empressa de dire Michael, et il sourit au Dr Wykoff en ajoutant : Merci de nous avoir reçus et d'avoir bien voulu nous parler de ce cas tellement préoccupant. Nous vous en sommes très reconnaissants.

Il se mit debout en obligeant Lynn à l'imiter.

– De quel cas s'agit-il ? demanda le Dr Rhodes d'un ton péremptoire.

– Carl Vandermeer, répondit Lynn du tac au tac.

– Vandermeer ? répéta le Dr Rhodes. Quoi ?! Et vous êtes qui, vous deux ?

– Nous sommes étudiants de quatrième année, dit Michael.

Il voulut entraîner Lynn vers la porte, mais elle se figea sur place, soutenant le regard de Rhodes. Manifestement elle avait décidé de reporter contre lui l'animosité qu'elle n'avait pu déverser sur Sandra Wykoff. Elle était prête à en découdre. Michael réprima un soupir, certain à présent que la rencontre allait mal se terminer.

– Vos noms ! s'écria le Dr Rhodes.

– Je m'appelle Lynn Peirce. Et lui, Michael Pender.

Rhodes se tourna vers Wykoff. D'un ton qui oscillait entre incrédulité et colère, il demanda :

– Vous avez parlé du cas Vandermeer avec ces deux-là ? Je ne comprends pas. Hier après-midi, l'avocat de l'hôpital nous a ordonné de ne parler de cette affaire avec personne !

– Ils s'intéressent à la morbidité hospitalière, expliqua le Dr Wykoff. C'est un problème important. Tout à fait digne d'intérêt. Et ce sont des étudiants de chez nous.

– Je me fiche de savoir d'où ils sortent ! hurla Rhodes. Il ne faut parler de cette affaire avec personne, point barre !

Il regarda Lynn et Michael et ajouta :

– Sortez d'ici tout de suite et considérez-vous comme prévenus. Je vais transmettre vos noms à l'avocat de l'hôpital. L'ordre qui nous a été donné de ne parler de cette histoire avec personne est aussi valable pour vous. N'en parlez donc à *personne.* Ni à vos amis, ni à vos familles, ni à d'autres étudiants. À personne ! Si vous désobéissez, vous compromettrez votre avenir d'étudiants en médecine. Vous entendez ? Il est capital que nous soyons sur la même longueur d'onde.

– Absolument, affirma Michael. Nous comprenons très bien et nous ne parlerons à personne de ce cas.

Il saisit le bras de Lynn pour la forcer à sortir du bureau avant qu'elle n'ouvre la bouche.

20

MARDI 7 AVRIL
10 H 05

Dès qu'ils eurent refermé la porte du bureau des anesthésistes sur eux, Michael et Lynn entendirent le Dr Rhodes exploser contre le Dr Wykoff. Il semblait ivre de colère.

Ils s'éloignèrent dans le couloir.

– Très fort, nous deux, pour ce qui est de nous attirer des ennuis. Là, putain, c'est vraiment la cata !

– Ce n'est pas de notre faute, objecta Lynn. La malchance a voulu que Rhodes débarque au mauvais moment. Sinon tout se passait bien.

– Maintenant, poursuivit Michael comme si elle n'avait rien dit, nous n'aurons plus la possibilité de parler avec le Dr Wykoff ! Mais c'est vrai que vu le ton sur lequel tu t'adressais à elle, la rupture nous pendait au nez de toute façon.

– Ça veut dire quoi, ça ? rétorqua Lynn, vexée.

– Tu l'as accusée d'avoir foiré l'anesthésie de Carl ! Je t'avais pourtant recommandé de faire attention. Ton attitude dans ce bureau, mon amie, ce n'est vraiment pas la bonne solution pour t'attirer les bonnes grâces des gens. Fais-moi confiance ! Si j'ai réussi à ne jamais me faire descendre et à ne jamais aller en prison, c'est parce que j'ai appris très tôt à ne pas faire chier les gens. Avec le comportement que tu as eu, je n'en reviens pas que le Dr Wykoff nous ait parlé aussi longtemps et aussi gentiment qu'elle l'a fait.

– C'est moi qui suis en rogne. Et j'en ai bien le droit. Je n'avais aucune envie de lui faciliter les choses.

– Et tu t'en es bien gardée !

– Je crois encore qu'elle cache un truc. Elle a forcément fait une connerie. Je regrette, mais j'en suis persuadée.

– Je pense que tu te goures complètement. À mon avis, elle est très malheureuse de ce qui est arrivé à Carl. Elle est sincère, aussi, quand elle dit qu'elle ne voit aucune explication à cet événement. Sinon elle ne nous aurait pas parlé de ce sursaut de l'image sur l'écran de la station d'anesthésie. Sauf qu'elle a tort de s'y attarder, bien sûr. Les écrans d'ordinateur ont souvent ce genre de petit hoquet bizarre. Surtout ceux qui affichent des flux de données de capteurs externes. Ce phénomène, ça s'appelle un décalage de trame. Et voilà tout. Mais tu sais, je suis persuadé qu'elle aimerait beaucoup, beaucoup, elle aussi, comprendre pourquoi Carl est aujourd'hui dans le coma.

Lynn poussa un ricanement dédaigneux.

– Sur ce point, mon cher ami, nous allons devoir convenir de disconvenir. Je suis grave énervée, en plus, que nous n'ayons pas eu la possibilité de parler avec elle des deux cas similaires à celui de Carl. J'aurais bien aimé lui demander si l'anesthésie, à son avis, pourrait être à l'origine de l'anomalie des protéines plasmatiques observée chez Scarlett Morrison. Ainsi que de la fièvre de cette patiente et de Carl. Ah, putain, j'avais encore plein de questions à lui poser ! Tu sais quoi ? Nous devrions essayer d'interroger les anesthésistes des deux autres patients. Est-ce que tu te souviens du nom de celui d'Ashanti ?

Michael s'immobilisa, sidéré. Lynn se retourna lorsqu'elle s'aperçut qu'il n'était plus à côté d'elle.

– Tu rigoles ? lança-t-il d'un ton outré. Dis-moi que tu n'es pas sérieuse !

– Ben si. Je suis très sérieuse. Nous devrions parler avec les autres anesthésistes. Peut-être ont-ils tous fait la même erreur ? Enfin ça paraît improbable, je sais bien. Interroger les trois, en tout cas, ça pourrait être la solution pour découvrir ce qui s'est passé. Je ne suis pas du tout certaine que les praticiens échangent leurs infos, quand il se produit ce genre d'événement. En ce sens tu as raison, ils cherchent tous à se protéger.

– Primo, je ne me souviens pas du nom de l'anesthésiste d'Ashanti. Et si je l'avais, je ne te le donnerais pas. Tu n'as pas entendu le Dr Rhodes ? Tu n'as pas vu comment il est furibard que nous ayons parlé de Carl avec Wykoff ? S'il découvre que tu as simplement *l'idée* de t'adresser aux autres anesthésistes, il va péter un câble. Il pourrait nous faire renvoyer de la fac ! Et comme ce serait bien, ça, dis donc, alors que nous sommes presque à la remise des diplômes ! S'il est tellement en colère, en plus, je suis sûr que c'est *justement* parce que Carl est le troisième cas de ce genre.

– Tu as fini ? On peut y aller ?

– Ouais, grogna Michael après avoir poussé un profond soupir. Allons nous changer et passons à autre chose.

Ils se remirent à marcher. Au bout de quelques instants, Michael dit calmement :

– Je trouve que nous avons eu déjà bien de la chance. Ça ne s'est pas trop mal terminé.

– Attends, tu es peut-être trop optimiste. Moi, je vois bien Wykoff ou Rhodes parler de nous au personnel de la réa neurologique. Non ? Ils pourraient se demander comment nous avons réussi à consulter le dossier de Carl. Et là, ce serait très mauvais pour nous. La réa nous serait définitivement interdite. À ce moment-là je serais dans l'incapacité de rendre visite à Carl. Et encore plus incapable de découvrir ce qui lui est arrivé.

– Hmm… Difficile de savoir ce qu'ils vont faire. S'ils pensent à prévenir les infirmières, oui, OK, ça risque de barder. Ce qui peut nous sauver, je pense, c'est qu'ils ont beaucoup d'autres choses en tête. Et vu ce que Rhodes a dit, il est clair qu'ils ne veulent pas ébruiter cette affaire. L'hôpital doit flipper à l'idée d'avoir un procès sur les bras.

– Je serais étonnée que les parents de Carl portent plainte.

– Je penserais plutôt le contraire. Son paternel est avocat et spécialisé en droit civil. Les litiges, c'est son truc ! Je le verrais bien se retourner contre l'hôpital. Et s'il ne le fait pas lui-même, un avocat spécialisé dans la faute médicale va les convaincre, Leanne et lui, en insistant sur le fait qu'il faut empêcher que d'autres patients subissent le même sort à l'avenir. Je suis sûr, en tout cas, que l'avocat de l'hôpital redoute le procès.

Ils arrivèrent aux ascenseurs et embarquèrent dans une cabine qui s'ouvrait à cet instant. Deux minutes plus tard, devant la porte de la salle de détente du bloc opératoire, Michael regarda sa montre et dit :

– Grouillons-nous d'aller à la consultation de dermato au BCE. On a raté le cours, ce n'est pas génial, mais s'il le faut, on pourra utiliser ce qui s'est passé aux urgences comme excuse. On se change et on se retrouve ici, d'accord ?

– Je ne vais pas au BCE, affirma Lynn. Et encore moins en consultation de dermato. Dans l'état d'esprit où je suis, tu vois, les grains de beauté et les allergies…

– Tu vas faire quoi, alors ? l'interrompit Michael d'un ton méfiant. Tu n'imagines pas d'essayer de parler aux anesthésistes, quand même ?

– Non ! Il faut que je dorme. Au moins quelques heures. Je sais que je n'ai pas les idées claires. Et puis j'ai une masse de trucs à étudier en ligne. Je veux en apprendre davantage sur les gammapathies monoclonales et le myélome multiple.

– Comme tu le sens. Moi je vais au BCE. Je ne veux pas prendre le risque de me mettre l'administration à dos si près de la fin de l'année. Surtout si Rhodes a une dent contre nous.

– Hé, reviens sur terre ! Tu crois que la fac va nous refuser notre diplôme de médecin parce que nous avons manqué quelques cours minables et une poignée d'heures de consultation auprès des patients ?

– Comment savoir ? Disons juste que le risque n'en vaut pas la chandelle, précisa Michael, puis il ajouta avec une moue résignée : Bon, je suppose que s'il faut signer une feuille de présence, je mettrai aussi ton nom…

– Merci, frangin. Hé, un dernier truc ! Je peux prendre les photos du dossier d'Ashanti sur l'ordi de ta chambre ?

– Hmm… Je sais pas trop. Ça m'oblige à te confier ma clé. Tu risques d'en faire un double pour entrer en douce, un de ces jours, et abuser de moi.

– C'est tentant, mais je te jure que je me retiendrai. Je promets aussi de ne pas visiter ta cache de substances illicites.

– T'as pas intérêt ! Bon, d'accord, on se retrouve devant les ascenseurs dans cinq minutes.

Pendant qu'il quittait le pyjama de bloc pour remettre ses vêtements de ville, Michael repensa à la rencontre avec le Dr Wykoff. L'affaire s'était mal terminée à cause de l'arrivée inopinée de Rhodes, oui, mais il était certain que s'il ne l'avait pas accompagnée, Lynn se serait mise Wykoff à dos. L'entrevue se serait soldée par une vilaine embrouille. À présent il était clair qu'elle avait besoin d'être surveillée de près, parce que son attitude très négative risquait de lui valoir de vrais ennuis. De leur valoir des ennuis à tous les deux ! En même temps, bien sûr, il la comprenait et compatissait à son chagrin. Si sa compagne, Kianna Young, avait été à la place de Carl, il serait devenu dingue. Lui aussi il aurait voulu remuer ciel et terre pour avoir des explications.

Il croyait s'être changé très vite, et pensait devoir attendre Lynn, mais, surprise, elle était déjà devant les ascenseurs quand il y arriva. Il lui tendit la clé de sa chambre en disant :

– Sois gentille, fais le lit et nettoie la salle de bains.

– Dans tes rêves, gros macho. Je m'envoie les photos du dossier d'Ashanti par e-mail, et basta. À propos, tu veux bien me mailer les photos des dossiers de Carl et de Morrison que tu as dans ton téléphone ? Comme ça j'aurai les trois cas. En les comparant, je trouverai peut-être un truc.

– Tu ferais bien de commencer par dormir.

– Merci, docteur. Et toi, n'oublie pas de m'envoyer ces e-mails.

– Oui, m'dame, acquiesça Michael en faisant le salut militaire.

21

MARDI 7 AVRIL
10 H 15

Benton Rhodes claqua la porte de son bureau avec une telle violence que plusieurs des diplômes accrochés au mur, derrière son fauteuil, s'inclinèrent d'un côté ou de l'autre. Il grogna et poussa le siège pour les remettre d'aplomb. Sa secrétaire, dans l'antichambre, avait le casque du dictaphone sur les oreilles et les yeux rivés à l'écran de son ordinateur quand il était passé à côté d'elle. Sans doute ne l'avait-elle pas vu, et sans doute le vacarme du battant heurtant le chambranle l'avait-il fait sursauter. Mais il s'en fichait. Quand il était furieux comme maintenant, il était prêt à passer ses nerfs sur n'importe qui ou n'importe quoi. À vrai dire, l'idée d'avoir terrorisé cette imbécile l'aidait un peu à se calmer.

Il n'avait pas quitté son pyjama de bloc et il était descendu directement à l'administration de l'hôpital où la plupart des chefs de service avaient leur bureau particulier. Au préalable, tout de même, il était passé au vestiaire récupérer son téléphone. Quand ses diplômes furent tous remis bien droit, il s'assit dans le fauteuil en cuir en sortant l'appareil de sa poche. Il ouvrit le répertoire et marqua un temps d'arrêt pour réfléchir. Qui devait-il appeler en premier au sujet de cette nouvelle invraisemblable connerie ?

Jamais, *jamais* il ne comprendrait comment les gens pouvaient être si intelligents pour certains trucs, et si foutrement stupides pour d'autres. Voilà la raison pour laquelle il avait engueulé Sandra Wykoff comme du poisson pourri. L'attitude de cette femme était un vrai mystère. Dévouée à son métier d'anesthésiste comme elle l'était, pourquoi n'avait-elle pas pigé les instructions de Bob Hartley, l'avocat de l'hôpital, quant à la nécessité de ne parler de l'affaire Vandermeer avec personne ? Bob avait pourtant dit les choses bien clairement, non ? Ne parler de l'affaire à *personne*, cela voulait dire à *personne* – point à la ligne. Et surtout pas à deux étudiants qui faisaient les intéressants en fourrant leur nez où ils ne devaient pas !

– Morbidité hospitalière mon cul, ouais, marmonna Benton.

Il les imaginait bien, ces petits emmerdeurs, poster ensuite sur Twitter ou sur Facebook ce qu'ils jugeraient être leurs précieuses et brillantes observations sur le dossier. Et ça, nom de Dieu, ce serait un vrai désastre.

Benton tambourina des doigts sur la table en soupirant. Au bout du compte, la direction du service d'anesthésie du centre médical Mason-Dixon n'était pas, mais alors pas du tout, la sinécure pour laquelle il avait cru signer. Cinq ans auparavant, quand il avait été recruté, il était à la tête du service d'anesthésie d'un hôpital beaucoup plus prestigieux, en Nouvelle-Angleterre, qui traitait deux fois plus de patients que le Mason-Dixon et formait aussi des internes à l'anesthésie. Il bossait beaucoup, là-bas, mais jamais il n'avait été accablé par les emmerdes et l'anxiété auxquelles il avait droit à Charleston. Nom de Dieu ! Ici c'était le Sud, non ? Les gens n'étaient-ils pas censés se la couler douce en sirotant des mint juleps sur leurs vérandas ? Son objectif à lui, en tout cas, quand il avait accepté ce job, avait été de se mettre en semi-retraite – il avait déjà soixante-quatre ans – et de profiter de la vie. Malheureusement ça ne se passait pas comme prévu.

Robert Hartley. La décision était prise. Il voulait d'abord parler avec l'avocat. Il trouva son numéro dans le répertoire de son smartphone, mais il n'utilisa pas celui-ci pour passer l'appel. Il décrocha le téléphone de son bureau. Il savait qu'il serait mieux accueilli si la standardiste du cabinet de Hartley voyait l'hôpital s'afficher sur son écran. Le centre médical Mason-Dixon était un client important.

Benton s'efforça de retrouver son calme pendant que la ligne sonnait. Des problèmes dans la gestion du service, après tout, il en avait déjà eu. Peut-être pas aussi gros que le bazar actuel, mais bien réels et bien chiants tout de même. Et puis les avantages sonnants et trébuchants qu'il avait décrochés en acceptant ce job, notamment son joli paquet de stock-options, n'étaient pas désagréables. La valeur de l'action de Middleton Healthcare avait déjà considérablement augmenté, en particulier depuis que l'on évoquait un rachat du groupe hospitalier par Sidereal Pharmaceuticals, la société du milliardaire russe expatrié Boris Rusnak. Si tout se passait bien, Benton prendrait bientôt une retraite dorée.

Comme il s'y attendait, il fut très prestement mis en relation avec Robert Hartley. Lequel décrocha avant la fin de la première sonnerie.

– Benton, quoi de neuf ? Tu as besoin de quelque chose ?

Bob avait une voix profonde, rassurante, que Benton jugeait adaptée à sa profession. Ils se fréquentaient depuis plusieurs années et s'appréciaient assez pour se tutoyer.

– Nous avons un souci avec le Dr Wykoff. Tes recommandations lui sont passées au-dessus de la tête. J'ai préféré te prévenir tout de suite.

– Mince. Que s'est-il passé, au juste ?

– Je viens de tomber sur Sandra Wykoff lancée en grande conversation, une conversation qui portait *précisément* sur le cas Vandermeer, avec deux étudiants de quatrième année. Des étudiants en médecine, précisa Benton au cas où l'avocat n'aurait pas compris. Après ce que tu lui as dit hier, putain, je n'arrive pas à y croire !

– Cette conversation, qui l'a voulue ? Les étudiants ou l'anesthésiste ?

– Bonne question. Et oui, ce sont les étudiants qui ont contacté Wykoff. Enfin la fille. Il y a une fille et un homme. Elle a rencontré Wykoff au vestiaire et lui a demandé de but en blanc si elle accepterait de parler avec elle du cas Vandermeer. Et pour une raison qui m'échappe complètement, Wykoff a accepté !

– Et pourquoi, alors ? relança Robert. Pourquoi a-t-elle accepté ? Elle a quand même dû te donner une explication.

– Ah ouais. Tiens-toi bien. Elle dit qu'elle est très perturbée par ce qui s'est passé, alors ça lui fait du bien d'en parler. Du *bien*, la pauvre chérie ! Et attends, le pompon ! Elle estime que les étudiants font partie de la grande famille médicale. Quelle conne ! Des étudiants. Tu y crois, toi ?!

– Et eux, comment ont-ils entendu parler de Vandermeer ? Tu le sais ?

– Aucune idée.

– Sais-tu au moins pourquoi ils s'intéressent au cas ?

– D'après Wykoff, ils ont décidé d'étudier le problème de la morbidité hospitalière. C'est-à-dire les gens qui entrent à l'hôpital pour une chose et chopent autre chose, un truc en général pire, pendant leur séjour. Et de ce point de vue, hélas, Vandermeer est un cas d'école. Donc là nous avons un sérieux souci.

– Les étudiants ont-ils parlé à Wykoff des deux autres cas ?

– Non, pas du tout.

– Tu as leurs noms ?

– Michael Pender et Lynn Peirce. J'ai jeté un œil sur leurs dossiers. Les deux sont hyper-brillants. Parmi les tout meilleurs de leur promotion.

– Cela signifie qu'ils sont susceptibles d'avoir de l'influence sur leur milieu. De réussir à se faire entendre s'ils le décident. C'est encore plus ennuyeux. Ont-ils le goût de l'activisme ?

– Aucune idée. Je n'ai rien vu en ce sens dans leurs dossiers.

– À qui as-tu parlé de cette histoire, pour le moment ?

– Tu es le premier que je préviens.

– Tu devrais aussi appeler le Dr Feinberg. En tant que président de l'hôpital, il doit être informé. Si les médias apprenaient ça, les négociations de rachat pourraient être compromises. Et ce serait très mauvais pour nous.

– Je sais bien.

– Tu as dit à ces étudiants, je présume, qu'ils ne doivent parler de l'affaire avec personne ? *Absolument* personne. Leur as-tu bien rentré le message dans le crâne ?

– Oui. J'ai dit les choses très, très clairement.

– Pourquoi Sandra Wykoff nous casse-t-elle les pieds alors que le Dr Pearlman ou le Dr Roux ne le font pas ? Ces deux-là sont coopératifs, non ?

– Oui, tout à fait. Pour Wykoff je ne comprends pas. Crois-moi, elle est difficile à cerner. Elle réagit peut-être comme elle le fait parce que c'est la première fois qu'elle a une complication majeure avec un patient. Certains praticiens prennent mal ce genre d'événement. Seule certitude, elle n'a absolument pas peur d'être attaquée en justice pour faute médicale. Elle est convaincue de n'avoir rien fait de mal.

– Elle est naïve. L'issue d'un procès pour faute médicale peut n'avoir aucun rapport avec les particularités du problème considéré.

– Cette nana est aussi une bosseuse acharnée qui n'a pour ainsi dire pas de vie sociale. Elle est célibataire. Sur le plan professionnel elle est archi-fiable et consciencieuse, mais elle a un côté bizarre. En tout cas, c'est l'impression qu'elle me fait.

– Les deux autres anesthésistes sont eux aussi célibataires.

– Ouais. C'est un mystère. Je ne vois pas pourquoi elle fait sa difficile comme ça.

Les deux hommes gardèrent le silence quelques instants, puis Bob demanda :

– Penses-tu qu'il vaille mieux qu'elle disparaisse, par précaution ? Considérant qu'elle n'a pas respecté l'ordre que je lui ai donné… ?

– Attendons de voir comment elle se comporte après l'avertissement que je viens de lui donner. C'est une excellente anesthésiste, relativement bien intégrée à l'équipe même si elle a un côté solitaire. Et puis voyons si une plainte nous tombe sur le dos pour Vandermeer. Cela dit, je vais laisser Josh Feinberg décider du sort de Wykoff. À mon sens, c'est bien pour régler ce genre de souci qu'il touche un salaire de prince.

– Bonne idée, approuva Bob. Merci de m'avoir prévenu. Je vais réfléchir. Il faudra peut-être prendre des mesures, si les uns ou les autres ne se tiennent pas à carreau, mais tu as raison. Attendons un peu. Je parlerai à Josh après que tu lui auras expliqué la situation. On garde le contact !

Benton poussa un soupir de soulagement quand il raccrocha. Il se sentait déjà mieux, car Bob Hartley était un type doué et efficace, et son petit doigt lui disait qu'il se sentirait encore mieux après avoir parlé à Josh. Josh qui n'aurait aucun état d'âme, lui, au sujet de Wykoff. De plus, il savait aussi que Josh n'aurait qu'à toucher deux mots à la doyenne de la faculté, au sujet de ces foutus étudiants, pour étouffer le problème dans l'œuf.

Il se leva, traversa son bureau et ouvrit la porte pour demander à sa secrétaire de voir si le Dr Josh Feinberg pouvait le recevoir quelques minutes. Il espérait parler à Feinberg avant de retourner au bloc.

Une minute plus tard, la secrétaire passa la tête dans l'entrebâillement de la porte.

– Le Dr Feinberg ne sera libre qu'à quinze heures.

– OK, merci, dit-il.

Benton fit la grimace. Agacé, sinon furieux comme il l'avait été quelques minutes plus tôt, il se sentait maintenant un peu abandonné. Mais bon. Quinze heures, d'accord. En attendant il avait d'autres chats à fouetter.

22

MARDI 7 AVRIL
10 H 43

Malgré son épuisement Lynn jugea préférable de faire un détour, après avoir quitté Michael, pour repasser à la cafétéria. Force lui était de constater qu'elle avait faim. Les calories de la banane et du pain au lait qu'elle avait avalés avant la rencontre avec Wykoff ne suffisaient pas. Elle se sentait faible, elle avait la tête qui tournait et elle avait même un peu la nausée. Elle savait aussi qu'elle ne réussirait pas à s'endormir dans cet état.

Comme elle ne craignait plus de rencontrer ses amis, qui devaient tous être en dermato au BCE, elle décida de prendre le temps de s'asseoir, à la cafétéria, pour manger des œufs brouillés accompagnés de petits légumes – elle sentait qu'il lui fallait des protéines – qu'elle fit descendre avec une infusion. Ce repas la requinqua bien. En plus de l'aider à oublier un peu son chagrin au sujet de Carl, il lui permit de retrouver une certaine capacité à réfléchir calmement, la tête froide. Un moment plus tard, pendant qu'elle marchait vers la résidence universitaire à l'ombre de la masse inquiétante de l'institut Shapiro, elle s'aperçut qu'elle n'avait plus ni vertige ni nausée.

Soudain elle s'immobilisa, comme la veille, pour contempler quelques instants le bâtiment. Elle savait désormais que Scarlett Morrison devait y être transférée. *Et Carl ?* se demanda-t-elle. Serait-il enfermé dans ce bunker, au bout du compte ? Que ferait-elle à ce moment-là ? N'étant pas son épouse, elle ne comptait pas parmi les membres de sa famille proche. Par conséquent elle n'aurait de ses nouvelles que par l'intermédiaire de ses parents. S'ils le voulaient bien. La veille, ils avaient été adorables, dans le couloir de la réanimation neurologique, mais leur attitude pouvait changer s'ils lui reprochaient, même inconsciemment, d'avoir recommandé à Carl de se faire opérer au Mason-Dixon plutôt qu'à l'hôpital Roper. Iraient-ils jusqu'à couper les ponts avec elle ? Lynn haussa les épaules. Elle allait sans doute trop vite en besogne. Markus et Leanne disaient beaucoup l'apprécier ; ils ne l'excluraient pas de leur cercle. Avec un soupir de résignation, elle repartit en direction de la résidence.

Entrer dans la chambre de Michael en son absence lui procura une sensation étrange. Refermant la porte derrière elle, Lynn s'immobilisa quelques instants et embrassa du regard cette pièce dont elle connaissait les moindres détails. Les odeurs. Michael était une personne beaucoup plus ordonnée qu'elle, et ici chaque chose avait sa place. Même les livres de sa bibliothèque étaient classés. Depuis qu'ils se connaissaient, elle l'avait aussi souvent taquiné pour son côté soigneux qu'il l'avait houspillée pour son côté bordélique.

C'était bizarre d'être ici sans lui, oui, mais c'était aussi assez réconfortant. Elle avait passé d'innombrables heures dans cette chambre, depuis quatre ans, comme Michael avait passé énormément de temps dans la sienne. Les deux premières années, en particulier, ils avaient beaucoup bossé ici ou chez elle. Nombre de leurs connaissances préféraient travailler à la bibliothèque ou à la maison des étudiants. Mais pas eux. Et leur collaboration avait été d'autant plus précieuse qu'ils s'étaient poussés, aiguillonnés mutuellement, sans même avoir à en parler, pour produire des efforts bien plus intenses qu'ils ne l'auraient fait si chacun avait travaillé de son côté !

Elle s'assit devant l'ordinateur de Michael, une bécane dont il avait lui-même assemblé les composants en y intégrant une carte graphique surpuissante pour en faire une bête de jeux. Lynn avait eu une période « gamer », elle aussi, quelques années plus tôt, mais cette passion lui était passée. Michael continuait de jouer. Régulièrement. Elle savait que c'était son exutoire, sa façon de se soulager de l'anxiété et des émotions parfois pénibles que les quatre années de médecine valaient aux étudiants – en particulier, peut-être, à un étudiant noir qui se formait dans un centre médical du sud du pays dont le personnel était essentiellement blanc. Il lui avait redit quelque temps plus tôt qu'il jouait souvent le soir, une quinzaine de minutes, et que cette routine était le prolongement d'une pratique qui lui avait permis, adolescent, d'échapper aux pressions du ghetto et de gérer l'agressivité de son milieu.

Quand l'ordinateur eut démarré, Lynn ouvrit le dossier des photos. Elle s'attendait à trouver un système de classement judicieux et propret qui reflétait le sens de l'organisation de Michael, mais elle découvrit quelque chose de tout à fait différent. Les images n'étaient absolument pas classées : elles apparaissaient dans les sous-dossiers suivant l'ordre chronologique dans lequel elles avaient été prises et rapatriées sur l'ordinateur.

Sachant qu'Ashanti avait été opérée quelques mois plus tôt, Lynn ouvrit un dossier daté de janvier. Elle eut alors la surprise de tomber sur une série de clichés pris à Middleton Place – ce nom était sans rapport avec celui de la société Middleton Healthcare –, une ancienne plantation de riz ouverte au dix-septième siècle, aujourd'hui classée comme site historique national, qui était très célèbre pour ses somptueux jardins. Michael, sa copine Kianna, Carl et Lynn y étaient allés ensemble.

La gorge soudain nouée, Lynn ouvrit une image qui la montrait assise avec Carl et Kianna dans une calèche tirée par un attelage de chevaux. Michael était derrière la caméra. Ils avaient passé une journée tellement heureuse. Une journée sublime.

Lynn ferma un instant les yeux. Carl était dans le coma. Elle laissa cette indéniable réalité envahir ses pensées. Carl était dans le coma – le cerveau détruit. Depuis la veille elle tenait le coup avec une tonne de déni, et en intellectualisant la situation, mais maintenant… la prise de conscience du fait que ni l'esprit de Carl, ni sa mémoire n'existaient plus, l'accablait brutalement. Pour la première fois depuis le début de cette tragédie, elle laissa l'émotion la submerger. Les larmes jaillirent de ses yeux et roulèrent sur ses joues ; elle pleura comme elle n'avait peut-être jamais pleuré, avec une violence qui la fit trembler de tout son corps.

Au bout d'un moment, une éternité lui sembla-t-il, les larmes se tarirent peu à peu. Enfin, elle réussit à se lever et alla à la salle de bains pour s'essuyer les joues et les yeux. Le maquillage léger qu'elle avait l'habitude de se mettre le matin dégoulinait en traînées noires sous ses paupières.

Lorsqu'elle eut l'impression de pouvoir se contrôler, elle se rassit devant l'ordinateur pour continuer son exploration de l'immense collection de photos de Michael. Elle évita autant que possible celles qui la montraient en compagnie de Carl, mais c'était difficile car il y en avait beaucoup. Elle avait oublié qu'ils étaient très souvent sortis tous les quatre ensemble. Dans les dossiers, heureusement, il y avait aussi quantité d'images de toutes sortes de choses – dont des centaines de clichés du centre historique tellement charmant de Charleston.

Enfin, Lynn trouva les fichiers qu'elle cherchait. Après avoir scruté les trois images en mode plein écran, elle hocha la tête avec satisfaction. Les fichiers JPEG ayant été enregistrés avec un taux de compression minimal, elle pourrait en agrandir toutes les zones qui l'intéresseraient – pour examiner en détail, par exemple, tel ou tel tracé du monitorage de la patiente. En quelques clics de souris, elle s'envoya les trois images, par e-mail, dans leur format d'origine. Dans sa poche, un instant après, une notification sonore de son smartphone lui confirma l'arrivée de l'e-mail dans sa boîte de réception.

Deux minutes plus tard, Lynn entrait dans sa propre chambre. Elle retira sa blouse blanche et la posa sur le dossier d'une chaise où elle avait déjà une pile de vêtements qu'elle avait lavés avant le week-end. Il lui fallait toujours un certain temps pour ranger ses affaires quand elle les remontait de la laverie du sous-sol. Parfois elle oubliait même cette tâche : elle prélevait juste dans la pile, au fil des jours, les habits dont elle avait besoin.

Lynn lorgna son lit quelques instants. La couette était à moitié roulée en boule, à moitié tombée par terre, du côté gauche. Elle ne l'étendait que lorsqu'elle changeait la housse et le drap du dessous, c'est-à-dire pas bien souvent. Elle pensait toujours avoir mieux à faire que se consacrer à ce genre de corvée. Devait-elle s'allonger pour se reposer ? Juste un petit moment ? Elle hésita, puis secoua la tête. Lorsqu'elle serait à l'horizontal, elle aurait bien du mal à se relever.

Elle s'assit devant son ordinateur portable pour ouvrir sa boîte de réception. Le premier e-mail de la liste était celui qu'elle venait de s'envoyer, avec les fichiers JPEG du rapport d'anesthésie d'Ashanti. Immédiatement dessous, il y avait deux autres e-mails de Michael : les photos, comme promis, des rapports de Scarlett Morrison et de Carl. Elle sauvegarda tous les fichiers sur son disque dur, puis les copia sur une clé USB qu'elle prévoyait d'emporter à la salle commune, au rez-de-chaussée de la résidence, pour imprimer les images sur l'imprimante collective. Auparavant, néanmoins, elle voulait mener quelques recherches. Elle commença par googler *gammapathie*, comme elle l'avait fait à la réanimation neurologique, et retomba sur l'article qu'elle avait déjà vu : « Gammapathie monoclonale de signification indéterminée ». Elle en téléchargea une version PDF qu'elle copia également sur la clé USB. Elle répéta l'opération avec des articles de Wikipédia sur le myélome multiple et sur l'électrophorèse des protéines sériques. Enfin elle trouva un document sur le dernier sujet qu'elle avait en tête, les anticorps monoclonaux – et quand elle le parcourut rapidement à l'écran, elle se rendit compte qu'il lui fallait aussi dégoter quelque chose sur la technique de production des hybridomes. Elle se souvenait d'avoir appris en cours d'immunologie, en deuxième année, que les anticorps monoclonaux étaient secrétés par les hybridomes.

Une fois tous les fichiers transférés sur la clé USB, elle descendit au rez-de-chaussée. Elle activa l'imprimante en passant la bande magnétique de sa plaque d'identification d'étudiante dans un lecteur. Pendant que la machine débitait les pages voulues, elle s'assit dans un fauteuil club en cuir et faillit s'endormir.

Toutes ses impressions en main, elle remonta à sa chambre et s'allongea sur le lit. Elle consacra quelques instants à s'interroger sur l'ordre dans lequel elle devait étudier ses documents. Lesquels étaient prioritaires ? Les rapports d'anesthésie venaient sans doute en tête. Pour les aborder, cependant, elle avait besoin d'avoir les idées bien claires. Elle décida de commencer par l'article sur la gammapathie – une simple révision, celui-là, puisqu'elle l'avait déjà lu à la réanimation neurologique. Elle verrait ensuite le texte sur le myélome multiple. Mais la fatigue l'accabla brutalement. Elle avait à peine lu quatre ou cinq phrases du premier texte qu'elle sombra dans un sommeil profond et sans rêve.

23

MARDI 7 AVRIL
13 H 52

Sandra Wykoff sortit de la SSPI rassurée. Elle venait de vérifier que son deuxième et dernier patient de la journée, qui avait subi une opération de remplacement de la hanche, était bien réveillé. Tous les paramètres étaient normaux et il serait bientôt monté au quatrième étage pour être installé dans une chambre. Elle avait éprouvé une certaine anxiété au moment d'arrêter l'anesthésie de ce patient et celle de son patient précédent, mais dans les deux cas il n'y avait eu aucun problème. Comme pour tous les opérés dont elle s'était jamais occupée au cours de sa carrière, à vrai dire – à l'exception de Carl Vandermeer.

Dans le couloir, elle obliqua pour aller consulter le planning affiché sur un écran mural. Sa première intervention de la journée ayant été annulée, il était possible qu'on lui en ait attribué une autre pour l'après-midi. Geraldine Montgomery, la chef de bloc opératoire, l'aurait bien sûr prévenue le cas échéant, mais elle devait quand même vérifier. Après s'être fait sonner les cloches par Benton Rhodes, elle voulait être plus consciencieuse que jamais. Quelle horrible scène ! Elle avait toujours su que cet homme avait la réputation d'être soupe au lait, mais c'était la première fois, ce matin, qu'elle avait été personnellement confrontée à son sale caractère.

Enfin bon. La scène avec Benton Rhodes l'avait ébranlée, mais il ne lui avait fallu qu'une petite heure, après qu'il était sorti furax du bureau des anesthésistes, pour retrouver son calme. Et elle avait de nouveau eu la conviction de ne pas être responsable du drame survenu pendant l'opération de Carl Vandermeer. Plus elle réfléchissait au cas Vandermeer, à vrai dire, moins elle se reprochait ce qui s'était passé. Elle avait la certitude absolue de n'avoir commis aucune erreur. Elle n'avait rien oublié, rien laissé de côté, elle n'avait pris aucun raccourci comme certains collègues anesthésistes se le permettaient de temps en temps. Notamment en négligeant de faire un check-up manuel de la station d'anesthésie avant chaque utilisation. La plupart de ses collègues, à vrai dire, se fiaient au contrôle automatique de la machine ; pour elle c'était une faute.

Comme elle l'avait dit aux deux étudiants, elle avait revu tous les paramètres de la station et elle avait examiné chaque minute de son rapport automatique, elle avait remis en cause chacun de ses choix et, enfin, elle avait demandé leur opinion à plusieurs de ses collègues qu'elle admirait et en qui elle avait confiance. Elle avait même essayé d'engager la conversation sur le sujet avec Mark Pearlman, qui avait eu un cas étonnamment similaire le vendredi précédent, mais il avait refusé de lui parler. Refusé, plus précisément, d'évoquer le cas Vandermeer et le cas Morrison. Donc c'était clair. Il avait choisi de prendre à la lettre les ordres de Rhodes et de l'avocat de l'hôpital, Hartley. Jusqu'à refuser de partager ses impressions avec ses collègues anesthésistes ! Sandra trouvait cette attitude ridicule quoi que l'avocat pût en penser. Tous les praticiens savaient que les complications opératoires étaient susceptibles d'inspirer des progrès à la médecine – à condition d'en parler et d'échanger les informations !

En tout cas, Sandra était convaincue que si procès il y avait, personne ne pourrait juger l'hôpital coupable. Et contrairement à ce que lui avait hurlé Benton Rhodes aux oreilles, les deux étudiants étaient bel et bien, oui, des membres de la famille Mason-Dixon. On pouvait leur faire confiance. Avant de recevoir Lynn Pierce, elle avait pris la peine d'appeler la doyenne des étudiants pour avoir quelques renseignements à son sujet. Agréable surprise, l'étudiante s'apprêtait à terminer l'année major de sa promotion – comme Sandra elle-même, sept ans auparavant, à l'université de médecine de Caroline du Sud. Elle n'avait vu, et ne voyait encore, aucune raison de refuser de lui parler. Idem pour Michael Pender qui lui avait fait très bon effet. Au contraire : leur conversation pouvait être utile pour tirer quelque chose de cette catastrophe. Pour Sandra, les étudiants *devaient* apprendre que la médecine n'était ni toute-puissante, ni complètement prévisible.

Sa rencontre avec Lynn et Michael avait aussi eu un aspect positif pour elle. À titre personnel. En parlant de l'opération en détail, elle s'était libérée d'une partie de la culpabilité qui l'assommait depuis le drame. Cette discussion l'avait aidée, elle le sentait, à reprendre confiance en ses capacités professionnelles. Or, elle devait être totalement sûre d'elle si elle voulait continuer de travailler comme anesthésiste.

C'était en présence des étudiants que lui était revenu le souvenir de la petite anomalie qu'elle avait observée sur l'écran de la station. Cette espèce de sursaut ou de hoquet de l'image était probablement insignifiant, mais puisque c'était le seul détail un tant soit peu anormal dans toute l'affaire, elle pensait maintenant qu'il valait la peine de creuser la question. Pour cela, hélas, elle devait s'adresser au service de génie clinique de l'hôpital : une perspective vraiment désagréable car elle obligeait Sandra à prendre le risque de se trouver en présence de Misha Zotov.

S'armant de courage pour cette éventualité, elle revint sur ses pas dans le couloir et gagna le bureau-remise où étaient entreposées, avec d'autres machines, les stations d'anesthésie inutilisées. Elle espérait y rencontrer un technicien – autre que Misha Zotov – et lui poser quelques questions sur cette bizarrerie de l'image sur l'écran. Si possible elle préférait éviter de se rendre au service de génie clinique proprement dit, au sous-sol de l'hôpital, car c'était là qu'elle avait rencontré pour la première fois ce bonhomme russe horripilant.

Elle eut l'heureuse surprise de ne pas trouver Misha Zotov dans la pièce. Et la mauvaise surprise de n'y voir personne d'autre. Elle referma la porte avec un soupir et revint sur ses pas. Pas le choix, donc : si elle voulait des réponses, elle devait descendre au service de génie clinique.

Au bureau central du bloc opératoire, très animé comme toujours en début d'après-midi, Sandra attira l'attention de Geraldine, qui était au téléphone, pour l'informer qu'elle s'absentait un petit moment mais reviendrait illico, en cas de besoin, si on la prévenait par SMS. Geraldine leva le pouce : message reçu.

Alors qu'elle récupérait sa blouse blanche dans son casier au vestiaire des femmes, Sandra décida qu'elle pouvait remettre à plus tard sa visite au sous-sol. Avant de s'intéresser au matériel électronique, elle voulait voir où en était le patient, Carl Vandermeer. Elle était déjà montée à la réanimation neurologique la veille, dans l'après-midi, avant de quitter l'hôpital, et elle y était retournée ce matin avant de prendre son service. Elle avait vu les résultats de l'IRM et du scanner, ainsi que le rapport de l'interne de neurologie, mais elle ne pouvait s'empêcher de garder un petit espoir que l'état du patient se soit amélioré. L'hypoxie dont il avait souffert avait tout de même été très brève et très limitée.

Elle poussa deux minutes plus tard la porte de la réanimation neurologique. Dès qu'elle entra dans la baie numéro huit et posa les yeux sur le patient, elle sut que son état n'avait pas changé. Une infirmière venait de le tourner sur le côté pour lui laver le dos et lui mettre du talc. Sandra se figea un instant sur place, d'autant plus touchée par l'énormité de la situation qu'elle s'en jugeait encore, quelque part, en partie responsable. Et maintenant ? Les patients comateux demandaient beaucoup d'attention. Des soins réguliers. Carl Vandermeer aurait aussi très certainement besoin de se voir poser une sonde, à travers la paroi abdominale, pour être nourri. Cela signifiait qu'il faudrait à nouveau l'opérer. Sandra frissonna à l'idée d'être obligée de se charger de cette anesthésie.

– Il va mieux ? demanda-t-elle en dépit du fait qu'elle connaissait déjà la réponse à sa question.

– Beaucoup mieux ! dit l'infirmière d'un ton enjoué. Tout à l'heure il a éternué.

Oh, mon Dieu, pensa Sandra avec dépit. Un éternuement, c'était tout sauf la preuve que le patient allait mieux. Même si, bien sûr, ce réflexe prouvait aussi que le tronc cérébral fonctionnait. Ayant constaté sur le moniteur mural que les signes vitaux de Carl étaient normaux, elle quitta la baie pour se diriger vers le poste de soins. Au passage elle remarqua que Scarlett Morrison, la patiente de Mark, n'était plus dans son lit ; c'était maintenant un dénommé Charles Humphries qui l'occupait.

La veille elle avait brièvement parlé de Carl avec l'infirmière en chef, Gwen Murphy, qui se trouvait derrière le comptoir du poste de soins. Espérant en dépit de tout, elle lui demanda :

– Y a-t-il du changement dans l'état de Carl Vandermeer ?

– Non, répondit Gwen. Mais côté positif des choses, son état est stable. Les analyses n'ont révélé aucune infection susceptible d'expliquer sa fièvre. Et puis sa température est un peu redescendue.

De la main, Sandra désigna la baie où s'était trouvée la patiente de Mark Pearlman.

– Je vois que Scarlett Morrison n'est plus ici. Elle est repartie en neurologie ou… ?

– Nan ! Elle a été transférée à l'institut Shapiro. À la neuro, ils n'ont pas plus que nous le matériel et le personnel pour gérer un patient comateux de longue durée. Par contre le Shapiro est conçu pour.

– Ça paraît tout de même terriblement rapide, non ? Elle n'est restée ici que trois jours.

– Elle était stabilisée, dit Gwen avec un haussement d'épaules fataliste. Elle n'avait pas besoin de rester ici. C'est mieux pour tout le monde, sans doute, y compris pour la patiente, et vous imaginez bien que l'hôpital préfère cette solution. Plus économique. Une journée ici, en réa neurologique, coûte dix fois plus cher qu'à l'institut.

– Dix fois ? répéta Sandra. Ouah ! Je savais que l'institut revenait moins cher, mais pas à ce point-là. En effet, c'est une sacrée incitation à déplacer les patients.

– Eh oui. Nous espérons que Vandermeer va partir aussi très vite.

– Ah bon ? Mais il vient juste d'arriver ici. Son état va peut-être s'améliorer !

Sandra était effarée. Dans son esprit, envoyer un patient à l'institut Shapiro équivalait à renoncer à tout espoir de le guérir – même si cet espoir était irréaliste.

– Aucune chance, d'après les internes du service, dit Gwen d'un ton détaché en baissant les yeux sur un document qu'elle venait de poser devant elle. Ils jugent qu'il vaut mieux l'envoyer le plus tôt possible au Shapiro. Et nous n'avons pas de lit en trop, vous savez.

Sandra regagna les ascenseurs plus déprimée que lorsqu'elle était arrivée à la réanimation neurologique. Maintenant, de surcroît, elle n'avait plus d'excuse pour éviter de descendre au service de génie clinique. La cabine était pleine quand elle y embarqua, mais entre le rez-de-chaussée et le sous-sol elle fut seule. Les portes s'ouvrirent. Elle s'avança dans le couloir et s'immobilisa, hésitant à nouveau – puis elle secoua la tête. Sa timidité l'agaçait. Si elle rencontrait Zotov, il lui suffirait de l'ignorer. Elle n'avait aucune raison de se comporter comme une adolescente.

Sandra se remit à marcher. Elle passa d'abord devant le service d'autopsie et la morgue, puis devant le service informatique où elle aperçut, à travers deux baies vitrées, les énormes serveurs de l'hôpital dans leur salle climatisée. Juste après, il y avait le bureau central de la sécurité. La porte était ouverte. Elle ralentit le pas, fascinée par les rangées d'écrans, sur deux murs de la pièce, qui affichaient les images des innombrables caméras disséminées dans le centre médical.

Poursuivant son chemin dans les couloirs, elle repensa à Misha Zotov. Ce type la mettait mal à l'aise, elle le savait, car il lui rappelait son ex-mari, Adam Radic. Aussi bien physiquement que psychologiquement. Les deux hommes avaient le teint mat et de grosses barbes, ils étaient grands et musclés mais minces, et ils avaient le regard intense sous des paupières lourdes. Tous deux avaient aussi un talent redoutable pour la flagornerie et l'obséquiosité. Chez Adam, le temps avait prouvé que c'était un jeu, un piège. Sandra était convaincue qu'il en allait de même chez Misha.

Elle avait fait la connaissance d'Adam quand elle avait entamé l'internat. Dans les premiers temps, elle avait été séduite par ses flatteries et par les attentions qu'il lui prodiguait. Il avait aussi le charme de l'exotisme et une certaine sophistication, par rapport à elle, parce qu'il arrivait d'Europe. Il avait quitté la Serbie pour parfaire sa formation de chirurgien en Amérique. C'était aussi un plus, évidemment, pour l'interne très motivée qu'elle était, de sortir avec un chirurgien reconnu et doué. Croyant ses déclarations d'amour sincères, Sandra était tombée amoureuse de lui.

Moins d'un an après leur rencontre, ils étaient mariés. Leur relation avait alors rapidement changé. En particulier après qu'Adam avait obtenu son permis de séjour permanent aux États-Unis. Adieu la gentillesse, les compliments, les bouquets de fleurs. Il s'était transformé en tyran. Il l'avait battue, violemment, à plusieurs reprises. Grâce à l'intervention de son père, Sandra avait obtenu le divorce. Mais elle était ressortie traumatisée de cette période de sa vie. Le problème de la violence domestique était une vraie réalité, désormais inscrite dans sa chair, et qu'elle n'oublierait jamais.

Sandra poussa la porte du service de génie clinique. Elle parcourut du regard la vaste salle meublée de trois rangées d'établis sur lesquels s'entassaient toutes sortes d'appareils : respirateurs, stations d'anesthésie, etc. Ici, l'ordre et la propreté régnaient. Deux murs étaient couverts de plaques perforées auxquelles étaient suspendus tous les outils dont les techniciens pouvaient avoir besoin. Les bourdonnements et les sifflements de plusieurs machines électriques se mêlaient bizarrement à la mélodie de musique classique qui s'élevait d'une mini-chaîne, mais le niveau sonore général restait modéré.

Quelques paires d'yeux curieux se fixèrent sur Sandra, mais la plupart des douze ou treize techniciens en combinaison blanche qui étaient aux établis restèrent concentrés sur leurs tâches. À une table près du mur du fond, deux hommes jouaient aux échecs. Il n'y avait aucune femme et la plupart de ces types ressemblaient à Misha Zotov. Les blonds étaient clairement en minorité.

Sandra s'aperçut avec désarroi que Misha Zotov comptait parmi les individus qui la regardaient. Posté devant l'établi le plus proche de la porte, il travaillait sur une station d'anesthésie. Elle vit à son expression qu'il la reconnaissait. Malheureusement, il posa l'outil qu'il avait à la main et quitta son tabouret pour venir à sa rencontre.

Sandra scruta de nouveau la salle des yeux. Elle cherchait Fyodor Rozovsky, le directeur du service, avec qui elle avait fait connaissance lors de sa précédente visite. C'était lui qui avait répondu à ses questions. Manque de chance, il n'était pas ici.

– Docteur Wykoff ! s'extasia Misha. Comme toujours vous êtes ravissante. Qu'y a-t-il pour votre service, aujourd'hui ?

Il s'immobilisa devant Sandra – si près qu'elle dut reculer d'un pas pour retrouver son espace vital. Son anglais s'était amélioré, apparemment, mais il parlait toujours avec un très fort accent russe.

– Je cherchais Fyodor Rozovsky. Où est-il ? demanda-t-elle en évitant de croiser le regard de Misha.

Vu le commentaire déplacé, et sans doute calculé, qu'il lui avait fait sur son apparence, elle devinait qu'il n'avait pas changé. Cet homme la répugnait et elle ne voulait rien avoir affaire avec lui. Elle parcourut de nouveau la vaste salle des yeux.

– Il est dans son bureau, répondit Misha. S'il vous plaît ! Pour vous, je peux aller le chercher. Pas de problème.

– Merci mais je vais le trouver moi-même, répliqua-t-elle d'un ton sec.

Elle partit en direction du bureau de Fyodor qui se trouvait au fond de la salle. Misha, hélas, ne capta pas le message. Il lui emboîta le pas – et continua de lui faire la conversation ! Sans se soucier, visiblement, de n'obtenir aucune réaction de sa part. Il parla d'abord de la météo, puis de Charleston au printemps, si belle, si resplendissante avec toutes ces fleurs, alors qu'en Russie, dans sa ville natale, cette période de l'année était tellement affreuse. Pas de doute, son anglais s'était bien amélioré.

Sandra ne desserra pas les lèvres. Elle était stupéfaite, une fois encore, de constater à quel point cet homme lui rappelait Adam Radic. Or, le souvenir de ce qu'elle avait vécu avec son ex-mari lui donnait la chair de poule. Quand elle parvint à la porte du bureau,

Misha la talonnait encore. Elle avait beau l'ignorer, il persistait. Il venait à présent de lui proposer, comme il l'avait déjà fait auparavant, qu'ils prennent un verre ensemble sur le toit du Vendue Inn. Il précisa que c'était son bar préféré et un endroit formidable pour admirer le coucher du soleil sur Charleston. Sandra connaissait, merci. Ce bar avait aussi compté parmi les lieux de sortie nocturne préférés d'Adam – mais pas avec elle.

Elle poussa la porte de Fyodor Rozovsky. Misha entra derrière elle dans le bureau où se trouvaient d'un côté un établi, de l'autre trois tables équipées d'ordinateurs. Le directeur du service de génie clinique était assis, seul, devant l'un des écrans.

Avant que Sandra ait pu dire un mot, Misha passa devant elle et se lança dans une conversation animée, en russe, avec Fyodor. Celui-ci pencha la tête de côté, une fois, pour regarder Sandra derrière Misha. Elle était perplexe car elle n'avait pas encore ouvert la bouche. De quoi pouvaient-ils bien parler ? Enfin, Misha se tut et s'écarta. Fyodor se mit debout. D'un geste autoritaire, il désigna une chaise que Misha s'empressa d'approcher pour Sandra.

– Je vous en prie, docteur Wykoff. Asseyez-vous donc, dit-il dans un anglais plus abouti encore que celui de Misha – il n'avait quasiment pas d'accent. Je me souviens de notre précédente rencontre, bien sûr. Vous étiez venue nous demander tous les combien de temps nous contrôlons les stations d'anesthésie.

Sandra s'assit et toisa Misha du regard, espérant qu'il allait quitter la pièce. Il resta à sa place avec une espèce de sourire à la fois satisfait et idiot sur les lèvres, comme s'il attendait une récompense pour l'avoir accompagnée jusqu'au bureau de Fyodor. Quel pot de colle. Elle était vraiment contente de ne pas être tombée sur lui seul dans l'annexe du service au bloc opératoire.

– Eh bien, j'ai une autre question à vous poser, dit-elle, regardant Fyodor.

– Nous sommes à votre service, docteur.

Fyodor avait quelque chose d'hypocrite, lui aussi, dans son attitude, qui ne la mettait pas à l'aise. Elle décida de se lancer malgré tout :

– Hier, il s'est produit un incident très regrettable au cours d'une opération…

Elle s'interrompit, prenant soudain conscience que pour avoir une réponse à la question d'ordre technique qu'elle voulait poser, elle allait être obligée de parler, et sans doute avec certains détails, du cas Vandermeer. C'est-à-dire de désobéir à Benton Rhodes et à l'avocat de l'hôpital. C'était ennuyeux. D'un autre côté… Cet homme, Fyodor Rozovsky, était responsable du bon fonctionnement des stations d'anesthésie, et elle avait besoin d'être rassurée.

Comme s'il percevait son hésitation, le chef du service de génie clinique dit :

– Nous sommes au courant, bien sûr. Le Dr Rhodes nous a parlé de cet incident. Tout d'abord, nous pouvons vous assurer que la station que vous avez utilisée a toujours été vérifiée et entretenue comme il se doit. Ses documents sont en ordre. Ensuite, sachez que le Dr Rhodes nous a donné l'ordre, hier, de contrôler une fois de plus cette station. Nous l'avons descendue ici et nous l'avons examinée de façon approfondie. Je peux vous affirmer qu'elle s'est révélée être en parfait état de fonctionnement. Et elle est déjà remontée au bloc opératoire. Le Dr Rhodes le sait.

Sandra hocha la tête, quelque peu étourdie par le topo de Fyodor. Elle ignorait que Rhodes avait dit au service de génie clinique de contrôler la station, mais cela paraissait logique. Aurait-elle dû penser elle-même, dès hier, à réclamer cette vérification ? Bon, cette question n'avait de toute façon plus d'importance.

– Avez-vous autre chose à nous demander, docteur ? demanda Fyodor d'un ton patelin.

– Je crois que vous m'avez tout dit, merci.

Sandra commença à se lever, puis elle hésita et retomba sur la chaise en disant :

– Enfin il y a peut-être une chose. Hmm…

– Je vous en prie, dit Fyodor avec un sourire onctueux.

Comme elle l'avait fait avec les deux étudiants, Sandra essaya d'expliquer le sursaut, ou hoquet, ou vacillement, elle ne savait pas trop comment qualifier le phénomène devant ces deux professionnels, qu'elle avait observé sur l'écran de la station lorsque le chirurgien avait commencé à percer le tibia du patient. Pendant qu'elle parlait, elle vit sur le visage de Fyodor qu'il avait du mal à croire qu'une telle bizarrerie ait pu se produire. Elle eut alors l'idée de préciser que la chose se manifestait sur le rapport de la station d'anesthésie.

– C'est infime, mais tout à fait visible, conclut-elle. Si vous voulez bien ouvrir le fichier du rapport d'anesthésie Vandermeer sur un de vos terminaux, je vous montrerai ça.

Fyodor et Misha se regardèrent. Fyodor hocha la tête et Misha se pencha vers l'ordinateur le plus proche de Sandra. Quand il eut ouvert le fichier voulu, il fit un pas de côté en désignant le clavier de la main. Sandra tourna sa chaise et saisit la souris. Comme elle l'avait fait devant Lynn et Michael, elle zooma sur les tracés des signes vitaux et fit défiler ceux-ci jusqu'au moment – la cinquante-deuxième minute de l'opération – où ils semblaient tous grimper très légèrement sur l'image.

– Voilà, c'est ici, dit-elle, pointant un doigt. Vous voyez cette petite remontée verticale ? Quand c'est arrivé, le moniteur a semblé… clignoter. Une fraction de seconde. C'est ce qui m'a intriguée. Et qui m'a fait peur, je l'avoue, parce que j'ai cru que je perdais mes données de monitorage.

– Hmm… intéressant, dit Fyodor, penché vers l'écran de l'ordinateur. Je vois. Et de quoi s'agit-il, à votre avis ?

– Vous me demandez ça à *moi* ? répliqua Sandra. Je ne sais pas, justement ! C'est vous, les spécialistes. Je ne connais pas grand-chose à l'électronique et c'est la raison pour laquelle je suis venue vous consulter.

Fyodor échangea de nouveau un regard avec Misha.

– Je ne sais pas quelle est la cause exacte de ce phénomène, mais je vous promets qu'il est sans importance, dit-il, et il regarda de nouveau le moniteur avant d'ajouter : Les tracés ont tous l'air normaux avant et après le petit sursaut. À ton avis, Misha ?

Surprenant l'expression étonnée de Sandra, Fyodor précisa :

– Je suis le directeur du service, oui, mais Misha est notre principal technicien pour les stations d'anesthésie. C'est lui, voyez-vous, qui a écrit la plus grande partie du logiciel du modèle que nous utilisons au Mason-Dixon. S'il y a le moindre souci avec ce matériel, c'est à Misha qu'il faut s'adresser.

Sandra était impressionnée par cet éloge dans la mesure où elle avait une très haute opinion de la station d'anesthésie avec laquelle elle travaillait. Mais cela ne changeait rien au dégoût que lui inspirait cet homme.

Misha se pencha vers l'écran et étudia l'image avec attention, les yeux plissés, hochant plusieurs fois la tête. Sandra eut l'impression qu'il jouait la comédie.

– C'est une toute petite chose, je sais bien, dit-elle. Mais jamais je n'avais observé ce phénomène, et vu l'issue catastrophique de l'opération, je veux être certaine qu'il n'est pas significatif. Si le patient s'était réveillé comme prévu après l'opération, j'aurais peut-être oublié ça. D'un autre côté ce sursaut m'a tout de même fait peur, sur le moment, puisque j'ai cru que je perdais le monitorage électronique du patient.

– C'est pas important, affirma Misha en s'écartant de la table.

– Ah ? Mais de quoi s'agit-il, alors ? insista Sandra. Le savez-vous ?

– C'est pas important, répéta Misha. C'est juste un décalage de trame. Ça arrive à cause, heu…

Il soupira et agita les mains, l'air navré de ne pas réussir à mieux s'expliquer avec son anglais limité.

– À cause de quoi ? relança Sandra.

– Il faut bien savoir, docteur, intervint Fyodor, que l'ordinateur de la machine travaille constamment à compresser des données. Et vous n'imaginez pas la quantité de données qui sont produites et traitées à chaque seconde. Du coup, il n'est pas étonnant d'observer certaines légères variations de l'affichage sur le moniteur. Elles peuvent refléter des petites anomalies de fonctionnement des composants électroniques, par exemple la décharge prématurée d'un condensateur parmi les centaines que compte la machine, ou bien un problème logiciel quand il y a un trop-plein momentané de données. L'écran peut même sursauter comme vous l'avez vu faire quand un trop grand nombre d'applications tournent en même temps. C'est aussi simple que cela.

Sandra hocha la tête comme si elle comprenait très bien cette explication. Il était clair, en tout cas, que les deux hommes ne pensaient pas que ce « décalage de trame » pût avoir le moindre rapport avec l'accident de Carl. Elle allait les remercier et se lever, lorsqu'ils se lancèrent tout à coup dans une conversation très animée, pour ne pas dire exaltée, en russe. Comme si elle observait un match de ping-pong, ses yeux firent la navette entre Fyodor et Misha pendant qu'ils se renvoyaient argument sur argument – ou invective sur invective, car elle avait un peu l'impression qu'ils se disputaient.

Aussi soudainement qu'elle avait démarré, la conversation cessa, et Fyodor retrouva son sourire onctueux.

– Pardonnez-nous de parler russe devant vous. C'est très impoli. Nous étions en désaccord sur un point de détail. L'essentiel, en conclusion, c'est que ce petit décalage de trame que vous avez observé, quelle que soit son origine, n'a pas pu avoir de conséquence sur le fonctionnement de la machine. Voilà ! Y a-t-il autre chose pour votre service, docteur ?

– Non, dit Sandra en se mettant debout. Merci d'avoir pris le temps de me parler.

– Nous sommes ici pour vous servir, dit Fyodor. N'hésitez pas, s'il vous plaît, chaque fois que vous avez une question, à revenir ici ou à nous passer un coup de fil. Comme vous le savez, nous avons des techniciens sur place vingt-quatre heures sur vingt-quatre, sept jours sur sept.

Quand elle sortit du bureau, Sandra s'attendit à être une fois de plus suivie par Misha. Elle redoutait qu'il lui colle aux basques jusqu'aux ascenseurs. Mais, surprise et soulagement, il resta avec Fyodor.

Dans le couloir principal du sous-sol, elle décida de commencer par remonter au bloc pour voir sur le planning les interventions qu'elle aurait le lendemain matin. Si un ou plusieurs de ses patients étaient déjà hospitalisés, elle irait leur rendre visite. Pour ceux qui arriveraient le lendemain juste avant leur opération, elle examinerait les données déjà enregistrées dans leurs dossiers médicaux personnels. Ainsi elle aurait une assez bonne idée de la journée qui l'attendait. L'affaire Vandermeer la rendait plus obsessionnelle que jamais.

Ensuite elle pourrait rentrer chez elle.

24

MARDI 7 AVRIL
14 H 41

Pendant une bonne minute après le départ de Sandra Wykoff, le silence régna dans le bureau du directeur du service de génie clinique. On n'entendait que les bruits assourdis, mêlés à quelques accords de musique classique, des appareils en fonctionnement dans la grande salle voisine. Les deux expatriés russes se regardaient – pensifs et tous deux mécontents, mais pour des raisons légèrement différentes.

Fyodor Rozovsky vivait à Charleston depuis déjà plusieurs années lorsqu'il avait recruté Misha Zotov. Ils se connaissaient depuis l'enfance, ils avaient grandi dans le même quartier de Saint-Pétersbourg et ils avaient fait leurs études ensemble à l'institut de physique et de technologie de Moscou. Aujourd'hui, il y avait près d'une décennie que Fyodor avait pris l'avion pour les États-Unis. Sidereal Pharmaceuticals venait alors de décider de financer la construction de l'institut Shapiro ; les connaissances de Fyodor en programmation et en robotique devaient jouer un rôle déterminant dans le succès de ce projet. Il avait si bien travaillé que Middleton Healthcare n'avait pas demandé mieux, lorsque le Shapiro était entré en service, que de lui confier les rênes du service de génie clinique du centre médical. La compagnie estimait que l'automatisation progressive des soins était l'avenir de la médecine hospitalière.

– Ce truc ne me plaît pas du tout, dit enfin Fyodor, en russe, sans cacher son irritation. Sergueï Polouchine va entrer dans une colère noire si ce foutu décalage de trame devient un sujet de discussion entre les anesthésistes.

Sergueï Polouchine était un génie de la finance qui avait été l'instigateur de la création de l'institut Shapiro – et il le considérait comme son pré carré. Il avait aussi la réputation d'être le plus proche collaborateur de Boris Rusnak, l'oligarque russe multimilliardaire qui avait fondé Sidereal Pharmaceuticals. Basé à Genève, Rusnak avait créé son empire en menant une campagne très agressive d'OPA hostiles sur plusieurs petites sociétés pharmaceutiques qu'il avait ensuite fait fusionner. Tout cela avec l'aide de Sergueï Polouchine. Sidereal était désormais l'une des plus importantes sociétés pharmaceutiques du monde et, plus important peut-être, elle s'apprêtait à conquérir le nouvel eldorado de la pharmacologie : la fabrication et la vente de biomédicaments, c'est-à-dire de médicaments produits par des organismes vivants et non par la chimie.

– Il faut que j'aie une sérieuse discussion avec mes programmeurs, grogna Misha.

Les sourires et les manières enjôleuses dont il avait usé avec Sandra avaient disparu. Il était aussi mécontent que Fyodor et ne le cachait pas.

– Un décalage de trame comme celui-là, ajouta-t-il, c'est clairement de la programmation bâclée ! Et ça m'énerve de ne pas m'en être aperçu de mon côté.

– Je n'ai sans doute pas besoin de te rappeler que Sergueï te tiendra pour responsable si ce truc nous cause des ennuis.

– Je sais bien ! Et je vais faire ce qu'il faut, tout de suite, pour que le problème disparaisse. Quand est programmé le prochain cas ?

– La semaine prochaine. Tu as le temps. Mais c'est important de régler ce truc. Le programme, tu le sais bien, c'est un cas par semaine dans chacun des hôpitaux Middleton Healthcare. Nous ne pouvons pas nous permettre d'avoir des bugs dans les machines. Est-il possible que le même phénomène se soit produit lors des deux essais précédents ?

– Je ne sais pas, dit Misha. Attends, j'ouvre le premier dossier…

Il s'assit au clavier de l'ordinateur qu'il avait utilisé un moment plus tôt, y fit apparaître le rapport d'anesthésie d'Ashanti Davis et zooma sur les tracés comme l'avait fait Sandra Wykoff avec le rapport Vandermeer.

– Ouais, c'est là, dit Fyodor qui s'était penché vers l'écran. Zut ! Ce n'est pas bon du tout, ça. Regardons Morrison.

Misha répéta l'opération avec le rapport d'anesthésie de Morrison.

– Merde ! s'exclama-t-il. On le voit aussi ici. Je suis désolé.

– Règle ce problème ! rétorqua Fyodor.

Misha referma les fichiers et dit :

– Par chance, personne ne semble avoir remarqué le phénomène dans les deux précédents cas.

– Tu sous-entends qu'on peut ignorer le truc ?

– Sûrement pas ! Je vais régler ça dès aujourd'hui, je te dis. Mais je me demande si nous ne devrions pas essayer de faire disparaître le décalage de trame sur les trois documents.

– Tu peux faire ça ?

Misha réfléchit quelques instants et haussa les épaules.

– Sans doute. D'un autre côté, ça pourrait laisser une trace. Le bidouillage risquerait de se voir. Je peux peut-être charger un de nos gars d'essayer, avant de mettre le truc en œuvre, et te montrer le résultat. Dans une heure ou deux, si tu veux ?

– D'accord. Mais l'essentiel, c'est que tu nous débarrasses du bug !

– Totalement d'accord, affirma Misha. Ensuite il reste le problème du Dr Wykoff. Est-ce qu'elle risque de demander des explications à quelqu'un d'autre au sujet du décalage de trame ?

– Je me suis posé la question. Nous savons que le chef des anesthésistes et l'avocat de l'hôpital ont clairement ordonné à tous les gens concernés de la boucler. Parler de ce décalage de trame, ce serait un acte de désobéissance…

– D'accord, mais est-ce qu'on peut prendre le moindre risque ? Cette nana, avec ses questions, elle nous pose un problème majeur. Je crois que c'est le genre de situation où il faudra tôt ou tard faire appel aux services de Darko et de Léonid.

Fyodor et Misha connaissaient Darko Lebedev et Léonid Choubine. Ils savaient que ces hommes étaient d'anciens militaires des forces spéciales russes – et qu'ils avaient œuvré plusieurs années en Tchétchénie où ils s'étaient appliqués à pourchasser et à éliminer tous les individus que Moscou qualifiait de terroristes. Ils savaient aussi que Boris Rusnak les avaient convaincus de quitter l'armée et de travailler pour lui au début de son ascension météorique dans le monde des affaires passablement violent de la Russie postsoviétique : les individus qui avaient les compétences et la mentalité de Darko et de Léonid étaient précieux dans un tel environnement. Fyodor et Misha savaient enfin que Sergueï Polouchine les avait envoyés à Charleston pour protéger les investissements de Sidereal aux États-Unis.

Fyodor leva les yeux au plafond et soupira. Misha avait raison. Le Dr Sandra Wykoff constituait un maillon faible dans une chaîne par ailleurs solide. Avec ses questions idiotes, elle risquait de compromettre le programme – peut-être même de l'arrêter un certain temps. Et lui, Fyodor, devait faire barrage à cette menace. Toute autre attitude aurait été irresponsable. En outre, la menace pouvait être facilement éliminée. Comme les anesthésistes choisis avant elle, Wykoff avait été sélectionnée pour les cas d'essai parce qu'elle était célibataire. Gravement solitaire, à vrai dire. Misha avait essayé de se rapprocher d'elle, pour la tenir à l'œil, mais il s'était planté. Avec les deux autres anesthésistes, des hommes, ils avaient utilisé des tapins russes de luxe et tout avait bien fonctionné. Sandra Wykoff, elle, était hélas un petit canard boiteux qui leur posait maintenant un vrai problème. Impossible de savoir ce qu'elle avait dans la tête.

Fyodor se tourna vers Misha. Il avait pris une décision.

– Je n'aime pas cette femme, dit-il.

– C'est une connasse qui pète plus haut que son cul, renchérit Misha. Tu peux me faire confiance, j'ai tout fait pour être gentil avec elle. Elle doit avoir de ces idées dans la tête, putain. C'est sûr qu'elle va nous emmerder !

– Très bien. Alors il faut s'occuper d'elle. Tu veux parler toi-même à Darko et à Léonid, ou je m'en occupe ? Je sais qu'ils n'attendent pas mieux que de se rendre utiles.

– Je les appelle. Avec grand plaisir, dit Misha en quittant son siège devant l'ordinateur. Dès que j'aurai mis mes programmeurs au boulot, je téléphone à Darko.

– Tiens-moi au courant.

– Sans faute, dit Misha avant de quitter la pièce.

25

MARDI 7 AVRIL
15 H 04

Un assistant fit entrer Benton dans le burlingue classieux du président de l'hôpital. Josh occupait un bureau d'angle, donnant sur l'un des splendides jardins, qui était aussi vaste et richement aménagé que le bureau d'un président-directeur général de multinationale. Il convenait à sa double casquette de président du centre médical Mason-Dixon et de président du conseil d'administration de Middleton Healthcare. Benton ne pouvait s'empêcher d'être un peu jaloux. Josh était médecin, lui aussi, mais il appartenait à une nouvelle race de médecins : il avait décroché un MBA, en même temps qu'il bouclait ses études de médecine, pour tirer avantage du fait que la santé, avec un chiffre d'affaires de plus de trois mille milliards de dollars par an, était désormais le plus gros secteur d'activité commerciale des États-Unis.

Benton savait que Josh touchait un salaire annuel de plus de quatre millions de dollars. Et qu'il détenait aussi, évidemment, un gros paquet d'actions de Middleton Healthcare. Sous sa direction, la société était passée de vingt-quatre hôpitaux dans le quart sud-est des États-Unis à trente-deux répartis sur l'ensemble du pays. Autre développement, tout aussi impressionnant et encore plus prometteur pour l'avenir, il avait forgé l'alliance très lucrative qui unissait aujourd'hui Middleton Healthcare à Sidereal Pharmaceuticals. En tant que chef de service, Benton savait que Middleton recevait tous les mois de Sidereal de substantielles injections d'argent frais qui lui permettaient de consolider son infrastructure.

Aux yeux de Benton, Josh Feinberg n'avait guère la dégaine d'un président-directeur général de haute volée. Ni même d'un docteur en médecine. C'était un homme menu, au visage émacié et sinistre, aux yeux de fouine, qui ressemblait davantage à un vendeur de voitures d'occasion un peu escroc sur les bords qu'à un dirigeant de groupe hospitalier. Ses costumes coûtaient probablement les yeux de la tête, mais ils pendouillaient autour de ses épaules osseuses comme des vêtements sur un cintre métallique. S'il n'avait pas fière allure sur le plan physique, cependant, Josh était un homme d'affaires exceptionnellement doué. Et n'avait-il pas obtenu son MBA dans la prestigieuse université de la Nouvelle-Angleterre où Benton avait lui-même fait ses études ?

Avant d'être recruté par Middleton Healthcare, Josh Feinberg s'était fait un nom en créant une société de conseil auprès du secteur de la santé, archi-couronnée de succès, baptisée Feinberg Associates. Bien qu'inconnue du grand public, puisqu'elle œuvrait en coulisses, sa boîte avait assuré la mise sur le marché d'un large éventail de produits et d'outils allant de la bandelette de blanchiment dentaire au logiciel de gestion de cabinet médical. Et derrière cette réussite, il y avait plusieurs centaines de scientifiques russes de haute volée qui s'étaient retrouvés au chômage après la dissolution de l'Union soviétique.

Chez Middleton Healthcare, Benton savait que Josh Feinberg ne s'était pas contenté de faire croître la compagnie. Il avait aussi forgé la relation fructueuse qu'elle avait désormais avec Sidereal

Pharmaceuticals. Et noué des liens personnels, en cours de route, avec le milliardaire reclus Boris Rusnak. S'il fallait en croire la réputation du personnage, cette amitié était peut-être le plus grand coup de la carrière de Josh.

Quand Benton s'approcha de l'immense table de travail du président de l'hôpital, celui-ci désigna l'un des fauteuils qui lui faisaient face. Benton répondit qu'il préférait rester debout parce qu'il devait remonter presto au bloc. En outre, la conversation ne prendrait pas longtemps. Sans plus de préambule il demanda :

– Avez-vous parlé avec Bob Hartley, aujourd'hui ?

– Non. J'aurais dû ?

– Peu importe. Voilà ce qui se passe…

Benton eut avec Josh à peu près la même conversation que celle qu'il avait eue avec Hartley. Comme l'avocat, le président de l'hôpital prit l'affaire très au sérieux et nota avec soin les noms des deux étudiants que Benton mentionna. L'essentiel de la discussion porta sur Sandra Wykoff et ce qu'il convenait de faire à son sujet. Benton précisa qu'elle était une excellente anesthésiste, dévouée à son travail, mais assez solitaire et sans réel esprit d'équipe. Il conclut en admettant avoir un peu de mal à la déchiffrer.

– Et Hartley devait me contacter, dites-vous ? demanda Josh.

– C'est ce que j'avais compris.

– Bien. Pour ce qui concerne les deux étudiants qui s'intéressent à la morbidité hospitalière, je suis sûr qu'on peut étouffer ça dans l'œuf. Je vais appeler la doyenne de la faculté de médecine et faire en sorte qu'ils se tiennent à carreau. Mais si jamais ils devaient persister dans leurs recherches, l'un ou l'autre, je veux que vous me préveniez immédiatement.

– S'ils reprennent contact avec le Dr Wykoff, vous voulez dire ?

– Voilà. S'ils interrogent encore Wykoff, ou d'ailleurs les autres anesthésistes concernés, faites-moi signe. Ils pourraient nous poser un vrai problème, surtout s'ils font des vagues au sujet de la morbidité hospitalière. Nous devons absolument éviter de donner l'idée à ces emmerdeurs de la certification des établissements de santé de nous tomber dessus. Ils nous ont déjà bien assez cassé les pieds pour le Shapiro.

– Comment je fais pour vous joindre, s'il y a urgence, en dehors des heures de bureau ?

– Envoyez-moi un SMS ! Mes assistants vous communiqueront mon numéro de portable privé.

– Entendu, dit Benton.

Il se sentait flatté que Josh Feinberg soit prêt à lui donner son numéro perso, mais ce geste n'était pas très étonnant. Après tout, c'était Josh lui-même qui l'avait contacté et chassé, cinq ans plus tôt, et ils avaient déjà un semblant de relation sociale en dehors de l'hôpital.

– Je fais donc le nécessaire, dit Feinberg. Merci, docteur Rhodes.

Comme par magie, la porte du bureau s'ouvrit sur l'un de ses assistants, Fletcher Jefferson. Josh le désigna de la main à Benton. L'entretien était terminé.

– Je vous en prie, dit Benton, un peu surpris d'être congédié de façon si abrupte – s'il n'avait été si fier de la tournure qu'avait pris la discussion, il aurait pu se sentir vexé.

Quand il sortit de la pièce, Jefferson lui tendit un morceau de papier sur lequel était inscrit le numéro de portable de Josh.

Pendant quelques minutes après le départ du Dr Rhodes, Feinberg joua avec la souris de son ordinateur, l'agitant en petits cercles et regardant distraitement le pointeur tournoyer à l'écran. Il avait horreur que des problèmes mesquins viennent l'enquiquiner quand il vivait, comme en ce moment, des événements professionnels majeurs. Le problème d'aujourd'hui, qui concernait une anesthésiste vieille fille – vraie source de tracas – et deux petits étudiants trop curieux – souci moins préoccupant – en était un parfait exemple.

Boris Rusnak et lui étaient en train de bouleverser l'industrie pharmaceutique en modernisant et en améliorant considérablement la production des biomédicaments. Pour faire aboutir ce projet, il avait besoin d'être au meilleur de sa forme. Les biomédicaments étaient l'avenir de la médecine commerciale pour deux raisons : ils se vendaient cher et le mariage de Middleton Healthcare avec Sidereal Pharmaceuticals promettait de les imposer sur le marché. Depuis que Feinberg avait forgé cette alliance avec son équipe, il se trouvait au cœur de cette révolution du monde médical et il se savait destiné à être récompensé de ses efforts au-delà de ses rêves les plus fous. Dans moins d'une heure, il devait avoir une visioconférence avec Boris organisée par le bras droit de celui-ci, Sergueï Polouchine. Il connaissait déjà le sujet de leur discussion. Ils allaient se proposer de faire en sorte que Sidereal multiplie par deux ses projections de production d'anticorps. Et comment y parvenir ? C'était assez simple : ils n'avaient qu'à cesser de se contenter des cinq hôpitaux de la première phase du projet, pour exploiter tout le potentiel des trente et quelques établissements de Middleton Healthcare. Cet énorme coup d'accélérateur garantirait aussi la fusion que les deux hommes souhaitaient voir se réaliser entre Sidereal et Middleton. En effet, le rapport de dépendance qui s'établirait alors entre les deux sociétés obligerait Sidereal à avaler Middleton Healthcare pour éviter que celle-ci ne soit convoitée par un autre géant de la pharmacie.

Josh pressa le bouton qu'il avait actionné pour conclure l'entretien avec Benton Rhodes, sous le plateau de son bureau, et attendit que Fletcher reparaisse. Quelques instants plus tard, il lui tendit le papier sur lequel il avait écrit les noms des deux étudiants.

– Faites-moi un topo sur ces deux jeunes gens. Tout de suite. Je veux savoir où ils habitent, d'où ils viennent, leurs situations de famille, les noms de leurs compagnons ou fiancés. Dans un deuxième temps, je voudrai davantage de détails, mais pour le moment, les infos de base. Allez !

Pour patienter, Josh se remit à agiter le pointeur sur l'écran avec la souris. Il savait que l'appel qu'il attendait de Genève serait l'un des moments les plus importants de sa vie. Mais il n'était pas nerveux, parce qu'il était préparé. Il était notamment en mesure de répondre à un très large éventail de questions « imprévues » ou ennuyeuses que Boris pourrait souhaiter lui poser. Il ne perdait pas de vue qu'il avait un atout dans sa manche, à savoir que Sidereal avait davantage besoin de Middleton que Middleton n'avait besoin de Sidereal.

Cinq minutes plus tard, Fletcher tapota à la porte et s'avança dans la pièce. Josh lui arracha la feuille qu'il se penchait pour poser sur le bureau. Il parcourut ses deux courts paragraphes, un pour chaque étudiant.

– Parfait, dit-il. Ils sont tous les deux à la résidence universitaire. C'est bien. Tous les deux excellents, et même brillants. C'est bien aussi. Ils ont beaucoup à perdre. Et tous les deux boursiers ! Ça aussi, c'est très bien, parce qu'ils sont sans doute reconnaissants à la fac d'avoir ce soutien. En plus ils sont amis. Ça nous facilite la tâche. Il suffira de convaincre l'un des deux pour qu'il persuade l'autre.

Josh releva les yeux vers son assistant.

– Bon travail. Maintenant, la version détaillée !

Dès que Fletcher eut tourné le dos, Josh décrocha le téléphone. Les meilleurs administrateurs savent déléguer, ce n'est pas un secret. C'était exactement ce qu'il s'apprêtait à faire. Grâce à Sergueï Polouchine, ils avaient la ressource dont ils avaient besoin pour gérer les empêcheurs de tourner en rond du genre Robert Hurley. Et maintenant Sandra Wykoff et ces deux enquiquineurs d'étudiants. Il appuya sur un bouton de la console qui le mit directement en relation avec Fyodor Rozovsky.

– Nous avons deux soucis supplémentaires, dit-il sans préambule et sans même se présenter.

Chaque homme connaissait bien la voix de l'autre car le « projet » les obligeait à se contacter de façon très régulière. Et plutôt de vive voix que par e-mail ou par texto, pour ne pas laisser de trace écrite éventuellement compromettante.

– Sandra Wykoff, l'anesthésiste, représente une vraie menace.

– Nous en sommes conscients, dit Fyodor. Elle vient tout juste de débarquer ici, au sous-sol, pour poser des questions très désagréables. Une décision a donc été prise et l'appel téléphonique nécessaire a été passé. Le problème sera résolu ce soir.

Josh était étonné d'entendre que Rozovsky avait un coup d'avance sur lui, mais pas mécontent du tout.

– Je vous félicite de votre efficacité.

– Notre personnel est le meilleur et le plus expérimenté qui se puisse trouver, dit Fyodor avec fierté.

– Mes compliments également pour la solution apportée à la menace précédente. Hurley, je veux dire.

– Merci. Le plan a été exécuté sans le moindre tracas.

– Autre chose, pendant que je vous ai au téléphone. C'est un petit souci, moins grave que Wykoff, mais votre personnel expérimenté devrait aussi pouvoir s'en occuper. Je regrette, à propos, que toutes ces histoires surviennent en même temps.

– Nous sommes ici pour régler les problèmes. Et pour vous servir. Quel est cet autre souci ?

– Nous avons deux étudiants en médecine, un homme et une femme – ils sont amis – qui nous agacent parce qu'ils ont pris sur eux de parler avec Sandra Wykoff de l'affaire Vandermeer. Ils font cela parce qu'ils s'intéressent, et de façon tout à fait inopportune, au problème de la morbidité hospitalière. Il faut qu'ils arrêtent ! Je vais essayer de les remettre dans le droit chemin par l'intermédiaire de la doyenne de la faculté de médecine, mais je voulais que vous soyez au courant. Peut-être serait-il bon de donner un avertissement à l'un de ces deux emmerdeurs. Enfin je vous en laisse juge. Je vous fais apporter leurs noms et tous les renseignements nécessaires.

– Entendu, je les attends. Nous demanderons sans doute à nos agents spécialisés d'avoir une petite discussion convaincante avec l'étudiante. Quand nous avons un problème avec un couple, en Russie, nous jugeons le plus souvent que la meilleure solution est de s'en prendre à la femme.

– Je me fie à votre jugement en la matière, dit Josh avant de raccrocher.

Il était satisfait, et soulagé, que la question de l'anesthésiste récalcitrante soit pour ainsi dire réglée. Avec un entourage de qualité, décidément, il était facile de déléguer. Maintenant il ne lui restait plus qu'à appeler la doyenne de la faculté de médecine, le Dr Janet English, pour lui parler des étudiants.

La conversation fut brève. Josh ayant en tête son imminente visioconférence avec Genève, il alla droit au but.

– Sonnez-leur les cloches dès que possible, conclut-il d'un ton catégorique.

– Considérez que c'est fait, promit le Dr English. Je prends immédiatement contact avec eux.

26

MARDI 7 AVRIL
15 H 21

Le carillon du SMS n'était pas très sonore, mais, dans le silence qui régnait dans la chambre, il fit sursauter Lynn. Depuis près de deux heures qu'elle était réveillée – la sieste lui avait fait grand bien –, elle se concentrait sur son travail. Après avoir lu tous les articles qu'elle avait trouvés sur Internet et imprimés, elle était passée à l'étude, là encore sur leurs versions imprimées, des rapports d'anesthésie de Carl, de Scarlett et d'Ashanti. Une découverte étonnante l'avait alors incitée à s'asseoir devant l'ordinateur pour ouvrir les fichiers des photos de ces rapports. Sa découverte, désormais confirmée par l'examen de certaines portions agrandies des images, c'était que le petit décalage de trame qui avait tracassé le Dr Wykoff pendant l'anesthésie de Carl apparaissait sur les trois rapports. Plus étonnant encore, le phénomène survenait exactement au même moment sur les trois documents, c'est-à-dire cinquante-deux minutes après le début de chaque opération !

Lynn ne connaissait rien à l'électronique et aux écrans des stations d'anesthésie, mais elle avait du mal à imaginer qu'il pût s'agir d'une simple coïncidence. Un truc pareil, cela relevait d'une mécanique beaucoup trop newtonienne pour ce monde quantique. Retournant aux impressions des rapports dont elle avait étalé les pages sur son lit, elle avait alors découvert une autre similitude qu'elle n'avait pas remarquée lors de son précédent examen – et qui lui aurait sans doute échappé si elle n'avait pas regardé les trois rapports ensemble, côte à côte. Une similitude aussi surprenante et troublante que la coïncidence de timing des décalages de trame. Elle ne savait pas quelle signification lui attribuer, mais elle était certaine qu'il s'agissait d'une chose importante et elle avait hâte d'en parler à Michael pour avoir son opinion. Elle venait de faire cette seconde observation lorsque le signal du SMS avait retenti.

Lynn se jeta sur le smartphone posé au bout du lit sur un oreiller. Le message venait sans doute de Michael, comme la plupart des messages qu'elle recevait, et sans doute voulait-il lui dire qu'elle avait intérêt à ramener ses fesses au bâtiment des consultations externes.

Elle activa l'écran et écarquilla les yeux en constatant que l'expéditeur était le Dr Janet English – la doyenne de la faculté de médecine ! Soudain très inquiète, elle ouvrit le SMS :

> Mlle Lynn Peirce, je veux vous voir à mon bureau à 17 heures, aussitôt après la fin de la consultation d'ophtalmologie. Salutations, Dr Janet English, doyenne de la faculté de médecine Mason-Dixon.

Lynn s'assit au bord du lit, posant le téléphone à côté d'elle. La terreur l'envahissait. Son cœur battait à tout rompre dans sa poitrine. Pendant quelques instants, elle fut incapable de bouger. Enfin, elle reprit le téléphone en main et relut le SMS. Pour quelle raison la doyenne de la faculté de médecine la convoquait-elle ainsi ? La première pensée de Lynn fut que c'était parce qu'elle avait manqué quelques cours de dermatologie et d'ophtalmologie – mais elle secoua aussitôt la tête. La doyenne de la faculté ne perdait pas son temps pour des choses aussi triviales. En outre, elle avait écrit dans son message « aussitôt après la fin de la consultation d'ophtalmologie » ; elle supposait donc que Lynn se trouvait dûment là-bas.

Lynn n'avait jamais rencontré la doyenne de la faculté. Depuis quatre ans, elle ne l'avait toujours vue que de loin – à l'occasion de la « cérémonie des blouses blanches », par exemple, qui avait marqué l'entrée en première année de sa promotion. La doyenne présidait ce genre d'événement, faisait des discours, mais elle n'avait pas la réputation d'être très sociable. En particulier avec les étudiants. Lynn avait entendu dire qu'elle préférait ses fonctions administratives et son rôle de liaison entre l'université et l'hôpital, notamment pour le développement de projets de recherche. Les étudiants, elle en laissait le plus souvent la gestion à la doyenne des étudiants.

L'inquiétude de Lynn redoubla tout à coup. Une idée venait de lui surgir à l'esprit. Benton Rhodes ou Sandra Wykoff, sinon les deux anesthésistes, s'étaient renseignés pour savoir si Michael et elle avaient l'autorisation de consulter le dossier de Carl à la réanimation neurologique. La doyenne avait appris cela et elle était furax. Donc elle les convoquait pour les accuser de violation grave de l'HIPAA. Lynn entendait encore Michael lui rappeler qu'enfreindre la loi sur la protection des données médicales électroniques était un délit passible de poursuites. La faculté de médecine les enverrait-elle devant la commission disciplinaire ? Lynn n'en avait aucune idée. Elle en doutait, car c'était leur première infraction… Mais comment savoir ? Et s'il y avait procédure disciplinaire, celle-ci mettrait-elle un terme à leurs études de médecine avant même qu'ils aient décroché leurs diplômes ? Lynn n'avait pas non plus la réponse à cette question, mais elle savait que l'hypothèse était plausible. Elle frissonna, soudain ivre de culpabilité à l'idée d'avoir entraîné Michael dans cette histoire.

Et lui, à propos ? Avait-il reçu un SMS de la doyenne ? Elle réactiva l'écran de son appareil pour lui poser la question. Il devait être à la consultation d'ophtalmologie, mais sans doute serait-il en mesure de lui répondre assez vite.

Elle ne se trompait pas. Un message de Michael arriva sur son téléphone quelques instants plus tard :

Affirmatif. Elle veut quoi à ton avis ?

Lynn tapa au clavier :

J'aimerais bien savoir ! Grosse trouille. Rhodes et Wykoff ont peut-être découvert qu'on a menti au sujet du dossier de Carl.

MICHAEL : Possible, mais j'en doute. Plus probable : elle est mécontente qu'on ait parlé à Wykoff.

LYNN : J'espère ! Je te retrouve au BCE juste avant cinq heures. On ira ensemble.

MICHAEL : Ça marche, poulette ! ☺

Lynn se leva et posa le téléphone à côté de son ordinateur portable, stupéfaite que Michael soit capable de prendre la convocation de la doyenne avec assez d'humour pour conclure son SMS par une émoticône. En plus, ce truc ne lui ressemblait pas. Jamais, à vrai dire, Michael n'utilisait d'émoticône dans ses SMS. Mais ce sourire idiot, elle ne pouvait le nier, l'aidait à se sentir un peu mieux. Si Michael était serein à l'idée de se présenter au bureau de la doyenne à dix-sept heures, peut-être réussirait-elle à prendre la chose à la cool, elle aussi…

Sauf que même dans le meilleur cas de figure, à savoir que le Dr English voulait juste les voir pour les gronder d'avoir parlé à Wykoff, il était clair que Michael et elle, après cette rencontre, ne pourraient ni consulter le dossier de Carl, ni lui rendre visite à la réanimation neurologique. Le personnel de la réa serait peut-être même prévenu. Et comment ferait-elle, si elle était empêchée de voir Carl ?

Bon. Rien n'était encore écrit. Les pensées plus ou moins paranoïaques qui lui venaient signaient-elles une nouvelle forme de déni, de la part de sa psyché, car elle restait au fond incapable de faire face au coma de Carl et à l'avenir sinistre qui se profilait pour lui ? de faire face, aussi, à sa propre culpabilité ? Tirait-elle trop vite des conclusions qui n'avaient pas lieu d'être ? Elle n'avait pas de réponses à ces questions. Par contre, une certitude s'imposait à elle : désormais elle devrait mener son enquête seule. Elle se rendait compte, comme jamais auparavant, que cette histoire pouvait lui coûter beaucoup. Or, elle était prête à payer, s'il le fallait, mais elle refusait d'entraîner Michael dans sa chute.

Lynn regarda sa montre. Il était presque trois heures et demie. À la réanimation neurologique, l'équipe avait donc changé. Si elle y montait tout de suite, elle n'y trouverait pas le personnel de ce matin. Cette virée ne l'empêcherait absolument pas, en outre, d'être au bureau de la doyenne à cinq heures. Elle tenait à jeter de nouveau un œil sur le dossier de Carl et c'était le bon moment pour essayer. À condition, bien sûr, que la doyenne ne les ait pas convoqués, Michael et elle, pour leur reprocher d'avoir enfreint l'HIPAA. C'est-à-dire à condition qu'elle ne soit pas déjà *persona non grata* à la réa neurologique.

27

MARDI 7 AVRIL
15 H 40

Renonçant à se doucher et à se changer comme elle en avait eu l'intention, Lynn gagna rapidement l'hôpital. Dans sa paranoïa, elle craignait que la doyenne n'ait pris des mesures pour l'empêcher de voir Carl avant même de l'avoir reçue à son bureau. Pour savoir ce qu'il en était, hélas, elle n'avait d'autre solution que d'essayer d'entrer à la réanimation neurologique.

Bien décidée à réutiliser l'argument du stage en anesthésie si quelqu'un lui demandait de justifier sa présence là-bas, elle passa une fois de plus au vestiaire des femmes pour enfiler un pyjama de bloc. Ainsi vêtue, elle n'avait plus l'air d'une simple étudiante.

Trois minutes plus tard, elle marqua une pause devant la double porte de la réa neurologique, comme lors de ses précédentes visites, mais pas à cause de la situation dans laquelle elle craignait de trouver Carl. Cette fois, elle redoutait d'être chassée de l'unité par les infirmières.

Elle rassembla son courage, poussa l'un des battants et entra. Hésitant de nouveau, elle balaya la salle du regard. L'atmosphère n'avait pas changé depuis ce matin. Mêmes bruits, mêmes odeurs.

Comme d'habitude, aussi, les patients étaient pour la plupart parfaitement immobiles. Seules les infirmières qui vaquaient à leurs occupations animaient la scène. Deux ou trois posèrent les yeux sur elle, mais aucune ne sembla la reconnaître ou s'étonner de sa présence. Aucune ne lui adressa la parole.

Soulagée, elle fixa les yeux sur la baie numéro huit. Carl était allongé là, inerte comme ce matin – sauf bien sûr sa jambe actionnée par la machine de mobilisation passive continue. Une infirmière était en train de lui nettoyer le visage. Lynn avait envie de s'approcher de lui, mais elle se retint. À son chevet, elle ne réussirait qu'à raviver les émotions douloureuses qui continuaient de la miner. Elle n'avait pas besoin de cela maintenant. Tournant la tête, elle constata que Scarlett Morrison ne se trouvait plus dans sa baie : elle avait été transférée au Shapiro. L'interne qu'elle aperçut au chevet du patient qui occupait désormais le lit n'était heureusement pas Charles Stuart ; une nouvelle rencontre avec ce dernier aurait pu se révéler problématique.

Dans le poste de soins, au centre de la salle, Lynn repéra la femme qui avait sans doute le rôle d'infirmière en chef dans l'équipe du soir. Elle occupait en tout cas le fauteuil habituel de Gwen Murphy. Elle ne leva pas les yeux quand Lynn s'approcha du comptoir. Peter Marshal, l'agent administratif, n'était nulle part en vue ; il avait probablement terminé sa journée. Lynn aperçut alors une femme en blouse blanche assise au fond de l'espace circulaire, penchée sur un dossier et sur une tablette à laquelle elle semblait dicter des notes. Elle écarquilla les yeux : c'était le Dr Siri Erikson.

Sa première pensée fut qu'elle devait décamper. Elle reviendrait plus tard, quand l'hématologue ne serait plus ici. Après la discussion quelque peu étrange qu'elle avait eue avec cette femme ce matin, Lynn n'était pas certaine de vouloir lui parler de nouveau. Problème, elle ignorait ce qui se passerait dans le bureau de la doyenne dans une heure. Elle devait donc supposer que cette visite à la réa neurologique était peut-être sa dernière. Il fallait qu'elle risque le tout pour le tout.

Après avoir pris une profonde inspiration, elle pénétra à l'intérieur de l'espace circulaire du poste de soins en offrant un sourire à l'infirmière en chef qui levait vers elle un regard interrogateur, sourcils froncés. Elle espérait que son déguisement, le pyjama de bloc, la protégerait ; les étudiants entraient rarement à la réanimation neurologique si tard dans la journée, et encore plus rarement sans être accompagnés par un interne ou un tuteur. D'après son insigne de poitrine, la femme s'appelait Charlotte Hinson. C'était une blonde séduisante – sans doute proche de la quarantaine, mais avec un saupoudrage de taches de rousseur qui la rajeunissait et lui donnait un petit air malicieux.

– Je peux vous aider ? demanda-t-elle d'un ton agréable.

– Je viens prendre des nouvelles du patient du Dr Stuart, Carl Vandermeer, dit Lynn, parlant presque à voix basse pour éviter d'attirer l'attention du Dr Erikson. Je voulais voir le résultat de l'électrophorèse des protéines sériques.

– Ah oui ? dit Charlotte d'un ton enjoué. Vous auriez dû consulter le DMP du patient. L'électrophorèse est y déjà. Ça vous aurait évité un voyage.

– J'étais dans le quartier, dit Lynn, forçant de nouveau un sourire.

Comme elle aurait aimé, en effet, pouvoir consulter le DMP de Carl ! Mais depuis le début de ce cauchemar, elle savait qu'elle devait absolument éviter de tenter un coup pareil. Le serveur de l'hôpital l'aurait peut-être laissé accéder aux données de Carl une fois, la première, mais cette action aurait aussitôt été repérée pour ce qu'elle était, c'est-à-dire une infraction à l'HIPAA, et le service responsable de la protection des dossiers médicaux n'aurait pas tardé à réagir. Pour convoquer Lynn et lui demander des explications.

Les DMP électroniques étaient bien mieux surveillés et protégés que leurs équivalents papier.

Pour lui rendre service, Charlotte fit tourner la colonne rotative des dossiers médicaux qui se trouvait devant elle sur le comptoir. Elles s'aperçurent en même temps que la fente numéro huit était vide.

La voix du Dr Erikson s'éleva alors derrière Lynn :

– C'est moi qui ai le dossier Vandermeer !

Lynn se retourna. Erikson avait manifestement entendu son échange avec l'infirmière. Mince. Maintenant, une autre conversation était inévitable.

– Mlle Peirce. Ravie de vous revoir.

– Merci, dit Lynn en marchant à sa rencontre. Désolée de vous déranger une fois de plus.

– Mais pas du tout ! Asseyez-vous, je vous en prie. Notre discussion, ce matin, m'a fait très plaisir. Nous pouvons nous pencher sur ce cas ensemble. Maintenant, voyez-vous, je suis officiellement chargée d'étudier la situation de M. Vandermeer.

Lynn était étonnée. Siri Erikson semblait de très bonne humeur. Et cordiale comme elle ne l'avait assurément pas été lors de leur première rencontre ! Ne voulant pas risquer de la vexer, elle prit une chaise pour s'asseoir. L'hématologue lunatique lui passa le dossier de Carl ; il était justement ouvert à la page des résultats de l'électrophorèse.

Lynn se concentra sur le graphique des protéines sériques différenciées par leurs tailles et leurs charges électriques. Elle savait beaucoup plus de choses à leur sujet, désormais, grâce aux articles de Wikipédia qu'elle venait de lire. Le graphique ressemblait à une chaîne de montagne, pour l'essentiel onduleuse, dessinée par un enfant. Un pic étroit, au niveau des gammaglobulines, interrompait la douce sinuosité du trait. Ce pic n'était pas aussi élevé que celui de Scarlett Morrison, mais situé au même emplacement du graphique.

– Qu'en pensez-vous ? demanda le Dr Erikson.

– Je présume que ce résultat n'est pas normal ?

Lynn ne se mouillait pas vraiment, avec une telle réponse, mais cela n'avait pas d'importance ; les étudiants avaient l'habitude de se montrer prudents. Comme elle avait aussi relu l'article sur la gammapathie, cependant, elle se sentait à peu près d'attaque pour soutenir une conversation sur le sujet.

– Par contre, ajouta-t-elle, je ne sais pas s'il indique clairement que le patient a une gammapathie.

– Cela vous surprend-il ?

– Heu… oui. Sans doute. Le patient semble bien jeune pour avoir une telle maladie. J'ai lu que les gammapathies ne sont courantes qu'après l'âge de cinquante ans. Cet homme n'a que vingt-neuf ans. Comme Scarlett Morrison.

– De fait, déclara doctement Erikson, il ne s'agit pas d'une gammapathie. Le résultat nous indique simplement que la gammapathie *pourrait* apparaître. Il faudra refaire une électrophorèse. Et si le pic s'agrandit, nous devrons faire une ponction de moelle osseuse pour évaluer la population de plasmocytes.

– Cela signifie quoi, exactement, si le pic s'agrandit ?

– Tout dépend de la valeur qu'il atteint. Ce pic indique que le malade produit une certaine protéine particulière. Chez un homme de son âge, on parle de « paraprotéine d'origine indéterminée ». Mais en même temps, le pic pourrait annoncer quelque chose de plus grave. Un myélome multiple ou un lymphome, notamment.

– Intéressant, commenta Lynn pour dire quelque chose.

Elle fut tentée de mentionner Ashanti Davis et le myélome multiple qui lui avait été diagnostiqué, mais elle n'en fit rien par peur que le Dr Erikson lui demande alors comment elle connaissait ce cas. Elle reprit :

– J'ai peur que tout cela me passe un peu au-dessus de la tête. Mais pour quelle raison pensez-vous que cette paraprotéine est apparue chez ce patient ? Ce matin, vous disiez que son état n'avait aucun rapport avec l'anesthésie…

– Tout à fait ! l'interrompit le Dr Erikson avec une pointe d'irritation dans la voix. Je suis absolument certaine que l'anesthésie n'a rien à voir là-dedans !

Lynn baissa les yeux, craignant de l'avoir à nouveau exaspérée. Le Dr Erikson ajouta alors d'un ton plus posé :

– Je suis sûre qu'il avait cette anomalie de protéines sériques avant son opération. Ou, en tout cas, qu'il y était prédisposé. L'anomalie n'avait pas été détectée pour la simple raison qu'il n'y avait jamais eu de raison de lui prescrire une électrophorèse. Une anomalie de faible amplitude comme celle que nous observons sur ce résultat est complètement asymptomatique. Vous m'étonnez, je dois dire, à ramener la question de l'anesthésie sur le tapis. Quelqu'un a-t-il évoqué cette hypothèse, parmi les anesthésistes ?

– Pas à ma connaissance, répondit Lynn, faisant mine de s'intéresser à nouveau au graphique de l'électrophorèse.

Elle n'avait aucune envie de parler du service d'anesthésie – et de peut-être devoir avouer qu'elle n'y était pas en stage.

– C'est une idée complètement absurde, affirma le Dr Erikson. Mais si vous entendez parler de gammapathie au service d'anesthésie, dans quelque contexte que ce soit, j'aimerais que vous m'informiez. De même que j'aimerais être prévenue, comme je vous l'ai déjà dit, si vous ou qui que ce soit parvenez à expliquer de façon concluante comment ces deux patients ont pu se retrouver dans le coma.

– Bien sûr. Je n'ai pas oublié, dit Lynn pour être agréable.

Une fois encore, elle eut la tentation de préciser à l'hématologue qu'il y avait en tout non pas deux, mais trois cas similaires dans l'hôpital – et se retint.

– De mon côté, je vous préviendrai s'il y a des changements dans le cas Vandermeer, dit Erikson. Maintenant que je m'occupe officiellement de lui, je continuerai de le suivre quand il aura été transféré au Shapiro.

– Quoi ?!

Le Dr Erikson cligna des yeux. Lynn n'avait pas parlé excessivement fort, mais sa question avait retenti comme un cri dans le silence morose de la réanimation. Ici, tout le monde était toujours un peu sur les dents. Quand les choses allaient mal – cela arrivait de temps en temps –, elles allaient vraiment mal.

Lynn s'était doutée que Carl risquait d'être envoyé un jour ou l'autre à l'institut Shapiro. Mais elle était atterrée parce que la remarque de son interlocutrice impliquait que son transfert était imminent. Et même si elle savait que Carl n'avait pour ainsi dire aucune chance de sortir de son état végétatif, elle savait aussi que son installation au Shapiro signifierait que les neurologues auraient baissé les bras. Quant à elle, elle devrait renoncer à tout espoir le concernant.

– Pour quand est-il prévu, ce transfert ? demanda-t-elle en s'efforçant de parler d'une voix normale.

– Vous avez l'air troublée, dit le Dr Erikson en la dévisageant.

– Je... J'ignorais complètement qu'on envisageait d'envoyer le malade au Shapiro, répliqua Lynn, essayant de se composer un visage impassible. Le Dr Stuart, l'interne de neurologie, ne m'en avait pas parlé.

– Étonnant. C'est le service de neurologie qui a suggéré le transfert. Je ne sais pas quand il sera effectué, mais c'est sans doute pour bientôt puisque l'infectiologue n'a rien trouvé. Si je devais risquer un pronostic, je dirais qu'il pourrait être transféré dès ce soir, ou même cet après-midi. Demain matin au plus tard, en tout cas. La gastrostomie n'a pas encore été faite, pour la pose de la sonde qui le nourrira, mais le Shapiro a l'habitude de nous envoyer les patients qui ont besoin d'une intervention chirurgicale.

– Ça paraît tellement rapide, ne put s'empêcher de dire Lynn.

– Dans la situation où il est, il sera mieux traité là-bas qu'ici.

– Ses parents ont-ils été prévenus ?

– Bien entendu ! répliqua le Dr Erikson, inclinant la tête et regardant à nouveau Lynn d'un air intrigué. Les parents sont très impliqués. Je les ai déjà rencontrés deux fois. Vous devez savoir, n'est-ce pas, que l'institut Shapiro ne prend que des volontaires ? Par conséquent, il faut que les familles acceptent le transfert de leurs proches. Et la plupart sont d'accord quand elles sont informées de ce que le Shapiro peut faire pour ces patients.

– Et sa numération sanguine ? demanda Lynn pour changer de sujet. Les lymphocytes continuent-ils de grimper ? Que se passera-t-il si le problème de la paraprotéine continue ?

L'hématologue ne répondit pas immédiatement. Elle continua de la dévisager, l'air pensive, et Lynn commença à prendre peur : persuadée de s'être trahie, elle s'attendit à entendre Erikson l'interroger sur la véritable nature de sa relation avec le patient. Mais à son grand soulagement, Erikson répondit simplement :

– Les globules blancs sont montés à quatorze mille. Et ce sont des lymphocytes, pour la plupart.

– Intéressant, dit Lynn par politesse.

À présent, elle ne pensait plus qu'à s'en aller d'ici. Elle avait peur, troublée comme elle l'était par la nouvelle du transfert imminent de Carl au Shapiro, de commettre une gaffe si la conversation durait davantage. Mais elle resta à sa place et s'efforça de se montrer avenante. Elles parlèrent encore deux ou trois minutes de moelle osseuse et de l'origine des différentes protéines plasmatiques. Enfin, quand le moment lui parut opportun, Lynn annonça qu'elle devait retourner au bloc et s'excusa. Elle se leva et tourna les talons pour s'éloigner.

– N'oubliez pas de me contacter si vous parvenez à une conclusion ! lança le Dr Erikson. Et moi je vous donnerai des nouvelles de Vandermeer et de Morrison. Je les suivrai tous les deux au Shapiro.

Lynn hocha la tête pour signifier qu'elle avait entendu, puis sortit le plus vite possible de la réanimation neurologique. Dans le couloir, elle ralentit le pas et s'efforça de se calmer. L'idée de perdre Carl, de le perdre *physiquement*, la faisait paniquer. À partir du moment où il quitterait l'hôpital, elle ne serait plus en mesure de lui rendre visite. De le voir. De s'assurer qu'il était bien traité. L'esprit de Carl et ses souvenirs avaient d'abord disparu, et maintenant son corps allait disparaître lui aussi.

Seuls les membres de la famille proche étaient autorisés à rendre visite aux pensionnaires du Shapiro. Et encore : les visites devaient être courtes, prévues d'avance, et les familles se contentaient d'observer leurs êtres chers à travers une vitre. Certaines se plaignaient, au début, de cette disposition qui avait pour but d'éviter toute contamination bactérienne, mais elles finissaient par comprendre que le système était ainsi conçu pour le bien de tous les patients du Shapiro.

N'empêche, l'idée de savoir Carl enfermé dans un établissement pareil, si déshumanisant, donnait des sueurs froides à Lynn. Elle se souvenait très bien de la brève introduction au Shapiro à laquelle elle avait eu droit, deux ans plus tôt, avec Michael et tout un groupe d'étudiants de leur promotion. Ils avaient vu une présentation vidéo dans une salle de conférence, puis ils étaient entrés un petit moment dans l'une des salles où les familles rendaient visite à leurs proches – deux lieux situés, dans l'institut, près du couloir de liaison entre le Shapiro et le bâtiment principal de l'hôpital. La salle de visite était divisée en deux par une baie vitrée : d'un côté les familles, de l'autre une sorte d'estrade, ou de scène, où les patients comateux étaient exposés sur un lit qui ressemblait à un lit d'hôpital normal, mais qui n'en était pas un – sa structure très particulière était dissimulée par les draps. Le transport du patient, totalement automatisé, avait évoqué à Lynn une chaîne de montage dans une usine de voitures.

C'était un mannequin, pas un vrai patient, que ses camarades et elle avaient vu sur le lit, mais la démonstration ne les avait pas moins impressionnés. Quand ils s'étaient massés derrière la vitre d'observation, le lit était vide. À aucun moment ils n'avaient vu le moindre personnel. Tout à coup, plusieurs panneaux mobiles s'étaient ouverts dans le mur du fond de la salle : le mannequin était alors apparu, porté par des bras robotisés, pour être installé sur le lit en une poignée de secondes – et couvert jusqu'au menton par un drap. Aussitôt après les machines s'étaient rétractées et les panneaux mobiles avaient reformé un mur lisse. Les étudiants s'étaient entendu préciser que les familles n'assistaient pas à ces opérations : elles n'entraient dans la salle que lorsque les patients étaient calmement allongés sur le lit.

Lynn et ses amis s'étaient quelque peu interrogés, elle s'en souvenait aussi, sur l'architecture et les aménagements du Shapiro. À quoi ressemblaient les entrailles d'un bâtiment qui était capable d'accueillir et de soigner à pleine capacité, d'après ce qu'ils avaient entendu, un millier de patients en état végétatif ? On leur avait lancé des mots comme « automatisation », « systèmes informatiques complexes » et « prévention des infections », mais on ne leur avait donné aucune explication précise sur le fonctionnement de l'institut.

Après la démonstration avec le mannequin, ils avaient eu une petite séance de questions/réponses avec leur guide. Lynn avait demandé pourquoi les familles choisissaient d'envoyer leurs proches au Shapiro si les visites y étaient à ce point limitées et strictement encadrées. La réponse s'était révélée aussi simple que désarmante : le Shapiro maintenait ses patients en vie mieux et plus longtemps qu'aucun autre établissement de soins du pays. Dans la plupart des hôpitaux et des centres qui accueillaient des personnes dans le coma et en état végétatif, à vrai dire, jusqu'à quarante pour cent d'entre elles mouraient dans la première année. Pour tout un éventail de raisons. Le Shapiro, lui, avait perdu zéro patient durant ses douze premiers mois de fonctionnement – et vingt-deux patients seulement depuis six ans qu'il avait ouvert ses portes.

Michael, quant à lui, avait demandé pourquoi le mannequin utilisé pendant la présentation avait un casque, sur la tête, qui ressemblait à un casque de joueur de football américain. Ayant pratiqué ce sport à l'université, pendant ses années de prépa, il avait été particulièrement intrigué par ce détail. Le groupe s'était entendu répondre qu'il s'agissait d'un objet de haute technologie développé pour l'institut Shapiro. Tous les patients portaient ce casque sans fil qui assurait le monitorage en temps réel de leurs signes vitaux et de leur activité cérébrale – et, plus important encore, qui était capable de stimuler certaines zones spécifiques de leur cerveau.

Lynn était presque arrivée aux ascenseurs. Les pensées qui tournoyaient dans sa tête l'épouvantaient. Il fallait absolument qu'elle fasse quelque chose ! Elle ne pouvait pas laisser Carl disparaître, comme ça, et être enfermé dans ce bunker glaçant où elle n'aurait plus jamais le moindre contact avec lui.

Tout à coup, elle sut ce qu'elle devait faire. Elle lui rendrait visite. Voilà. Coûte que coûte, elle irait le voir. Et pas dans la salle à l'estrade pour le regarder à travers une baie vitrée. Si Carl était transféré au Shapiro, elle trouverait le moyen d'aller à son chevet. De se pencher au-dessus de lui et de le toucher. De découvrir précisément comment il était traité. Elle ignorait encore de quelle façon elle arriverait jusqu'à lui, mais elle le ferait. C'était une certitude.

28

MARDI 7 AVRIL
16 H 45

– Hé ! protesta Michael d'un ton ennuyé. Pas la peine de me foutre la trouille comme ça.

Lynn l'avait trouvé dans la salle d'attente du service d'ophtalmologie du BCE. Il ne l'avait pas vue arriver derrière lui : tout à coup, il avait senti quelqu'un lui agripper le bras pour l'entraîner à l'écart des patients. Il était justement en train de taper un SMS à son amie, sur son téléphone, au sujet de leur rendez-vous imminent avec la doyenne.

– Carl va partir au Shapiro ! murmura-t-elle avec force.

L'éventualité du transfert de Carl s'était déjà muée en certitude dans son esprit.

Michael oublia son aigreur en dévisageant Lynn : elle avait l'air complètement paniquée.

– OK, d'accord, dit-il d'un ton apaisant. Une chose après…

– Tu sais aussi bien que moi le genre d'endroit que c'est !

Lynn se força à inspirer profondément. Les larmes lui montaient aux yeux. Maintenant qu'elle était avec Michael, l'émotion qu'elle avait réussi à contenir face au Dr Erikson menaçait de la submerger.

Jetant un coup d'œil vers la salle, Michael remarqua qu'un certain nombre de patients qui attendaient d'être pris en charge les observaient. En vrais sudistes, ils se demandaient sans doute ce que ce jeune homme à la peau noire voulait à la jeune femme blanche bouleversée. Sur plusieurs visages – blancs et noirs –, les mines étaient clairement réprobatrices.

– Viens avec moi ! dit-il en prenant Lynn par la main.

Ils longèrent le couloir. Les consultations étant bientôt terminées, plusieurs salles d'examen étaient déjà inoccupées. Michael fit entrer Lynn dans l'une d'elles et posa les mains sur ses épaules, soutenant son regard.

– Il faut que tu te ressaisisses, mademoiselle, dit-il avec fermeté. T'es avec moi, là ? Tu ne peux pas partir en vrille maintenant. Dans dix minutes nous avons un rendez-vous pour lequel nous devons tous les deux être au top. Je ne sais pas pourquoi la doyenne nous a convoqués, mais ce n'est sûrement pas pour nous distribuer des bons points.

– Mais…

– Y a pas de mais ! *Après* la doyenne, d'accord, on ruminera cette histoire de Shapiro. Mais là, tout de suite, un peu de nerf ! Allez, quoi, tiens bon !

Lynn se sécha les yeux avec un index.

– Tu as raison, marmonna-t-elle. Comme toujours. Salaud…

– Ah, bien ! Je retrouve la meuf que je connais. Écoute ! Pour la doyenne il faut quand même avoir une sorte de plan.

– Elle va nous dire quoi, à ton avis ?

– Je n'en sais pas plus que toi. Il est probable qu'elle a eu vent de notre rencontre avec notre nouveau pote, Benton Rhodes, et qu'elle sait que nous avons parlé à Sandra Wykoff du cas Vandermeer. Ça paraît logique. Le timing, les circonstances…

– Elle va nous accuser d'avoir enfreint l'HIPAA, à ton avis ?

– J'espère que non ! En tout cas pas dès maintenant. C'est pour ça qu'il nous faut un truc pour expliquer comment nous avons eu connaissance de l'histoire de Carl. Et du contenu de son dossier.

Lynn hocha la tête. Elle savait que Michael réagissait comme il le fallait et elle était heureuse qu'il garde la tête froide, lui, lorsqu'elle n'en était plus capable. Elle essaya de réfléchir. Que pouvaient-ils dire pour justifier d'avoir eu accès au dossier de Carl sans avoir enfreint l'HIPAA ? De toute évidence l'argument du stage préférentiel en anesthésie ne marcherait pas avec la doyenne : elle savait très bien qu'ils finissaient l'année au BCE, avec ces jours-ci des cours et des consultations d'ophtalmologie et de dermatologie.

Michael demanda :

– Penses-tu qu'elle sache, la doyenne, que tu es la copine de Carl ?

– Aucune idée. Mais c'est bien possible. Ne serait-ce que parce que la doyenne des étudiants le sait très probablement.

– Hmm… pas si sûr. Ce sont des personnes très différentes. Tu sais bien que la doyenne des étudiants est très sociable, ouverte à tous, alors que la doyenne de la faculté de médecine est plutôt distante et froide. À croire qu'elles ne viennent pas de la même planète. C'est bien ça qu'on entend dire, non ?

– J'ai une idée ! Et si je disais qu'un interne de neurologie m'a parlé du cas de Carl pour me montrer le réflexe des yeux de poupée ? Ce n'est pas un mensonge. Je laisse juste une partie de l'histoire de côté. Et ça sonne juste, non ? C'est connu que les internes et les praticiens aiment bien jouer les profs dès qu'ils en ont l'occasion. Certains d'entre eux, en tout cas.

– C'est un peu faiblard, surtout si elle sait que Carl et toi formez un couple, et puis ça risque de l'inciter à te demander pourquoi tu as parlé à l'interne de neurologie en question. Mais… d'accord. L'idée n'est pas mauvaise, c'est vrai, et la doyenne la gobera peut-être, précisa Michael avant de regarder sa montre. Le truc, c'est que nous n'avons plus le temps de cogiter. Hors de question d'arriver en retard à cette convocation. C'est bon, tu as retrouvé ton calme ?

– Je crois, dit Lynn en tirant un mouchoir en papier, pour se moucher, d'une boîte posée sur la paillasse de la salle d'examen. Allons-y !

Les étudiants prirent la direction du passage couvert de liaison avec le bâtiment principal de l'hôpital. Ils traversèrent au pas de charge le grand hall du rez-de-chaussée, slalomant entre les patients et les membres du personnel qui y circulaient en tous sens, pour atteindre le secteur de l'administration. Quand ils en poussèrent la lourde porte, l'atmosphère changea du tout au tout. Là, le sol était recouvert d'une épaisse moquette. De vraies œuvres picturales encadrées ornaient les murs. Le mobilier était élégant et confortable. Longeant le couloir silencieux, Lynn et Michael traversèrent les bureaux de l'administration de l'hôpital et parvinrent à une autre porte donnant sur l'administration de la faculté de médecine – un secteur dont l'aménagement n'était pas aussi luxueux.

Ils trouvèrent sans difficulté les bureaux de la doyenne de la faculté. Dans l'antichambre, une secrétaire peu souriante leur ordonna de patienter sur les chaises alignées contre le mur du fond. Il était cinq heures moins trois.

– Ouf, murmura Lynn. Juste à temps.

Finalement ils durent attendre un bon quart d'heure. Mais ils ne se parlèrent pas. La secrétaire faisait grise mine, l'ambiance était sinistre. Ils connaissaient un peu la doyenne des étudiants, mais pas du tout la doyenne de la faculté de médecine qu'ils n'avaient jamais vue que de loin, sur une estrade, aux cérémonies officielles.

Lynn essaya d'avoir l'air aussi calme que Michael, mais les soucis qu'elle avait en tête, au premier plan desquels le transfert de

Carl au Shapiro et la teneur de l'entrevue avec le Dr English, lui interdisaient de se détendre.

– La doyenne est prête à vous recevoir, annonça enfin la secrétaire d'une voix monocorde.

Devant la porte que la femme leur avait désignée, ils échangèrent un regard. Michael haussa les épaules, leva le poing et fit mine de frapper au battant. Lynn se chargea de concrétiser ce geste. Une voix leur répondit d'entrer.

Comme l'aspect général de l'administration de la faculté de médecine pouvait le laisser présager, le bureau du Dr Janet English était agréable, et même confortable, mais loin d'être aussi fastueux que celui du président de l'hôpital avait la réputation de l'être. Sur les murs peints, et non lambrissés, les éléments décoratifs n'étaient pas des originaux mais des reproductions. La pièce était assez vaste, cependant, et comportait un coin salon, avec une table basse, un petit canapé et deux fauteuils, pour les discussions informelles. Les étudiants s'avancèrent vers la table de travail derrière laquelle était assise le Dr English. Trois chaises se trouvaient là, mais, n'étant pas invités à s'asseoir, ils restèrent debout. La doyenne demeura penchée de longs instants sur les documents qu'elle était en train de signer, avant de redresser enfin la tête. Une expression de profond mécontentement se lisait sur son visage. Elle ne leur proposa pas de prendre place sur les chaises.

Lynn lui donna entre cinquante et soixante ans. Elle avait la peau très mat et les cheveux anthracite. Derrière les verres de ses lunettes sans monture, ses yeux ressemblaient à deux billes noires. Lynn se demanda si une partie de son bagage génétique ne venait pas d'Inde.

– J'ai reçu une plainte très sérieuse à votre sujet, commença le Dr English d'un ton sec. Vous imaginez à quel point j'ai été déçue d'apprendre que deux de nos meilleurs étudiants créaient des problèmes dans l'hôpital. Des étudiants *boursiers*, devrais-je ajouter. Par-dessus le marché, le problème est assez grave pour être arrivé jusqu'aux oreilles du Dr Feinberg, le président de l'hôpital et de Middleton Healthcare. Il est tellement scandalisé qu'il m'a appelée lui-même !

Dans le silence qui suivit les propos cinglants de la doyenne, Lynn faillit prendre la parole pour s'excuser. Elle ne risquait pas d'oublier qu'elle n'aurait jamais pu aller au bout de ses études de médecine sans le soutien financier de la faculté. Mais Michael, qui était dans la même situation qu'elle, gardait le silence.

Le Dr English poursuivit :

– On m'a raconté que vous avez pris sur vous d'interroger une anesthésiste au sujet d'un patient récemment opéré dans notre hôpital, et qui est aujourd'hui dans une situation très délicate. Est-ce la vérité ?

Lynn et Michael commencèrent à répondre en même temps, puis s'interrompirent. D'un geste Lynn encouragea son ami à continuer. Elle savait qu'il pouvait se montrer beaucoup plus diplomate qu'elle – même quand elle n'était pas crevée, à bout de nerfs et désespérée comme maintenant.

– En effet, dit Michael, nous avons parlé avec le Dr Sandra Wykoff. Mais nous ne l'avons pas *interrogée*, non. Nous voulions juste avoir son opinion sur le cas de retard de réveil post-anesthésique auquel vous faites allusion. C'est une histoire tragique. En tant qu'étudiants, nous pensions qu'elle avait quelque chose à nous enseigner.

– Et les aspects juridiques de votre action, y avez-vous pensé ?

Lynn se détendit quelque peu. La doyenne ne semblait pas savoir que Carl était son compagnon. C'était sans doute une bonne chose. Sa voix avait aussi perdu une partie de son mordant. Grâce à

Michael, qui savait trouver les mots et l'intonation justes pour apaiser ses interlocuteurs, la discussion prenait déjà meilleure tournure.

– En tant que futurs médecins, dit-il, nous avons d'abord pensé à nous mettre à la place des patients.

– Je suppose que c'est une attitude méritoire, de la part des étudiants que vous êtes, convint le Dr English. Mais malheureusement il y a d'autres aspects à ce problème. Quand un homme jeune et en bonne santé se retrouve dans le coma après une opération banale, le risque de procès pour faute médicale est très élevé. Même quand il n'y a eu aucune faute de commise. C'est une situation épouvantable ! Ce genre d'histoire peut faire beaucoup de mal à l'hôpital. C'est-à-dire avoir de très ennuyeuses conséquences sur sa capacité à prendre en charge et à soigner comme il le doit des milliers d'autres patients. Dans le monde ultra-judiciarisé qui est le nôtre, nous devons impérativement prendre toutes les précautions possibles pour éviter les procès. Ou pour en contenir les effets si nous y sommes confrontés malgré tout.

– Nous comprenons bien cela, affirma Michael.

– L'avocat qui représente l'hôpital a donné la consigne à toutes les parties concernées de ne parler à personne, sous aucun prétexte, de ce malade.

– Nous l'ignorions, dit Michael. Mais maintenant que nous sommes informés, bien sûr, nous comprenons tout à fait la situation. Et nous ne demandons pas mieux que de respecter cette consigne.

– Comment avez-vous entendu parler de ce malade, au juste ? demanda le Dr English.

Michael et Lynn échangèrent un regard. Jusque-là, la discussion s'était mieux passée qu'ils ne l'avaient craint. La doyenne, notamment, n'avait pas évoqué l'HIPAA. Mais la question qu'ils avaient redoutée était maintenant posée. D'un signe de tête, Michael invita Lynn à prendre le relais pour essayer l'idée qu'elle avait proposée.

– L'autre jour, dit-elle, je parlais avec l'interne de neurologie qui s'occupait du patient en question, et il m'a proposé de me montrer le réflexe des yeux de poupée. Que je n'avais jamais vu. C'est à ce moment-là que j'ai appris ce qui était arrivé à ce patient.

Le Dr English hocha légèrement la tête, l'air songeuse, puis demanda au bout de quelques secondes :

– L'avez-vous vu, au moins ? Le réflexe des yeux de poupée ?

– Oui. C'est tout à fait… spectaculaire.

– D'accord. Cette histoire me paraît déjà plus compréhensible. Mais dites-moi une chose : l'un ou l'autre, avez-vous parlé de ce patient à quiconque ? À un autre étudiant, par exemple, ou à n'importe qui en dehors du Dr Wykoff ?

Lynn et Michael se regardèrent à nouveau, puis secouèrent la tête en répondant par la négative.

– Tant mieux ! Comme je viens de vous l'expliquer, c'est un dossier très, très sensible sur le plan juridique. N'en parlez à personne, vous entendez ! dit sévèrement la doyenne en pointant un doigt menaçant vers Lynn, puis vers Michael. Si vous ne tenez pas compte de mon avertissement et parlez de ce patient à quelqu'un – à n'importe qui –, je prendrai les dispositions nécessaires pour vous faire renvoyer de la faculté. Cette exclusion serait une tragédie pour vous deux, vous vous en rendez bien compte, surtout si près de la remise des diplômes. Je ne sais pas comment vous exprimer les choses de façon plus claire. Puis-je espérer que vous mesurez la gravité de la situation ?

– Absolument, dirent Lynn et Michael comme s'ils s'étaient entraînés à répondre d'une même voix.

– Parfait. Maintenant, passons au problème suivant.

Lynn et Michael se regardèrent de nouveau, quelque peu effrayés. Ils s'étaient crus tirés d'affaire. Le *problème suivant ?* À présent ils se demandaient ce qui allait leur tomber dessus.

– Le président m'a dit une deuxième chose qui me rend soucieuse. Il paraît que vous faites des recherches, tous les deux, sur la morbidité hospitalière. Est-ce le cas, et si oui, pour quelle raison et pourquoi maintenant ?

Les étudiants se consultèrent une fois encore. Michael fit signe à Lynn de répondre.

– Il y a peu de temps, dit-elle, je suis tombée sur un article de *Scientific American* qui citait des statistiques extrêmement troublantes. Pour être plus précise, cet article révélait que quatre cent quarante mille personnes mouraient chaque année dans les hôpitaux américains à cause d'erreurs médicales, et qu'un million d'individus ressortaient de l'hôpital avec un problème de santé significatif qu'ils n'avaient pas avant leur admission.

– Nous étions sidérés, enchaîna Michael. Bien sûr nous avions été informés de ce problème en troisième année, mais les chiffres cités par le journal nous étaient complètement inconnus. Et quand Lynn a entendu parler du patient en question, nous avons pensé que c'était un parfait exemple de… de ce phénomène. Alors nous avons eu envie d'essayer de comprendre comment un tel événement avait pu se produire.

Une fois de plus, la doyenne ne répondit pas tout de suite. Elle retira ses lunettes, se frotta les yeux, regarda Lynn et Michael quelques instants, puis remit ses lunettes avant de déclarer :

– Les chiffres que vous venez de citer donnent à réfléchir, c'est indéniable. Le plus gros problème, ce sont les infections nosocomiales. Cet article le précisait-il ?

– Pas exactement, dit Lynn. Il citait plutôt des chiffres globaux, sans entrer dans les détails des diverses causes à attribuer à ces décès et à ces maladies.

– Eh bien, vous pouvez me croire, les infections nosocomiales sont au cœur du problème. À l'échelle nationale, leurs taux oscillent entre cinq et dix pour cent des admissions dans les meilleurs établissements. Dans les établissements moins soucieux, les chiffres peuvent être beaucoup plus élevés. Connaissez-vous le taux d'infections nosocomiales des hôpitaux Middleton Healthcare, y compris le nôtre ?

Lynn et Michael secouèrent la tête.

– Tenez-vous bien, dit fièrement le Dr English. Notre taux moyen est inférieur à deux pour cent.

– C'est impressionnant, dit Lynn avec sérieux.

Comme Michael, elle savait que le centre médical Mason-Dixon produisait de gros efforts dans le domaine du contrôle des infections. Il faisait activement campagne pour encourager le personnel à se désinfecter souvent les mains, au lavabo ou avec du gel, et il avait mis en place des règles très strictes de surveillance et de remplacement des intraveineuses, des respirateurs et des cathéters posés sur les patients. Lynn et Michael n'avaient pas été informés, cependant, que ces efforts se traduisaient par un si faible pourcentage d'infections nosocomiales.

– Si vous vous intéressez à la morbidité hospitalière, vous devriez vous plonger dans le contrôle des infections nosocomiales. C'est dans ce domaine que vous et vos camarades aurez des chances de vous faire remarquer de façon positive. Alors que vous n'irez nulle part avec un cas isolé de retard de réveil post-anesthésique. Est-ce que je me fais bien comprendre ?

– Absolument, dirent de nouveau Lynn et Michael, d'une même voix, en espérant que leur soulagement ne se voyait pas trop sur leurs visages.

– Et puis tenez, je vais même vous faciliter les choses, poursuivit le Dr English. Je vais demander au service informatique de vous donner accès aux statistiques que nous avons sur la situation des malades à leur sortie de l'hôpital. Mais vous devez accepter de vous plier à une condition importante : si un jour vous envisagez de parler de tout cela à quiconque en dehors de notre communauté, en particulier aux médias, je veux que vous me consultiez au préalable. Suis-je claire ?

– Absolument, répétèrent les étudiants.

– Nous sommes fiers, et avec raison, de notre succès dans le domaine du contrôle des infections, enchaîna le Dr English. Mais certaines de nos statistiques n'appartiennent qu'à nous. J'espère que vous comprenez cela.

Cette fois, les étudiants acquiescèrent de la tête.

– Parfait ! Je vais prévenir le président que vous mesurez bien les enjeux de ce regrettable cas de retard de réveil. Ainsi que l'absolue nécessité de ne pas en parler autour de vous. Je peux vous assurer que le service d'anesthésie mène une enquête approfondie pour comprendre ce qui s'est passé. Si vous souhaitez avoir davantage d'infos sur le sujet, notamment pour connaître la conclusion de cette enquête, je pourrai sans doute demander au chef de service de la chirurgie orthopédique de vous inviter à la revue de mortalité et de morbidité à laquelle le cas sera évoqué. Vous plairait-il d'assister à cette réunion ?

– Absolument, répondit Lynn tandis que Michael hochait la tête.

– Très bien, dit le Dr English, baissant les yeux sur son travail et rassemblant quelques documents pour les glisser dans une chemise. Ce sera tout.

Sans un regard de plus pour les étudiants, elle décrocha le téléphone et ordonna à sa secrétaire de la mettre en relation avec le Dr Feinberg.

Un peu étonnés que la rencontre se termine de façon si abrupte, mais très heureux de pouvoir décamper, Lynn et Michael tournèrent les talons et sortirent du bureau. Ils ne ralentirent le pas que lorsqu'ils eurent quitté l'administration et retrouvé le brouhaha de l'hôpital. Enfin ils s'immobilisèrent, le sourire aux lèvres, et levèrent le poing pour échanger un *check*.

– Finalement, ça s'est super bien passé ! s'exclama Lynn.

– Ah ouais ! Mais ça aurait pu mal tourner. Heureusement qu'on avait préparé une réponse au cas où elle nous demande comment on avait entendu parler de Carl. T'as été géniale, meuf ! Ton idée a fait basculer le truc en notre faveur. C'est comme si t'avais marqué un panier à trois points du fond du terrain.

Lynn hocha la tête, songeuse. L'espèce d'euphorie qu'elle avait éprouvée depuis la fin de la rencontre avec la doyenne commençait déjà à se dissiper.

– C'est un peu bizarre, quand même, qu'elle n'ait jamais cité le nom de Carl, observa-t-elle.

– Ça m'a frappé, moi aussi. Mais ce que je trouve encore plus bizarre, je crois, c'est que nous sommes entrés dans son bureau sûrs de nous faire dégommer, et nous en sortons avec un accès étendu aux banques de données de l'hôpital ! Il faudra en profiter, d'ailleurs. Les infections nosocomiales, c'est un truc vraiment merdique.

– Possible, dit Lynn, soupirant. Mais là, tout de suite, ça ne m'intéresse pas des masses. Je voudrais te parler du transfert de Carl au Shapiro.

Sa voix se fêla sur ses derniers mots.

– Houlà, une seconde ! s'exclama Michael. Attends qu'on soit à la résidence. Si tu dois te mettre à chialer, frangine, je préfère que ce soit pas devant tout ce monde qui nous mate. Tu me captes, là ?

Lynn regarda les gens qui allaient et venaient autour d'eux et esquissa un sourire. Elle *captait*, oui. Et elle appréciait comment Michael la rappelait à l'ordre. Elle était toujours stupéfaite, aussi, par l'aisance avec laquelle il maniait les niveaux de langue. Il était capable de parler dans un style soutenu, avec une très grande politesse – comme il l'avait fait avec le Dr English, comme il le faisait avec les patients –, et puis basculer d'une seconde à l'autre dans l'argot et l'accent du ghetto dont il était issu. Il jouait de cette aptitude qui était une preuve de son intelligence parce qu'il savait qu'elle, Lynn, y répondait de façon positive. C'était encore un gage de leur profonde amitié.

Concrètement, cela dit, il avait raison d'évoquer le risque qu'elle se remette à pleurer. Pour le moment, elle réussissait à se contenir, mais elle savait qu'elle pouvait craquer dès qu'ils se mettraient à évoquer le sinistre sort qui attendait Carl.

Pour gagner la résidence, ils coupèrent comme ils le faisaient en général par le BCE. À cette heure, l'endroit était presque désert ; un petit groupe de patients attendaient encore d'être vus par un médecin. Dehors ils trouvèrent une très belle fin d'après-midi, typique de Charleston au printemps. La lumière restait assez vive, le soleil ayant encore deux bonnes heures devant lui avant de se coucher, mais elle était déjà plus diffuse. Lorsqu'ils eurent traversé une partie du quadrilatère, longeant divers parterres de fleurs aux couleurs éclatantes, Lynn ralentit tout à coup l'allure et, comme la veille, ne put s'empêcher de contempler le bunker de granit de l'institut Shapiro. Cette vision raviva en elle les émotions qu'elle refoulait depuis un moment.

– Je n'arrive pas à croire que Carl va très certainement se retrouver enfermé là-dedans, bafouilla-t-elle, sentant qu'elle perdait la bataille contre les larmes. Et peut-être dès cet après-midi…

Michael lui prit le bras, avec douceur, pour l'entraîner à l'écart de l'allée principale. Dans une allée latérale plus discrète, il la fit asseoir sur un banc et prit place à côté d'elle. Ici, grâce aux buissons alentour, ils étaient assez peu visibles des gens qui circulaient sur le quadrilatère – des étudiants, en particulier, qui allaient vers la résidence universitaire ou en arrivaient. Et tant mieux, car Lynn se mit tout à coup à sangloter. Michael lui glissa un bras autour des épaules et patienta sans rien dire, lui laissant le temps dont elle avait besoin pour évacuer son chagrin.

Quand les larmes de Lynn se tarirent enfin, quand elle fut de nouveau en mesure de parler, Michael lui demanda comment elle savait que Carl devait être envoyé à l'institut Shapiro.

– C'est le Dr Erikson qui me l'a dit, répondit-elle d'une voix blanche.

– Elle t'a appelée ?

– Non. Je l'ai rencontrée.

Lynn trouva un mouchoir dans une poche de sa veste et se sécha les yeux avant d'ajouter :

– Je suis retournée à la réanimation neurologique avant le rendez-vous avec la doyenne. Parce que je pensais que ce serait sans doute ma dernière chance de pouvoir y entrer. Ma dernière chance de voir Carl d'ici… d'ici longtemps. Je voulais aussi jeter un œil sur le résultat de l'électrophorèse des protéines sériques.

– Et donc ? Il est anormal ?

– Oui. C'est la raison pour laquelle le Dr Erikson était là-bas. Elle est maintenant officiellement chargée de suivre Carl.

– Anormal dans quelle mesure, le résultat ?

– Juste un peu, pour le moment. Le pic des gammaglobulines, dans la courbe, est assez léger. Mais j'ai l'impression qu'Erikson s'attend à le voir s'aggraver. Elle a été assez sympa avec moi, cette fois, et même cordiale, mais je dois dire que je la trouve étrange. Difficile à cerner.

– Comment en est-elle arrivée à te parler du transfert de Carl ?

– C'est… c'est juste venu dans la conversation. Elle est assez bizarre, cette femme, je te dis. Je ne sais pas ce qu'elle a dans la tête. Elle te paraît agréable, et puis d'une seconde à l'autre, tu as l'impression de l'agacer. Enfin bref. Je t'avais dit, tu te souviens, qu'elle m'avait demandé de la prévenir si nous réussissions à expliquer d'une façon ou d'une autre comment Carl ou Morrison ont pu se retrouver dans le coma ? Aujourd'hui elle a ajouté autre chose. Elle veut que je la prévienne si j'entends quelqu'un parler de gammapathie en anesthésie. Je trouve ça étrange. Je veux dire, pourquoi elle me demande ça à moi, une étudiante de quatrième année ? Elle est praticienne ! Elle peut poser la question à qui elle veut. Y compris à Benton Rhodes.

– En tout cas, ça veut dire qu'elle a gobé notre vilain mensonge sur le stage en anesthésie. Mais c'est bizarre, c'est vrai. Elle sait forcément que personne, parmi les anesthésistes, ne risque de parler de gammapathie. Il n'y a strictement aucun rapport entre l'anesthésie et les anomalies de protéines sériques.

– Je n'en suis pas si sûre, objecta Lynn qui finissait de s'essuyer les yeux avec le mouchoir. Dans toute cette histoire, il y a un truc qui sent vraiment mauvais.

– Arrête ton char, tu veux ? Rien, *absolument rien* ne peut être antigénique en anesthésie. Les produits utilisés dans cette spécialité ont déjà servi sur des dizaines de millions, sur des milliards de patients, et ils n'ont jamais fait débloquer le système immunitaire de personne ! Il n'y a aucun rapport.

– Permets-moi juste de dire ceci : je n'en suis pas à cent pour cent certaine. Nous avons trois patients, déjà, chez qui l'anesthésie semble avoir déclenché une réaction très particulière.

– Un seul dont nous sommes sûrs : Morrison.

– Carl est peut-être en train de développer une gammapathie. Et Ashanti doit en avoir eu une, elle aussi, puisqu'elle a aujourd'hui un myélome multiple. Ça ne peut pas être un hasard. Là-dedans, je te dis, il y a un truc qui cloche. Et autre chose : je te préviens que si Carl est envoyé au Shapiro, j'irai le voir là-bas.

– Tu n'en auras pas la possibilité. Rappelle-toi, seule la famille proche est autorisée à voir les patients. C'est très clair. Et toi, mon amie, tu n'es pas la famille proche.

– Même si j'étais autorisée à entrer, je ne me contenterais pas du genre de visite auquel les familles ont droit, dit Lynn avec une moue dédaigneuse. Je veux entrer là-dedans et voir *vraiment* comment Carl est traité. Pas le regarder à travers une vitre.

– Arrête ! Tu n'es pas sérieuse ? Jamais le Shapiro ne te laissera faire ça.

– Je ne vais pas demander l'autorisation. Je te parle d'entrer là-bas en douce. Par effraction, si tu préfères. Tu m'as dit que tu es passé par cette porte qui est ici, n'est-ce pas ? demanda Lynn en désignant l'issue, sur la façade de l'institut, par laquelle Michael avait vu Vladimir sortir la veille. Et là, tu as pu accéder au centre d'opérations du réseau. Le COR – c'est bien comme ça que tu as dit ? Eh ben, je vais faire la même chose et voir ensuite jusqu'où je peux aller.

– Tu plaisantes, là ? s'exclama Michael. Dis-moi que tu déconnes !

– Si Carl est transféré, j'entre dans ce bunker. Ma décision est prise. Je pense que c'est faisable. D'après ce que tu m'as raconté sur ta visite d'hier, j'ai l'impression que les gens chargés de la sécurité du Shapiro prennent un peu leur boulot par-dessus la jambe. Tu l'as dit toi-même, non ? Ils n'ont sans doute jamais eu le moindre pépin depuis huit ans qu'ils sont ouverts. Mais quand on y pense, qui aurait l'idée de s'incruster dans un établissement rempli de patients en état végétatif ? Hmm… ?

– Peut-être que la sécurité du Shapiro n'est pas au top, ouais, mais…

– C'est logique !

– Entrer dans ce bâtiment, ce serait prendre un risque énorme, conclut Michael d'une voix grave. Franchement, je ne pense pas que nous devrions faire ça.

– Comment ça, *nous*, homme blanc ? répliqua Lynn avec un sourire malicieux.

Michael ne put s'empêcher de pouffer de rire. Il savait qu'elle faisait référence à la blague de Ron Metzner sur le *Lone Ranger* qu'il avait lui-même citée la veille.

– Je ferai ça sans toi, affirma Lynn. Toute seule. Quand nous avons reçu ces SMS de la doyenne, je me suis rendu compte que tu n'as aucune raison d'avoir des ennuis à cause de moi. C'est ma bataille, tu vois, parce que Carl est mon mec. S'il y a des conséquences, je dois être seule à les assumer.

– Je suis ton frère jumeau, n'oublie pas, objecta Michael avec le plus grand sérieux. Il m'échoit donc de t'éviter d'avoir des emmerdes. Alors permets-moi de décider par moi-même les risques que je suis prêt à prendre. Mais tu sais quoi ? Tout compte fait, je pense que si nous entrions au Shapiro les retombées ne seraient peut-être pas si dramatiques que ça. Au pire… Quoi ? Nous nous ferons taper sur les doigts pour nous être baladés dans le bâtiment sans autorisation ? Cet institut de mes deux fait tout de même partie du centre médical, non ? Et toi et moi nous y sommes étudiants, non ? La violation de l'HIPAA qu'on s'est déjà offerte, c'est une infraction bien pire.

– Si Carl est envoyé là-bas, j'y vais. Ma décision est prise.

– D'accord, ta décision est prise, dit Michael, levant les yeux au ciel. Et comment comptes-tu faire pour entrer dans le bâtiment ?

– Heu…, j'aurai besoin d'un coup de main de ta part, admit Lynn. Parce que la clé de la porte, c'est ton nouvel ami qui va nous la donner. Vladimir machin-chose…

– Ah ouais ! Vladimir Malaklov, mon pote russe programmeur ! Et tu attendrais quoi de lui, au juste ?

– D'abord, il faudra qu'il me dégote une combinaison comme nous en avons vu sur le dos des employés du Shapiro. Je ne veux pas me faire remarquer, à l'intérieur, si je rencontre quelqu'un. Or il est probable que je croiserai des gens. Comme ton pote Vladimir bosse ici, il a sûrement une de ces combinaisons. Il préfère juste ne pas la porter. Et de toute façon elles doivent être rangées quelque part comme les pyjamas de bloc sont à disposition dans les vestiaires de l'hôpital.

– Et comment vais-je lui justifier, petite maligne, que j'ai besoin d'une combinaison d'employé du Shapiro ?

Michael s'était tourné sur le banc pour dévisager Lynn, l'air incrédule.

– Je ne sais pas, tu inventeras un truc ! Dis que tu en as besoin pour une fête costumée. Je m'en fous ! S'il la prend dans une réserve, par contre, précise-lui bien ma taille.

– Oh, merde, gémit Michael. Ce sera tout ?

– Non. Faudra aussi que tu me donnes l'identifiant et le mot de passe de Vladimir.

Michael secoua la tête en pouffant de rire.

– Si je fais ça, mon amitié avec mon nouveau pote russe risque de ne pas durer. Et pourquoi aurais-tu besoin de son identifiant ?

– Te souviens-tu qu'au moment de notre visite, il y a deux ans, la guide s'est vantée que le Shapiro n'avait eu que vingt-deux décès en six ans ? J'aimerais beaucoup connaître les causes de ces décès. Et savoir combien d'autres patients sont morts depuis lors. Et pendant que j'y serai, j'aimerais connaître le nombre de patients qui se sont réveillés et ont quitté l'institut. J'ai appris dans un article que j'ai lu hier soir que parmi les patients en état végétatif pour cause de traumatisme crânien, dix pour cent finissent par retrouver un état de conscience suffisant pour rentrer chez eux. Quelques-uns se rétablissent même complètement. Je me demande quel est le chiffre au Shapiro. On ne nous l'a pas donné.

– Je t'en supplie, ne me dis pas que tu envisages de t'introduire dans le système informatique de l'institut à partir de ton ordi avec l'identifiant de Vladimir ! Si tu fais un truc pareil, l'administration nous tombera aussitôt sur le dos. Et tu finiras derrière les barreaux.

– Ne t'inquiète pas. Je ne suis pas débile. Je ferai ça sur un poste de l'hôpital, et de préférence au service informatique. Si Vladimir a les droits d'administrateur comme tu le penses, et c'est sans doute le cas vu le boulot qu'il fait, le système n'y verra rien à redire. En plus, je veux aussi en apprendre davantage sur Ashanti Davis. Et découvrir dans quelle mesure, au juste, son cas est similaire à ceux de Morrison et de Carl.

– Hmm, fit Michael, songeur. Peut-être pourrons-nous obtenir tous ces renseignements grâce à l'accès aux données sur les maladies nosocomiales que le Dr English a promis de nous fournir...

– Reviens sur terre, objecta Lynn d'un ton narquois. Elle ne va sûrement pas nous permettre de consulter les données du Shapiro ! Et d'ailleurs, nous allons juste être autorisés à voir les stats sur les infections – rien de plus. Pour obtenir le genre de renseignements que je recherche, je te dis qu'il me faut l'identifiant de Vladimir ! J'ai besoin d'un accès complet, genre carte blanche à l'intérieur du système.

– T'es gonflée à bloc, meuf. Et je te comprends. Tu as besoin d'agir pour ne pas trop penser à ce qui arrive à Carl. Alors j'arrête de discuter. Mais dis-moi un dernier truc. Imaginons que tu aies une de ces jolies combinaisons du Shapiro. Comment comptes-tu entrer dans le bâtiment ?

– Tu vas m'aider aussi de ce côté-là.

Michael poussa un grognement.

– J'aurais dû m'en douter...

– Tu m'as dit que le système de sécurité de la porte repose sur une technologie vieille de dix ans, à savoir la reconnaissance des empreintes de pouce sur écran tactile. D'accord ? Eh ben, c'est simple, tu vas me dégoter les empreintes digitales de Vladimir. Enfin celle de ses pouces. J'ai pensé que tu pourrais faire ça en l'invitant chez toi pour lui donner ta collection de Jay-Z. Je me suis déjà renseignée. Avec un bout de latex et de la colle à bois, ce n'est pas sorcier de pirater les scanners d'empreintes digitales. Internet, mon grand, c'est trop génial ! On trouve tout. Et si tu veux savoir, j'ai déjà rassemblé les instructions et le matériel dont j'aurai besoin.

– Bonté divine !

Michael se renversa contre le dossier du banc et contempla un moment le Shapiro.

– D'ac ! reprit-il. Imaginons que ça fonctionne. C'est quoi le plan, une fois que tu es à l'intérieur ? Tu erres au hasard, comme ça… ? Tu vas te paumer. Ce putain de bâtiment est énorme !

– J'ai quelques idées, mais je… je travaille encore cet aspect du projet.

– Vas-y, fais-moi part de tes brillantes idées préliminaires !

– Plus tard, dit Lynn. Pour le moment, je veux te montrer certaines choses que j'ai découvertes aujourd'hui en comparant les dossiers d'anesthésie des trois cas. Des similitudes très troublantes. Et qui me donnent envie, je dois dire, de redoubler d'efforts pour comprendre ce qui a pu se passer.

– Du genre ?

– Je préfère te montrer. Dans ma chambre j'ai les impressions des dossiers. Viens !

Lynn se leva en tirant Michael par le bras.

29

MARDI 7 AVRIL
17 H 37

Lynn se sentait en effet « gonflée à bloc », pour reprendre l'expression de Michael, malgré sa crise de larmes sur le banc du quadrilatère et malgré la fatigue qui l'accablait – elle n'avait dormi que quatre heures depuis lundi matin. Elle avait suffisamment de connaissances en psychologie pour savoir que son hyperactivité était une autre forme de déni, mais cela n'avait pas d'importance. L'essentiel était qu'elle avait le sentiment de réagir, de faire quelque chose, plutôt que de se laisser passivement torturer par le chagrin.

Avant qu'elle ne parle avec Michael de son intention de rendre visite à Carl au Shapiro, ce projet avait été plutôt vague dans son esprit. À présent elle avait les idées plus claires. Elle savait ce qu'elle devait faire, ce qu'elle souhaitait que Michael fasse – et elle avait hâte qu'ils se mettent à la tâche. Mais elle voulait d'abord montrer à Michael les étranges points communs des rapports d'anesthésie des trois patients. Ces observations la rendaient encore plus méfiante vis-à-vis de la situation dramatique de Carl. Elles convaincraient aussi Michael, espérait-elle, de soutirer à Vladimir tout ce dont elle avait besoin.

Lynn ouvrit la porte de sa chambre et y entra la première. Michael s'immobilisa sur le seuil, stupéfait, puis demanda :

– Je dois aller chercher une pelleteuse, à ton avis ?

Il était habitué à l'idée assez personnelle que Lynn se faisait de l'ordre, mais là, le foutoir était insensé ! Les impressions des articles et des dossiers médicaux, éparpillées sur le lit et par terre avec un certain nombre de livres de cours ouverts, interdisaient presque de faire le moindre pas dans la pièce. Ou bien il fallait se résoudre à marcher dessus. Il y avait aussi des feuilles sur la plupart des surfaces planes – ainsi qu'en équilibre sur le tas de vêtements peut-être propres, peut-être sales, qui couvrait une chaise près de la porte de la salle de bains. Le lit – évidemment défait – disparaissait lui aussi sous toutes sortes de papiers, de vêtements et d'objets.

– Très drôle, dit Lynn.

Elle se retourna et agrippa la veste de Michael pour l'attirer à l'intérieur de la chambre avant de refermer la porte sur lui.

– Je sais que c'est le bordel, mais ne te préoccupe pas de ça maintenant, d'accord ?

Elle le guida jusqu'à son fauteuil de bureau, qui n'était miraculeusement pas encombré, et le fit asseoir. Ayant poussé l'ordinateur portable et quelques papiers de côté pour dégager le plateau de la table, elle y disposa les feuilles des dossiers d'anesthésie, sur trois rangées, de façon qu'il puisse les examiner ensemble.

– OK, fit-il. Je suis censé regarder quoi ?

– Tu te souviens de ce zigouigoui à l'écran, cette espèce de sursaut dont Wykoff nous a parlé ? Et qu'elle nous a montré sur le dossier de Carl. Attends, heu… Ici !

De l'index, Lynn désigna l'endroit où le phénomène se manifestait sur les tracés de Carl.

– Ouais, fit Michael. J'appelle ça un décalage de trame. Et donc ?

Lynn lui montra que le même petit sursaut vertical apparaissait sur les tracés des deux autres dossiers.

– Tu vois ? Les trois cas ont la même distorsion, ou bizarrerie, ou... enfin peu importe comment il faut appeler ça. L'essentiel, c'est qu'elle est là, sur les trois rapports, et qu'elle se manifeste exactement au même moment : cinquante-deux minutes après le début de chaque opération.

– Ouah ! s'exclama Michael.

Il se pencha pour examiner quelques instants les impressions des trois rapports.

– Alors ça, frangine, c'est une putain d'observation, dit-il, tournant vers Lynn des yeux écarquillés de perplexité. Et c'est un truc carrément bizarre. As-tu une idée de ce que ça pourrait signifier ?

– Pas la moindre, admit Lynn. Mais je suis d'accord, ça doit signifier quelque chose. J'aimerais bien pouvoir demander au Dr Wykoff ce qu'elle en pense.

– Hors de question, dit Michael d'un ton catégorique.

– Je sais. Nous ne pouvons parler de ça avec personne. En tout cas, pas pour le moment. Nous ne devons compter que sur nous-mêmes pour trouver une explication. Peut-être. Mais attends, ce n'est pas tout. Il y a une autre surprise.

– Ah bon ? Ne me dis pas que le signal d'alarme de la saturation en oxygène retentit au même moment dans les trois...

– Non, ce n'est pas ça. Les alarmes sont proches, mais elles ne surviennent pas à la même minute.

Lynn regarda fixement Michael et ne dit plus rien. Il finit par demander d'un ton impatient :

– Eh ben, quoi ? Tu me le sors, ton truc ?

– Tu ne vois pas ? Sur les rapports ?

– Tu as la balle, meuf. Dribble, passe ou tire !

Lynn posa l'index sur le coin supérieur droit de l'une des feuilles du dossier de Carl. Il y avait là une petite case qui portait l'inscription : STATION 37. Lynn désigna ensuite les coins supérieurs droits, l'un auprès l'autre, de toutes les autres feuilles étalées devant eux.

Michael se pencha à nouveau pour les examiner. Puis il redressa le buste et soutint le regard de son amie.

– Putain de merde ! s'exclama-t-il. La même station d'anesthésie dans les trois cas ? Ça aussi, ça veut sûrement dire quelque chose.

– La même station d'anesthésie et le même sursaut, visible à l'écran et sur les tracés, exactement au même moment dans les trois opérations. La probabilité qu'il s'agisse d'une coïncidence est nulle. S'il n'y avait que deux cas… oui, à la rigueur. Mais avec trois cas ? Aucune chance !

– Tu as raison. Mais on fait quoi de ce truc ? Il faut en parler à quelqu'un, à ton avis ? Et à *qui* ?

– C'est forcément important. Et ça veut dire qu'il se passe un truc étrange. Mais je n'arrive pas à trouver la moindre explication, même vaguement plausible, à ce que nous voyons sur ces feuilles. Et si nous consultons quelqu'un, nous allons nous attirer des ennuis. C'est une raison de plus, à mon avis, pour essayer de trouver davantage d'infos au Shapiro. Nous n'avons pas d'autre solution.

– Ce qui me sidère le plus, c'est le décalage de trame au même moment dans les trois cas, dit Michael qui contemplait une fois encore les impressions des rapports.

– Moi, je suis plus que sidérée. J'ai un très mauvais pressentiment. Surtout quand je pense à tout ce que j'ai appris dans les différents articles que j'ai lus.

Elle montra de la main les feuilles dispersées par terre et sur le lit. Sa voix se fêla, à nouveau, quand elle ajouta :

– Et maintenant que Carl va être envoyé au Shapiro…

– Eh oh ! Du calme ! Restons sur terre, mon amie ! D'abord, souviens-toi que Carl n'a pas encore été transféré.

– Morrison a été envoyée là-bas. Et la situation de Carl est identique à la sienne.

– Certes. Mais tu vas quand même trop vite en besogne. Écoute, ne le prends pas mal, mais là tu es sous pression, hyper-stressée, et tu n'as pas les idées claires ! Il faut que tu manges quelque chose et que tu t'accordes une bonne nuit de sommeil. Ensuite ton cerveau pourra redémarrer. Allons dîner à l'hôpital.

– Bien sûr que je suis stressée ! Et crois-moi, je n'oublie pas que je suis épuisée. Mais je ne suis pas sûre de pouvoir dormir si je me mets au lit. Pourquoi est-ce qu'ils se dépêchent tant d'envoyer Morrison et Carl au Shapiro ? C'est beaucoup trop rapide ! Et peut-être est-il arrivé la même chose avec Ashanti. *Pourquoi ?* Pourquoi une telle précipitation ? L'argument économique me paraît insuffisant. Ouais, sans doute que les patients sont mieux soignés là-bas, d'accord... Enfin, je ne sais pas.

Lynn soupira et montra de nouveau à Michael, d'un geste de la main, les feuilles dispersées à travers la chambre.

– Dans ces articles, il est bien écrit qu'un petit nombre de patients comateux sortent du lot et se réveillent. Carl est dans le coma depuis moins de trente-six heures ! Pourquoi l'envoyer si vite au Shapiro ? Et s'il se réveillait là-bas ? Tu sais comme moi que cet institut de merde est archi-automatisé et robotisé. Y a-t-il seulement quelqu'un pour *remarquer*, le cas échéant, que certains patients se réveillent ? Si j'entre là-bas, je trouverai peut-être des réponses. C'est loin d'être une certitude, bien sûr, mais ça pourrait donner quelque chose. Donc je dois y aller !

Michael hocha la tête. Lynn était bouleversée et survoltée. Il préférait éviter de l'énerver davantage. Au lieu de la contredire, il fit pivoter le fauteuil vers le lit et y saisit la première feuille qui lui tomba sous la main. C'était un article de Wikipédia, intitulé « Gammapathie monoclonale de signification indéterminée », qu'il se souvenait d'avoir lu à la réanimation neurologique quand Lynn et lui avaient découvert le dossier Morrison. Il le parcourut rapidement des yeux, puis dit :

– Laisse-moi deviner. À ton avis, il y a quelque chose derrière cette histoire de paraprotéine. C'est ça ?

– Exactement. Quelle chose, comment et pourquoi ? Je ne sais pas encore. Mais il y a un truc bizarre de ce côté-là, visiblement, chez les trois patients. Nous n'en sommes pas certains pour Ashanti, d'accord, mais elle souffre aujourd'hui d'un myélome multiple. Cela donne à penser qu'elle a eu cette paraprotéine anormale. Le myélome multiple, c'est la pire évolution possible de la gammapathie.

– Mouais, fit Michael, l'air dubitatif. Si je puis me permettre, quand même, je me demande si tu ne planes pas un peu à quinze mille.

Il se pencha pour attraper un autre article, cette fois sur le sol. Celui-là était intitulé « Anticorps monoclonaux ». Il commença à le lire.

– Tu as peut-être raison, convint Lynn. Mais pense à ce que tu as vu sur la page du dossier médical d'Ashanti au Shapiro. Le drozitumab. Tu te souviens ou pas ?

– Bien sûr.

– Te rappelles-tu ce qu'est le drozitumab ?

– Mais oui !

Michael regarda Lynn d'un air agacé. Il commençait à perdre patience. Elle avait besoin de manger – et de dormir. Lui aussi, en outre, il avait faim.

– Tu joues à quoi, là ? marmonna-t-il. C'est un piège ?

– Comme tu l'as dit ce matin, le drozitumab est un anticorps monoclonal, poursuivit Lynn qui ne se rendait pas compte qu'il était un peu en rogne. Un anticorps monoclonal utilisé pour le traitement d'un certain type de cancer des muscles. Et donc pas pour le traitement du myélome multiple.

– Oui, je sais. Et alors ?

– Si le Shapiro donne du drozitumab à Ashanti, et si une analyse de ses protéines sériques a été effectuée, le drozitumab a dû apparaître comme paraprotéine dans le résultat.

– Heu… Je suppose que oui. Mais où veux-tu en venir ?

– Je ne sais pas. Je réfléchis à voix haute et je te demande d'en faire autant.

Michael soupira.

– C'est un vrai mystère, cette histoire. Et il nous manque trop d'éléments, dit-il avant de se replonger dans la lecture de l'article sur les anticorps monoclonaux.

– Pourquoi trouve-t-on le drozitumab en tête du dossier d'Ashanti ? insista Lynn. C'est tout de même étonnant !

– Comme je te l'ai dit ce matin, je n'en ai aucune idée. Tu as la réponse, toi ? marmonna Michael.

– Non. Mais si je devais faire une hypothèse, je dirais que le Shapiro teste peut-être le produit comme traitement du myélome multiple.

Michael redressa la tête pour regarder son amie d'un air interloqué.

– Comme ça ? Tu veux dire… juste pour voir si le produit peut fonctionner sur le myélome multiple ? À l'aveugle, sans protocole scientifique digne de ce nom ? C'est douteux, mon amie.

– Je sais, ça paraît absurde. Bon, d'accord, tirons un trait sur cette idée ! Peut-être l'explication est-elle plus simple. Pour avoir lu ces articles sur les anticorps monoclonaux, qui constituent donc la base des biomédicaments, je sais qu'ils posent un certain nombre de problèmes aux chercheurs. Alors… peut-être le Shapiro donne-t-il diverses formes de drozitumab à Ashanti, par exemple, pour voir celle qui provoque le moins d'effets secondaires ?

– Ça paraît déjà plus probable que l'idée de l'essai clinique à l'aveugle. Mais bon, ça signifie tout de même qu'ils utilisent Ashanti comme cobaye. Cette hypothèse te paraît vraiment envisageable ?

– Oui. Je pense que c'est une vraie possibilité.

– Mais avec ça tu n'expliques pas le problème de la paraprotéine.

– Je sais bien. Peut-être le Shapiro veut-il stimuler le système immunitaire de ses pensionnaires pour une raison ou une autre ? Rappelle-toi que les systèmes immunitaires de Carl et de Morrison sont en pleine effervescence, puisqu'ils produisent la paraprotéine *et* de la fièvre. À vrai dire, ils se comportent comme s'ils étaient stimulés par… par je ne sais quoi.

– Houlà. C'est archi-théorique, une fois de plus.

– Je sais bien, répéta Lynn. Mais je suis convaincue qu'il se passe un truc bizarre. Et si Sidereal Pharmaceuticals avait construit le Shapiro pour réaliser des essais cliniques illégaux de médicaments ? Les patients végétatifs de l'institut feraient des cobayes parfaits. Ils ne risquent pas de se plaindre ! Ce serait diabolique, d'accord, mais reconnais que ce serait aussi assez logique. Et s'il se passe effectivement ce genre de chose là-bas, j'ai encore plus de raisons de refuser que Carl y soit enfermé ! Pas question qu'il serve de cobaye. Jamais !

– Bonjour l'idée flippante, dit Michael. Rien que d'y penser, j'ai la chair de poule. Tu crois réellement que le Shapiro pourrait faire ce genre de truc ?

Lynn haussa les épaules.

– Je ne sais pas. Mais c'est une hypothèse pas complètement insensée, me semble-t-il. Avec un tel système, Sidereal ferait sans doute de sacrées économies de temps et d'argent pour le développement de ses nouveaux médicaments. Le drozitumab est un biomédicament, c'est-à-dire qu'il est fabriqué à partir de cellules vivantes, et les biomédicaments sont le nouvel eldorado de l'industrie pharmaceutique. Tous les labos se font la course, aujourd'hui, pour les perfectionner, les tester et les lancer sur le marché. Et si jamais tu n'étais pas au courant, sache que l'essentiel de l'activité de Sidereal, c'est justement le développement de biomédicaments !

– Sérieux ? Non, je ne savais pas.

– Attends, il faut que tu lises…

Lynn regarda autour d'elle et attrapa une feuille, sur la commode, qu'elle tendit à Michael.

L'article était sobrement intitulé : « Le médicament biologique ». Michael le parcourut.

– Te souviens-tu, demanda Lynn, comment sont produits les anticorps monoclonaux, ou biomédicaments, que les labos pharmaceutiques mettent sur le marché ?

– Ouais ! Ils sont produits à partir d'hybridomes de souris. Je viens de voir ça dans l'article que je lisais juste avant. Et puis on nous en avait parlé en cours en deuxième année. Pourquoi cette question ?

– C'est pour cette raison que le développement des biomédicaments exige énormément d'essais. Comme ils sont obtenus à partir de cellules de souris, les labos doivent trouver le moyen de les « humaniser » afin qu'ils soient moins allergènes pour l'homme. Ça demande beaucoup, beaucoup de travail, et notamment quantité d'essais sur l'homme. Or, je ne vois pas ce que tu pourrais trouver de mieux, pour ce genre d'essais, que des patients en état végétatif. Surtout si leurs systèmes immunitaires sont boostés.

– Waouh ! fit Michael qui venait de parvenir à la fin de l'article. Le chiffre d'affaires annuel des biomédicaments est déjà de cinquante milliards de dollars, et il est en augmentation constante. Je ne savais pas ça.

– C'est une industrie qui est destinée à devenir énorme ! Ton chiffre d'affaires, il sera à cent milliards en un rien de temps.

– Tu crois ?

– Oui, et pour deux raisons. Comme le montrent ces articles, d'abord, les biomédicaments sont très prometteurs pour le traitement de certaines maladies. Ensuite, les labos pharmaceutiques peuvent vendre leurs produits au prix qu'ils veulent. En tout cas ici aux États-Unis. Ce pays n'est pas comme le reste du monde industrialisé, ou devrais-je dire « civilisé », où la santé n'est pas qu'une monstrueuse machine à fric.

Michael hocha la tête, songeur, et saisit par terre un autre article qui portait sur les hybridomes.

– Les labos vendent déjà les médicaments traditionnels à prix d'or, observa-t-il. J'imagine qu'ils se frottent les mains devant le potentiel des biomédicaments.

– Exactement ! Ils vont faire casquer tout le monde. Et vu le fric dont ils arrosent Washington par l'intermédiaire de leurs lobbys, la situation ne risque pas de s'arranger.

– Ouais, dit Michael, continuant de lire le document qu'il avait à la main. Les labos ont pris le contrôle des élus et maintenant ils peuvent prendre leur pied à détrousser la population américaine en toute légalité.

– Si une boîte comme Sidereal réussit à devancer ses concurrents, dans le domaine des biomédicaments, en solutionnant le problème de la réaction allergique aux hybridomes de souris, elle peut engranger des fortunes colossales et dominer complètement le marché.

Michael termina le quatrième article et posa la feuille à côté de lui.

– D'accord, mademoiselle. Maintenant je comprends mieux où tu veux en venir. Et une petite visite clandestine au Shapiro s'impose peut-être, en effet, pour voir si Sidereal utilise les patients comme cobayes pour la mise au point de ses biomédicaments. Attention ! Je continue de penser que l'idée d'entrer au Shapiro est parfaitement dingue. Et très risquée. Mais bon, de toute façon nous avons un problème plus pressant. Que fait-on à propos de la station d'anesthésie numéro trente-sept ? Le service d'anesthésie devrait être prévenu, tu ne crois pas ? Quoique… maintenant que j'y pense, il doit déjà savoir. Ce truc crève les yeux, non ?

– Bien d'accord, répondit Lynn. Le service d'anesthésie sait forcément ce qui se passe. Et puis le problème ne vient pas de la station.

Elle désigna les rapports étalés sur la table.

– Regarde comment les signes vitaux des trois patients sont restés complètement normaux, après le décalage de trame, jusqu'au moment de la chute du niveau d'oxygène sanguin. Et il en va de même avec toutes les variables surveillées par la machine. Manifestement, la profondeur de l'anesthésie des patients n'a pas changé. Et puis souviens-toi : Wykoff a bien précisé qu'elle avait examiné la station de Carl avant et après l'opération.

Les étudiants scrutèrent de nouveau les dossiers en silence, un petit moment, essayant d'y trouver de nouvelles idées.

– Si nous parlons de ces observations à Benton Rhodes, il va repiquer une crise, dit enfin Lynn. C'est certain. Il voudra aussi savoir comment nous avons découvert tout cela. Et que dirons-nous, à ce moment-là, sans révéler que nous avons enfreint l'HIPAA ? Vu sa réaction quand il a appris que nous discutions avec le Dr Wykoff, je pense qu'il péterait un câble s'il entendait dire que nous avons en plus des photos de ces dossiers d'anesthésie. C'est clair qu'avant de nous adresser à ce type, nous devons trouver beaucoup plus d'informations.

– Tu n'as pas tort, convint Michael.

– Écoute… Et si tu envoyais un texto à ton copain Vladimir pour lui proposer de te rendre visite ce soir ? J'aimerais bien qu'on avance.

– Tu veux vraiment faire ce truc ?

– Absolument. L'idée que Carl soit envoyé là-bas, et sans que je sache ce qui risque de lui arriver… C'est insupportable. J'ai besoin d'une combi du Shapiro et de l'empreinte du pouce de Vladimir.

– J'espère que je n'aurai pas à le regretter, marmonna Michael en tirant son téléphone de sa poche.

Il tapa un message à Vladimir, l'invitant à venir dans sa chambre pour boire une bière et passer un bon moment avec la musique de Jay-Z. Quand il eut terminé, il regarda Lynn, fit tournoyer théâtralement son index au-dessus de l'écran et appuya sur Envoyer.

– Maintenant, donne-moi son identifiant et son mot de passe, dit-elle en ouvrant le répertoire de son propre téléphone.

Michael fit le salut militaire, puis ouvrit la fiche de Vladimir dans ses contacts et la présenta à Lynn. Pendant qu'elle recopiait les informations, un carillon s'éleva de l'appareil de Michael : Vladimir venait de répondre par SMS qu'il acceptait volontiers son invitation. Il précisait aussi qu'il apporterait le souvenir de Russie qu'il avait promis à Michael.

– Satisfaite, frangine ?

– Non. Renvoie-lui un texto pour les combis du Shapiro.

– Ah, mince ! Tu délires, quand même.

Mais Michael obtempéra, expliquant dans son nouveau message, comme Lynn l'avait suggéré, qu'il devait aller à une fête costumée avec sa copine.

Vladimir répondit une minute plus tard. Michael montra l'écran de son téléphone à Lynn : *Oui. Je passe au Shapiro pour les vêtements. Peut-être un peu de retard. Aucun problème*.

– Mon nouveau pote russe a l'air drôlement accommodant, dit-il. Bon ! Maintenant, allons dîner.

– Excellent programme, approuva Lynn. Mais j'ai besoin de prendre une douche. J'en ai pour deux minutes.

Elle disparut dans la salle de bains.

– J'ai une idée ! lui cria Michael à travers la porte. Pendant que nous serons à l'hôpital, nous devrions aller au bloc pour essayer de trouver la station numéro trente-sept.

– Ça risque d'être difficile. Avec vingt-quatre salles d'opération, il doit y avoir au moins cinquante stations.

– Bien davantage, probablement. Mais ça n'a pas d'importance. Nous savons que la trente-sept a été utilisée hier dans la salle d'opération numéro douze. Elle y est peut-être encore. En plus, le bloc opératoire est relativement calme à cette heure de la journée. Si la station n'est pas dans la salle douze, nous pourrons jeter un œil dans la réserve où est entreposé le matériel du bloc.

– Et ça nous servira à quoi, de trouver cette machine ?

– Bonne question ! dit Michael avec un petit rire embarrassé. Je suppose que ce serait bien, genre, de voir si elle a été utilisée depuis l'opération de Carl. Si c'est le cas, et si nous pouvons vérifier que le ou les patients qui ont été anesthésiés avec elle se sont réveillés normalement, eh ben… je dormirai mieux cette nuit.

– Je te comprends ! cria Lynn alors que le bruit de la douche commençait à couvrir sa voix. D'accord, je t'accompagne au bloc si tu m'accompagnes à la réa neurologique et au service informatique !

– Ça marche ! Tu sais quoi ? Je vais à ma piaule. Moi aussi je veux faire un brin de toilette.

– Bonne idée. Je te retrouve en bas.

30

MARDI 7 AVRIL
18 H 31

Sandra Wykoff se déconnecta du serveur de l'hôpital. Depuis plus d'une heure, elle travaillait sur l'un des ordinateurs du bureau des anesthésistes. Elle se cala, perplexe, au dossier de son fauteuil. Que devait-elle penser de la découverte qu'elle venait de faire ? Cette étrange coïncidence avait sans doute une explication, mais laquelle ?

Quand elle était remontée du service de génie clinique, elle avait reçu un message de Geraldine Montgomery lui demandant de venir au bloc pour une urgence – une réduction de fracture ouverte sur l'avant-bras d'un adolescent. Elle avait été contente d'avoir cette opération pour se changer les idées, et tout s'était bien passé.

Pendant qu'elle était en pilote automatique au milieu de cette intervention relativement brève, toutefois, elle avait de nouveau réfléchi aux cas Vandermeer, Morrison et Davis – trois patients qui, elle le savait maintenant, avaient été opérés avec la même station d'anesthésie. Dès qu'elle avait quitté le bloc, elle était venue ici, au bureau des anesthésistes, pour examiner les rapports de Morrison et de Davis comme elle avait déjà examiné celui de Vandermeer, scrutant les valeurs et les tracés enregistrés par la station d'anesthésie dans l'espoir de trouver des similitudes entre les trois cas. Pendant un moment, elle n'avait rien vu de particulièrement intéressant. Puis, tout à coup, elle avait fait cette découverte hallucinante : non seulement les trois cas présentaient le même petit sursaut – le décalage de trame –, mais celui-ci apparaissait aussi exactement au même moment après l'induction !

Sandra regardait à présent le ciel par la fenêtre, sans vraiment le voir, et s'interrogeait. Elle ne pouvait pas croire qu'il s'agissait d'une simple coïncidence. Et pourquoi cette station d'anesthésie avait-elle ce problème alors qu'elle avait été contrôlée à plusieurs reprises ? Le logiciel qui la pilotait avait-il des bugs, malgré ce que Rozovsky lui avait affirmé au service de génie clinique ? Sans doute pas, puisque le phénomène ne se produisait pas avec les autres stations ; Sandra avait déjà vérifié en consultant les rapports d'anesthésie d'opérations pour lesquelles elle avait travaillé avec des stations différentes : le décalage de trame n'apparaissait sur aucun des tracés. Et pour la station trente-sept elle-même, elle avait retrouvé plusieurs rapports parfaitement « normaux ». Le décalage de trame ne s'était manifesté que pour les trois cas de retard de réveil post-anesthésique survenus récemment à l'hôpital.

Tout à coup résolue à agir, Sandra se leva, quitta le bureau et se rendit au vestiaire pour troquer son pyjama de bloc contre ses vêtements de ville. Elle descendit ensuite au-rez-de-chaussée pour gagner l'administration. Si Benton Rhodes était encore à son bureau, elle voulait l'informer de sa nouvelle découverte.

Mais le Dr Rhodes avait déjà quitté l'hôpital. Sandra hésita : devait-elle demander à la secrétaire de l'appeler, pour qu'elle lui parle au téléphone ? Elle soupira en repensant au savon qu'il lui avait passé plus tôt dans la journée. En outre, elle se demandait maintenant s'il n'était pas déjà informé de cette similitude entre les trois rapports d'anesthésie. C'était bien possible. Donc il valait peut-être mieux qu'elle évite de l'ennuyer. Tout le monde savait que le Dr Rhodes avait horreur d'être dérangé, si ce n'était pas pour une urgence absolue, quand il n'était pas au centre médical.

– Demain ça suffira bien, murmura Sandra pour elle-même tandis qu'elle quittait l'administration.

Elle traversa l'hôpital pour se rendre au parking. Maintenant elle avait hâte de rentrer chez elle et de se détendre avec un verre de vin. La catastrophe d'hier la minait encore – elle se sentait coupable, malgré tout, même si elle savait qu'elle n'avait commis aucune erreur – et elle se demandait si elle réussirait à jamais s'en remettre complètement. L'engueulade qu'elle avait essuyée de Rhodes ne l'avait pas aidée. Et le coma de Vandermeer ne la rassurait pas non plus. Elle avait toujours cru que si elle se montrait très consciencieuse, si elle veillait aux moindres détails et n'adoptait aucune solution de facilité, ce genre d'expérience horrible lui serait épargnée. Manifestement elle s'était trompée.

Laissant derrière elle le chahut du rez-de-chaussée de l'hôpital, Sandra pénétra dans le parking. Ici, le silence était presque complet. Vers quinze heures chaque après-midi, quand les différents services changeaient d'équipe, les quatre niveaux du parking grouillaient de monde et de voitures en déplacement. Puis il y avait un autre créneau, entre cinq et six, où le personnel de l'hôpital et les patients étaient nombreux. Mais à dix-huit heures, le niveau d'activité du parking chutait d'un coup, pour devenir quasi nul. Il ne remontait que vers vingt heures, quand les visites aux patients prenaient fin, puis à nouveau vers vingt-trois heures lorsque les équipes de nuit venaient remplacer les équipes du soir.

Pendant que Sandra marchait vers sa voiture, le cliquetis aigu de ses talons sur le béton silencieux lui rappela de façon troublante que le parking était désert. Elle regarda autour d'elle, espérant apercevoir quelqu'un, mais il n'y avait vraiment personne.

Ce parking vide aux heures creuses, c'était une chose qui l'avait toujours angoissée. Pour empêcher son imagination de lui jouer des tours, elle se força à penser qu'elle serait bientôt chez elle. Avant de siroter ce verre de vin, elle prendrait un bain. Pendant qu'elle sortait la télécommande de sa BMW de son sac et pressait le bouton d'ouverture des portes, elle se demanda si elle saurait parler de sa nouvelle découverte à Rhodes sans le mettre en rogne. Il était chef de service. Responsable de l'examen de ces trois cas malheureux. S'il n'avait pas déjà connaissance de cette étrange coïncidence des décalages de trame sur les rapports de la station d'anesthésie, il fallait qu'il en soit informé. Mais Sandra redoutait qu'il se vexe, s'il n'avait pas remarqué la chose, et qu'il ne la prenne encore davantage en grippe.

Elle s'assit au volant de la voiture, tira la portière pour la fermer et leva la main vers son épaule pour attraper la ceinture de sécurité. Simultanément, elle posa le pied droit sur la pédale de frein pour être prête à appuyer sur le bouton de démarrage du moteur. Ces gestes machinaux, elle les avait faits mille fois. Mais elle ne put saisir la ceinture de sécurité. Tout à coup, son cœur fit un bond dans sa poitrine : la portière passager, à l'avant, et la portière qui se trouvait derrière elle venaient de s'ouvrir sur deux hommes en costume noir qui firent irruption dans la voiture.

Terrorisée, Sandra ouvrit la bouche pour hurler – mais aucun son ne sortit de sa gorge. Une main gantée de cuir s'était glissée autour de l'appui-tête pour lui couvrir la partie inférieure du visage et étouffer son cri. Un gargouillis rauque mourut dans sa trachée tandis que la main la tirait brutalement en arrière contre l'appuie-tête. Au même instant, l'homme qui avait investi le siège passager, à côté d'elle, lui planta l'aiguille d'une seringue dans la cuisse et appuya sur le piston.

Le souffle coupé, elle gesticula et tenta désespérément de se libérer de la main qui lui tenait le visage. Peine perdue. L'homme était beaucoup trop fort.

Quelques secondes plus tard, la vision de Sandra se brouilla et s'assombrit. Le parking, devant le pare-brise, disparut. Elle s'avachit dans le siège.

Darko Lebedev et Léonid Choubine avaient été enchantés par l'appel téléphonique que Darko avait reçu de Misha Zotov juste avant quinze heures. Enfin, après s'être trop longtemps tourné les pouces, ils avaient deux nouvelles missions à remplir juste après l'opération chez l'avocat. La première était aussi une élimination. Pour la seconde, ils devaient juste donner un bon avertissement à une étudiante en médecine qui, selon Misha, avait besoin d'apprendre à se tenir à carreau.

Pour l'élimination, les instructions étaient simples. La femme devait tout bêtement disparaître. Un conducteur recruté par Misha prendrait ensuite le volant de sa BMW pour l'abandonner sur le parking de l'hôpital – dans le Colorado ! – où travaillait son ex-mari. L'idée, Darko en avait bien conscience, était de détourner les soupçons de la police de Charleston sur l'ancien conjoint, et d'éjecter l'enquête hors de Caroline du Sud, lorsque la disparition de la cible serait constatée. Misha avait cependant une exigence : avant de faire disparaître la femme, Darko et Léonid devaient la lui amener, droguée mais vivante, pour qu'il puisse passer deux heures en tête-à-tête avec elle. Il avait précisé qu'il avait un petit compte à régler avec cette bêcheuse.

Misha avait donné à Darko tous les renseignements dont ils avaient besoin pour les deux missions. L'adresse de Sandra Wykoff, bien entendu, ainsi que la marque et le modèle de sa voiture, le numéro de sa place de stationnement attitrée dans le parking de l'hôpital, et un certain nombre d'autres détails. Misha avait expliqué qu'ils avaient des tonnes de renseignements sur cette pouffiasse, car le service de sécurité de l'hôpital avait mené une enquête approfondie à son sujet quand elle avait été présélectionnée parmi les anesthésistes utilisés à leur insu pour les premiers cas du programme. Les deux tueurs savaient ainsi qu'elle vivait seule, avait peu d'amis et sortait rarement le soir.

Avec les infos dont il disposait, Darko prévoyait que cette mission serait relativement facile en dépit du fait qu'elle devait être exécutée le jour même. Comme la mission d'intimidation de l'étudiante. Il fallait qu'ils travaillent vite et bien, sans le bénéfice, toujours très agréable pour Darko, d'une période plus ou moins longue de recherches et d'observations. Il fallait aussi, logiquement, que l'élimination soit menée en priorité.

Pour le second boulot, ficher la frousse de sa vie à Lynn Peirce, Darko s'était arrangé pour être secondé par un compatriote, Timur Kortnev, qui travaillait à la sécurité de l'hôpital. Il l'avait déjà envoyé à la résidence universitaire, avec une photo de la fille, pour tenir celle-ci à l'œil, car il devait savoir où la trouver quand il en aurait terminé avec Wykoff. Sans doute serait-elle dans sa chambre, mais il devait en avoir la certitude. Il ne voulait ni perdre de temps, ni risquer de s'introduire dans la résidence si elle n'y était pas.

Quant à l'élimination de Sandra Wykoff, Darko et Léonid avaient décidé de commencer par examiner la maison qu'elle possédait, à North Charleston, dans une enclave résidentielle sécurisée de construction récente. Cette reconnaissance n'avait pas été vaine, car ils avaient découvert que le domicile de la cible n'était vraiment pas idéal pour l'opération. Wykoff occupait une maison mitoyenne assez étroite – prise en sandwich, donc, entre deux maisons identiques. Darko et Léonid savaient que cette configuration augmentait les risques, pour eux, d'être vus par des voisins. Pour que la femme disparaisse et quitte la ville « de son propre chef » à destination du Colorado, personne ne devait les surprendre quand ils la kidnapperaient. Seul point positif, la maison possédait une véranda, à l'arrière, qui ouvrait sur le jardin par une porte vitrée coulissante. Or, ce type de porte se forçait sans difficulté particulière. Les deux hommes avaient convenu qu'ils entreraient par là s'ils étaient obligés d'agir dans la maison, mais cette idée ne les emballait pas.

Ils avaient alors pris la route de l'hôpital et examiné la BMW et ses alentours. Estimant que l'anesthésiste apparaîtrait sans doute dans le parking, à la fin de son service, au milieu d'autres gens pressés de monter en voiture, ils avaient décidé de la prendre en filature à ce moment-là en espérant qu'elle ferait un ou plusieurs arrêts quelque part, sur le chemin du retour, et qu'ils pourraient alors improviser. Mais coup de chance, elle était sortie de l'hôpital après l'heure de pointe – et seule.

Soutenant la femme qui s'était effondrée contre lui, Darko dit en russe :

– Allez, on l'installe sur la banquette arrière ! Tu as vu quelqu'un ?

– Y a personne, répondit Léonid, scrutant le parking autour de la voiture.

– Allons-y !

Les deux hommes sortirent de la BMW et extirpèrent rapidement le corps inerte de leur victime du siège conducteur pour l'allonger sur la banquette arrière. Un plaid se trouvait là ; Darko en couvrit la femme. Quelques secondes après, il avait pris place au volant et Léonid était assis à côté de lui. Il se dirigea vers la sortie du parking où le système informatique reconnut la voiture et ouvrit la barrière pour la laisser passer. Une minute plus tard, dans une rue des environs du centre médical, ils s'arrêtèrent derrière une camionnette blanche passe-partout. Léonid ouvrit sa portière.

– À tout de suite, chez Misha !

Il courut vers la camionnette, s'y installa et démarra, tournant au carrefour pour prendre vers le nord. Darko le suivit au volant de la BMW, jetant de temps à autre un coup d'œil vers la femme endormie sur la banquette arrière.

Misha et la plupart des Russes qui travaillaient au service de génie clinique, au service informatique et à la sécurité du centre médical Mason-Dixon habitaient dans un ensemble résidentiel très coquet et très bien protégé, propriété de Sidereal Pharmaceuticals, qui se trouvait à la sortie d'une petite ville baptisée Goose Creek. Quelques-uns de ces hommes, tels que Misha et Fyodor, occupaient des pavillons. Les autres, comme Darko et Léonid, logeaient dans de vastes et très confortables appartements. Tous sauf Fyodor avaient reçu l'ordre de laisser épouses et copines en Russie, en tout cas pour le moment.

31

MARDI 7 AVRIL
19 H 15

– Hé, attends une seconde, dit Michael, retenant Lynn par le bras juste avant qu'elle n'entre dans la salle de détente du bloc opératoire.

Après avoir rapidement dîné à la cafétéria, ils venaient de monter au premier étage de l'hôpital. Leur mission, conformément au souhait de Michael, était de trouver la station d'anesthésie numéro trente-sept. La porte de la salle de détente étant ouverte, ils pouvaient voir qu'une bonne partie de l'équipe du soir s'y trouvait. Et la télévision était allumée sur un jeu.

– Désolé de constamment ramener ce problème sur le tapis, dit Michael, mais nous avons besoin d'une excuse pour justifier notre présence ici si jamais quelqu'un nous interroge. Cette salle de détente n'est pas pour les étudiants. Tu as une idée ?

Lynn réfléchit quelques instants.

– Tu as raison. Et inutile de t'excuser. Heureusement que tu penses à ces trucs-là pour nous deux, au contraire ! Nous n'avons qu'à répondre, heu… que nous venons de parler du problème des infections nosocomiales avec la doyenne, ce qui est la stricte vérité, et que nous menons une étude sur le sujet. Ça suffira. Nous n'avons pas besoin d'être plus précis.

– Très rusé ! dit Michael d'un ton mi-admiratif, mi-ironique. C'est fou le talent que tu as pour tordre le cou à la vérité.

– J'ai un excellent professeur, répliqua Lynn en lui tapotant le bras.

Michael pouffa de rire et ils entrèrent dans la salle de détente. Un seul aide-soignant, sur la dizaine d'hommes et de femmes qui se trouvaient là, leva brièvement les yeux vers eux. Et personne ne leur adressa la parole. De fait, tout le monde avait les yeux rivés sur le flash d'information qui venait d'interrompre le jeu télévisé : à l'écran, deux présentateurs parlaient d'un massacre commis la veille au soir dans un pavillon, et sur lequel la police entamait tout juste son enquête.

Lynn et Michael s'immobilisèrent, fascinés malgré eux par l'exposé des détails sordides du drame.

Une jeune femme blonde qui tenait un micro à la main apparut à l'image devant une maison cossue flanquée de beaux arbres. Le cameraman balaya la scène : de multiples véhicules de police et d'urgence étaient garés dans la rue un peu dans tous les sens, gyrophares allumés. « Je suis au numéro 1440 de Bayview Drive, dans la ville de Mount Pleasant, dit la reporter. Derrière moi, vous voyez la propriété où vivait la famille Hurley. Pour le moment nous savons simplement qu'hier soir, à une heure qui n'a pas encore été précisément déterminée, cette maison a été le théâtre d'une attaque abominable, d'une violence inouïe, au cours de laquelle le ou les auteurs de ce crime ont maltraité, violé et tué leurs victimes, avant de cambrioler la maison. Toute la famille, c'est-à-dire les parents Hurley et leurs deux enfants en bas âge, a été assassinée. Nous n'avons pas davantage d'informations sur cette tragédie pour le moment, comme je disais, mais le chef de la police de Mount

Pleasant devrait faire une déclaration d'ici peu. C'est l'assistant de M. Hurley qui a découvert le drame. Il est venu ici en fin d'après-midi pour se renseigner, en effet, car M. Hurley n'était pas venu au travail de la journée et ne répondait pas au téléphone. M. Hurley est un avocat de Mount Pleasant à la réputation très établie. L'absence de Mme Hurley, qui est institutrice à l'école Charles Pinckney, avait elle aussi été remarquée, mais tout le monde pensait qu'elle n'avait pas pu venir au travail aujourd'hui à cause des suites d'une récente maladie. Il y a un peu plus d'une semaine, Mme Hurley avait passé quelques jours au centre médical Mason-Dixon pour une intoxication alimentaire. La direction de l'école savait qu'on lui avait décelé une maladie du sang, au cours de cette hospitalisation, et qu'elle n'était pas encore complètement rétablie au moment de sa sortie. Quand elle ne s'est pas présentée à l'école ce matin, la direction et ses collègues ont donc pensé qu'elle faisait une rechute. Gail ! Ron ! C'est à vous… »

Lorsque les deux présentateurs du studio reparurent à l'écran et commencèrent à comparer l'affaire à l'intrigue du roman de Truman Capote, *De sang-froid*, et à un autre drame, similaire, qui avait eu lieu dans le Connecticut, un brouhaha de conversations choquées s'éleva dans la salle de détente.

– Quelle horreur, dit Lynn à Michael. Dans quel monde on vit, quand même…

– Si ça peut arriver au Kansas et dans le Connecticut, ça peut arriver ici, marmonna-t-il, puis il baissa la voix pour ajouter : Hé, profitons de ce qu'ils sont tous scotchés à la télévision pour aller trouver cette station d'anesthésie numéro trente-sept.

– Ouais, bonne idée, approuva Lynn tandis qu'ils se dirigeaient vers les portes des vestiaires. Mais dis, tu penses quoi du fait que cette femme s'était vu diagnostiquer une maladie du sang ici même, dans notre hôpital ? Crois-tu qu'elle pourrait avoir eu une gammapathie comme Morrison et peut-être Carl ?

– Ben tiens. Une gammapathie *infectieuse*, alors ? Et toi tu vas décrocher le prix Nobel pour avoir révélé une nouvelle maladie au monde ?

– J'essaie d'être sérieuse.

– Et moi j'essaie d'alléger l'atmosphère. Changeons-nous et zou. On se retrouve ici dans trois minutes.

– Ça marche.

Pendant qu'elle retirait ses vêtements et enfilait un pyjama de bloc dans le vestiaire des femmes, Lynn ne put s'empêcher de repenser à la tragédie de Mount Pleasant. La capacité des êtres humains à commettre de telles atrocités était effarante. Au milieu de ces réflexions perturbantes, la question de savoir de quelle « maladie du sang » la femme assassinée avait pu souffrir la tarabusta de nouveau. Lui avait-on découvert une paraprotéine, à elle aussi ? Quand elle sortit du vestiaire, Michael se trouvait déjà dans la salle de détente – les yeux rivés sur la télévision qui continuait de gloser sur le drame de Mount Pleasant.

– Cet avocat était spécialisé en droit du dommage corporel, murmura-t-il quand elle s'immobilisa à côté de lui. C'est tout de même ironique.

– Ah oui ? Et tu as entendu autre chose ?

– Non. Je viens d'arriver.

– Ils n'ont pas dit que la famille avait une anomalie des protéines plasmatiques, ou un truc comme ça ?

– Absolument pas. Arrête ce délire.

– Allons-y ! Nous avons une mission à remplir.

Après avoir enfilé des surchaussures, ils s'engagèrent dans le couloir central, brillamment éclairé, du bloc opératoire. Il y avait très peu de monde, y compris au bureau central, ce qui ne les étonna pas vu la foule qu'ils avaient trouvée à la salle de détente, et il n'y avait aucune opération en cours. Quand ils passèrent devant la porte entrouverte de la SSPI, ils entendirent de la musique à l'intérieur de la salle. Ils pressèrent le pas, regardant droit devant eux. Même s'ils avaient un prétexte pour justifier leur présence au bloc, ils préféraient éviter de parler à quiconque.

– On fait comment ? demanda Lynn. On visite toutes les salles d'opération l'une après l'autre ? Toi à droite et moi à gauche, peut-être ?

– Commençons par la douze, où Carl a été opéré, et on avisera ensuite.

– Tu sais… D'accord, je te promets de ne plus parler de cette femme tuée à Mount Pleasant. Mais je me demande combien de patients sortent de notre hôpital avec un diagnostic d'anomalie des protéines plasmatiques.

– Je reconnais que c'est une question intéressante. Et préoccupante.

Ils entrèrent dans la salle d'opération douze et allumèrent la lumière. La station d'anesthésie était au fond. Quand elle s'en approcha, Lynn se sentit tout à coup très émue. Elle ne s'était pas attendue à réagir de la sorte face à la machine qui avait une part de responsabilité dans la tragédie qui avait brisé la vie de Carl. Michael, qui l'avait précédée, se pencha pour examiner l'autocollant collé sur le côté de la station.

– C'est elle. Numéro trente-sept.

Pendant quelques instants, les étudiants contemplèrent la machine – ses jauges, ses valves, ses tuyaux d'alimentation, ses moniteurs, ses cylindres de gaz comprimés.

– Bon, dit enfin Lynn. Maintenant qu'on l'a trouvée, tu veux faire quoi ?

Michael haussa les épaules.

– Je veux juste m'assurer, je présume, qu'elle a bien été utilisée depuis l'opération de Carl.

– Facile. On n'a qu'à aller au bureau central et regarder s'il y a eu des opérations dans cette salle aujourd'hui. Je suis sûre que oui, mais vérifions quand même. Viens !

Au bureau central déserté, les étudiants consultèrent le registre du programme de la journée. Trois interventions avaient eu lieu dans la salle d'opération numéro douze – une hernie, une arthrodèse lombaire et une mastectomie –, et apparemment sans aucun problème. Les trois patients avaient fait un bref passage en SSPI pour achever de se réveiller, puis ils avaient été envoyés dans leurs chambres.

– Satisfait ? demanda Lynn.

– Je suppose que oui. Tu veux faire quoi, maintenant ?

– Montons à la réa neurologique pendant que nous sommes en pyjama de bloc. Je veux voir où en est Carl. Et découvrir si cette histoire de transfert au Shapiro est toujours d'actualité. Mais si tu ne veux pas venir, je comprends très bien.

– Je suis avec toi jusqu'au bout, meuf !

En chemin pour les ascenseurs, ils virent que le jeu avait repris ses droits sur l'écran de la télévision lorsqu'ils passèrent devant la porte ouverte de la salle de détente. Ils montèrent au cinquième dans une cabine presque vide. Quand ils en sortirent, seul un agent de sécurité de l'hôpital se trouvait encore avec eux.

Comme la plupart des services à cette heure, l'étage de la neurologie était relativement paisible. Les visites aux patients prenant fin à vingt heures, les familles et les amis qui étaient restés jusqu'au dernier moment commençaient à faire leurs adieux. Quelques patients se promenaient dans le couloir, pour faire un peu d'exercice, déplaçant avec eux leur potence à intraveineuse sur roulettes.

Lynn et Michael marchèrent d'un bon pas jusqu'aux portes de la réanimation. Là, Michael dit :

– Ce serait peut-être plus facile pour toi si j'entrais le premier pour voir s'il est encore ici. Qu'est-ce que tu en penses ?

– C'est peut-être une bonne idée, convint Lynn.

Subitement, dans le couloir, elle était redevenue nerveuse. La peur de ne pas trouver Carl dans son lit lui nouait la gorge. Michael s'en était rendu compte.

– Je reviens tout de suite, assura-t-il. Toi, mademoiselle, essaie la zen attitude.

Lynn leva les yeux au ciel. Pour la « zen attitude », elle verrait une autre fois. Quand la porte se referma sur Michael, cependant, elle s'efforça – pour ne pas penser à Carl – de réfléchir à son programme de la soirée. Comme elle avait dit à Frank Giordano qu'il n'avait pas besoin de s'occuper de Pep, la chatte, elle allait être obligée de retourner chez Carl. Ce ne serait pas difficile, puisque ce matin elle avait pris la Cherokee de Carl, au lieu de son vélo, pour venir à l'hôpital.

Lynn regarda l'heure sur l'écran de son smartphone. Elle avait aussi l'intention d'appeler un ami, Tim Cooper, qui vivait à Washington. Ils avaient fait connaissance, et ils avaient eu une brève liaison, en première année d'université préparatoire. S'étant quittés bons copains, ils avaient gardé le contact depuis lors. Tim était aujourd'hui architecte et spécialisé, comme tous les partenaires de son cabinet, dans la conception de bâtiments à usage commercial et d'établissements de santé. Elle voulait lui demander s'il avait des idées, des conseils quelconques, pour qu'elle trouve son chemin à l'intérieur de l'institut Shapiro. Il faudrait qu'elle l'appelle assez tôt dans la soirée, pour ne pas le déranger, car il était marié et avait deux enfants en bas âge.

Michael ne ressortait toujours pas de la réanimation. Que devait-elle en déduire ? C'était pourtant simple : soit Carl était encore ici, soit il n'y était plus. Peut-être Michael avait-il été obligé d'engager la conversation avec quelqu'un ? Devait-elle s'inquiéter, alors ? Elle n'en savait rien. Pour éviter d'imaginer le pire, elle reprit son téléphone, ouvrit le répertoire et trouva la fiche de Tim. C'était le bon moment, en fait, pour l'appeler : cela lui changerait les idées et elle pourrait abréger la conversation dès que Michael reparaîtrait. Heureuse surprise, Tim répondit dès la première sonnerie et lui confirma que c'était aussi le bon moment pour lui.

Après qu'ils se furent donné de rapides nouvelles, Lynn omettant de parler de Carl, elle orienta la conversation vers la raison de son appel en commençant par demander à Tim s'il avait déjà entendu parler de l'institut Shapiro.

– Ah oui ! répondit-il d'un ton enthousiasmé. Bien sûr. Pour la profession, c'est un projet très intéressant. C'est un cabinet de Chicago, McCalister, Weiss and Peabody, qui l'a conçu. MWP est spécialisé dans l'automatisation. Il dessine en général des usines de montage pour l'automobile, tu vois, mais avant de décrocher le Shapiro, il avait déjà fait un certain nombre de laboratoires médicaux. Assurer la conception d'un établissement de santé de ce genre, c'est un joli coup.

– Connais-tu quelqu'un, dans ce cabinet ?

– Oui. Pourquoi ?

Lynn expliqua qu'elle devait visiter le Shapiro et voulait se faire une idée, au préalable, de son aménagement intérieur. Elle demanda ensuite à Tim s'il lui était possible d'appeler une personne de sa connaissance, à ce cabinet de Chicago, pour obtenir un plan des lieux.

– Je veux bien, pas de souci, dit Tim sans hésitation. Mais j'ai une meilleure idée. Si j'ai bonne mémoire, le Shapiro est bâti sur le territoire de la commune de Charleston. Non ?

– Oui, absolument.

– Eh bien, si tu veux les plans de l'institut, tu n'as qu'à aller au cadastre de Charleston. On te donnera tous les plans que tu peux souhaiter. Pour obtenir leurs permis de construire, les établissements publics, genre hôpitaux ou autres, ont l'obligation de soumettre leurs plans détaillés. Et ce sont des informations accessibles au public.

– Je ne savais pas ça, reconnut Lynn.

– Comme la plupart des gens ! dit Tim en riant.

Très satisfaite par ce qu'elle venait d'entendre et convaincue que Michael devait revenir d'un instant à l'autre, Lynn boucla la conversation. Ce ne fut pas difficile : elle dit à Tim qu'elle était à l'hôpital, et attendue en réanimation. Ils convinrent de se reparler très vite.

Ayant rempoché son téléphone, Lynn secoua la tête. Elle en avait marre d'attendre.

À l'instant où elle s'avançait vers la double porte de la réanimation, l'un de ses battants s'ouvrit. Michael était de retour.

32

MARDI 7 AVRIL
19 H 58

Dès qu'elle vit l'expression de Michael, Lynn comprit que Carl ne se trouvait plus à la réanimation. L'émotion l'envahit.

– Je suis désolé, dit-il. Et je n'ai pas assuré…

– Ce n'est pas de ta faute, l'interrompit-elle, luttant contre les larmes.

– Je n'ai pas assuré d'avoir mis si longtemps à revenir. Pour t'annoncer une mauvaise nouvelle, par-dessus le marché. Carl a été transféré au Shapiro il y a une heure. J'ai été retardé parce que je suis tombé sur notre tuteur de neurologie de troisième année. Il était très emballé d'entendre que je vais au Mass General, à Boston, pour l'internat. Lui aussi, il a fait son internat là-bas. Il voulait absolument me donner tout un tas de conseils. Je n'arrivais pas à m'échapper. Vraiment désolé !

Lynn hocha la tête, plusieurs fois de suite, comme si elle acquiesçait aux propos de Michael, mais en réalité elle ne l'écoutait pas. Maintenant que le transfert de Carl au Shapiro était confirmé, en vérité, elle n'était pas étonnée. Elle avait tenu à envisager une issue plus positive à la situation, elle avait eu besoin d'y croire, mais au fond, elle avait toujours su que Carl quitterait la réanimation neurologique. Cette conclusion avait été en quelque sorte inévitable. Et maintenant qu'elle comprenait cela, elle ne se sentait plus triste et accablée par le dépit. Elle était en colère. En colère et furieusement résolue à trouver les réponses qu'elle voulait avoir.

– Tirons-nous ! s'écria-t-elle, interrompant Michael au milieu d'une phrase – il était en train de répéter ce que l'interne lui avait dit au sujet des locations d'appartements à Boston.

Elle tourna les talons et s'éloigna dans le couloir. Michael resta un instant immobile, interloqué, puis s'élança à sa poursuite.

– Quel est le programme, maintenant ? demanda-t-il quand il fut à sa hauteur.

– Je descends au service informatique pour essayer de me connecter sur un poste de travail. Là, tu vois, c'est la guerre ! Je veux en savoir davantage sur le Shapiro. Sur ce qui se passe dans ce foutu bâtiment. Si Sidereal fait je ne sais quelles saloperies d'essais cliniques sur les patients, je sortirai Carl de là dare-dare. Je ne sais pas comment je m'y prendrai, mais les poules auront des dents avant que je laisse quiconque l'utiliser comme cobaye.

Les visites aux patients étant terminées, plusieurs familles attendaient devant les ascenseurs. Un agent de sécurité de l'hôpital se trouvait aussi là. Michael voulait exhorter Lynn à se calmer, mais c'était impossible pour le moment : tous ces gens risquaient de les entendre. De toute façon, elle l'ignorait. Les yeux plissés, regardant au loin, elle semblait réfléchir intensément.

Ils embarquèrent bientôt dans une cabine. Michael pensait qu'ils sortiraient au premier étage pour aller se changer au vestiaire – et qu'ils auraient donc à nouveau l'occasion de parler –, mais Lynn resta au fond de la cabine, le dos collé à la paroi, mutique et butée. Au rez-de-chaussée, quand tous les autres passagers furent sortis de l'ascenseur, il dit dès que les portes se refermèrent :

– Je crois que nous devrions retourner à la résidence et reprendre nos esprits. Avant de te lancer dans un truc qui pourrait nous valoir de vrais ennuis, il faut que tu fasses un petit peu plus confiance au système. Nous avons déjà la doyenne de la faculté de médecine et le chef de l'anesthésie sur le dos. Écoute-moi ! Nous pourrons toujours revenir ici plus tard, si tu y tiens, pour aller au service informatique. Mais je pense vraiment que tu devrais d'abord souffler un moment.

– Retourne à la résidence si tu veux !

L'ascenseur était arrivé au sous-sol. Les portes s'ouvrirent. Lynn sortit dans le couloir. Michael lui emboîta une fois de plus le pas.

– Je ne retourne pas à la résidence sans toi, affirma-t-il.

– À ta convenance, dit-elle alors qu'ils passaient devant le service de dissection et la morgue.

Tout à coup elle s'immobilisa en regardant Michael.

– Pourquoi tu tiens tant à m'aider, là ? Tu m'as déjà dit que tu as appris à faire attention à toi et à éviter les confrontations, quand tu étais môme, pour ne pas t'attirer d'ennuis. Tu sais très bien que ce que je prévois de faire au Shapiro, c'est super dangereux. D'abord je vais une fois de plus enfreindre l'HIPAA, et par-dessus le marché je vais usurper l'identité de quelqu'un pour y arriver. Cette manip sera bien pire que d'avoir jeté un œil sur le dossier de Carl, action dont tu m'as dit qu'elle était passible de poursuites. Alors *pourquoi* tu veux m'aider ?

– Je t'aide parce que toi et moi on se tient les coudes depuis quatre ans.

– Arrête de déconner, mec. Ni toi ni moi nous n'avons jamais violé la loi pour aider l'autre. Ça n'a jamais été nécessaire ! Tu sais très bien que nos actions, désormais, pourraient nous valoir de ne jamais devenir médecins. Et de passer un moment en prison !

– Très bien, mon amie. Disons que je fais ça parce que je me mets à ta place. Je comprends le chagrin que tu éprouves d'avoir perdu Carl. Je fais ça parce que je crois que si les rôles étaient inversés, si c'était Kianna qui était maintenant au Shapiro, tu en ferais autant pour moi.

Les deux étudiants se dévisagèrent quelques instants.

– Je ne sais pas, franchement, si j'en ferais autant pour toi, dit Lynn.

– Eh ben... Pour reprendre une expression de ma maman : « Ça nous fait une belle jambe ». Moi non plus, je n'aurais peut-être jamais imaginé t'aider comme ça. Mais maintenant, je le fais, voilà ! Et je suis convaincu, quoi que tu en dises, que tu en ferais autant pour moi. C'est une question de confiance. On a ça, toi et moi.

De nouveau, ils se regardèrent en silence. Lynn reprit la parole la première :

– D'accord. Tu as peut-être raison. Peut-être en ferais-je autant pour toi. Comment savoir ? Allons-y !

À cet instant, un agent de l'hôpital en uniforme apparut derrière eux. Lynn et Michael retinrent leur souffle, mais l'homme les croisa sans même leur accorder un regard. Il entra dans le bureau de la sécurité, une dizaine de mètres plus loin dans le couloir.

Ils se remirent à marcher. Bientôt, ils trouvèrent la porte du service informatique. Celui-ci, ils le savaient, avait toujours un employé de service le soir et la nuit. Comme Lynn s'y attendait, la porte n'était pas verrouillée.

Ils découvrirent une pièce relativement spacieuse où toutes les lumières étaient allumées, comme au bloc opératoire – et où il n'y avait personne. Sur trois grandes tables s'alignaient six postes de travail, chacun comptant deux écrans. À côté de l'un des claviers se trouvait un mug de café et deux ouvrages techniques ouverts. Contrairement aux moniteurs des autres postes, qui affichaient l'économiseur d'écran de l'hôpital, ceux qui accompagnaient ce clavier montraient un tableau Excel et diverses fenêtres remplies de ligne de code. Depuis le seuil du bureau, Lynn et Michael virent une volute de fumée s'élever du mug.

– Quelqu'un bosse ici en ce moment, dit-elle.

– Excellente déduction, Sherlock.

Le mur de gauche était percé de larges baies vitrées derrière lesquelles s'étendait une vaste salle remplie de rayonnages de serveurs. Le mur du fond comportait deux portes, dont l'une était entrouverte, donnant sur des bureaux particuliers. Lynn se dirigea vers celle qui était fermée. Une petite plaque, à hauteur de regard, annonçait : ALEXANDER TUPOLEV, DIRECTEUR. Sans hésiter, elle l'ouvrit et entra dans la petite pièce qui se trouvait derrière. Quand Michael la rejoignit, elle referma le battant et poussa le bouton de verrouillage sur la poignée.

– Tu joues à quoi, là ? demanda Michael. Putain de merde...

Grimaçant comme s'il était contraint de participer au braquage d'une banque, il embrassa le bureau du regard. La déco était ultramoderne et minimaliste. La table de travail possédait le même genre d'équipement informatique que celui de la première salle – avec deux écrans. Le siège était un élégant fauteuil Aeron. Au fond il y avait une table plus petite avec un autre ordinateur et une volumineuse imprimante.

– On n'a pas intérêt à se faire prendre ici ! grogna-t-il.

– Il n'y a pas d'endroit plus sûr, dans tout l'hôpital, pour faire ce que nous avons à faire, objecta Lynn en s'asseyant dans le fauteuil.

Elle posa son téléphone à côté du clavier pour y faire apparaître l'identifiant et le mot de passe de Vladimir.

– Comme il est déjà vingt heures, reprit-elle, j'étais sûre à quatre-vingt-dix-neuf virgule quatre-vingt-dix-neuf pour cent que M. Tupolev ne serait pas ici. Et si nous sommes discrets, je doute que quelqu'un vienne frapper à la porte. Mais si tu préfères t'en aller, ne te gêne pas. Je te retrouve à la résidence tout à l'heure.

– Je reste avec toi, frangine.

Il prit la chaise de la seconde table et s'assit à côté de Lynn tandis qu'elle entrait l'identifiant de Vladimir au clavier, vm123@zmail.ru, puis son mot de passe, 74952632237malaklov.

– La minute de vérité, dit-elle avant de taper sur la touche Entrée.

Un instant plus tard, comme ils l'espéraient, « Vladimir » fut connecté au serveur de l'hôpital. Lynn sourit à Michael.

– Salut tout le monde ! chantonna-t-elle. On y est ! Avec des droits d'administrateur…

– Cool. Mais grouille-toi quand même de trouver ce que tu cherches. Ce serait mieux qu'on se tire d'ici avant que la personne qui est au travail à côté ne rapplique.

Lynn hocha la tête, songeuse. Elle savait ce qu'elle voulait, oui, de manière générale, mais tout était allé si vite qu'elle n'avait pas réfléchi à la formulation exacte de ses requêtes au système.

– Voyons… Pour commencer, nous devrions découvrir combien de patients du Shapiro ont une gammapathie comme Morrison.

– Nous devrions aussi trouver d'autres renseignements sur Ashanti Davis, suggéra Michael. Par exemple… pourquoi on lui administre cet anticorps, le drozitumab. Ça devrait nous indiquer si elle sert de cobaye humain.

– Bien dit, mec.

Lynn était d'autant plus contente d'avoir Michael à son côté qu'elle avait besoin de ses lumières.

– Il nous faut également le taux de mortalité des pensionnaires de l'institut, ajouta-t-il.

– Ah oui ! Et puis ce serait intéressant de connaître les causes exactes des décès de tous les patients que l'institut a perdus depuis huit ans qu'il est en fonctionnement. Ensuite je veux aussi trouver le nombre de patients qui en sont sortis. Pendant la visite, il y a deux ans, personne n'a pensé à poser cette question.

– Commence par Ashanti ! Ça nous donnera une idée de ce à quoi nous sommes confrontés. Si nous arrivons à prouver d'une façon ou d'une autre que le Shapiro mène des essais cliniques illégaux sur ses patients, nous n'aurons peut-être même pas besoin d'entrer là-bas par effraction.

Lynn tapa « Ashanti Davis » dans la boîte de recherche affichée à l'écran. Leur enthousiasme fut douché quand le système répondit qu'il n'avait pas de dossier au nom d'Ashanti Davis.

Fronçant les sourcils, Lynn entra de nouveau le nom d'Ashanti et y ajouta « Institut Shapiro ». L'écran changea aussitôt, mais pas pour leur livrer le dossier attendu. Un message en lettres rouges leur glaça le sang : ACCÈS REFUSÉ ! CONTACTEZ LE SERVICE INFORMATIQUE !

– Merde, marmonna Lynn avec dépit. Ça doit signifier, j'imagine, que les dossiers du Shapiro ne sont consultables que sur les terminaux du Shapiro.

– Putain de sa mère !

– Zut, j'étais tellement sûre de mon coup…

– Bon. C'est terminé, en tout cas.

Michael se leva et entrouvrit la porte pour jeter un coup d'œil dans la première salle.

– La voie est libre. Barrons-nous pendant qu'il est encore temps.

– Ouais. Juste une seconde.

Lynn s'était remise à taper au clavier. L'imprimante qui se trouvait sur la seconde table s'anima et éjecta plusieurs feuilles. Lynn se déconnecta du système, attrapa ses impressions et rejoignit Michael à la porte.

– Fichons le camp, dit-il.

Quelques instants plus tard, alors qu'ils arrivaient à hauteur de la morgue dans le couloir principal du sous-sol, ils croisèrent un homme plutôt corpulent qui tenait à la main un sac en papier de la cafétéria. Quand ils entrèrent dans l'ascenseur, Michael dit :

– C'est sûrement le mec qui assure la permanence à l'informatique ce soir. Il ressemblait comme deux gouttes d'eau à Vladimir. En plus gros. C'est fou, ces Russes sont partout.

– À propos, dit Lynn, regardant sa montre. Tu te souviens que tu as un rancard ?

– T'inquiète. Je surveille l'heure. Qu'est-ce que tu as imprimé ?

– Je ne voulais pas que notre visite là-bas soit un échec complet, alors j'ai regardé le pourcentage de patients qui sortent du centre médical Mason-Dixon en ayant appris pendant leur séjour ici qu'ils ont une gammapathie.

– C'est tout ?

– Non. J'ai aussi demandé le chiffre de l'incidence du myélome multiple.

– Et donc ?

– Primo, répondit Lynn en consultant ses impressions, un pour cent des personnes qui sortent d'ici ont une protéine anormale, une paraprotéine, découverte dans leur organisme au cours de leur hospitalisation.

– Ça me paraît carrément énorme, dit Michael, l'air très étonné. Non ?

– À moi aussi. Mais il faut vérifier. Je chercherai l'incidence pour l'ensemble des États-Unis. Je crois que le pourcentage était dans l'article sur la gammapathie que nous avons lu ensemble, mais je ne m'en souviens pas.

– Et pour le myélome multiple ? Quelle proportion de patients libérés de cet hôpital ont un myélome multiple ?

– Zéro virgule un pour cent.

– Une personne sur mille qui sort d'ici a un myélome multiple ?! s'exclama Michael. Ça aussi, ça me paraît carrément énorme.

– Je sais. C'est impossible. Mais comme pour la gammapathie, je vais devoir chercher l'incidence du myélome multiple pour l'ensemble du pays. Ce n'est pas un cancer courant. En tout cas, je ne crois pas.

Au rez-de-chaussée, ils prirent le passage couvert de liaison avec le BCE.

– J'ai appris un truc intéressant quand tu étais à la réa neurologique, dit Lynn tandis qu'ils traversaient le bâtiment quasi désert.

Elle raconta comment son ami Tim Cooper, qu'elle avait appelé au téléphone, lui avait expliqué qu'elle avait toutes les chances de trouver les plans du Shapiro au cadastre de Charleston.

– Super, commenta platement Michael.

L'ingéniosité de Lynn l'impressionnait, mais il ne voulait pas l'encourager car il espérait encore qu'elle renoncerait à son projet d'exploration de l'institut.

Ils sortirent du BCE et commencèrent à traverser le quadrilatère central du centre médical. Il faisait doux. La nuit printanière était parfumée par les nombreux parterres de fleurs.

– J'irai au cadastre dès demain matin, ajouta Lynn. Avant de venir ici.

– Tu comptes rentrer chez Carl ce soir ? Il est déjà tard, non ?

Michael était un peu surpris. Il savait qu'elle était épuisée.

– Pas le choix, répondit-elle. Je dois donner à manger à Pep. J'ai appelé Frank Giordano pour lui dire que je m'occupais de la pauvre petite bête.

– T'as vu l'heure ? Pourquoi tu ne le rappelles pas pour lui dire que t'as changé d'avis ? Il habite à côté ! Ça ne l'ennuiera pas du tout. Tu ne devrais pas te retaper ce chemin à vélo…

– Je ne suis pas à vélo, l'interrompit Lynn. Ce matin j'ai pris la Cherokee.

– Oh, mince. Alors je vais devoir faire la bringue tout seul avec notre pote russe ?

– Je peux rester, si tu veux. Et m'en aller après.

– Nan, je plaisante. Pas la peine. Et si tu préfères être chez Carl, tu devrais y aller maintenant. Et te reposer. Mais tu es sûre de vouloir passer la nuit toute seule dans cette grande maison ?

– Ouais. Je me sentirai plus proche de Carl.

Lynn s'immobilisa pour contempler la masse sombre de l'institut Shapiro.

– Quelle horreur, dit-elle d'une voix blanche. Ça me fait tellement de mal de l'imaginer enfermé là-dedans…

Michael glissa un bras autour de ses épaules. Il l'attira contre lui et l'étreignit.

– Essaie de ne pas penser à ça maintenant. Nous allons trouver quelque chose. Et nous ferons ce qu'il faut pour qu'il soit bien soigné. Sans être utilisé comme cobaye. Je te le promets.

– Merci, frangin, bafouilla Lynn.

33

MARDI 7 AVRIL
21 H 52

Darko et Léonid balancèrent les pelles à l'arrière de la camionnette, Léonid y ajoutant la pioche qu'ils s'étaient partagée. Ils retirèrent leurs gants, leurs combinaisons de travail crasseuses, et les jetèrent par-dessus les outils. Tout autour d'eux, les branches des arbres étaient couvertes de mousse espagnole dont les longs filaments pendaient vers le sol comme d'étranges guirlandes. Le tintamarre de milliers de créatures de la nuit s'élevait de la végétation et du petit marécage lugubre proche du véhicule. Les deux hommes étaient fatigués et transpiraient abondamment. Ils avaient bossé dur, sans prendre de pause. Ils avaient à peine échangé trois mots pour ne pas ralentir le rythme. Les moustiques les avaient bien emmerdés.

Ils avaient repéré ce bout de forêt quelques mois plus tôt – en prévision, justement, d'une mission comme celle qu'ils menaient à bien ce soir. Ils voulaient un lieu isolé, c'est-à-dire sans habitation à proximité, et où la terre était assez meuble pour creuser rapidement une tombe. Ils avaient trouvé leur bonheur à une quarantaine de kilomètres à l'ouest de l'aéroport international de Charleston, sur les terres d'une ferme abandonnée et bordée de vastes zones humides.

L'endroit n'était qu'à une heure de route de Charleston, mais aussi discret que la face cachée de la lune.

Les deux hommes avaient travaillé avec leur efficacité coutumière à la lumière des phares de la camionnette. Occupée par la victime et comblée, la tombe se confondait quasiment avec le sol environnant. Ils l'avaient couverte de feuilles, de débris, et y avaient même repiqué quelques jeunes plants qu'ils avaient déracinés à proximité. La végétation poussait vite à cette époque de l'année ; ils étaient certains que les traces résiduelles de leur présence auraient vite disparu. Satisfaits, ils s'installèrent dans la camionnette pour retourner chez Misha.

Au bout d'un quart d'heure, la climatisation poussée à fond et avec chacun deux cigarettes dans les poumons, Darko et Léonid se sentirent assez requinqués pour se parler. En russe, comme d'habitude.

– On n'a pas eu trop de mal, dit Darko qui était au volant. C'est un bon coin.

– C'était peinard, acquiesça Léonid. Sauf l'humidité et les moustiques.

– Tu te souviens que j'ai un autre boulot ce soir, dit Darko.

– Ouais. Quel est le programme, exactement ?

– Je dois menacer une étudiante en médecine pour lui faire comprendre de s'occuper de ses oignons. Elle et un de ses copains posent trop de questions sur les anesthésies. Ça va être un plaisir. D'après la photo que Misha m'a donnée, cette nana est canon.

Léonid pouffa de rire.

– Sympa. Et tu partagerais pas, des fois ?

– Toi, faut que tu termines la mission Wykoff. Dès qu'on arrive chez Misha, tu dois ramener la BMW au domicile de l'anesthésiste, et puis préparer un sac de voyage en mettant un peu le bazar dans la maison pour donner l'impression qu'elle était pressée…

– Je connais la musique, c'est bon, l'interrompit Léonid.

– Ensuite tu retournes chez Misha avec la BMW et le bagage. Le chauffeur sera là, prêt à prendre la route du Colorado.

– Tu seras où, toi, à ce moment-là ?

– Je n'en suis pas certain. Sans doute à la résidence universitaire dans la chambre de la fille. Ou bien j'aurai déjà terminé. On pourrait se retrouver au Vendue Inn, si tu veux ? Quelques vodkas, ça nous fera du bien. Regarde sur ton téléphone si tu captes déjà le réseau !

Léonid tira son appareil de sa poche et l'activa.

– Ouais, j'ai deux barres. Tu veux que j'appelle qui ?

– Timur Kortnev. Active le haut-parleur !

Les deux hommes se turent pendant que la communication s'établissait. À la cinquième sonnerie, ils échangèrent un regard perplexe. Léonid allait raccrocher lorsque Timur répondit d'une voix essoufflée :

– Désolé ! J'ai dû me déplacer pour pouvoir répondre.

– As-tu trouvé la fille ? Tu l'as vue ? demanda Darko.

– Oui. Je les ai suivis, son copain et elle, toute la soirée. Pas faciles, ces deux-là, vous pouvez me croire !

– Comment ça ? Qu'est-ce qu'ils ont foutu ?

– D'abord ils sont allés à la cafétéria de l'hôpital. Pour manger. Ensuite ils sont montés au bloc opératoire. Aucune idée de ce qu'ils ont fait là-bas, parce que je n'ai pas pu entrer. Après ça, ils sont montés au cinquième, à la réanimation neurologique. La fille n'y est pas entrée. Elle est restée devant la porte pendant que le mec faisait je ne sais quoi à l'intérieur.

– Et puis ? Elle est retournée à la résidence ? Elle est dans sa chambre, maintenant ?

– Non. D'abord ils sont descendus au sous-sol. Au service informatique.

Darko se renfrogna. Très mauvais, ça. Son petit tête-à-tête avec la fille urgeait de plus en plus.

– Pour y faire quoi ? relança-t-il. T'as une idée ?

– Non. Il n'y avait personne dans le bureau. Le mec qui est de garde ce soir était parti se chercher à becter à la cafétéria.

– OK. Et après ? Ils sont retournés à la résidence ?

– Oui, mais juste un petit moment.

– Elle n'y est pas en ce moment, tu veux dire ?

– Non. Vers huit heures et demie, elle est ressortie du bâtiment, elle est allée au parking et elle a quitté le centre médical au volant d'une Jeep. J'ai dû me démerder pour prendre une voiture de la sécu à toute berzingue. Mais bon, j'ai réussi à la suivre !

– Le copain, il est parti avec elle ?

– Non. Elle était seule.

Darko échangea un regard perplexe avec Léonid. Il n'aimait pas les surprises. Cette nana semblait pleine de surprises.

– Où est-elle allée, avec sa bagnole ?

– Elle est descendue au sud de Charleston. Church Street, au numéro 591. C'est une maison. J'essayais de regarder à l'intérieur par les fenêtres quand vous avez appelé.

– Elle est seule dans la maison ?

– Je crois bien. C'était le noir complet à l'intérieur quand elle est arrivée, et personne ne s'est pointé à la porte depuis. Elle a allumé dans un certain nombre de pièces, au début, au rez-de-chaussée et au premier, mais maintenant c'est éteint presque partout.

– D'accord, dit Darko, retrouvant le sourire.

La balade de Lynn Peirce à travers le centre médical, avec tous ces arrêts ici et là, avait quelque chose d'inquiétant. Mais si elle était seule dans cette maison… À croire qu'elle avait décidé de lui faciliter la tâche.

– Cette baraque, c'est la sienne ? demanda-t-il à Timur. Sinon sais-tu à qui elle appartient ?

– C'est la maison de Carl Vandermeer, un des sujets d'essai du programme.

– Non ?!

Darko crispa les mains sur le volant. Comme quelques privilégiés de l'entourage de Sergueï Polouchine, il savait un certain nombre de choses au sujet du programme. Il comptait aussi bientôt s'enrichir grâce aux actions que Sidereal lui avait offertes au fil des années. Il savait pourquoi il avait reçu l'ordre de tuer Sandra Wykoff : l'anesthésiste posait trop de questions sur son patient, Carl Vandermeer. Et voilà que la fille qui fourrait son nez où elle ne devait pas, Lynn Peirce, se trouvait dans la maison de ce mec !

Sans s'en rendre compte, Darko appuya sur la pédale de l'accélérateur. Son intuition lui murmurait que ce second boulot de la soirée était en réalité aussi important que le premier. Il devait s'y mettre sans tarder. Jouer avec une jolie fille, en outre, serait beaucoup plus agréable que se faire bouffer par les moustiques au bord d'un marécage.

34

MARDI 7 AVRIL
23 H 11

Lynn était stupéfaite. Choquée. Elle n'arrivait pas à croire ce qu'elle venait de découvrir. Se renversant contre le dossier du fauteuil de bureau, elle leva les yeux vers le plafond et tenta de mettre de l'ordre dans ses idées. Chaque fois qu'elle examinait les rapports d'anesthésie, elle y trouvait quelque chose de nouveau ! Mais à présent elle était encore plus sidérée qu'elle ne l'avait été cet après-midi. Une question lui vint à l'esprit : le phénomène qu'elle venait de déceler pouvait-il être dû à une espèce de bug qui affectait de temps en temps le logiciel de la station d'anesthésie ? Lynn fronça les sourcils et secoua la tête. Cette station avait servi pour d'innombrables interventions, dont plusieurs aujourd'hui même. S'il y avait un problème du côté du logiciel, pourquoi celui-ci ne se serait-il manifesté que dans trois cas ? L'hypothèse du bug ne tenait pas la route. Un piratage du logiciel, alors ? Un bidouillage qui aurait affecté ces trois opérations seulement ? Ce genre de chose était-il possible ? Il faudrait qu'elle pose la question à Michael ; il saurait peut-être. En tout cas, la découverte qu'elle venait de faire donnait elle aussi à penser que Carl, Scarlett Morrison et Ashanti Davis n'avaient sans doute pas été victimes d'un accident. Ou d'une gaffe de l'anesthésiste. Et elle était encore plus troublante, impensable, que les décalages de trame inexpliqués, survenus exactement au même moment dans les trois interventions, car elle impliquait que ce cauchemar tout entier avait été délibérément provoqué !

Lynn était arrivée chez Carl vers neuf heures moins le quart. Pep avait paru tellement enthousiaste d'avoir de la compagnie, et elle s'était mise à ronronner avec tant de force, en se frottant contre sa jambe, qu'elle avait posé ses affaires et commencé par lui donner à manger et à boire. Ensuite elle avait déambulé un moment à travers la maison, de pièce en pièce, en pensant à Carl. À leurs années ensemble. À leur bonheur.

Avec le recul, elle jugeait que cette plongée forcément douloureuse dans leur passé, dans leurs souvenirs, n'avait sans doute pas été une bonne idée. De même, elle n'était plus si sûre d'avoir fait le bon choix en venant chez Carl ce soir. Michael avait eu raison de lui suggérer d'appeler Frank pour s'occuper de la chatte. Ici, le chagrin la submergeait. Tout, dans la maison, lui rappelait son compagnon, sa personnalité remarquable, son intelligence, son appétit de vivre. Son goût de l'ordre aussi, bien sûr, plus poussé encore que celui de Michael. Lynn s'était remémoré, non sans honte, certaines des petites querelles mesquines qu'ils avaient pu avoir sur la façon qu'elle avait de suspendre – mal – sa serviette de toilette. Ou d'abandonner parfois ses sous-vêtements par terre dans la salle de bains.

Avec de telles pensées à l'esprit, elle n'avait pu résister à la tristesse et au désespoir. Bientôt elle avait eu un atroce coup de cafard. Elle en était même arrivée au point de se demander, de façon absurde, si sa situation n'était pas pire que celle de Carl. Heureusement, un sursaut de conscience l'avait arrachée à ces ruminations lugubres : elle avait compris qu'elle avait tort de se promener à travers la maison en s'apitoyant sur son sort. Il fallait qu'elle fasse l'effort, volontairement, de s'occuper l'esprit. Comme la veille au soir. Elle avait alors pris la direction de la salle de bains pour commencer par se doucher, restant assez longtemps sous le jet d'eau très chaude pour se purger de toutes les émotions de la journée. Ensuite elle avait enfilé un des peignoirs de Carl – trop grand pour elle mais cela n'avait pas d'importance – et elle s'était dirigée vers le bureau.

Une fois l'ordinateur allumé et la fenêtre du navigateur Internet ouvert à l'écran, elle avait d'abord cherché le nombre d'individus qui avaient une gammapathie, ou une anomalie des protéines sériques, dans l'ensemble de la population américaine. Cette question la tarabustait depuis qu'elle avait vu le dossier de Morrison et depuis qu'elle avait découvert que Carl semblait lui aussi développer une gammapathie – et elle la tarabustait encore plus depuis qu'elle avait trouvé, lors de son incursion par ailleurs décevante dans le système informatique de l'hôpital, le pourcentage de patients à qui l'on diagnostiquait cette maladie pendant qu'ils étaient hospitalisés au centre médical Mason-Dixon.

Cette première recherche avait livré des résultats surprenants. Si le Mason-Dixon avait un taux d'infections nosocomiales bien inférieur à la moyenne nationale, comme l'avait fait remarquer avec fierté le Dr English, doyenne de la faculté de médecine, il avait par contre un résultat proprement stupéfiant pour ce qui concernait l'incidence des anomalies des protéines sériques. Et il en allait de même pour le myélome multiple. Pour les deux problèmes, à vrai dire, le Mason-Dixon avait cinq fois le taux national. Lynn ne voyait pas comment expliquer ces écarts considérables. L'hôpital commettait-il des erreurs dans ces deux domaines ? Ou alors… fallait-il regarder du côté du laboratoire ? Elle n'en avait aucune idée et elle avait hâte de parler à Michael pour avoir son opinion.

Pour éviter, encore et toujours, de penser à Carl et de s'apitoyer sur son propre sort, elle avait ensuite décidé de se pencher une nouvelle fois sur les rapports d'anesthésie. Elle en avait apporté les impressions de la résidence universitaire. C'était là, peut-être parce qu'elle les regardait dans un environnement différent, avec un œil neuf en quelque sorte, qu'elle avait fait cette découverte choquante.

Lynn cessa de contempler le plafond et se pencha vers le bureau. L'idée que le désastre qui avait plongé Carl dans le coma pût avoir été délibérément provoqué lui donnait des sueurs froides. Cette hypothèse était tellement ahurissante, à vrai dire, que Lynn se demandait si elle n'hallucinait pas. Commençait-elle – parce qu'elle était bouleversée, fragilisée – à voir des conspirations là où il n'y en avait pas ?

Décidée à tenter de prouver qu'elle se trompait, elle se remit au travail. Plusieurs segments des tracés des signes vitaux des trois cas étaient étalés devant elle sur le bureau de Carl. Elle les avait découpés ainsi, dans les rapports de la station d'anesthésie, avec une paire de ciseaux qu'elle avait trouvée dans le tiroir central à côté de la boîte Tiffany – sans pouvoir s'empêcher, à ce moment-là, de jeter de nouveau un coup d'œil sur la bague de fiançailles. Les segments qu'elle avait choisis montraient la pression artérielle, le pouls, la saturation en oxygène et l'ECG de chaque patient entre l'instant du décalage de trame et celui du déclenchement de l'alarme de la saturation en oxygène. Elle avait eu l'idée de comparer à nouveau les trois dossiers, sur ces segments particuliers, en cherchant à voir si leurs signes vitaux présentaient des variations, ne serait-ce que mineures, et si ces variations se ressemblaient. Ce qu'elle n'avait pas prévu, c'était qu'en isolant ces portions des tracés et en les examinant d'abord indépendamment les unes des autres, avant de les comparer, elle avait découvert cette chose incroyable qui avait apparemment échappé à tout le monde – y compris à elle-même jusqu'à ce soir.

Pour mener à bien sa vérification, Lynn saisit le segment du rapport de Carl et commença à le découper en plus petits morceaux dont chacun représentait une minute de temps d'anesthésie. Cela fait, elle disposa les morceaux de chaque variable en colonnes verticales pour pouvoir les comparer entre eux. Elle fut alors forcée de constater qu'elle ne s'était pas trompée. Avec cette opération, sa découverte était encore plus visible. Les tracés avaient une périodicité manifeste. Ils se répétaient. Minute après minute, les petits morceaux de tracés des signes vitaux étaient identiques à eux-mêmes. Et ce passage en boucle de la même minute commençait au décalage de trame pour se prolonger jusqu'au moment où la saturation en oxygène chutait brusquement.

Lynn se tourna vers l'ordinateur et imprima un nouvel exemplaire du dossier d'anesthésie de Carl. Il ne lui fallut ensuite que quelques secondes pour y repérer, sur les tracés, la minute qui se répétait et dont elle avait de nombreux morceaux alignés devant elle sur la table. Cette minute d'anesthésie, c'était celle qui précédait tout juste le décalage de trame.

De nouveau stupéfaite, elle contempla quelques instants ses colonnes de papier sans faire le moindre geste. Il n'y avait plus de doute possible. Elle avait fait une découverte capitale et dont la signification était plus qu'alarmante. Premier constat qui s'imposait : depuis le décalage de trame jusqu'à la chute de l'oxygène sanguin, la station d'anesthésie ne surveillait plus les signes vitaux de Carl. Elle se repassait en boucle, à la place, le même segment d'une minute qui précédait le décalage de trame. Et pendant que les tracés, sur l'écran, donnaient à penser que tout était normal chez le patient… en réalité il se passait autre chose.

– C'est dingue ! s'écria Lynn, hébétée. C'est invraisemblable !

Pour parfaire sa vérification, elle répéta pour Scarlett Morrison et pour Ashanti Davis l'opération de découpage et de comparaison, avec de nouvelles impressions de leurs rapports, qu'elle avait faite pour Carl. Elle constata très vite que le même phénomène était visible chez les deux patientes.

Le cœur tonnant dans la poitrine, Lynn saisit son portable sur la table pour appeler Michael. Pendant que la communication s'établissait, son regard passa sur l'horloge de l'ordinateur. Bientôt onze heures et demie. Il était tard, oui, mais Michael ne se couchait en général pas avant minuit. Il répondit avant la fin de la cinquième sonnerie.

– Salut ! s'exclama-t-il. Je suis encore avec Vladimir, là, mais il se prépare à partir. Je te rappelle très vite, d'ac ?

– Il faut que je te parle, dit Lynn d'une voix rauque.

– Ça va ?

– Je ne sais pas.

– Es-tu en danger de mort, tout de suite, là, maintenant ? demanda Michael avec une pointe d'ironie qui lui ressemblait bien.

– Non, mais je viens de faire une découverte qui me rend dingue. Et qui va te souffler, je te le garantis.

– D'accord, je te crois, mais j'ai besoin de cinq minutes. À tout de suite !

Michael raccrocha. Un instant paniquée à l'idée d'avoir si abruptement perdu contact avec la seule personne au monde sur qui elle pouvait compter en la circonstance, Lynn inspira profondément et posa son téléphone à côté du clavier. Son esprit se remettait à battre la campagne. Elle s'obligea à ignorer un instant la signification atroce de sa découverte sur les catastrophes qui avaient brisé les vies de Carl, de Scarlett Morrison et d'Ashanti Davis – à savoir qu'ils n'avaient pas été victimes d'un accident ou d'une faute médicale, mais d'un acte volontaire –, pour réfléchir une fois encore à la question de l'anomalie des protéines sériques.

Pouvait-il y avoir le moindre rapport entre la gammapathie et la répétition en boucle des rapports d'anesthésie ? Cela paraissait impossible. Mais Lynn repensait à présent à la leçon fondamentale, plus importante que toutes les autres peut-être, qu'elle avait retenue de ses cours de sémiologie : lorsqu'un patient présente des symptômes disparates et a priori sans lien les uns avec les autres, le problème sous-jacent est le plus souvent, en réalité, une seule et même maladie.

Un bruit attira soudain l'attention de Lynn – pas très fort, mais étonnant à cette heure tardive. Il avait retenti au rez-de-chaussée. Soit dans le living, soit dans le hall. Ce n'était même pas vraiment un bruit, plutôt une sorte de vibration qui semblait avoir parcouru toute la structure de la maison. Retenant son souffle, Lynn tendit l'oreille pour voir s'il se répétait et chercha à en déterminer l'origine. Sa première pensée fut qu'un livre avait basculé d'une étagère, quelque part, pour tomber à plat sur le sol. Elle se dit ensuite que Pep avait peut-être sauté d'un meuble sur le sol. Mais non : la chatte dormait roulée en boule dans le fauteuil club proche de la cheminée. Lynn fut quelque peu tranquillisée par le fait que le bruit n'avait pas alerté les sens aiguisés de l'animal – mais un instant seulement.

Se sachant seule dans la vaste et vénérable maison, elle avait pris soin de vérifier que la porte de la rue donnant sur la véranda ainsi que la porte de la maison proprement dite étaient fermées à double tour. Elle savait qu'elle avait aussi veillé à éteindre toutes les lumières qu'elle avait allumées pendant sa déambulation à travers le rez-de-chaussée et le premier étage. En ce moment, elle en était certaine, seules les deux lampes de bibliothèque en cuivre posées aux coins de la table de travail de Carl étaient allumées. Et leurs halos ne portaient pas bien loin. Les angles du bureau étaient dans la pénombre.

Il lui sembla tout à coup percevoir un autre bruit. Un léger craquement. Son imagination lui jouait-elle des tours parce qu'elle était sur les dents après le premier bruit ? Elle entendit alors une brève salve de petits grincements sur le parquet ancien du hall, au rez-de-chaussée, suivis par une série de craquements sur les marches de l'escalier. Un frisson glacial la saisit. Elle n'était plus seule dans la maison. Quelqu'un était en train de monter au premier étage !

Paniquée, elle saisit son téléphone et tapa le numéro 911 sur le clavier. Une légère hésitation l'empêcha d'appuyer sur la touche verte d'appel. L'intruse, ici, c'était elle. Dans l'escalier, il y avait peut-être le père de Carl ou un voisin – quelqu'un qui avait une clé, qui savait ce qui était arrivé à Carl et qui s'étonnait de voir de la lumière dans le bureau.

Malheureusement pour Lynn, cette hypothèse lui était soufflée par sa peur et son espoir de ne pas être en danger. La réalité était bien différente. Son hésitation lui coûta la petite chance qu'elle avait eue de pouvoir appeler à l'aide. La silhouette d'un homme baraqué, vêtu de noir de la tête aux pieds, au visage masqué par une cagoule, apparut dans l'embrasure de la porte. Le cœur de Lynn fit un bond dans sa poitrine. Il tenait à la main un pistolet automatique, prolongé d'un silencieux, qu'il braquait dans sa direction.

TROISIÈME PARTIE

35

MARDI 7 AVRIL
23 H 31

Darko était arrivé à la pointe sud de la péninsule de Charleston vingt minutes plus tôt. Il avait garé la camionnette sur la Battery, au bord du trottoir. Vêtu d'un imperméable Burberry, une petite sacoche en bandoulière, il avait remonté Church Street à pied jusqu'à ce qu'il tombe sur Timur qui surveillait la maison de Vandermeer adossé à un tronc d'arbre.

Les deux expatriés russes parlaient couramment l'anglais mais comme toujours ils préféraient communiquer dans leur langue maternelle.

– La maison était dans le noir, alors, quand tu es arrivé ici ? demanda Darko en scrutant la propriété. Tu en es sûr ?

Il constatait avec satisfaction que devant la façade de la maison où se trouvaient les vérandas, il n'y avait pas une baraque, comme derrière, mais un large espace vide – sans doute un jardin. Cela signifiait que les plus proches voisins étaient d'un seul côté.

– Oui, répondit Timur. Mais par sécurité, je te dirai quand même que j'étais dans la voiture, à ce moment-là, et je n'ai pas pu bien voir toutes les fenêtres.

– Quelqu'un d'autre est-il venu, depuis que la fille est ici ?

– Non. Elle est seule. Je crois qu'au début elle s'est beaucoup déplacée dans la maison. Les lumières s'allumaient et s'éteignaient les unes après les autres. Mais depuis une heure, la lumière ne brille qu'à une seule fenêtre. À l'étage, ici, tu vois… ?

Timur pointa un index. Un rai de lumière jaune filtrait entre d'épais rideaux.

– Excellent boulot, dit Darko. Désolé que cette histoire t'ait fait courir partout. Je prends le relais. Tu peux rentrer chez toi.

– Tu ne veux pas que je te donne un coup de main ?

La voix de Timur trahissait sa déception. Il aurait bien aimé continuer de participer à l'opération. Darko Lebedev était une véritable légende pour les hommes de la sécurité et des forces d'encadrement de Sidereal Pharmaceuticals. Si Timur avait continué de travailler avec lui sur cette mission, il aurait pu se faire mousser auprès de ses collègues.

– Non, je n'ai pas besoin d'aide, répondit Darko en lui tapotant l'épaule. Je veux régler ça moi-même et j'ai bien l'intention de m'amuser.

Timur rit, hochant la tête.

– Je vois. C'est vrai qu'elle est mignonne !

Darko escalada en quelques secondes le mur d'enceinte. Il sortit ce dont il avait besoin de la sacoche et laissa celle-ci, avec son Burberry, au pied du mur. Il les récupérerait en sortant. La rue étant étroite et les maisons proches les unes des autres, il devait renoncer à sa méthode préférée d'ouverture des portes, c'est-à-dire l'explosif, et utiliser un Halligan. Ce pied-de-biche amélioré, qu'il avait découvert à son arrivée en Amérique, était l'outil de prédilection des pompiers étatsuniens pour forcer les portes. Correctement manié, il était bien plus silencieux qu'une charge explosive.

Darko savait qu'il devait agir très vite. L'effet de surprise était essentiel. Dès que la porte de la maison céda, il traversa le hall, grimpa l'escalier et gagna la pièce où la lumière était allumée. Lynn Peirce était assise là, devant un ordinateur, un téléphone à la main.

Réagissant par pur réflexe, il couvrit la distance qui le séparait de la table en une fraction de seconde. De sa main libre, il arracha le téléphone à la fille avant qu'elle ait pu faire le moindre geste ; il le jeta contre la cheminée où il se brisa.

Lynn commença à pousser un cri de terreur, mais celui-ci mourut dans sa gorge lorsque Darko lui balança une violente gifle, du revers de la main, dans le retour du mouvement qui lui avait permis de se débarrasser du téléphone. Le coup atteignit la fille en plein sur le côté du visage, broyant sa lèvre supérieure et son nez – et l'envoyant valser hors de son fauteuil. Elle s'étala sur le parquet à plat ventre. Réveillée par le vacarme, la chatte déguerpit de la pièce pour trouver refuge dans un endroit plus paisible de la maison enténébrée.

Lynn essaya de se relever pour suivre l'animal, pour fuir ce tourbillon ultra-violent qui s'était matérialisé devant elle, mais ses jambes refusèrent momentanément de coopérer. L'instant d'après, elle prit conscience qu'un pied se posait sur son dos et la pressait contre le sol, lui coupant la respiration.

– Bouge pas ! ordonna Darko alors qu'elle se débattait. Si tu bouges, je te tue !

Lynn s'aplatit sur le parquet. La pression du pied sur son dos diminua.

– Tourne-toi !

Lynn obtempéra. Allongée sur le dos, elle observa son agresseur qui se tenait au-dessus d'elle. De son visage, elle ne voyait que ses yeux noirs et ses dents jaunes par les ouvertures de la cagoule. S'efforçant de surmonter la réaction de terreur que l'irruption de cet homme lui avait inspirée, elle commença à réfléchir au moyen de s'en sortir. Les voisins l'entendraient-ils, si elle se mettait à hurler de toutes ses forces ?

– Si tu cries, je tire, grogna l'homme comme s'il avait lu dans ses pensées.

Il se baissa et tira d'un coup sec sur la ceinture du peignoir. Le vêtement s'entrouvrit, dévoilant partiellement la poitrine de Lynn. Elle replia aussitôt les bras sur son buste, se couvrant le sein d'une main. De l'autre, elle se palpa le visage là où l'homme l'avait frappée. Sa lèvre était enflée et douloureuse ; quand elle en écarta les doigts, elle vit qu'elle saignait. Elle sentait aussi du sang couler de sa narine.

Pour se faire plaisir, Darko glissa l'extrémité du silencieux dans l'encolure du peignoir et en écarta l'un après l'autre les pans. Lynn ne résista pas. Elle n'essaya pas non plus de se recouvrir la poitrine. Un sourire concupiscent plissa les lèvres de l'homme tandis qu'il la reluquait. Était-il venu ici pour la violer ? Cela paraissait peu probable. À l'exception de Michael, personne ne savait qu'elle se trouvait ici. Ou avait-il décidé de cambrioler la maison – parce qu'il avait appris, d'une façon ou d'une autre, que Carl était dans le coma et absent – et il était surpris de tomber sur elle ?

Alors qu'elle s'efforçait de refouler la terreur qui l'envahissait à nouveau, Lynn eut la présence d'esprit de se dire qu'elle avait de meilleures chances de survivre à cette épreuve si elle rusait avec son agresseur. En essayant par exemple de le faire parler. En faisant aussi semblant de coopérer. Il avait un léger accent étranger, avait-elle remarqué. Un accent qu'elle connaissait. Mais elle était encore tellement terrorisée qu'elle n'arrivait pas à l'identifier.

– Retire le peignoir ! ordonna Darko.

Il recula d'un pas, baissant le pistolet contre sa hanche.

Lynn se redressa en position assise et se couvrit la poitrine.

– Attendez, pas si vite, dit-elle avec un sourire qu'elle espérait engageant.

Sa première priorité, venait-elle de décider, était de faire en sorte qu'il pose son arme. À ce moment-là, elle essaierait de s'enfuir. Si elle prenait une courte avance sur lui, elle réussirait peut-être à s'en sortir car elle connaissait la maison dans ses moindres recoins – ce qui n'était probablement pas le cas de cet homme.

– Ne joue pas avec moi ! rétorqua Darko.

– Et pourquoi pas ? répliqua-t-elle en haussant les sourcils.

Elle se mit debout sur des jambes tremblantes et noua la ceinture du peignoir autour de sa taille en se maudissant de ne pas s'être rhabillée après la douche. Sa nudité était un handicap à plus d'un égard, et elle soulignait sa vulnérabilité.

S'armant de courage, Lynn commença à se diriger vers la porte. Elle marcha lentement, retrouvant un peu d'assurance à chaque pas. Du côté de son visage où l'homme l'avait frappée, son oreille sifflait péniblement.

– Stop ! ordonna-t-il.

– Je vais chercher un linge humide pour mon visage, dit-elle, produisant un immense effort sur elle-même pour parler d'une voix normale. Ma lèvre saigne. Ce n'est pas très agréable. Ni pour moi ni pour vous. Venez avec moi, si vous voulez !

Comme l'homme ne répondait pas, Lynn continua de marcher et sortit du bureau dans le couloir enténébré. Elle avait la vague idée de le prendre au dépourvu dès que possible. Comme elle s'y était attendue, il la suivit.

– Où est la lumière ? demanda-t-il.

– Pas la peine. La salle de bains est juste ici.

Elle entra dans la pièce et actionna l'interrupteur de l'applique du miroir avant de s'avancer jusqu'au lavabo. Malgré sa nervosité, elle essaya de paraître détendue. Quand elle se pencha vers le miroir pour contempler son visage, elle évita de regarder l'homme qui s'était immobilisé sur le seuil. Elle examina sa lèvre en la palpant avec l'index. Ses dents l'avaient entaillée à l'intérieur de sa bouche, mais à l'extérieur elle était simplement enflée. Quant à son nez, il avait déjà spontanément arrêté de saigner.

– Ce n'est pas aussi grave que je le craignais, dit-elle en ouvrant le robinet d'eau froide. Avez-vous besoin d'utiliser les toilettes ?

Elle cligna des yeux, stupéfaite d'avoir posé une telle question. L'homme ne répondit pas, mais elle sentit que son attitude le rendait perplexe.

Après avoir mouillé une petite serviette à main pour l'appliquer sur sa lèvre, Lynn ressortit de la salle de bains, éteignant la lumière au passage et obligeant son agresseur à faire un pas de côté. Elle feignait la nonchalance, mais en son for intérieur elle restait terrifiée. Quand elle passa près de l'homme, elle se rendit compte qu'il dégageait une odeur de transpiration animale particulièrement répugnante.

Darko retint un soupir pendant que la fille retournait vers le bureau. Elle commençait à lui taper sur le système.

Arrivée au centre de la pièce, Lynn se tourna vers lui et demanda comme s'il lui rendait une visite de courtoisie :

– Voulez-vous vous asseoir... ?

Tout à coup, l'homme saisit d'une seule main l'encolure du peignoir, l'étranglant presque, et attira Lynn contre lui. Leurs visages se touchaient presque. En plus de son odeur corporelle, elle avait maintenant droit à son haleine tiède et fétide de fumeur.

– Maintenant on arrête les conneries, grogna Darko sans cacher sa colère.

Avec une force impressionnante, il l'entraîna vers la cheminée et le canapé. Puis il la lâcha en la poussant en arrière. Elle bascula et s'effondra sur le siège. Le dossier retint heureusement sa nuque, lui évitant un coup du lapin.

– Ta gueule ! T'as compris ? Les petits jeux, c'est terminé.

– Comme vous voulez, dit-elle d'une voix sourde.

La force et la brutalité de cet homme étaient stupéfiantes. Une nouvelle flambée de terreur emporta le semblant d'aplomb qu'elle avait essayé de retrouver depuis quelques minutes. Elle comprenait à présent qu'elle n'avait aucune chance de le mener en bateau et de prendre la fuite.

– Maintenant écoute, connasse !

L'homme agitait le pistolet devant son visage d'une façon très inquiétante, comme s'il hésitait à tirer. Il se pencha vers elle, lui offrant de nouveau à respirer son haleine répugnante.

Lynn recula autant qu'elle put dans le canapé en resserrant les pans du peignoir sur sa poitrine.

– Toi et ton copain, vous faites chier beaucoup de gens haut placés, déclara l'homme. Faut arrêter ça. Complètement. Sinon nous vous tuerons tous les deux.

Il resta quelques instants immobile, son visage cagoulé à quelques centimètres de celui de Lynn, continuant de la fixer de ses yeux noirs comme s'il la mettait au défi de le contredire ou de faire un seul geste qui lui donnerait une raison de la tuer. Lynn retint son souffle.

– Tu comprends ce que je te dis ? reprit-il d'une voix à peine moins agressive.

Elle fut incapable de répondre.

– Parle ! cria l'homme d'un ton hargneux.

Et il la frappa de nouveau sur le côté du visage avec le dos de la main. L'oreille sifflant de plus belle, Lynn se redressa contre le dossier du canapé. Terrifiée par la brutalité de son agresseur, terrifiée à l'idée de recevoir un autre coup, peut-être même avec le pistolet qu'il brandissait encore vers son visage, elle avait la gorge trop contractée pour prononcer le moindre mot. Elle acquiesça d'un hochement de tête, fixant les dents jaunes de l'homme dans l'ouverture de la cagoule. Celles de sa mâchoire inférieure, remarqua-t-elle malgré son effroi, étaient de travers et se chevauchaient.

– Tu fais déjà moins la fière, tu vois ? grogna Darko. Maintenant parle, ou je te bute !

Il se redressa, recula d'un pas et tendit le bras pour la prendre en joue.

– Que… Parler pour… Vous voulez quoi ? bafouilla-t-elle, contemplant l'embout du silencieux pointé droit sur son front.

– T'as compris ce que je t'ai dit ?

– O-oui. J'ai compris.

– Pourquoi t'es ici ce soir ? Dans cette maison ?

– M. Vandermeer et moi étions amis, expliqua-t-elle d'une voix tremblante. Il m'avait donné une clé. J'ai des affaires dans la maison.

À cet instant, Pep reparut dans la pièce, faisant sursauter Darko qui braqua son arme dans sa direction. La chatte l'ignora et se dirigea nonchalamment vers le fauteuil club qu'elle avait occupé un moment plus tôt. Elle sauta dessus pour s'y allonger.

Darko regarda de nouveau Lynn. Il baissa le bras, pointant l'arme vers le sol.

– Vandermeer, alors, c'était ton petit copain ?

– Oui, dit-elle, soulagée de ne plus avoir le silencieux entre les yeux.

– Bon. Ta relation avec ce mec, on s'en fout. Mais à partir de maintenant, tu laisses les responsables de l'hôpital s'occuper de l'enquête sur son anesthésie. Tu oublies cette histoire ! Tu comprends ?

– Oui, répéta Lynn.

Darko inspira profondément, la toisant du regard, puis marcha vers la table. Lynn le suivit des yeux. Il scruta quelques instants les papiers étalés autour du clavier de l'ordinateur. De sa main libre, il saisit plusieurs morceaux des rapports d'anesthésie.

– C'est quoi, ça ? Ces découpages ? Ça vient du dossier de Vandermeer ?

Lynn acquiesça du menton, saisie par un nouveau frisson de terreur. Si ce salaud devinait ce qu'elle avait fait en coupant les rapports, comment réagirait-il ? Il lui avait ordonné de cesser d'enquêter sur la situation de Carl. S'il comprenait qu'elle soupçonnait déjà un crime, ne déciderait-il pas de la tuer sur-le-champ, par précaution ?

– Viens ici ! ordonna Darko.

Lynn se contraignit à se mettre debout. La tête lui tournait légèrement. Elle serra les poings et s'approcha de la table.

– C'est quoi, ce bordel ? Tous ces petits morceaux de papier ? Pourquoi t'as fait ça ?

Lynn n'avait pas le temps d'inventer un mensonge convaincant. Si elle ne répondait pas très vite, il la frapperait encore. Mais elle ne voulait pas dire la vérité. Elle se lança donc dans un exposé ultra-détaillé, aussi verbeux que possible, et avec certaines précisions qu'elle inventa de toutes pièces, sur le fonctionnement de la station d'anesthésie et la surveillance des signes vitaux des patients pendant les opérations. Pendant deux bonnes minutes, elle servit à son agresseur une logorrhée qui aurait fait la fierté d'un schizophrène – sans jamais répondre à la question de savoir pourquoi elle avait utilisé une paire de ciseaux.

– D'accord, d'accord ! l'interrompit-il tout à coup d'un ton exaspéré. Ferme-la ! Va t'asseoir !

De sa main libre, il lui donna une violente bourrade en direction du canapé. Elle obtempéra, croisant les bras sur sa poitrine et croisant les jambes pour se sentir un peu moins vulnérable. L'homme s'approcha d'elle. Il regarda sa montre. Intriguée, elle tourna la tête vers la pendule du manteau de cheminée. Il était minuit passé. Attendait-il l'arrivée de quelqu'un ?

– Bon, voyons si tout est clair, dit-il. Toi et ton copain, vous allez redevenir des étudiants à plein temps. Et cesser de vous faire du souci pour le dossier Vandermeer. J'ai raison ou j'ai pas raison ?

Lynn hocha la tête. Elle se demandait comment Michael réagirait quand elle lui parlerait de ce voyou et de ses menaces.

– Tu es prévenue que si vous n'obéissez pas, nous vous tuerons tous les deux. Et tu vas dire ça à ton copain. OK ?

Lynn hocha de nouveau la tête. Elle ne manquerait pas, pour sûr, de prévenir Michael.

– Je veux t'entendre !

– Oui !

– Maintenant, quelques précisions pour que tu comprennes bien ce qui arrivera si vous désobéissez.

Tout à coup, Lynn reconnut l'accent de l'homme. Il était russe. Son accent n'était pas très prononcé, en outre il parlait très bien l'anglais, mais à présent elle était certaine de l'identifier.

– Je connais ta famille. Je sais où habite ta mère, Naomi. Je sais aussi où tes deux sœurs, Brynn et Jill, font leurs études. Même chose pour ton copain. Je connais sa famille. Si vous ne respectez pas mes ordres, nous tuerons tout le monde. Toi, ton copain et vos familles. Moi, ça ne me pose aucun problème. J'ai déjà buté tellement de gens, dans ma vie, que je ne tiens plus le compte. On se comprend, toi et moi ?

Lynn était livide. Elle croyait l'homme sur parole. Jusqu'à cet instant, l'idée que sa famille et celle de Michael pussent être en danger à cause de son enquête ne lui avait même pas traversé l'esprit. Mais la menace que ce Russe faisait peser sur eux tous était bien réelle. Lynn prenait maintenant toute la mesure du danger de cette affaire.

– Dois-je préciser que les conséquences seront les mêmes si tu dis un seul mot à la police ? reprit-il. Tu as l'air futée. Je suis sûr que tu comprends. Hmm ? Si ton copain ou toi vous parlez à qui que ce soit de notre rencontre, vous deux et toutes les personnes que j'ai citées serez tuées. C'est clair ?

Lynn hocha la tête, trop terrifiée pour articuler un seul mot.

– Et encore une chose. Quand nous aurons terminé, je veux que tu quittes cette maison et que tu n'y reviennes plus jamais.

– Pour… Pourquoi ? se força-t-elle à bafouiller.

– Tu n'es pas en position de poser des questions. Obéis, c'est tout.

– Mais je dois nourrir la chatte, dit-elle, désignant l'animal endormi.

L'homme tourna la tête vers le fauteuil club et leva son arme. Lynn entendit une sorte de sifflement assourdi. Un tremblement agita le corps de Pep qui redressa la tête, un instant, avant de rendre l'âme.

– La chatte n'a plus faim, dit l'homme.

Lynn le fixa bouche bée. Elle n'arrivait pas à croire que ce salopard venait de tuer la pauvre bête.

Tranquillement, Darko alla poser son arme sur la table avant de revenir vers le canapé.

– Bon, assez discuté ! s'exclama-t-il avec satisfaction. Maintenant on va rigoler un peu. Pour commencer, ma belle, tu enlèves ce peignoir.

Lynn tressaillit d'horreur. Cet épisode abominable n'était donc pas terminé. Certaine qu'il la frapperait si elle n'obéissait pas, elle dénoua la ceinture du peignoir, le plus lentement possible, puis en retira les manches pour le laisser tomber autour de ses hanches. Le sourire aux lèvres, l'homme la couvait d'un regard libidineux. Elle savait qu'elle devait craindre le pire. Il lui avait déjà donné la preuve de sa puissance et de la rapidité de ses réflexes. En outre, elle craignait qu'il n'explose de colère s'il avait l'impression qu'elle lui résistait. Elle se sentait donc désarmée et elle ne voyait aucune issue à ce supplice. Pour elle, c'était inconcevable. Jusqu'à ce soir, chaque fois qu'elle avait réfléchi au risque d'être un jour ou l'autre victime d'une agression sexuelle, elle avait toujours pensé que sa propre force physique, son entraînement sportif et ses années de pratique du kick-boxing la sauveraient. Elle comprenait maintenant qu'elle s'était fait des illusions. Cet homme la dominait complètement par sa force, par sa violence, par la terreur qu'il lui inspirait. Et il le savait, car il se sentait assez en confiance pour avoir posé son arme.

– Ce peignoir, tu l'enlèves complètement ! ordonna-t-il, les mains sur les hanches. Allez ! À poil !

Lynn se força à ouvrir le peignoir autour de ses hanches. Elle le tira sous ses fesses pour le poser au bout du canapé. Quand elle fut nue, le sourire de son agresseur s'élargit.

– Bien, dit-il. Maintenant, tu vas gentiment me sucer.

36

MERCREDI 8 AVRIL
00 H 07

Tellement dégoûtée qu'elle en avait la nausée, Lynn serra les dents et se contraignit à s'avancer au bord du canapé. Elle ne pouvait lui résister ; elle devait se mettre à genoux sur le parquet. Plusieurs idées lui tourbillonnaient dans la tête – se lever pour se précipiter vers le pistolet, frapper l'entrejambe de son agresseur d'un coup de tête, ou encore lui mordre l'extrémité du pénis – mais elle savait déjà qu'elle ne ferait rien de tout cela : elle avait trop peur pour sa vie.

Tout à coup, un cri aigu déchira le silence et Lynn eut l'impression de se détacher de son propre corps. Par réflexe, elle leva les mains devant son visage pour parer un coup. Mais l'homme ne la frappa pas. Il bascula en avant et s'effondra sur elle avec un grognement sourd, la poussant contre le dossier du canapé.

Pendant quelques secondes, elle fut incapable de faire le moindre geste. Par réflexe, l'homme avait tendu les bras, de part et d'autre de ses épaules, pour amortir sa chute, mais il pesait sur sa poitrine et lui coupait le souffle. C'est alors qu'elle se rendit compte qu'elle était coincée sur le canapé non par un, mais par deux hommes. Et ils gesticulaient. Ils se battaient. Quelqu'un avait fait irruption dans la pièce et taclé son agresseur !

Darko avait été pris complètement au dépourvu, lui aussi, par l'homme qui avait surgi. Entraîné et expérimenté comme il l'était, il sut dès les premiers instants qu'il avait affaire à un attaquant au moins aussi grand et aussi lourd que lui. Lorsqu'ils basculèrent ensemble du canapé et roulèrent sur le sol, sa connaissance des arts martiaux lui permit de briser l'étreinte que son adversaire avait jusqu'alors maintenu autour de sa taille. Mais cet homme semblait lui aussi savoir se battre : il repassa aussitôt à l'offensive, cette fois de face, pour le prendre puissamment en tenaille, entre ses bras, tout en poussant sur ses pieds afin de le plaquer contre le mur le plus proche. Darko eut alors la confirmation de ses soupçons : son adversaire était plus grand, plus costaud, plus musclé encore que lui. Et il avait la peau noire. Mais la situation n'était pas perdue pour autant : il ne maîtrisait manifestement pas les arts martiaux ; il savait juste castagner en tirant parti de sa masse et de sa puissance musculaire.

Lynn était stupéfaite. C'était Michael qui avait attaqué le Russe ! Et maintenant ils étaient à terre et se battaient. Sans réfléchir, elle quitta le canapé pour se précipiter vers la table. Jamais elle n'avait manipulé un pistolet, mais cela n'avait pas d'importance. Tenant l'arme à deux mains, elle replia l'index droit sur la gâchette et braqua le silencieux sur les deux hommes.

– Arrêtez ! cria-t-elle.

Ils l'ignorèrent. À cet instant, ils étaient immobiles l'un contre l'autre. Michael tenait les bras du Russe contre ses hanches. Chaque homme mettait toute son énergie à essayer de prendre l'ascendant sur l'autre.

– Arrêtez ! répéta Lynn.

Elle pressa la détente. Le recul de l'arme la surprit, mais elle eut la satisfaction d'atteindre la photographie, sur le pan de mur voisin de la cheminée, qu'elle avait visée. Le sifflement du silencieux et le bruit du verre brisé tombant sur le parquet firent réagir les deux hommes. Surpris, Michael relâcha son étreinte sur son adversaire.

En professionnel qu'il était, Darko ne laissa pas cette chance lui échapper. Il donna un violent coup de karaté au Noir, au niveau de la clavicule, puis se redressa d'un bond et désarma Lynn d'un coup de pied qui projeta le pistolet jusqu'au plafond. Pendant que l'arme retombait devant la cheminée avec un claquement sec, le silencieux se brisant en deux sous le choc, il quitta la pièce.

La scène avait été si violente et si brève que Michael et Lynn furent incapables, pendant quelques secondes, de faire un geste ou de prononcer le moindre mot. Ils se regardèrent en silence, l'air stupéfait, reprenant leur souffle. Michael fut le premier à se ressaisir. Il se lança à la poursuite du Russe dans le couloir et dévala l'escalier. Lynn resta à sa place, frottant sa main endolorie par le coup de pied de l'intrus.

Michael reparut quelques instants plus tard, pantelant.

– Il a disparu, dit-il d'une voix rauque.

Ivre de soulagement, oubliant complètement qu'elle était nue, Lynn se jeta vers lui pour l'étreindre. Elle ne put retenir les larmes qui lui montaient aux yeux.

– Une seconde, frangine !

Michael lui saisit les mains pour l'obliger doucement à le lâcher. Pendant qu'il ramassait le pistolet devant la cheminée, elle se tourna vers le canapé pour récupérer le peignoir et l'enfiler. Ayant constaté que le chargeur était plein, Michael dévissa le silencieux cassé et en posa les deux morceaux sur un fauteuil. L'arme elle-même n'était pas endommagée ; elle pourrait servir si nécessaire.

Dès qu'elle eut noué la ceinture du peignoir autour de sa taille, Lynn se précipita de nouveau vers Michael. Elle le serra dans ses bras, un long moment, en pleurant à chaudes larmes. Après ce qu'elle avait vécu avec ce Russe, et sachant ce qu'elle avait failli être obligée de faire, l'arrivée de Michael avait été plus que providentielle. Miraculeuse.

– Tout va bien, dit-il d'une voix apaisante. C'est terminé.

Son propre cœur battait encore très fort. Il respira profondément. Enfin, Lynn s'écarta de lui pour le regarder.

– Merci ! Merci ! Merci ! dit-elle, éperdue. Mais je ne comprends pas. Comment as-tu su que j'avais des ennuis ?

– Je ne le savais pas. Le truc, c'est que je m'en voulais un peu de t'avoir laissée seule ce soir, et puis quand tu m'as téléphoné, tu avais l'air vraiment tendue. Ou déprimée, je ne savais pas trop. Je t'ai rappelée dès que j'ai pu me débarrasser de Vlad, mais je suis tombé sur ta boîte vocale. Et là j'ai commencé à imaginer le pire. Genre… que tu t'étais fait du mal. Alors je n'ai pas tergiversé. J'ai quitté ma chambre dare-dare et j'ai sauté dans un taxi.

– Tant mieux ! Tant mieux, Michael ! Ton inquiétude, c'est une bénédiction. Mais après ? Comment tu as su que tu devais grimper jusqu'ici et te jeter sur cet homme ?

– Facile. J'ai vu que la porte d'entrée avait été forcée.

– Ce salopard était sur le point de me violer, tu sais ! dit-elle avec colère, des larmes envahissant à nouveau ses yeux. Tu es arrivé pile au bon moment.

– Et c'était qui, ce type ? Tu le sais ?

– Non. Avec sa cagoule, je n'ai même pas vu son visage. Mais je peux te dire un truc qui ne va peut-être pas t'étonner. Il avait un accent russe !

– Pourquoi ça ne doit pas m'étonner ? demanda Michael, perplexe.

– Il faut que je te raconte pourquoi il est venu ici me foutre la peur de ma vie. Mais je crois que nous devrions d'abord nous en aller. Il pourrait revenir. Et avec des renforts, peut-être. Je suppose que ce connard doit être plutôt furax que tu l'aies empêché d'assouvir ses petits fantasmes. Au moment où tu es arrivé, il voulait une pipe.

– Mais… on n'appelle pas la police ?

– Ah non, putain ! Ce truc, ça va bien au-delà de l'agression à domicile. Ou même du viol. J'ai des tas de choses à te raconter. Attends juste que je sois rhabillée. Viens avec moi, s'il te plaît. Je ne veux pas rester seule. Et garde le pistolet.

Lynn sortit du bureau pour gagner la salle de bains attenante à la chambre de Carl où elle avait laissé ses affaires. Pendant qu'elle enfilait rapidement ses vêtements, Michael resta à la porte, surveillant le couloir, le pistolet contre la cuisse.

– Si nous ne signalons pas cet incident à la police, dit-il, nous pourrions être accusés de complicité avec ce type. Faut que tu le saches. Et les flics connaissent peut-être déjà son arme.

– Ça m'est complètement égal, dit Lynn qui commençait à enfiler ses chaussures. Tu as vu Pep, la chatte de Carl, sur le fauteuil ?

– Non. Pourquoi ?

– Cet enfoiré l'a tuée ! Il a tiré dessus, comme ça, sans raison. La pauvre bête…

– Il a fait ça pour t'intimider, sans doute.

– Je peux t'avouer qu'il m'intimidait déjà bien assez. Bonjour le psychopathe ! Il s'est vanté d'avoir tué des tas de gens.

– J'appelle un taxi ?

– Non, je ne veux pas attendre. On va prendre la Cherokee de Carl. Je la ramènerai demain ou un autre jour. Mais avant de partir, nous devons ranger le bureau et sortir la chatte de la maison. Il faut faire disparaître les traces de ce qui s'est passé ici. Et la porte d'entrée ?

– Quoi, la porte d'entrée ?

– Tu disais qu'il l'a forcée. Elle est bousillée ? Elle ferme quand même ?

– Le chambranle est un peu tordu au niveau de la gâche, mais je pense qu'on réussira à la fermer.

– Du moment qu'elle a l'air à peu près en bon état…

– Hé, dis donc !

Michael venait de remarquer que Lynn avait une méchante ecchymose sur la joue et du sang sur la lèvre.

– Il t'a frappée ? dit-il en s'approchant d'elle. Putain de merde. Laisse-moi regarder ça…

– C'est rien, dit Lynn, repoussant son bras. Remettons de l'ordre en vitesse et tirons-nous d'ici !

37

MERCREDI 8 AVRIL
00 H 37

Michael et Lynn ne perdirent pas de temps pour quitter la maison. La remise en ordre du bureau ne leur posa pas de difficulté particulière. Ils ramassèrent les morceaux de verre sur le parquet, arrangèrent le trou fait par la balle, dans la photographie, pour qu'il ne soit plus guère visible que de près, et raccrochèrent le cadre au mur. Après s'être brièvement interrogés au sujet de Pep, ils décidèrent de la mettre dans un double sac-poubelle pour la jeter quelque part en ville dans un conteneur à ordures. Lynn était triste que la pauvre chatte subisse un tel traitement, mais dans l'urgence elle ne voyait pas d'autre solution. La porte d'entrée leur posa davantage de problèmes. En se plaçant chacun d'un côté du battant, cependant, ils réussirent à la fermer correctement – si correctement, à vrai dire, qu'elle se bloqua. Lynn dut passer par la porte de derrière pour sortir de la maison. Ils se retrouvèrent au garage.

Secouée par l'épreuve qu'elle venait de vivre, elle ne demanda pas mieux que de laisser Michael prendre le volant. À quelques centaines de mètres de la maison, ils trouvèrent, sur un chantier de construction, le conteneur à ordures dont ils avaient besoin. Ils décidèrent à la dernière seconde d'ajouter le pistolet et le silencieux cassé dans le sac-poubelle. Ils étaient soulagés de s'en débarrasser.

Dès qu'ils se remirent en route, Lynn commença à raconter à Michael la scène qu'elle avait vécue avec le Russe.

– Ce salopard a menacé de me tuer…

Elle s'interrompit. Son cœur se remettait à battre la chamade. Elle inspira profondément, attendit quelques instants d'être sûre de pouvoir parler d'une voix claire, puis pivota vers Michael. Les phares des voitures arrivant en sens inverse sur la chaussée faisaient scintiller son visage.

– À vrai dire, il a menacé de nous tuer tous les deux.

Michael lui jeta un regard surpris.

– Il connaissait mon nom ?

– Il n'a pas cité ton nom. Il a dit : « Toi et ton copain, vous faites chier beaucoup de gens haut placés. »

– « Beaucoup de gens haut placés » ? Ah ouais ? Il a dit ça ?

– Voilà. Et il a aussi dit : « Si vous n'obéissez pas, si vous ne laissez pas les responsables de l'hôpital s'occuper de l'enquête sur ce problème d'anesthésie, et si vous ne redevenez pas de bons petits étudiants, nous vous tuerons tous les deux. » Enfin là je mélange un peu ses phrases, mais c'est l'idée.

– Et pour ce qui est de nous tuer, il n'a pas dit « je », mais « nous » ? Comme s'ils étaient plusieurs ?

– Ouais.

– Putain… Les trucs du genre « gens haut placés » ou ce « nous », ça donne à penser qu'il y a un certain nombre de personnes derrière cette histoire. Une espèce de complot, quoi.

– Je suis complètement d'accord. Nous sommes tombés sur un nid de vipères. Mais attends, il y a pire. Ce voyou a menacé de tuer ma mère et mes sœurs si nous parlons à la police. Il connaissait même leurs noms et leurs adresses. Pour disposer de ce genre d'informations, il faut de vrais moyens, non ?

– Hmm, acquiesça Michael. Sans doute. A-t-il aussi menacé ma famille ?

– Ah oui ! Pardon ! Ta famille aussi, carrément !

Lynn secoua la tête, sidérée de s'entendre raconter de telles horreurs. Qui étaient pourtant bien réelles. Elle pivota de nouveau sur le siège, regardant devant elle à travers le pare-brise. Ils traversaient le centre-ville de Charleston. Malgré l'heure tardive, il y avait foule sur les trottoirs. Les gens se promenaient, discutaient et riaient ensemble… Elle aurait aimé que sa propre vie soit aussi simple.

– C'est à cause de ça, alors, que tu ne voulais pas appeler la police ? relança Michael.

– En partie. Mais à mon sens, il est plus important de découvrir ce qui se passe vraiment – en quoi consiste le complot, s'il s'agit bien d'un complot – que de faire pincer le malade qui m'a attaquée. Il a vraiment dit « des gens haut placés », tu sais ! Il y a donc des gens *haut placés* qui sont mêlés à cette histoire. C'est dingue ! Ça signifie qu'il s'agit d'un truc énorme. Forcément ! Vu que ce mec était russe, déjà, je présume qu'il faut regarder du côté de Sidereal Pharmaceuticals et de ses relations avec la Russie. Ensuite, tu sais ce que je pense des labos pharmaceutiques.

– Hmm… Tu trouves qu'ils facturent leurs médicaments trop cher, c'est ça ?

– Ouais, voilà. Je les hais !

Michael jeta un regard inquiet dans sa direction.

– Waouh ! Tu es carrément remontée contre les labos, dis donc. Mais tu leur reproches quoi, au juste ? Lâche-toi, meuf !

– Par où commencer ? dit Lynn en soupirant, et elle se tourna de nouveau vers son ami pour ajouter : Je sais que nous sommes d'accord sur le fond, toi et moi, parce que nous avons déjà parlé de tout ça. De l'hypocrisie de cette industrie lorsqu'elle affirme qu'elle est motivée par le désir de servir et de soigner les gens, par exemple, alors qu'en fait elle incarne ce qu'il y a de pire dans le capitalisme débridé.

– Tu veux parler de la façon qu'ont les labos de justifier les prix délirants de leurs médocs en prétendant qu'ils doivent investir des sommes considérables dans la recherche ?

– Ouais, t'as tout compris, dit Lynn d'un ton dégoûté. Mais on sait qu'en réalité ils mettent bien davantage d'argent dans la publicité, pour *vendre* leurs produits, que dans la recherche. Et c'est sans compter les budgets colossaux de leurs lobbys pour arroser le monde politique.

– Tu as raison, nous sommes d'accord sur tous ces points, dit Michael. Mais je te sens vraiment à cran sur ce sujet…

– Tu m'étonnes. T'ai-je déjà dit que mon père est mort parce qu'il ne pouvait plus se payer le traitement qui le maintenait en vie ?

– Heu… Non, jamais.

Michael savait que son amie, comme lui, avait beaucoup de difficultés à parler de certains aspects de son enfance et de son adolescence. Mais avec toutes les discussions qu'ils avaient déjà eues sur le système de santé, et vu tout ce qu'ils savaient l'un sur l'autre, il était surpris qu'elle ne lui ait jamais fait part de cette information sur la mort de son père.

– Eh ben, c'est comme ça, dit-elle, regardant droit devant elle à travers le pare-brise. Pour rester en vie, il aurait fallu qu'il continue à être traité. Mais le médoc dont il avait besoin coûtait près d'un demi-million de dollars par an. C'est obscène.

– Sérieux ? Il existe un médicament qui coûte cinq cent mille dollars par an ?!

– Mais oui. Un anticorps monoclonal, ou biomédicament, comme le drozitumab que tu as vu sur le dossier d'Ashanti au Shapiro. Mon père a perdu son travail en 2008, à cause de la catastrophe des subprimes, et son assurance santé pas bien longtemps après. Il est mort parce que nous n'avions pas de quoi payer ce médicament.

– Putain de merde ! s'exclama Michael. Quelle horreur !

– Je ne te le fais pas dire. Enfin pour en revenir à nos moutons, je crois que la société Sidereal se comporte de façon indécente. Peut-être utilise-t-elle les patients du Shapiro pour des essais cliniques, comme nous l'avons supposé. Mais là, je trouve que c'est quand même un peu gros de mener des gens à la mort. À moins que Sidereal ne soit derrière ces anesthésies qui ont mal tourné.

– Tu veux dire qu'elle aurait fait foirer les anesthésies pour se procurer des nouveaux cobayes ? dit Michael, consterné.

– Ouais, d'accord, un truc aussi ignoble, c'est inimaginable. Mais qu'en savons-nous, au fond ? La seule solution que j'envisage, pour découvrir la vérité, c'est d'entrer au Shapiro et d'essayer de vérifier tout ça par nous-mêmes. Là-bas, je pourrai au minimum me connecter au système de l'institut, dans le centre d'opérations du réseau où tu es déjà entré avec Vladimir, pour regarder les données des patients. Bien sûr, ça m'amène à te demander comment s'est passée ta soirée avec ton pote… ?

Un sourire plissa les lèvres de Michael.

– C'était vachement sympa, en fait. Sérieux, le mec est très cool. Et gentil. Il m'a même apporté un souvenir, comme il me l'avait promis. Faut que je te montre ça. C'est une *matriochka*. Une espèce de poupée en bois qui en contient une autre, plus petite et identique, et puis encore une autre à l'intérieur, et ainsi de suite. Il y en a une quinzaine à la suite et la dernière est minuscule.

– T'as les combis du Shapiro ? demanda Lynn, que les poupées russes laissaient indifférente.

– Ouais, pas de souci. On en a deux, comme tu voulais, avec les calots du Shapiro et des masques chirurgicaux.

– Une seule aurait suffi. Il vaut mieux que j'y aille seule. Cette histoire est de plus en plus bizarre et risquée. Et c'est mon combat, tu vois, à cause de Carl.

– On a déjà parlé de ça, répliqua Michael. Et la question est réglée ! Nous y allons tous les deux ou pas du tout.

– Nous verrons. Et l'empreinte du pouce de Vladimir ?

– Je l'ai aussi, pas de lézard. Il a bu deux bières, pendant qu'il était dans ma chambre, et j'ai pris soin de mettre les bouteilles de côté.

– Parfait.

Ils dépassèrent à cet instant la rampe d'accès au pont Ravenel qui enjambait le fleuve Cooper. Sur l'immense panneau qui en marquait l'entrée, au-dessus de la chaussée, Lynn aperçut le nom de la ville de Mount Pleasant. Elle repensa alors à l'horrible massacre de cette famille dont ils avaient pris connaissance par la télévision dans la salle de détente. La mère avait été hospitalisée au centre médical Mason-Dixon, avait précisé la reporter, et on lui avait découvert une anomalie des protéines plasmatiques. Tout à coup, le troublant problème de la gammapathie se réinvita dans le méli-mélo de pensées qui agitaient son cerveau stressé.

– Il y a un autre truc, dans toute cette histoire, qui me tracasse pas mal, dit-elle. C'est la gammapathie. Ce machin revient sans cesse sur le tapis. Juste avant d'être agressée par ce type, j'ai découvert quelque chose de très étrange que je n'arrive pas à expliquer. Tu te souviens de ces chiffres que j'ai trouvés quand on s'est connectés au serveur de l'hôpital au service informatique ? Les chiffres des diagnostics de gammapathie et de myélome multiple chez les patients libérés du centre médical Mason-Dixon ?

– Je me souviens du truc, ouais, mais pas des chiffres exacts.

– Peu importent les chiffres exacts, en fait. L'essentiel est que le nombre de patients qui sortent du Mason-Dixon avec ces deux diagnostics est cinq fois supérieur à la moyenne nationale. Cinq fois !

Michael hocha la tête, l'air songeur, mais ne répondit pas.

– Ça ne t'étonne pas ? relança Lynn. Ne me dis pas que tu trouves ça normal ou sans…

– Si, bien sûr, ça me surprend beaucoup. Mais attends, je veux être sûr de bien piger. Le nombre de patients qui arrivent à notre hôpital avec une maladie sans rapport avec ces deux problèmes, puis en ressortent avec un diagnostic d'anomalie des protéines sériques, est cinq fois supérieur à la moyenne nationale ?

– C'est tout à fait ça. Et si ce truc n'était pas déjà assez bizarre, la plupart des patients en question sont relativement jeunes. Dans la trentaine et la quarantaine. Alors que la gammapathie touche en général des personnes plus âgées. Dans la soixantaine et au-delà.

– Et il y a cinq fois plus de patients qui quittent l'hôpital avec un diagnostic de myélome multiple qu'il n'y en a dans l'ensemble des hôpitaux du pays ?

– Oui ! C'est ce que je te dis !

– D'accord. Et comment tu expliques ça ?

– Je ne l'explique pas ! C'est bien le problème, et c'est pour ça que je t'en parle, bon sang !

– Restons zen, mademoiselle. On est dans le même camp.

– Désolée, marmonna Lynn, et elle ferma quelques instants les yeux, respirant profondément.

– Quand tu m'as appelé au téléphone, tout à l'heure, tu m'as dit que tu avais fait une découverte qui te rendait dingue et qui allait me souffler. Est-ce que c'était cette info sur la gammapathie et le myélome multiple dans notre… ?

– Oh, putain ! s'exclama Lynn, et elle pivota encore sur le siège, vers Michael, en se frappant le front avec la paume. Non ! Pas du tout ! C'est insensé, j'ai oublié de te parler de ma plus importante découverte. Bon, tiens-toi bien. Les rapports d'anesthésie, je te parle des rapports des *trois* patients, montrent que les tracés se répètent de minute en minute. Les tracés des signes vitaux. Ils tournent en boucle !

Michael jeta un coup d'œil vers son amie. Il n'était pas certain de comprendre.

– En boucle ? Comment ça ? Tu veux dire, heu… les mêmes valeurs sont reproduites à l'écran ? Indéfiniment ?

– Voilà ! dit Lynn d'une voix vibrante d'excitation. Et ça commence pile au moment du décalage de trame. Sur les trois rapports. À partir de là, les tracés reproduisent la minute de monitorage qui précède tout juste le décalage de trame. Durant cette minute, bien sûr, tout est parfaitement normal. Ensuite, ça dure jusqu'au moment où retentit l'alarme de la chute d'oxygénation du sang. Entre le décalage de trame et le déclenchement de l'alarme, par conséquent, la station d'anesthésie n'enregistre pas, et ne présente pas à l'anesthésiste sur l'écran les vraies valeurs du monitorage des patients. Les signaux des capteurs sont détournés d'une façon ou d'une autre, je ne sais pas comment, et la répétition en boucle de la minute d'avant le décalage de trame donne l'impression – fausse ! – que tout va bien.

– La vache. C'est super grave…

– Première question, enchaîna Lynn. À ton avis, ce truc peut-il être dû à un bug du logiciel de la machine ?

– Ah non, répondit Michael sans hésitation. Je ne vois pas comment. Sur seulement trois cas ? C'est forcément dû à un bidouillage du logiciel. Et là, faut se demander qui fait ça et pourquoi ? Nom de Dieu !

– Ce machin doit être lié à tout le reste, tu ne penses pas ?

– Comment ça ?

Michael venait d'entrer dans le complexe du centre médical. Il tourna vers le bâtiment à quatre niveaux du parking.

– Ce qui s'est passé pendant que ces patients étaient sous anesthésie, dit Lynn. Ça doit avoir un rapport avec les anomalies des protéines !

– C'est un peu tiré par les cheveux, non ?

– Je me suis dit la même chose au début. Mais souviens-toi de ce que nous avons appris en sémiologie : quand des symptômes ont l'air de n'avoir aucun rapport entre eux, ils sont presque invariablement constitutifs, en fait, d'une même maladie. Mon intuition me dit que nous allons encore vérifier cette loi avec les anomalies des protéines et les catastrophes survenues pendant les anesthésies de nos patients.

– S'il y a un lien, je ne vois vraiment pas où il peut être.

– Moi non plus, admit Lynn. Je délire peut-être, c'est vrai. En tout cas, je reste convaincue que je dois entrer au Shapiro. Même si ce n'est que pour avoir accès aux dossiers des patients sur le serveur.

– *Nous*, homme blanc, répliqua Michael, faisant de nouveau référence à la blague de Ron Metzner. On forme une équipe, toi et moi. *Nous* devons entrer au Shapiro. Pas question que je te laisse faire ça toute seule. Si nous sommes face à un gros complot, en plus, les risques sont encore plus élevés que nous ne le pensions.

– Tu prendras la décision que tu veux, d'accord, si nous avons la possibilité de forcer la porte du bunker. Il reste à surmonter le problème du lecteur d'empreinte de pouce.

Une fois la Cherokee de Carl garée sur une place visiteur, ils prirent la direction de la résidence universitaire. Tous deux un peu déboussolés par ce qu'ils venaient de vivre et par leur discussion, ils gardèrent le silence pendant qu'ils traversaient le quadrilatère et longeaient le Shapiro. Le fait de savoir Carl enfermé là leur donnait le sentiment d'avoir une relation presque personnelle avec le bâtiment trapu et sombre.

C'était particulièrement difficile pour Lynn. La culpabilité, la colère et le chagrin immense qui l'accablaient depuis lundi se ravivèrent. Elle pressa le pas et se força à penser à autre chose.

– Il va tout de même falloir que je donne l'impression, je suppose, d'être redevenue une simple étudiante en médecine.

– Alléluia ! s'exclama Michael. J'ajoute que s'il y a complot et si les gens qui sont derrière sont en rogne de nous voir poser des questions sur Carl, ils nous font sans doute surveiller.

– Ça fait tellement Big Brother, tu ne trouves pas ?

– J'espère que tu prévois de venir au cours magistral d'ophtalmologie, demain matin ?

– Pff… Pas le choix, j'imagine.

Dans l'ascenseur, ils s'adossèrent chacun à une paroi latérale de la cabine et se dévisagèrent.

– Ça va ? demanda Michael.

– Je suis paumée, admit Lynn. Claquée, aussi. Et j'ai encore la trouille. Je pense que je n'ai jamais été aussi nerveusement épuisée que je le suis là maintenant. J'ai l'impression qu'un camion m'est passé dessus.

– Tu vas réussir à dormir ?

– J'espère.

– Je dois avoir un somnifère quelque part, si tu veux.

– Volontiers. Et j'ai un autre service à te demander.

– Ouais ?

– Ça t'ennuierait que je ramène mon matelas dans ta chambre ? Je ne veux pas être seule ce soir.

– Pas de souci. À condition que tu n'essaies pas d'abuser de moi.

– Vu les circonstances, je ne trouve pas la blague marrante du tout.

– Pardon !

38

MERCREDI 8 AVRIL
09 H 22

Lynn posa son stylo et ferma le cahier à spirales sur lequel elle essayait depuis un moment de prendre des notes. Elle était tout simplement incapable de se concentrer sur le cours. Entre le souvenir de l'épisode atroce de la veille et les découvertes qu'elle avait faites dans les rapports d'anesthésie, elle avait beaucoup trop de choses en tête. Histoire d'aggraver son supplice et celui des étudiants assis avec elle dans l'amphi, l'ophtalmologue qui donnait le cours parlait d'une voix monocorde, parfaitement assommante, typique de certains praticiens hospitaliers quand ils endossaient le rôle de prof. Par-dessus le marché, le sujet du jour était proprement abrutissant. En tout cas pour Lynn. Si la structure de l'œil prise dans son ensemble était d'une grande beauté, l'étude des plus petits détails de la circulation rétinienne, par contre, ne présentait aucun intérêt pour quelqu'un comme elle qui se destinait à l'internat de chirurgie orthopédique. Non, vraiment, l'ophtalmologie n'était pas du tout son truc. Elle ne comprenait pas comment son amie Karen Washington pouvait souhaiter en faire sa carrière – même si la chirurgie de l'œil avait cet avantage d'être propre et brève. Après avoir passé quatre ans à en apprendre tant et tant sur l'ensemble du corps humain, la perspective de consacrer toute une vie professionnelle à l'œil lui semblait bien limitée.

Son problème de concentration était aggravé par le fait qu'elle se sentait groggy alors qu'elle avait dormi plus de six heures. Six heures de sommeil lui suffisaient, en général, mais cette nuit, son sommeil n'avait pas été à proprement parler normal car elle avait avalé le comprimé d'Ambien que Michael lui avait donné. Comme elle ne prenait quasiment jamais de somnifères, elle y était très sensible et se réveillait chaque fois avec une espèce de gueule de bois bizarre qui lui plombait une partie de la journée.

Quand elle s'était réveillée, juste avant huit heures, sur son matelas posé à côté du lit de Michael, celui-ci se trouvait déjà dans la salle de bains. C'était d'ailleurs le bruit de la douche qui l'avait arrachée à son profond sommeil chimique. Elle ne s'était pas levée tout de suite. Il lui avait fallu plusieurs minutes pour se remettre les idées en place. Pour essayer de prendre du recul, aussi, par rapport à la scène survenue chez Carl quelques heures plus tôt. En deux occasions, pendant sa première année d'université préparatoire, Lynn s'était retrouvée dans des situations potentiellement problématiques – parce qu'elle était saoule, à vrai dire. Des situations où elle avait un peu craint d'être sinon agressée, du moins contrainte à avoir des relations sexuelles dont elle ne voulait pas. Mais finalement elle n'avait pas eu de problème. Le viol que le Russe avait failli lui faire subir était la première et la seule expérience de ce genre qu'elle avait eue de toute sa vie. Quand elle imaginait à quoi elle avait échappé, son estomac se nouait. Jamais elle n'avait été si reconnaissante et si heureuse d'avoir pour ami un homme du gabarit de Michael. Un ami attentif et dévoué, aussi : s'il n'avait pas écouté son intuition, quand il n'avait pas réussi à la joindre au téléphone, et s'il n'avait pas fait fi de toute prudence quand il avait attaqué l'intrus, le Russe aurait eu ce qu'il voulait. Et elle aurait été dans un tout autre état ce matin.

Après avoir entrouvert la porte de la salle de bains et crié à Michael qu'elle serait prête d'ici une demi-heure pour aller à l'hôpital, elle était retournée à sa chambre en emportant les deux bouteilles de bière manipulées par Vladimir : un doigt dans le goulot de chaque pour ne pas effacer les empreintes digitales qu'il y avait laissées. Elle les avait délicatement posées sur sa table de travail avant de se précipiter à son tour sous la douche.

Pendant qu'ils marchaient vers l'hôpital, un moment plus tard, ils avaient parlé de la paranoïa que leur inspirait la crainte d'être surveillés par les employeurs de l'homme de main russe. Toutes les personnes qu'ils croisaient, en particulier celles qui semblaient les regarder, devenaient suspectes à leurs yeux – même les jardiniers qui travaillaient sur les parterres de fleurs.

Lynn essayait d'être attentive, depuis le début du cours, mais cela ne fonctionnait pas. Lorsque le praticien éteignit les lumières pour présenter une nouvelle série de diapos – des clichés d'angiographies rétiniennes à la fluorescéine, avait-il annoncé comme s'il faisait un magnifique cadeau à ses auditeurs –, elle se pencha vers Michael. Ils avaient pris des sièges côte à côte au fond de l'amphi, près de la porte.

– Je m'en vais, murmura-t-elle.

– T'es censée donner l'impression d'être redevenue une bonne petite étudiante en médecine, je te rappelle.

– J'ai la tête ailleurs. C'est plus fort que moi. Pas la peine que je reste coincée ici, je n'écoute rien. Et puis j'ai deux ou trois trucs à faire.

– Quels trucs ? Tu m'inquiètes. N'essaie surtout pas d'entrer dans le Shapiro sans moi ! Je serais grave en rogne, poulette.

– Je n'oserais jamais, poulet. Prends bien des notes pour moi, tu veux ?

– Dans tes rêves ! Tu restes et tu prends tes propres notes, si tu veux retenir quelque chose de ce cours. Je ne m'éclate pas vraiment, tu sais. Ce type essaie de nous endormir.

Lynn ne put que sourire. Profitant de ce que le praticien tournait le dos à la salle pour désigner de subtils détails sur l'image projetée avec un pointeur laser, elle se leva et s'éclipsa à demi accroupie vers la sortie. Elle avait laissé son cahier à spirales sur la tablette-écritoire de sa chaise. Elle savait que même s'il ronchonnait, Michael le récupérerait sans faute pour le lui rapporter.

Sortant de l'amphi, Lynn alla droit aux toilettes. Si un complice du Russe la tenait à l'œil, cette destination n'éveillerait pas ses soupçons. Pendant qu'elle traversait le couloir, elle essaya de voir si quelqu'un la surveillait. Apparemment non.

Puisqu'elle était aux toilettes, elle commença par entrer dans une cabine pour faire pipi. Au lavabo, ensuite, elle se regarda dans le miroir. Elle avait de vilains cernes sous les yeux et une petite croûte de sang sur la joue près de la lèvre supérieure. Sur sa pommette, des ecchymoses se voyaient malgré le fond de teint avait lequel elle avait essayé de les dissimuler. Bref, elle avait une vraie tête de déterrée. Elle mouilla une serviette en papier pour se débarrasser du sang séché qu'elle avait sur la bouche.

Après s'être attaché les cheveux avec sa barrette pour se donner l'air plus présentable, elle sortit des toilettes. Elle repartit d'abord vers l'amphithéâtre tout en scannant le hall du BCE, où il y avait beaucoup de monde, pour voir si quelqu'un semblait lui accorder la moindre attention. À part quelques patients qui attendaient sur des chaises et la dévisagèrent avec espoir, croyant sans doute qu'elle allait les prendre en charge, personne n'avait l'air de s'intéresser à elle.

Jugeant qu'elle était libre de ses mouvements, Lynn prit la direction de l'hôpital. Depuis son réveil, elle avait pas mal réfléchi à la « boucle » qu'elle avait découverte dans les rapports d'anesthésie de Carl, d'Ashanti et de Scarlett Morrison. Cette étrange répétition de la minute de monitorage précédant le décalage de trame était forcément très importante et il fallait en parler aux gens de l'anesthésie – le plus tôt possible. Au début, elle avait pensé à s'adresser au Dr Rhodes, mais elle avait renoncé à cette idée pour deux raisons. D'abord, la colère du bonhomme, la veille, ne l'incitait pas à essayer de réengager le dialogue avec lui. Ensuite, s'il y avait une conjuration au centre médical comme Michael et elle le craignaient, il était possible que Benton Rhodes, chef du service d'anesthésie, y soit mêlé d'une façon ou d'une autre. Alors elle avait décidé d'essayer de revoir le Dr Wykoff. Elle avait beaucoup réfléchi, et tout compte fait elle était d'accord avec Michael quand il disait que cette femme était manifestement bouleversée par ce qui était arrivé à Carl. Par conséquent, le risque que Wykoff soit complice de la machination qui avait tué le cerveau de son patient était sans doute nul.

Parvenue à l'hôpital, Lynn ne s'inquiéta plus d'être surveillée. Il y avait trop de monde. Elle marcha jusqu'au bureau d'information qui se trouvait près de la porte principale. Sur une feuille de papier à en-tête du centre médical, elle écrivit une courte description du phénomène qu'elle avait découvert dans les trois dossiers d'anesthésie – cela et rien d'autre, pas même son nom. Elle plia la feuille et la glissa dans une enveloppe de l'hôpital dont elle colla le rabat. Dessus elle nota simplement : *Dr Wykoff*.

L'enveloppe à la main, elle retourna vers le hall des ascenseurs. Dans la cabine bondée, elle eut une petite crise de paranoïa et regretta de n'avoir pas pris les escaliers. L'un des passagers était un agent de sécurité en uniforme et il semblait la regarder en douce. Elle n'en était pas certaine, mais son attitude était un peu bizarre. Peut-être se faisait-elle des idées. Le silence tendu des ascenseurs bourrés à craquer avait quelque chose de déstabilisant – et aujourd'hui plus que jamais. Elle fut soulagée que l'agent de sécurité ne sorte pas de la cabine avec elle au premier étage.

Son plan était simple. Elle voulait trouver dans quelle salle d'opération se trouvait le Dr Wykoff, puis demander à une infirmière de lui porter l'enveloppe. Pour préserver son anonymat, elle retira la plaque d'identification qu'elle avait autour du cou et la glissa dans sa poche.

Dans la salle de détente, elle scruta le moniteur d'affichage de toutes les opérations programmées pour la matinée. N'y trouvant pas le nom du Dr Wykoff à la première lecture, elle le parcourut de nouveau, ligne après ligne, avec une attention soutenue. Apparemment Sandra Wykoff n'avait pas d'opération prévue ce matin.

Lynn se renfrogna, maudissant ce coup de malchance. Elle avait pourtant cru comprendre que les jeunes anesthésistes, comme le Dr Wykoff, avaient des opérations tous les jours. Pourquoi cette femme ne travaillait-elle pas ce matin ? Tournant les talons, elle sortit de la salle de détente, prit l'escalier pour monter au deuxième étage et se dirigea vers le bureau des anesthésies où elle avait été reçue la veille, avec Michael, par Wykoff. Elle frappa à la porte. Comme personne ne répondait, elle jeta un œil dans le bureau. Vide. Sur le mur du fond, il y avait une rangée de casiers individuels dont l'un portait le nom du Dr Wykoff. Lynn hésita. Non. Plutôt que de laisser l'enveloppe dans ce casier avec l'espoir que l'anesthésiste la trouverait, elle voulait être certaine que quelqu'un la lui remettrait en main propre. Résignée à se changer pour enfiler une fois de plus un pyjama de bloc, elle redescendit un étage et se rendit au vestiaire des femmes par la salle de détente.

La plupart des membres du personnel soignant ne portaient le masque chirurgical que lorsqu'ils étaient effectivement au travail, en salle d'opération, mais Lynn en enfila un pour dissimuler son visage comme elle l'avait fait lundi quand elle avait cherché Carl. Peut-être était-elle excessivement prudente, ou même parano – tant pis. Son enveloppe toujours à la main, elle longea le couloir du bloc opératoire et s'approcha du bureau central très animé. À cette heure de la matinée, plusieurs salles d'opération étaient en train de terminer leur premier cas de la journée et devaient aussitôt enchaîner sur le second. Tout le monde était très occupé.

Geraldine Montgomery, la chef de bloc opératoire, était la mieux à même de savoir où se trouvait le Dr Wykoff. Hélas elle était assiégée par plusieurs personnes. En attendant de pouvoir lui parler, Lynn consulta le tableau d'affichage des salles d'opération au cas où leur programme aurait été modifié ces dernières minutes. Le Dr Wykoff n'y apparaissait toujours pas. Lorsque l'infirmière en chef eut un instant de répit, Lynn l'apostropha et dit qu'elle cherchait le Dr Wykoff.

– Vous n'êtes pas la seule, ma pauvre ! répondit Geraldine avec un petit rire las. Elle a disparu.

– Comment ça, disparu ?

Geraldine se détourna pour crier à quelqu'un, au fond du couloir, de cesser de musarder et de conduire illico la patiente en salle quatre. Puis elle attrapa des documents devant elle en jetant un coup d'œil à Lynn.

– Je m'excuse, ma belle, vous disiez ?

– Le Dr Wykoff a disparu ?

– Disons que pour la première fois depuis je ne sais pas combien d'années, elle n'est pas venue ce matin et elle n'a pas téléphoné. Ça ne lui ressemble tellement pas que le Dr Rhodes a appelé la police. Nous avons entendu dire qu'elle aurait peut-être eu une espèce d'urgence familiale. Elle aurait fait ses bagages pour partir quelque part. Je ne sais pas où.

Stupéfaite, Lynn écrasa l'enveloppe entre ses doigts, remercia Geraldine – qui ne répondit pas parce qu'elle était déjà passée à autre chose – et retourna au vestiaire pour se changer. L'absence imprévue du Dr Wykoff était une très mauvaise nouvelle. Elle avait eu l'espoir de faire passer son message à cette femme pour informer au moins une personne de la découverte proprement extraordinaire qu'elle avait faite dans les rapports d'anesthésie. Wykoff étant indisponible, elle se sentait désemparée – d'autant qu'elle ne voyait pas à qui d'autre s'adresser.

39

MERCREDI 8 AVRIL
11 H 02

Maintenant qu'elle avait dans la tête, en plus de tout le reste, l'énigme de la disparition inattendue du Dr Wykoff, Lynn savait que la consultation d'ophtalmologie, si elle se forçait à y participer, l'exaspérerait autant que le cours magistral d'ophtalmologie du début de matinée. Elle avait donc décidé d'utiliser intelligemment son temps en s'attaquant à la question des plans de l'institut Shapiro. À cette fin, elle avait récupéré la Jeep de Carl au parking pour se rendre dans le centre de Charleston.

Il lui parut de très bon augure de trouver une place de stationnement, dans Calhoun Street, devant la bibliothèque du comté de Charleston. Une place qui avait encore, de plus, une bonne demi-heure de temps déjà payé au parcmètre, et qui se trouvait presque en face de son objectif : l'impressionnant bâtiment qui abritait, entre autres services municipaux, le cadastre.

Lynn se dépêcha d'y entrer. Midi approchait et elle voulait repérer les bureaux du cadastre sans tarder. D'après l'expérience qu'elle avait de l'administration d'Atlanta, la ville où elle avait grandi, elle savait que le créneau de l'heure du déjeuner était un moment de la journée plutôt à éviter, pour le public, car les fonctionnaires n'avaient guère la tête au travail et se montraient peu obligeants. Mais elle constata qu'elle n'aurait pas dû se faire de soucis : elle trouva le cadastre sans difficulté et les employés du comptoir d'accueil lui donnèrent très vite l'impression qu'ils étaient vraiment là pour rendre service. En particulier l'homme qui semblait être le chef du service : un homme haut en couleur, jovial et à peu près chauve, qui s'appelait George Murray. Il portait des bretelles rouge vif pour retenir un pantalon à rayures dont la ceinture était tendue par un ventre très proéminent. Comme Lynn avait gardé sa blouse blanche, il devina qu'elle était étudiante en médecine et précisa en éclatant de rire qu'elle pouvait se lâcher, si elle en avait envie, et lui faire la morale sur les conséquences fâcheuses de sa panse de buveur de bière.

– J'aime la mousse, que voulez-vous ?! conclut-il en riant de plus belle. C'est mon plaisir ! Et qu'y a-t-il pour votre service, mademoiselle ?

– Un ami architecte m'a dit que vous aviez sans doute les plans des bâtiments publics de la ville. Les hôpitaux, notamment.

– À condition qu'ils soient sur le territoire municipal, précisa George. Mais votre ami a tout à fait raison. Pour obtenir leurs permis de construire, les promoteurs ont l'obligation de soumettre les plans de leurs projets. À partir de là, ces plans relèvent du domaine public. C'est donc un hôpital qui vous intéresse ? Lequel ?

Lynn s'interrogea un instant sur ce qu'elle pouvait dire à cet homme de la mission qu'elle s'était donnée. Il ne fallait surtout pas que la doyenne, ou d'ailleurs n'importe qui à l'hôpital ou à la faculté de médecine, apprenne qu'elle était venue ici, au cadastre, pour demander les plans du Shapiro. Mais elle ne voyait pas comment contourner le problème.

– L'institut Shapiro, dit-elle, espérant de tout cœur qu'elle n'aurait pas à regretter sa démarche.

Cependant, avait-elle le choix ? Il fallait qu'elle se donne toutes les chances de trouver Carl. Or, ce serait sans doute une mission difficile, dans ce bâtiment qui abritait un millier de patients, si elle n'avait pas par avance une assez bonne idée de son organisation intérieure. Sans plan, elle craignait de ne pas pouvoir faire grand-chose de plus qu'accéder aux dossiers électroniques de l'institut au centre d'opérations du réseau.

– Sans problème, dit George avec le sourire. L'institut Shapiro fait partie du centre médical Mason-Dixon, lequel se trouve effectivement sur le territoire de la ville. Quels plans de l'institut voudriez-vous voir ?

– Heu… Je ne sais pas, admit Lynn. Quels genres de plans avez-vous ?

– Il y a les plans de sol, les plans de l'installation électrique, les plans de la plomberie, les plans du système HVAC… Dites ce que vous aimeriez voir, et nous l'aurons sans doute.

– HVAC ?

– Le système HVAC, c'est la climatisation, la ventilation et le chauffage des bâtiments. Vous savez, les énormes tuyaux et conduits qu'on voit dans les plafonds ou les murs…

– Ah oui, bien sûr ! fit Lynn, hochant la tête. Je connais. Alors, heu… je suppose que ce qui m'intéresse, tout bêtement, ce sont les plans de sol.

– D'accord, dit George d'un ton agréable. Ne bougez pas, je vais voir ce que nous avons pour l'institut Shapiro.

Il revint deux minutes plus tard avec un gigantesque classeur de couleur bordeaux, manifestement assez lourd, et fermé par des ficelles, qu'il posa entre eux sur le comptoir.

Lynn l'aida à défaire les nœuds du classeur. Il l'ouvrit ensuite et agrippa la liasse de feuilles géantes qui se trouvait à l'intérieur.

– Nous passons petit à petit à la numérisation de l'ensemble de nos documents, expliqua-t-il, mais il y a encore du boulot.

Il tourna les pages, déposant avec précaution à côté de lui celles qui ne l'intéressaient pas, jusqu'à ce qu'il tombe sur les plans de sol. Ceux-ci occupaient plusieurs feuilles agrafées ensemble sur un de leurs côtés.

– Et voilà ! Amusez-vous bien, dit-il en tournant la petite liasse vers Lynn.

Elle commença à parcourir les pages. Pour avoir déjà vu ce genre de plan d'architecte, elle savait plus ou moins les déchiffrer. Sa première surprise, très vite, fut de constater que le bâtiment ne comportait pas deux ou peut-être trois niveaux au total, comme sa silhouette extérieure relativement basse le donnait à penser, mais six niveaux dont quatre se trouvaient sous terre.

– Lequel de ces niveaux est le rez-de-chaussée, à votre avis ? demanda-t-elle à George.

Il tourna partiellement les plans vers lui et les feuilleta en se penchant pour en lire les annotations en petits caractères.

– Apparemment, c'est celui qui est marqué « Niveau 5 », dit-il, et il ouvrit la liasse sur la page du cinquième niveau. C'est drôle, dites donc, ce bâtiment n'a que très peu d'issues donnant sur l'extérieur. Je suis pourtant sûr que les plans ont été validés pour ce qui est de la sécurité incendie. L'institut a sans doute un système de *sprinklers* ultra-performant. Quel genre d'établissement c'est, au juste ?

– C'est un centre de soins pour les gens en état végétatif, dit Lynn.

Elle se pencha à son tour pour examiner le cinquième niveau. Rapidement, elle repéra le couloir, percé dans un mur d'une épaisseur impressionnante, qui reliait le Shapiro au bâtiment principal de l'hôpital. Elle trouva aussi la salle de conférences dans laquelle elle avait pris place en deuxième année, avec Michael et le reste du groupe, pendant leur visite de l'institut. Elle découvrit également les « salles de visite », en deux sections séparées par une baie vitrée, où les familles venaient voir les patients comateux. Elle réussit enfin à repérer la porte, côté quadrilatère, par laquelle Michael était entré dans le bâtiment avec Vladimir. Cette issue donnait sur un couloir assez court au bout duquel se trouvait une porte légendée CENTRE D'OPÉRATIONS INFORMATIQUES – la porte, supposa-t-elle, de ce que Michael avait appelé le COR, ou centre d'opérations du réseau. Juste à côté, il y avait une salle qui abritait les serveurs de l'institut. La porte de l'autre côté du couloir était marquée VESTIAIRE. Bien. C'était exactement le genre de plan qu'elle avait souhaité trouver.

– Qu'est-ce que cela signifie, état végétatif ? demanda George. Vous voulez dire… Ce sont des gens qui sont dans le coma ?

– Oui. Enfin, ils ne sont pas tous dans le coma. Certains patients végétatifs ont des cycles normaux d'éveil et de sommeil. Cela donne malheureusement aux familles l'espoir injustifié de les voir un jour ou l'autre guérir. Cet institut, quoi qu'il en soit, est fait pour les personnes qui ont de graves lésions au cerveau et sont incapables de s'occuper d'elles-mêmes. Même pour les choses les plus basiques. Elles ont besoin d'énormément de soins, ce qui demande beaucoup de travail au personnel soignant.

– C'est affreux, commenta George avec une moue désolée.

– Oui. C'est affreux.

Après le COR, remarqua Lynn qui continuait d'examiner le plan, le couloir tournait à angle droit et se prolongeait sur la quasi-totalité de la longueur du bâtiment. Il était aussi bordé de nombreuses pièces, certaines légendées RÉSERVE, d'autres PHARMACIE, d'autres encore CONTRÔLE ROBOTIQUE – elle n'avait aucune idée de ce que cette dénomination pouvait signifier. Quelques-unes ne portaient aucune indication. Deux des pièces les plus grandes étaient légendées CLUSTER A et CLUSTER B. Lynn se souvenait que Michael avait vu l'inscription « Cluster B-4 32 » dans le dossier électronique d'Ashanti. Elle émit l'hypothèse que ces « clusters » étaient les salles où étaient logés les pensionnaires de l'institut. Selon cette configuration, Ashanti devait se trouver dans la salle Cluster B du quatrième niveau – ou premier niveau en sous-sol.

Lynn posa un doigt sur le couloir et demanda à George, pour voir sa réaction :

– Cluster A et Cluster B, à votre avis, qu'est-ce que cela signifie ?

– Hmm… Je n'en ai vraiment aucune idée, répondit-il après avoir jeté un coup d'œil sur le plan. Mais je peux vous dire que ces salles sont vastes et qu'elles ont besoin d'énormément d'électricité.

– Elles sont relativement étroites, tout de même, en comparaison de celle qui est ici.

Lynn désigna un vaste rectangle, au centre du bâtiment, entouré sur tout son périmètre par un couloir qui communiquait avec les salles Cluster A et Cluster B.

George regarda l'espace en question et fronça les sourcils.

– Je ne vois pas très bien de quoi il peut s'agir, dit-il, perplexe. Il n'y a aucune légende. C'est peut-être un vide sur plusieurs niveaux ? Regardons l'étage inférieur.

Il souleva la feuille du cinquième niveau pour passer à la page suivante de la liasse, se pencha dessus et dit :

– Ah oui, c'est ça. Regardez ! Au quatrième, on voit bien qu'il s'agit d'une salle, mais elle est ouverte jusqu'aux niveaux supérieurs. Jusqu'au toit du bâtiment, à vrai dire. Elle est haute de trois étages. Ça fait un sacré volume !

Examinant le plan, Lynn remarqua que l'espace central, au quatrième niveau, était légendé EXERCICE. Il comportait deux portes.

Tout autour, le schéma paraissait identique à celui du cinquième : mêmes Clusters A et B, mêmes couloirs...

– Cela veut dire quoi, « exercice », à votre avis ?

George gratta le sommet de son crâne chauve, l'air toujours aussi perplexe.

– Si je devais risquer une réponse, je dirais que cette salle est un gymnase. Et s'il fallait que je sois encore plus précis, je dirais qu'elle abrite un terrain de basket. Cela paraît ridicule, je sais, mais les dimensions sont à peu près les mêmes. Par contre, je ne vois pas à quoi peut servir tout le câblage qui est dans le sol.

– On ne peut pas trouver un gymnase dans un institut de patients comateux, objecta Lynn.

– Et pour le personnel ? suggéra George. Histoire qu'ils puissent se détendre un peu ? Vous disiez que ces patients végétatifs demandaient beaucoup de travail au personnel soignant.

– Mouais. J'imagine que c'est une possibilité. Regardons ce qu'il y a aux autres étages.

Elle tourna la page pour examiner le troisième niveau. Il était identique au cinquième – avec le même vaste espace central sans légende. Même chose pour le deuxième niveau. Le premier niveau, enfin, se révéla identique au quatrième : l'espace central y portait l'inscription EXERCICE et il y avait un important câblage dans le sol.

– Deux gymnases ? dit Lynn d'un air incrédule.

– Un pour les hommes et un pour les femmes ? suggéra George, et il pouffa de rire pour montrer qu'il plaisantait. Pourquoi vous vouliez voir ces plans, au juste ? Vous allez visiter le bâtiment ?

– C'est déjà fait.

Lynn lui raconta la courte visite à laquelle elle avait eu droit en deuxième année.

– Malheureusement nous n'avons pas vu grand-chose, conclut-elle. Voilà pourquoi je voulais consulter ces plans.

– Peut-être y a-t-il un autre plan, là-dedans, qui pourrait vous intéresser ? proposa George en désignant l'immense classeur bordeaux.

– Pensez-vous que les autres plans pourraient nous donner une idée de ce que sont les salles marquées « exercice » ?

– Je ne sais pas. Découvrons cela ensemble ! dit George avec bonne humeur.

Il tira du classeur la liasse de l'installation électrique du bâtiment, et se pencha dessus.

– Bon ! Avec ces plans-là, je ne sais pas davantage ce que sont les salles d'exercice, observa-t-il. Mais je peux vous dire que ce bâtiment doit posséder beaucoup de machines. Et il est très, très gourmand en électricité. Son alimentation conviendrait à une usine, si je ne me trompe pas.

Il mit de côté les plans de l'installation électrique et tira ceux de la plomberie. Quand il commença à les feuilleter, il s'exclama :

– Waouh ! Cet institut doit aussi utiliser une énorme quantité d'eau. Les tuyaux d'arrivée sont maousses. Peut-être que ces salles que je prenais pour des gymnases, ce sont en réalité des piscines ? Je plaisante !

George s'intéressa ensuite aux plans du système HVAC. Là, il poussa un sifflement admiratif.

– Dites donc, ma jeune dame, ce bâtiment est drôlement étonnant. Voyez un peu ça ! dit-il, et il tourna les plans vers Lynn.

– Je dois regarder quoi ?

Ces plans ressemblaient aux plans de sol, à première vue, à la différence qu'ils étaient couverts, un peu comme les plans électriques, de toutes sortes de lignes pointillées, de symboles et de légendes absconses.

– L'institut Shapiro possède un système HVAC très impressionnant, dit George.

Lynn le scruta. L'homme posa un index boudiné sur la feuille posée entre eux.

– Regardez la taille de ces conduits. En particulier ceux qui partent de nos fameux gymnases. Ils sont énormes !

Lynn ne savait pas très bien à quoi il faisait référence, et elle se souciait peu du système HVAC, mais elle ne voulait pas donner à cet homme agréable et serviable l'impression qu'elle se désintéressait de ses explications. Elle n'oubliait pas qu'il aurait pu lui tendre le classeur et la laisser se débrouiller.

– Le bâtiment a probablement la capacité de remplacer l'air de ces deux immenses salles à volonté, ajouta-t-il. En un rien de temps, je veux dire. Avant d'être engagé ici par la ville, vous savez, je travaillais pour une boîte de climatisation. J'aimais bien mon boulot, mais la couverture médicale est bien meilleure dans l'administration. Vous n'avez pas idée.

– Pour quelle raison l'air de ces salles devrait-il être remplacé rapidement ? demanda Lynn.

George haussa les épaules.

– Dans les gymnases de conception moderne, c'est assez courant.

– Vous voulez dire que ces plans HVAC vous confirment que ces grandes salles sont des gymnases ?

– Non, pas du tout. Sincèrement, je ne sais pas ce qu'il faut en penser. Par contre, je vois que le système HVAC du Shapiro est couplé au système du bâtiment voisin. L'hôpital. Sans doute parce que c'est là que se trouvent les tours de refroidissement et les filtres très élaborés qui sont obligatoires dans les hôpitaux. Je parie que ce couplage leur a permis de faire de belles économies sur leur budget de construction.

– Hmm… Merci infiniment, dit Lynn qui pensait avoir trouvé à peu près tout ce qu'elle était venue chercher. Vous m'avez apporté une aide précieuse.

– Ce n'est pas tous les jours que j'ai l'occasion d'assister une jolie étudiante en médecine, dit George en lui lançant un clin d'œil.

C'est pas vrai, songea Lynn. Avec cette remarque maladroite, il avait un peu tout gâché. Allait-il l'inviter à prendre un verre, maintenant ?

– Voulez-vous des photocopies de ces plans ? demanda-t-il, ignorant manifestement qu'il avait commis un impair.

– C'est possible ? dit Lynn, surprise – cette idée ne lui était pas venue à l'esprit.

– Bien sûr ! dit George, toujours d'aussi bonne humeur. Vous êtes obligée de mettre quelques sous dans la cagnotte de la photocopieuse, mais je peux faire ça pour vous tout de suite, si vous voulez ?

– Ce serait formidable.

– Je vous fais les plans de sol, alors, et puis… quels autres plans vous voulez ?

Lynn baissa les yeux sur les diverses liasses – électricité, plomberie et HVAC. Elle tapota cette dernière :

– Ceux-là, peut-être ?

Une idée lui avait tout à coup traversé l'esprit. Elle ignorait si elle réussirait à s'introduire dans le Shapiro, et ce qu'elle y trouverait le cas échéant, mais elle était assez réaliste pour se rendre compte qu'elle prendrait un gros risque en se lançant dans cette mission. Elle n'était pas mécontente d'avoir peut-être une sorte de plan B.

– Ne bougez pas. Je reviens tout de suite, dit George, et il lui lança de nouveau un clin d'œil.

Cette fois, Lynn sourit.

40

MERCREDI 8 AVRIL
12 H 00

Misha Zotov entendit la porte du couloir s'ouvrir et leva les yeux. Il occupait toujours l'établi le plus proche de l'entrée, car il pouvait ainsi surveiller les allées et venues du personnel et du matériel. Si Fyodor Rozovsky était le directeur en titre du service de génie clinique, Misha en avait la responsabilité du fonctionnement au quotidien. Il devait notamment s'assurer que toutes les machines informatisées de l'hôpital fonctionnaient pile poil. Fyodor, en outre, ne pouvait se consacrer entièrement au service, car il avait aussi le rôle – secret – de coordinateur des services de sécurité du centre médical.

La porte s'était ouverte sur Darko Lebedev. Misha posa le fer à souder qu'il avait à la main. Darko portait un uniforme d'agent de sécurité de l'hôpital, comme il devait le faire chaque fois qu'il venait ici. Il avait aussi les yeux rouges et le teint blême.

Misha regarda ostensiblement sa montre avant de dire en russe :

– Où tu étais, bordel ? J'ai essayé de te joindre toute la matinée !

Darko s'assit sur un tabouret en face de lui, grimaçant comme s'il avait la migraine ou mal quelque part.

– Je me suis couché très tard et j'ai descendu pas mal de vodka au Vendue Inn. Léonid et moi, on a retrouvé les poules que tu as fait venir de la mère patrie pour garder l'œil sur les deux anesthésistes. Elles étaient malheureuses, les chéries. Elles trouvent ces mecs cons et chiants comme la pluie. Du coup, Léonid et moi, on s'est fait un devoir de leur offrir une bonne nuit. Succès complet, je peux te dire.

– D'après Sergueï Polouchine, Léonid et toi vous êtes censés être disponibles vingt-quatre heures sur vingt-quatre. Et jusqu'à maintenant, vous n'avez pas été surchargés de travail, tu ne crois pas ?

– Je suis là, répliqua Darko d'un ton narquois.

Il connaissait sa réputation, il savait à quel point ses services étaient demandés et appréciés. Il ne risquait pas de se laisser intimider par ce petit programmeur bien propre sur lui qui léchait les bottes de Fyodor.

– Comment ça s'est passé, hier soir ? demanda Misha d'un ton autoritaire. Nous aimerions être informés, figure-toi.

– L'élimination de l'anesthésiste s'est très bien passée. Aucun souci.

– Pour Wykoff, je suis au courant. Mais les étudiants en médecine ? Timur Kortnev m'a raconté l'attitude assez bizarre qu'ils ont eue toute la fin de la journée. Et la fille a fini par aller chez Vandermeer, c'est ça ? J'ai besoin de savoir si tu penses avoir réussi ta mission, parce que je dois en parler à Fyodor qui va ensuite tenir le président de l'hôpital au courant.

– Disons que la séance s'est raisonnablement bien passée.

– Ce *raisonnablement*-là ne me paraît pas très satisfaisant, mon ami, objecta Misha, regardant le tueur d'un œil méfiant. Surtout venant de toi. Elle a capté le message, oui ou merde ?

– Je lui ai donné l'avertissement qu'il fallait. Je l'ai même secouée. Mais je n'ai pas eu la possibilité de la terroriser aussi correctement que j'avais prévu de le faire.

– Et pourquoi ?

– Son copain s'est pointé et m'a sauté dessus. À ce moment-là elle a réussi à attraper mon arme et j'ai été obligé de me tirer avant de pouvoir m'occuper d'elle.

Misha écarquilla les yeux, l'air aussi stupéfait que mécontent.

– Je n'avais pas le choix, reprit Darko. Si j'étais resté, j'aurais été obligé d'en tuer un. Peut-être les deux. Je suis parti pour protéger le programme.

– D'après ce que tu racontes, il aurait peut-être mieux valu que tu les liquides.

– Je ne pouvais pas faire ça sans être certain d'avoir le feu vert de Fyodor et de Sergueï. Et de toute façon elle a bien compris le message. C'est confirmé.

– Confirmé ? Comment ?

– Ils n'ont pas appelé la police ! Je l'ai prévenue que nous buterions ses sœurs et sa mère si elle contactait les flics. Manifestement elle ne l'a pas fait. On en aurait entendu parler.

– Pourquoi elle était chez Vandermeer ? Tu le sais ?

– Elle le baisait. C'était son mec.

– Ah merde ! La sécurité aurait dû découvrir ce truc, avant qu'il ne soit choisi comme sujet d'essai, quand elle s'est renseignée sur son compte ! Avoir une étudiante de la fac impliquée là-dedans, putain, c'est une monstrueuse erreur. Maintenant il va peut-être falloir les éliminer comme Wykoff, elle et le copain, pour nous débarrasser de cette embrouille.

– Aucun souci. Si c'est ce que Fyodor et toi voulez…

– La disparition de deux étudiants en médecine connus dans l'hôpital, malheureusement, ça déclencherait une belle saloperie d'enquête. Nous n'avons pas besoin de ça. Sans parler du lien entre la fille et Vandermeer.

– Pile la raison pour laquelle je ne les ai pas tués hier soir !

– Bon, je vais en parler avec Fyodor, dit Misha d'un air irrité. Pour le moment contentons-nous de les surveiller. De près ! Je te laisse organiser ça avec Timur. Elle ne risque pas de te reconnaître, la fille, j'espère ?

– Tu me prends pour qui, nom de Dieu ? Un amateur ?

41

MERCREDI 8 AVRIL
12 H 38

– Il y a plusieurs tables libres près du mur, là-bas, dit Michael, désignant du menton le fond de la salle.

Ils venaient de se retrouver à la cafétéria après que Lynn lui avait envoyé un message pour proposer qu'ils déjeunent ensemble. Elle arrivait du parking où elle avait garé la Cherokee de Carl. Il venait de la consultation d'ophtalmologie au BCE. Une fois de plus, il sentait qu'elle était survoltée pour une raison ou une autre.

– Bonne idée, dit-elle. On pourra parler tranquillement.

Elle s'élança à travers la salle, son plateau entre les mains, une enveloppe kraft coincée sous le bras. Comme toujours au moment de midi, la cafétéria était très animée : ils avaient mis près d'un quart d'heure à faire la queue au self, se choisir un repas et passer à la caisse. Comme ils avaient été cernés par des tas de gens, dont certaines de leurs connaissances, ils n'avaient abordé aucun sujet sérieux pendant tout ce temps. Lynn avait dû se mordre la langue pour se retenir de raconter à Michael ce qu'elle avait fait à Charleston.

Au moment où ils s'assirent, Ronald Metzner se matérialisa à côté de leur table. Ils ne l'avaient pas vu, jusqu'alors, mais lui les avait aperçus de la caisse.

– Salut, les jumeaux ! dit-il, posant son plateau sur la table de quatre qu'ils venaient d'investir. C'est votre jour de chance. J'ai une nouvelle blague trop marrante. Vous connaissez la diff...

– Ronald, l'interrompit Lynn. Ça va sans doute t'étonner, mais là ce n'est pas trop l'heure des blagues. Michael et moi, nous avons des trucs à nous dire. En privé. Tu veux bien nous excuser ?

– Elle est super courte ! protesta Ronald d'un ton presque implorant. Et vraiment drôle !

– S'il te plaît.

– Bon, d'accord, marmonna Ronald, récupérant son plateau et parcourant la salle du regard à la recherche d'un public plus réceptif. À plus.

Il s'éloigna. Lynn le suivit des yeux jusqu'aux portes vitrées ouvertes sur le jardin.

– Je me déteste d'avoir fait ça, dit-elle. Il y a un truc un peu triste chez Ron. Tu ne trouves pas ?

– Ouais, je suis de ton avis, répondit Michael.

– Mais tant pis. Il faut que je te montre ce que j'ai trouvé.

Lynn ouvrit l'enveloppe kraft pour en tirer les photocopies que George avait faites sur des feuilles A4 – à une échelle très réduite, donc, par rapport à celle des plans du classeur.

– J'ai eu le nez creux en allant au cadastre de Charleston. C'était le bon filon ! Regarde les beaux plans du Shapiro que j'ai trouvés.

Michael saisit la liasse de feuilles agrafées dans leur coin supérieur gauche. À peine eut-il jeté un coup d'œil à la première qu'il fit la grimace :

– Hé, dit-il. Il faut une loupe pour déchiffrer ça.

– C'est petit, ouais, faut quasiment mettre le nez dessus, mais ça reste lisible. Le cadastre ne livre pas de photocopies en plus grand format.

Michael approcha les feuilles de son visage et demanda :

– Y a quoi d'intéressant, là-dessus, alors ?

– Les six premières pages, ce sont les plans de sol du Shapiro. Là, c'est un peu la surprise. De l'extérieur, le bâtiment donne l'impression de faire un peu plus de deux niveaux, mais en fait il en compte six. Dont quatre en sous-sol. L'étage où tu es entré, et qui est connecté à l'hôpital, c'est en réalité le cinquième niveau.

– Ah ouais ? Bizarre. Pourquoi ils ont construit les deux tiers de cet institut sous terre ?

– Hmm… Les architectes ont dû estimer que la vue sur les jardins ne manquerait pas aux pensionnaires, dit Lynn avec aigreur. Et je présume qu'en termes d'efficacité énergétique, pour le chauffage et la climatisation, c'est beaucoup mieux. Il est possible, aussi, que Sidereal ait préféré que l'institut ne se fasse pas trop remarquer. Je veux dire, il est déjà bien assez mastoc et imposant comme il est. Surtout avec si peu d'ouvertures. Mais de l'extérieur, tel qu'il est, on ne peut pas soupçonner sa véritable taille.

– Il y a plus de six pages, là-dedans, observa Michael qui avait rapidement feuilleté la liasse avant de se replonger dans l'examen de la première page.

– Il y en a douze. Six pour les plans de sol des six niveaux, et ensuite six pour les plans du système HVAC.

– Le système HVAC, tiens donc ? Le chauffage et la clim, t'as raison, ça va nous être super utile.

– Vas-y, fais le malin, répliqua Lynn, arrachant la liasse des mains de son ami pour la poser entre eux sur la table. Fiche-toi de moi autant que tu veux, mais tu verras que ce petit paquet de feuilles va beaucoup nous aider quand nous entrerons là-bas.

– À condition que nous entrions là-bas. Puis-je te rappeler qu'il reste le petit souci du lecteur d'empreinte de pouce ?

– Ça, je m'y mets aussitôt après le déjeuner.

– Sûrement pas, mon amie ! Ce matin, figure-toi, tu avais des patients à ton nom à la consultation d'ophtalmologie. J'ai dû m'en occuper en plus des miens. Il est hors de question que je te couvre une fois de plus cet après-midi en dermato. Putain, tu sais que je déteste la dermatologie ! Et nous avons déjà de la chance que personne n'ait remarqué ton absence ce matin.

– Bon, bon, dit Lynn d'une voix apaisante. On peut en parler…

– Déconne pas, quoi ! On a décidé, souviens-toi, que tu redevenais une gentille petite étudiante en médecine. Ça signifie assister aux cours et être à la consultation. Tu vois le plan ?

– D'accord ! Très bien ! dit Lynn, posant une main sur le poignet de Michael. Sois cool.

– Je suis cool, mais tu dois respecter ta part du contrat. Nous avons des gens puissants sur le dos, je te rappelle.

– D'accord. Je ferai comme tu veux.

Elle posa un doigt, sur la première page des plans, pour montrer les légendes CLUSTER A et CLUSTER B à Michael.

– Je pense que les patients se trouvent dans ces salles que tu vois ici. À chaque niveau.

– Comment tu détermines ça ?

– Tu as dit que sur le dossier électronique d'Ashanti, il y avait écrit « Cluster B-4 32 ». Vu la taille de ces pièces, je pense qu'il s'agit de l'adresse d'Ashanti dans le système. C'est-à-dire qu'elle est logée au quatrième niveau, Cluster B, lit trente-deux, conclut Lynn en tournant les pages pour atteindre celle du quatrième niveau.

Elle y désigna le Cluster B à Michael. Il se pencha pour l'examiner.

– Ouais, t'as peut-être raison.

– Vois-tu l'immense salle, ici, au milieu, qui est marquée « exercice » ?

– Difficile de ne pas la voir, même à cette échelle. Mais ça rime à quoi, ce truc ? Les patients du Shapiro ne font sûrement pas d'exercice !

– Avec l'employé du cadastre qui m'a renseignée, nous avons pas mal cogité là-dessus.

– Y a-t-il une salle de ce genre à chaque niveau ?

– Non. Il y en a une au premier et une au quatrième. Mais chacune fait trois niveaux de hauteur. L'employé du cadastre a pensé qu'il s'agissait peut-être de gymnases pour le personnel soignant. Il a même précisé que ces salles faisaient à peu près la taille de terrains de basket. Donc il y en a un pour les hommes et un pour les femmes, précisa Lynn avant de pousser un petit rire sinistre. Enfin il plaisantait. Il faudra jeter un œil sur ces salles, en tout cas, pour voir de quoi il s'agit.

Michael hocha la tête et désigna les plateaux posés devant eux sur la table.

– Suis-je autorisé à me sustenter ? Je meurs de faim.

Pendant quelques minutes, ils mangèrent en silence. Lynn était affamée, elle aussi, mais elle se remit à parler après avoir avalé la moitié de son sandwich :

– En sortant de l'immeuble du cadastre, je me suis rendu compte que j'étais dans le quartier du cabinet du père de Carl. Alors j'ai décidé de passer là-bas. Pour voir s'il avait un moment à m'accorder.

Michael posa son sandwich en regardant Lynn d'un air interloqué.

– Et ?

– Je l'ai vu cinq minutes. Il allait sortir pour un déjeuner de travail, donc je ne le dérangeais pas vraiment. Il a pu me recevoir.

– T'as raconté quoi ? Putain, Lynn, j'espère que tu te rends compte que nous pourrions avoir de monstrueuses emmerdes pour n'avoir pas signalé l'intrusion chez Carl. Et pour avoir remis de l'ordre…

– Je sais, je sais, l'interrompit-elle. Je ne suis pas débile. Je lui ai dit que nous étions passés chez Carl vers minuit, toi et moi, pour nourrir la chatte. Nous avons constaté que Pep n'était nulle part dans la maison, que la porte d'entrée était amochée, mais que la maison ne semblait pas avoir été cambriolée. Je n'ai rien dit de plus. Enfin si, je l'ai informé que j'ai utilisé la voiture de Carl ces deux derniers jours. Je pensais qu'il fallait le prévenir, au sujet de la porte, pour qu'il la fasse réparer.

– Ça ne justifie pas vraiment d'avoir pris le risque de l'informer que nous étions chez Carl hier soir. Et s'il signale la dégradation de la porte aux flics, et que les flics veulent nous poser des questions ? Là ce serait la merde parce que nous serions obligés de mentir.

– Pour la porte, j'ai minimisé le truc. Et pour Pep, j'ai laissé entendre qu'un copain de Carl devait s'être fait du souci pour elle. Et ne savait pas que j'allais m'en occuper. Mais je doute sérieusement que Markus prévienne la police. Avec ce qui est arrivé à Carl, cette porte abîmée est le dernier de ses soucis.

– Tout de même, pourquoi avoir pris ce risque ? insista Michael.

– Parce que je voulais aborder deux autres sujets avec lui. Primo, je voulais savoir si l'hôpital avait dit à Markus et à Leanne que Carl avait une anomalie précoce des protéines sériques.

– Et ? L'hôpital a fait ça ?

– Non. En tout cas, Markus n'était pas au courant de cette histoire. Ce que je trouve un peu étrange dans la mesure où une hématologue a été officiellement appelée à se pencher sur cette question. Aujourd'hui, l'info est dans le DMP de Carl. Je voulais aussi demander à Markus si Leanne et lui avaient l'intention de rendre visite à Carl. Et j'ai dit que si cela paraissait envisageable, j'aimerais les accompagner.

– C'est le second sujet dont tu voulais lui parler ?

– Non. Je lui ai demandé ce que nous devrions faire si jamais nous découvrions que Sidereal Pharmaceuticals effectuait des essais déontologiquement inacceptables sur certains patients. Et sans leur consentement. Je n'ai pas parlé du tout de l'institut Shapiro, pour des raisons évidentes, ni de la boucle des rapports d'anesthésie et de tout le reste. Mais j'ai pensé que Markus était bien placé pour répondre à cette question d'ordre général, parce qu'il a été district attorney au début de sa carrière et il a beaucoup de contacts dans les forces de l'ordre, y compris au-delà de la police de Charleston. Le cas échéant, il saurait quoi faire. Si nous découvrons quelque chose d'important au Shapiro, nous n'aurons peut-être pas le temps de poser nos culs sur une chaise pour nous demander quelle suite donner à tout ça. T'es d'accord, non ? Si nous sommes face à une conjuration, comme nous le supposons, les gens qui sont derrière ont sans doute le bras long. Avec toutes les ressources nécessaires pour gérer deux enquiquineurs de rien du tout, comme nous, qui pourraient leur mettre des bâtons dans les roues.

– Ouais, OK, mais j'aurais préféré que tu me demandes mon avis avant d'aller parler au père de Carl. Je pense que tu as fait ça trop tôt et que tu as pris un vrai risque. Surtout après ce qui s'est passé hier soir.

– Je suis sans doute allée un peu vite, convint Lynn. Je suis désolée. J'étais dans le coin et j'ai pensé que c'était bien qu'on ait des infos supplémentaires.

– Je te crois. Mais tu n'es pas seule. Nous sommes embarqués tous les deux dans cette histoire. Essaie de t'en souvenir. Et le père de Carl, alors. Qu'a-t-il répondu à ta question ?

– Il a dit que si nous trouvions quelque chose de sérieux, nous devions l'appeler illico. Et il a précisé que Sidereal Pharmaceuticals étant une multinationale basée à Genève et implantée dans les cinquante États américains, il ne se gênerait pas pour prévenir et le FBI, et la CIA.

42

MERCREDI 8 AVRIL
23 H 38

– À ton avis ? demanda Lynn à Michael.

Ils étaient assis sur le banc de la petite allée discrète du quadrilatère où ils avaient passé un moment, la veille, quand Lynn avait pleuré toutes les larmes de son corps après avoir appris que Carl devait être transféré au Shapiro. À cette heure de la nuit, les arbres et les massifs de buissons environnant le banc leur assuraient d'être quasi invisibles. L'allée principale qui allait de la résidence universitaire à l'hôpital était équipée de réverbères de style victorien, mais ceux-ci étaient trop loin, et trop espacés les uns des autres, pour dissiper l'obscurité qui protégeait les étudiants. Eux, par contre, voyaient très bien la porte par laquelle Vladimir avait fait entrer Michael dans le Shapiro.

L'écran du smartphone de Michael illumina son visage quand il l'activa un instant pour regarder l'heure.

– Cela fait près de cinquante minutes qu'on est ici, dit-il. Je pense que c'est bon. Nous ne verrons plus personne sortir du bâtiment ou y entrer.

– Pour un changement d'équipe, si c'en était un, il n'y avait pas grand monde, observa Lynn.

Juste avant vingt-trois heures, ils avaient vu six personnes entrer dans le bâtiment. Un quart d'heure plus tard, six personnes en étaient sorties. Toutes portaient la combinaison assez particulière du Shapiro. Michael et Lynn les avaient entendues bavarder, mais sans comprendre leurs propos. Ils n'avaient même pas pu déterminer si elles parlaient en anglais, en russe ou dans une autre langue.

– Moi aussi, ça me surprend énormément, dit Michael.

– Penses-tu que certains employés passent par le couloir de liaison avec l'hôpital ? C'est difficile de croire, tout de même, qu'il n'y a que six employés dans le bâtiment pour l'équipe du soir et pour l'équipe de nuit. Ça ferait… un employé par niveau ?

– Tu as raison. Une partie du personnel doit passer par l'hôpital. Il est impossible que six personnes s'occupent seules de tous ces patients végétatifs. Même avec les machines et l'automatisation sophistiquée dont nous avons entendu parler. C'est absurde.

– Et s'il y a vraiment si peu de monde, les patients ne peuvent pas recevoir des soins de qualité. C'est une raison de plus pour laquelle l'idée de savoir Carl enfermé là-dedans me fait horreur. Outre le risque, je veux dire, qu'il soit utilisé comme cobaye pour des essais cliniques.

– Le truc bien, pour nous, s'il n'y a effectivement que six employés pour la nuit, c'est que notre visite en sera peut-être d'autant facilitée. L'employé qui est à chaque niveau doit s'occuper de la surveillance des machines. Les intrus, en tout cas, ne doivent pas le tracasser. Bref, si tu es encore partante pour tenter le coup, je pense que c'est le moment ou jamais.

– Rassure-moi. Tu ne veux pas faire marche arrière ?

– Je n'arrête pas de te répéter que je suis avec toi jusqu'au bout. Allons chercher nos affaires et au boulot !

Ils se levèrent et s'étirèrent, tous deux quelque peu engourdis après avoir passé près d'une heure sur le banc. La masse noire et trapue du Shapiro leur paraissait encore plus intimidante de nuit que de jour. Elle ressemblait à une énorme tombe, une sorte de mausolée. Quand ils regagnèrent l'allée principale puis obliquèrent vers la résidence universitaire, ils ne remarquèrent ni l'un ni l'autre qu'une silhouette avait émergé de derrière les buissons pour les filer discrètement.

L'après-midi avait été pénible pour Lynn. Si le cours magistral d'ophtalmologie, le matin, lui avait paru barbant, celui de dermatologie avait été bien pire. Elle avait cependant tenu le coup. À un moment, elle avait sérieusement envisagé de décamper, mais Michael avait senti, elle ne savait trop comment, ce qu'elle se préparait à faire, et s'était penché vers elle pour murmurer : « Arrête-toi tout de suite, frangine ! »

Alors elle s'était forcée à rester. Puis à participer à la consultation après le cours.

À l'heure du dîner, pour donner l'impression à quiconque les surveillait peut-être qu'ils se comportaient bel et bien comme de simples étudiants, ils avaient décidé de se joindre à un groupe d'amis. À table, Lynn n'avait pas caché tout le mal qu'elle pensait de l'ophtalmologie et de la dermatologie. Plusieurs personnes, dont Michael, partageaient son opinion. Certaines avaient des perceptions différentes. Deux, notamment, avaient jeté un froid en annonçant qu'elles entamaient l'internat de dermatologie l'année prochaine. Lynn avait changé de sujet.

Aussitôt après le repas, les « jumeaux » s'étaient excusés et avaient regagné la chambre de Lynn à la résidence. Ils avaient alors passé plus de trois heures à exploiter les instructions qu'elle avait dénichées sur Internet pour le piratage des lecteurs d'empreintes digitales en général, et des scanners de pouce en particulier. Elle avait déjà rassemblé le matériel dont ils avaient besoin : un reflex numérique qu'elle avait emprunté à une fille de la résidence, de la Super Glue, de la colle à bois, une imprimante et des feuilles de film transparent.

Ils avaient commencé, en guise d'entraînement, par produire des fausses empreintes de leurs propres pouces – en les testant sur l'ordinateur portable de Michael, un HP qui possédait un système de reconnaissance d'empreintes digitales. Plusieurs essais leur avaient été nécessaires, mais ils avaient fini par réussir. L'étape la plus difficile était celle qui consistait à passer du négatif de l'empreinte, imprimée sur film transparent, au positif réalisé avec la colle à bois. Ils avaient répété toutes les opérations jusqu'à être certains de les maîtriser. À ce moment-là, ils s'étaient sentis assez forts pour s'attaquer aux empreintes de pouce de Vladimir. Et en produire plusieurs exemplaires.

Ce travail achevé, ils avaient eu envie de vérifier sur-le-champ si leurs fausses empreintes ouvraient la porte du Shapiro. Mais ils avaient jugé qu'ils ne devaient pas se précipiter. Il n'était pas très tard ; trop de gens traversaient encore le quadrilatère et risquaient de les voir. Ils avaient donc décidé d'attendre vingt-trois heures et le changement d'équipe à l'institut. À partir de ce moment-là, il y avait beaucoup moins de monde dehors.

Maintenant il était près de minuit. De plus en plus excités par ce qu'ils s'apprêtaient à faire, Michael et Lynn embarquèrent dans l'ascenseur de la résidence. Juste au moment où les portes allaient se fermer, hélas, trois filles qui revenaient de la bibliothèque se joignirent à eux dans la cabine. Ils se mordirent la langue, sachant qu'ils seraient incapables de parler d'autre chose que de leur opération s'ils ouvraient la bouche. Dès qu'ils furent seuls dans le couloir de leur étage, ils purent rouvrir les vannes et revoir une nouvelle fois le plan qu'ils avaient prévu de suivre à l'intérieur de l'institut. S'ils réussissaient à entrer, bien sûr.

Leur première priorité était d'aller droit au COR pour se connecter au serveur du Shapiro et en tirer certaines infos. Ensuite ils se rendraient dans la salle, ou Cluster, où était installé Carl – ils prévoyaient de trouver son « adresse », au même format que celle d'Ashanti, sur le serveur. Après quoi, ils voulaient jeter un œil sur une des salles d'« exercice » : en fonction de leurs pérégrinations dans le bâtiment, soit celle dont l'accès était au quatrième niveau, soit celle du premier niveau.

– Je pense qu'il faut quand même que notre visite soit la plus brève possible, dit Michael alors qu'ils arrivaient devant la porte de la chambre de Lynn où ils avaient laissé tout leur équipement. Là-bas, donc, on ne traîne pas les pieds. Plus on restera longtemps, plus on risquera d'avoir des ennuis. Tu me suis, meuf ?

– C'est évident, mec ! Mais je suis bien décidée à trouver plusieurs choses au COR sur le serveur du Shapiro. Ça prendra peut-être quelques minutes, alors steuplaît ne me bassine pas pendant ce temps-là. Il nous faut en particulier le nombre de décès survenus depuis l'ouverture de l'institut. Et leurs causes. Je veux aussi savoir combien de patients se sont suffisamment rétablis pour sortir de l'institut. C'est important parce que je connais, d'après mes lectures, les fourchettes de pourcentage que nous devrions trouver.

– La grande priorité, sur le serveur, c'est aussi de trouver Carl.

– Bien sûr. Ça déterminera si nous allons dans une salle Cluster A ou Cluster B, et à quel niveau. Veux-tu aussi essayer de rendre visite à Ashanti ?

– Pas nécessairement.

Lynn retira la clé de la serrure et entra dans sa chambre. Michael la suivit, refermant la porte derrière lui.

– Bon ! s'exclama-t-elle, pouffant de rire. Il est temps de mettre nos déguisements, et que la fête commence !

Elle plaisantait pour refouler l'anxiété qu'elle ne pouvait s'empêcher d'éprouver malgré sa détermination. Son intuition lui murmurait que le Shapiro leur réservait des surprises troublantes. Elle savait aussi qu'ils paieraient très cher s'ils se faisaient attraper. L'idée de Michael selon laquelle ils se feraient juste taper sur les doigts – parce qu'ils étaient étudiants en médecine, parce qu'ils étaient en quelque sorte « de la maison » – lui paraissait beaucoup trop optimiste. Irréaliste.

Ils se déshabillèrent rapidement pour enfiler les combinaisons du Shapiro que Vladimir avait confiées à Michael. Puis ils se regardèrent. Lynn éclata de rire la première et Michael l'imita.

– La tienne est beaucoup trop petite pour toi, dit-elle. Désolée mais c'est trop drôle !

– La tienne est bien trop grande ! Là, c'est sûr que personne ne nous reprochera d'être les rois de la sape.

– Carrément pas, dit Lynn en riant encore.

Ils empochèrent leurs téléphones, qu'ils avaient pris soin de charger à bloc et qui possédaient chacun une appli lampe torche. Lynn regarda l'heure. Il était juste minuit passé.

– C'est le moment que nous avions visé, dit-elle.

– Super. Allons nous éclater !

Ils enfilèrent de longs imperméables par-dessus leurs combis. Ils ne voulaient pas risquer de croiser quelqu'un, ne serait-ce que des étudiants de la résidence, qui leur poseraient des questions sur leurs étranges tenues. Ils prirent ensuite chacun une enveloppe qui contenait une fausse empreinte du pouce de Vladimir. Lynn glissa enfin les plans agrafés du Shapiro dans une des nombreuses poches de la combinaison.

Ils sortaient de la chambre lorsqu'elle se souvint d'une dernière chose.

– Une seconde ! dit-elle, tournant les talons.

Une minute plus tard elle reparut dans le couloir un tournevis à la main.

– Tu comptes bricoler ? demanda Michael.

– Je préfère ne rien dire pour que tu ne te fiches pas de moi.

Elle prit soin de verrouiller sa porte. Les vols étaient rares, à la résidence, et elle ne se faisait en général pas de souci si elle oubliait de fermer sa chambre à clé, mais ce soir elle y laissait l'appareil photo numérique très coûteux d'une amie.

– C'est le tournevis mystère, alors ? relança Michael tandis qu'ils marchaient vers l'ascenseur.

– Ouais. Je te connais trop bien. Je t'expliquerai ça plus tard, quand nous serons revenus ici.

– Comme tu veux.

Ils furent seuls dans la cabine pour descendre au rez-de-chaussée.

– Je commence à être un peu nerveuse, frangin, avoua Lynn.

– Tu n'es pas la seule, frangine, confia Michael.

Dans le hall, au rez-de-chaussée, ils trouvèrent un certain nombre d'étudiants qui achetaient des produits aux distributeurs automatiques ou discutaient en petits groupes. Ils pressèrent le pas pour éviter de parler à quiconque, sachant que leurs camarades pensaient sans doute qu'ils avaient été appelés à l'hôpital comme il était courant pour les étudiants de troisième et de quatrième année. Dans la relative obscurité du quadrilatère, ils s'engagèrent sur l'allée centrale qui menait au BCE et au bâtiment principal de l'hôpital. À cause de la pollution lumineuse de Charleston et de ses banlieues, très peu d'étoiles étaient visibles dans le ciel.

Les étudiants parvinrent bientôt à hauteur de la masse sombre du Shapiro, qui se dressait sur leur gauche, puis à l'intersection de l'allée latérale menant au banc dissimulé par les buissons et les arbres, sur la droite, d'où ils avaient observé les va-et-vient du personnel à la porte de l'institut.

Ils s'immobilisèrent, regardèrent autour d'eux – et eurent la déception de voir une silhouette venir dans leur direction. Un homme qui arrivait de la résidence, semblait-il. L'instant d'après, il passa sous le cône de lumière de l'un des réverbères victoriens : c'était un agent de sécurité de l'hôpital.

– On fait quoi ? demanda Lynn d'un ton inquiet.

Ils voulaient éviter, dans la mesure du possible, que quiconque les voie se diriger vers la porte du Shapiro. Mais s'ils restaient plantés à ce croisement des allées, ils risquaient aussi d'éveiller les soupçons.

– Retournons au banc et attendons que ce type s'éloigne. Il pensera peut-être que nous sommes ici pour nous bécoter !

Lynn ne put s'empêcher de sourire.

Quelques instants plus tard, ils s'assirent sur le banc et scrutèrent l'allée. Dans un premier temps, à cause des buissons, ils perdirent complètement de vue l'agent de sécurité. Puis tout à coup son uniforme apparut sur l'allée transversale, à mi-chemin du croisement et de leur cachette. Il s'immobilisa, semblant regarder dans leur direction.

– Mince ! Il nous voit peut-être, murmura Lynn. Embrasse-moi ! Que ça ait l'air vrai !

Michael obtempéra, enlaçant les épaules de Lynn de ses bras immenses. Ils échangèrent un baiser soutenu, fermant tous les deux les yeux et s'étreignant comme l'auraient fait de vrais amoureux.

Au bout d'une minute, ils risquèrent un coup d'œil en direction de l'allée. L'agent de sécurité avait disparu. Ils se lâchèrent.

– Ça a fonctionné, murmura Michael.

– Ouais, le sacrifice en valait la peine, dit Lynn sur le ton de la plaisanterie.

– Ne recommençons jamais ça, dit Michael en pouffant de rire. Mais on a dû bien jouer le truc, parce que ce mec a décidé de ne pas nous déranger.

Lynn hocha la tête. Déjà, la masse sombre du Shapiro attirait son regard. Et son anxiété se ravivait. Ce bâtiment avait quelque chose d'intimidant, cela ne faisait aucun doute. Elle n'était plus vraiment sûre, tout à coup, d'avoir le cran d'y entrer. Deux voix, dans sa tête, lui adressaient des messages contradictoires. L'une disait que Michael et elle ne devaient pas donner suite à leur projet, qu'ils prenaient un risque insensé. L'autre criait qu'elle devait absolument aller voir Carl, découvrir une fois pour toutes comment il était traité – et s'il était utilisé comme cobaye. Ce conflit intérieur la paralysait tout en éveillant en elle, paradoxalement, une profonde envie de passer à l'action.

Michael, qui ignorait ce qui lui arrivait, dit :

– Allons-y. Et souviens-toi qu'à l'intérieur, on se dépêche !

Il se mit debout. Lynn resta immobile.

– Ben alors, mademoiselle ? C'est l'heure d'aller au feu !

Lynn prit une grande inspiration, oubliant son hésitation, et se leva à son tour.

– Je suis prête. Enfin j'espère.

– Bien !

Michael s'éloigna à grands pas. Elle dut presque se mettre à courir pour rester à sa hauteur. À la porte du Shapiro, il souleva le clapet protégeant le scanner d'empreinte de pouce. Tout en marchant, il avait positionné sur son propre pouce la fausse empreinte de Vladimir. Il l'appliqua sur l'écran.

La porte ne s'ouvrit pas.

– Merde ! On a raté notre coup.

– Attends, je vais essayer avec la mienne.

Michael se déporta sur le côté pendant que Lynn installait sa fausse empreinte sur son pouce. Elle posa aussitôt celui-ci sur le scanner. La porte ne s'ouvrit pas davantage.

– Putain de merde ! grogna Michael.

Conscient qu'ils pouvaient paraître suspects, à cette heure, immobiles devant l'entrée du Shapiro, il se retourna pour scruter l'allée centrale.

– Attends ! dit Lynn. Je me souviens d'avoir lu qu'il faut parfois réchauffer l'empreinte.

Elle ouvrit la bouche en grand et y fourra son pouce en prenant garde à ne pas toucher le film de colle à bois souple avec les dents ou la langue. Après avoir expiré plusieurs fois par la bouche, elle appliqua de nouveau la fausse empreinte sur le scanner.

Un bip électronique perça le silence nocturne, suivi de quelques déclics à l'intérieur de la porte. Lynn poussa avec l'épaule sur le lourd battant.

– Alléluia ! dit Michael.

Ils pénétrèrent dans le couloir aux murs et au sol parfaitement blancs et refermèrent aussitôt la porte sur eux. Pendant quelques instants, ils clignèrent des yeux sous l'éclatante lumière des ampoules LED installées au-dessus des plaques translucides du faux plafond.

Michael y repéra, à six ou sept mètres de distance, le demi-globe du système de surveillance vidéo qu'il avait aperçu lors de sa visite avec Vladimir. Il le désigna de l'index à Lynn en murmurant :

– Cachons nos trognes et enlevons les imperméables !

Ils se coiffèrent avec les calots du Shapiro et enfilèrent les masques chirurgicaux, puis Michael roula leurs vêtements, en deux paquets aussi compacts que possible, pour les déposer dans l'angle du couloir derrière la porte. Pendant ce temps Lynn examina le plan de sol du cinquième niveau.

– Pas besoin de ça, dit Michael. Le COR est juste là, sur la droite. Dépêchons-nous !

– Il y a un vestiaire en face du COR. Il vaudrait peut-être mieux laisser les impers là-bas, plutôt que dans le couloir.

– Pas d'accord. Au vestiaire, on risque de tomber sur quelqu'un. Et ce quelqu'un saura que nous tapons l'incruste avant même que nous ayons commencé à faire la fête. Nos combis du Shapiro sont hyper-cool, mais crois-tu qu'elles nous protégerons longtemps si nous rencontrons des gens d'ici ?

– Tu as sans doute raison, convint Lynn.

Elle leva les yeux, quand ils passèrent dessous, vers la boule noire de la caméra de surveillance. Avaient-ils déjà été repérés ? Elle espérait que ce n'était pas le cas, sinon leur visite serait des plus brèves.

Quelques instants plus tard, ils parvinrent à la porte coulissante du COR.

43

JEUDI 9 AVRIL
00 H 22

Misha Zotov était connu pour avoir le sommeil profond, et c'était d'autant plus vrai cette nuit qu'il avait peu dormi la veille. De plus, la mélodie qu'il avait choisie sur son smartphone pour les appels téléphoniques était presque trop paisible pour l'arracher aux bras de Morphée. Histoire d'aggraver les choses, enfin, il avait absorbé bien davantage de vodka que de coutume dans la soirée. La consommation excessive d'alcool, c'était son truc pour gérer les périodes de stress comme celle à laquelle il était confronté en ce moment à cause des diverses menaces qui pesaient sur le programme des biomédicaments. Jusqu'à ces derniers jours, ce programme n'avait connu pour ainsi dire aucun pépin. Mais la situation avait changé du tout au tout, subitement, et voilà que les emmerdes s'accumulaient – la dernière et peut-être la pire étant que Darko avait foiré son coup avec les deux étudiants en médecine.

À la quatrième sonnerie, Misha parvint à un niveau de conscience suffisant pour comprendre que le téléphone sonnait. Au prix d'un immense effort, il tendit la main vers l'appareil posé sur la table de chevet tout en redressant la tête pour regarder le réveil. Il poussa alors un juron et cligna furieusement des yeux pour déchiffrer le nom du correspondant qui le dérangeait à cette heure. Quand il vit « Darko Lebedev », il jura de nouveau.

Collant le téléphone à son oreille, il laissa sa tête retomber sur l'oreiller et grommela en russe :

– T'as intérêt à avoir de bonnes nouvelles.

– Ouais, justement, dit Darko d'un ton étrangement enjoué. Il se passe un truc très inattendu, mais bon pour nous. Les étudiants en médecine se sont flingués eux-mêmes.

– Hein ? Qu'est-ce que tu racontes, putain ?

– Timur et moi, on les a tenus à l'œil tout l'après-midi. Depuis que je suis passé te voir. Au début, ils ont eu l'air de se comporter normalement. Et c'est clair qu'ils n'ont parlé à personne de mon tête-à-tête avec la fille. Mais ce soir, ils sont sortis dans le jardin de l'hôpital, vers dix heures et demie, et ils sont restés pendant une heure, dans le noir, sur un banc qui offre une vue dégagée sur la porte de l'institut Shapiro.

– Tu penses qu'ils surveillaient le Shapiro, tu veux dire ?

– C'est bien l'impression qu'on a eue, Timur et moi, d'autant qu'ils ont vu l'équipe du soir sortir et l'équipe de nuit arriver.

– Et en quoi ils se sont flingués eux-mêmes, comme tu dis ?

– Attends, il y a encore mieux. Quand ils ont quitté leur poste d'observation, ils sont retournés à la résidence. Nous, on a pensé qu'ils avaient terminé pour la nuit. Mais surprise, Timur me rappelle quelques minutes après pour me dire de rappliquer parce qu'ils viennent de ressortir de la résidence avec des imperméables sur le dos. Là, ils retournent sur le même banc, ils se roulent des pelles un moment, et puis ils se lèvent et ils marchent vers le Shapiro. Comme tu peux imaginer, on se demandait vraiment ce qu'ils foutaient. Mais bonjour le choc ! Tout à coup, ils ont ouvert la porte et ils sont entrés dans le bâtiment.

Misha se redressa en sursaut, emportant la couette et découvrant le buste de sa compagne de la nuit.

– Ils ont ouvert la porte du Shapiro ? Putain ! Comment ils ont fait ?

– Apparemment ils ont réussi à pirater le scanner d'empreinte digitale. Ce n'est pas très difficile, faut dire.

– C'est génial ! À croire qu'ils demandent à se faire buter !

– Je savais que tu serais content.

– Bon, écoute ! Appelle la sécurité. Je ne sais plus qui est responsable ce soir, mais peu importe. Dis au mec que j'ai autorisé un verrouillage complet du Shapiro jusqu'à nouvel ordre. Qu'il scelle électroniquement la porte du bâtiment et la porte du couloir de communication avec l'hôpital.

– C'est déjà fait. Le Shapiro est verrouillé. La sécu a aussi activé le brouilleur de réseau de téléphonie mobile. Le seul moyen de communication avec l'extérieur, c'est la ligne filaire du poste de contrôle. Veux-tu que Léonid et moi on entre pour leur régler leur compte ?

– Non ! s'exclama Misha qui était en train de quitter le lit. Enfin... attends ! D'abord, je dois appeler Fyodor. Nous allons demander leur avis au Dr Rhodes et au Dr Erikson, mais je pense que nous devrions pouvoir ajouter ces deux pestes à notre cheptel.

– Préviens-moi si ça doit se terminer autrement, dit Darko. Léonid et moi, nous ne demandons pas mieux que de faire le nécessaire.

– Entendu, dit Misha. Beau boulot !

Il coupa la communication et chercha le numéro de Fyodor dans ses contacts. Quelques secondes plus tard, la ligne sonnait dans l'écouteur. Il savait que Fyodor n'apprécierait pas d'être réveillé. Il serait même de très sale poil. Mais il retrouverait le sourire dès qu'il entendrait la bonne nouvelle.

44

JEUDI 9 AVRIL
00 H 33

Lynn leva les yeux vers Michael. Debout à côté d'elle, il scrutait l'écran de l'ordinateur avec attention. Comme ils s'y étaient attendus d'après ce que Vladimir avait raconté à Michael au sujet du fonctionnement du Shapiro, ils n'avaient trouvé personne au COR, le centre d'opérations du réseau. Lynn s'était assise devant l'un des terminaux et connectée au système de l'institut avec l'identifiant et le mot de passe du Russe. Pour sa première requête, elle avait tapé le nom de Carl au clavier. La page d'accueil de son dossier personnel, avait alors précisé Michael, ressemblait à celle qu'il avait vue au nom d'Ashanti. Carl avait notamment presque la même « adresse » dans le bâtiment : Cluster B-4. Seuls les numéros qui suivaient cette référence se distinguaient : Carl avait le soixante-quatre, Ashanti le trente-deux. Autre différence, le dossier de Carl ne disait pas DROZITUMAB +4 ACTIF, mais ASELIZUMAB PRÉLIMINAIRE.

– Tu en penses quoi ? demanda-t-elle.

– C'est bien qu'ils soient tous les deux dans le Cluster B-4. Et je pense que tu as raison, les numéros qui suivent doivent être leurs numéros de lit. Nous pourrons les voir tous les deux.

– La référence à l'aselizumab, je voulais dire ?

– Eh ben… Je suppose que l'institut lui donne ce truc. Ou s'apprête à le lui donner, s'il faut en croire le terme « préliminaire ». Mais j'ignore de quoi il s'agit.

– Nous chercherons plus tard. Mais grâce à la terminaison en « ab », nous savons au moins que c'est un médicament biologique.

Elle ferma le dossier de Carl et pianota au clavier pour obtenir le nombre de décès enregistrés par l'institut Shapiro depuis son ouverture en 2007. Le système livra instantanément la réponse à l'écran : trente et un.

– C'est incroyable ! dit-elle, stupéfaite. Penses-tu que ce soit le vrai nombre ?

– L'accès à ces données est carrément restreint. Pourquoi ce nombre serait-il faux ?

– S'il correspond réellement au nombre de décès que l'institut a eus jusqu'à maintenant, eh ben… ces gens doivent faire drôlement bien les choses quelque part.

Lynn était impressionnée. Un peu soulagée, aussi.

– Il y a deux ans, quand nous sommes venus ici, il y avait eu vingt-deux morts en six ans. Mais l'institut ne tournait pas encore à plein. Il n'avait qu'une fraction des patients qu'il est capable d'accueillir. Aujourd'hui, tous ses lits ou presque doivent être occupés, et il n'a eu que neuf morts de plus en deux ans. C'est fou !

– Demande le nombre actuel de patients, justement, suggéra Michael.

Lynn tapa la question au clavier. Réponse : neuf cent trente et un patients sur un total maximal possible de mille deux cents.

– Et voilà, commenta-t-elle, pensive. Le Shapiro a près de mille patients. S'il en perd effectivement moins de cinq par an, c'est une statistique phénoménale. Lundi soir, dans mes recherches, j'ai trouvé que le taux de mortalité annuel des personnes en état végétatif est *en moyenne* de dix pour cent. Mais dans certains endroits il peut grimper jusqu'à quarante pour cent. Ici, ces gens réussissent à avoir un taux inférieur à, heu… inférieur à un pour cent, si je ne m'embrouille pas dans mes calculs.

– Tes calculs sont bons, confirma Michael. En fait le pourcentage est même inférieur à zéro virgule cinq pour cent. Je suppose que c'est un sacré argument en faveur de l'automatisation. Puisqu'il paraît que l'automatisation des tâches joue un grand rôle dans le fonctionnement de cet institut…

– Ouais. Comme je disais, ces gens doivent bien faire les choses quelque part. Et ce résultat est même encore plus impressionnant s'ils utilisent leurs patients pour tester des médicaments.

– Quelle est la principale cause de décès chez les patients comateux, déjà ?

– La pneumonie et autres infections. Qui sont souvent la conséquence de banales escarres. Dues au fait que les patients sont immobiles sur leurs lits.

– Leur système qui consiste à limiter au maximum les visites aux patients y est peut-être pour quelque chose. C'est une sorte d'isolement septique à rebours pour les personnes immunodéprimées, je veux dire.

Lynn hocha la tête. Michael n'avait pas tort – même si la politique du Shapiro concernant les visites lui déplaisait d'un point de vue personnel, à cause de Carl.

– Regardons l'autre aspect de la question, dit-elle. Maintenant, je veux savoir combien de patients se sont suffisamment rétablis pour sortir d'ici. Souviens-toi, les traumatismes crâniens sont une des principales causes de coma. Et environ dix pour cent des malades se remettent suffisamment pour rentrer chez eux.

Michael se redressa tout à coup pour se tourner vers la porte de la petite pièce.

– Qu'est-ce qu'il y a ? demanda Lynn d'un ton anxieux.

Concentrée comme elle l'était sur ses recherches, elle avait presque oublié où ils se trouvaient.

– Il y a eu un bruit, je crois…

Ils tendirent l'oreille pendant quelques secondes, retenant leur respiration, mais n'entendirent que le bourdonnement du puissant système de climatisation de l'institut.

– C'est calme, non ? demanda Lynn autant pour se rassurer que pour avoir l'avis de Michael.

– Ouais. Mon imagination me joue des tours, je suppose. Sans doute parce que je flippe, marmonna-t-il en regardant sa montre. Nous devrions nous barrer d'ici. Quelqu'un, quelque part, va finir par se rendre compte que ces chiffres et ces dossiers sont en train d'être consultés, là, sur ce terminal, au milieu de la nuit. Et ces petites manips sont nettement plus graves, sur le plan légal, que notre présence dans l'institut.

– Je suis d'accord, dit Lynn. Mais ce truc est important. Encore quelques petites minutes.

Reposant les mains sur le clavier, elle demanda au système le nombre de patients qui avaient quitté le Shapiro depuis son ouverture. La réponse la surprit autant que celle concernant les décès : zéro !

Déconcertée, Lynn leva de nouveau les yeux vers Michael.

– Je ne sais pas ce qui est le plus incroyable : le faible taux de mortalité ou le fait qu'aucun patient ne soit jamais sorti d'ici.

– Ouais, fit-il, songeur. Peut-être le Shapiro ne prend-il pas les victimes de traumatismes…

– Non, je ne peux pas y croire. Les traumatismes crâniens comptent parmi les principales causes d'états végétatifs et de comas, répliqua Lynn, et elle poussa un petit rire incrédule. Cet institut fait un boulot épatant pour ce qui est de maintenir ses pensionnaires en vie, mais il est nul pour ce qui est de les guérir.

– D'accord. Allons-y, dit Michael, et il essaya de tirer le fauteuil de Lynn en arrière pour qu'elle se lève.

– Une dernière chose ! dit-elle, penchée sur le clavier. Regardons les causes des décès de ces trente et un patients. Je présume que la pneumonie viendra en tête de liste.

La réponse à cette requête, lorsqu'elle s'afficha à l'écran, la stupéfia autant que le zéro pointé du nombre de patients libérés du Shapiro. Près de la moitié des décès avaient pour cause un myélome multiple !

– Ce n'est pas possible, dit-elle, secouant la tête. Ah non, pas question !

– C'est carrément bizarre, acquiesça Michael.

Mais il n'oubliait pas le danger. Tirant avec davantage de force sur le fauteuil de Lynn, il réussit à l'écarter de la table.

– Il faut sortir d'ici tout de suite si tu veux qu'on essaie de visiter le Cluster B-4 comme nous l'avons prévu. Et la fameuse salle d'exercice.

Sans attendre de réponse, il se tourna vers la porte et l'ouvrit. S'étant assuré que la voie était libre dans le couloir, il dit :

– On y va ! Bouge-toi le cul, frangine !

Lynn le suivit. Elle avait toujours l'air estomaquée.

– Ces chiffres sont insensés. Comment le Shapiro peut-il avoir un taux de mortalité pour cause de myélome multiple cent fois supérieur à celui que l'on trouve pour l'ensemble de la population ?

– Réservons-nous cette conversation pour plus tard, tu veux bien ? Quand nous ne serons plus dans ce bâtiment, dit Michael en claquant le bouton de fermeture de la porte coulissante du COR. Allez, viens ! Direction l'escalier.

Lynn retint sa langue pendant qu'ils longeaient le couloir, mais son cerveau continuait de carburer. Dans la cage d'escalier, elle s'immobilisa et dit :

– Je regrette, mais il y a un truc vraiment étrange dans cette histoire de myélome multiple.

– Écoute ! répliqua Michael avec une pointe d'agacement. Tu ne crois pas qu'il vaut mieux terminer la visite, avant de théoriser sur le sens de tous ces trucs ? Tu oublies que nous sommes en territoire ennemi, ou quoi ? Nous devons nous dépêcher !

Il baissa son masque pour essuyer la sueur qui perlait tout à coup sur son visage. L'atmosphère de la cage d'escalier était chaude et humide.

– Tu as raison, convint Lynn. Mais je regrette de ne pas avoir demandé au système si l'institut a des données sur l'incidence de la gammapathie chez ses patients. Sur le chemin du retour, on pourra peut-être refaire un petit passage au COR. Une minute ou deux…

– Gardons cette idée à l'esprit, dit Michael en remettant son masque en place. À condition, bien sûr, que nous ne soyons pas pourchassés par je ne sais qui.

– Ne plaisante pas…

– Mais je ne plaisante pas !

Lynn consulta de nouveau les plans de sol pendant qu'ils descendaient l'escalier. Sur le palier du quatrième niveau, elle montra à Michael qu'ils avaient plusieurs trajets disponibles pour atteindre le Cluster B-4.

– Gardons autant que possible nos distances avec la salle qui s'appelle « contrôle robotique », dit Michael. Mon petit doigt me dit que le personnel de l'institut doit être là.

– Bien vu, dit Lynn. En ce cas, nous devrions prendre à gauche, suivre le couloir jusqu'au bout et ensuite à droite. Espérons que les portes sont marquées. Sinon, ce sera la deux, trois... quatrième à droite après le tournant.

Michael entrouvrit la porte et tendit l'oreille. À part le bourdonnement omniprésent du système HVAC, il n'y avait aucun bruit. Il tira le battant juste assez pour scruter le couloir à droite et à gauche : il était identique à celui du niveau supérieur – tout aussi blanc et brillamment éclairé. Seule différence, il ne comportait pas de porte, à son extrémité, donnant sur l'extérieur du bâtiment. Plus important, personne ne s'y trouvait.

– N'en faisons pas l'œuvre de notre vie. Tu vois ce que je veux dire ?

Lynn voyait exactement ce qu'il voulait dire.

– Vas-y, dit-elle. Je suis derrière toi.

Ils ne s'élancèrent pas dans le couloir comme s'ils avaient la mort aux trousses, mais marchèrent d'un bon pas et aussi silencieusement qu'ils en furent capables. La plupart des portes devant lesquelles ils passèrent avaient des plaques d'identification. Au plafond, ils remarquèrent plusieurs demi-globes noirs qui devaient renfermer des caméras de surveillance. Quand ils eurent pris le virage à droite, ils constatèrent immédiatement qu'ils n'avaient pas besoin de compter les portes. L'inscription CLUSTER B-4 était bien visible, en lettres noires, sur celle qui les intéressait.

– T'es prête ? demanda Michael.

– Aussi prête que jamais, répondit Lynn en s'armant de courage.

Elle savait que revoir Carl dans cet établissement désert et glaçant serait une épreuve difficile.

45

JEUDI 9 AVRIL
00 H 48

La porte du « Cluster B-4 » était une porte coulissante, comme celle du COR, mais plus large et plus massive. Elle s'ouvrait elle aussi à l'aide d'une commande électronique située à droite du chambranle. Michael appuya sur le bouton. Le battant commença à disparaître dans le mur.

Avant même de découvrir la salle, ils entendirent des gémissements de moteurs électriques et des bruits de machines que le mur et la porte, très épais, avaient complètement étouffés. Lorsque le battant fut ouvert, ils eurent tout d'abord l'impression de se trouver devant la chaîne de montage ultrasophistiquée, et totalement automatisée, d'une usine automobile. Ils avaient notamment sous les yeux une sorte de monstrueux chariot élévateur, monté sur d'énormes pneus en caoutchouc, dont les fourches se hérissaient de deux bras robotisés et dont l'arrière était relié à un tapis roulant – un véritable convoyeur en plusieurs segments articulés, à vrai dire, qui disparaissait dans une ouverture située en hauteur sur le mur de gauche.

Il n'y avait pas le moindre employé en vue.

Lynn et Michael s'avancèrent, médusés. La porte se referma automatiquement derrière eux. La salle, rectangulaire, était assez vaste – de la taille d'un petit entrepôt – et très haute de plafond. Il faisait chaud ; l'atmosphère était humide. Le vacarme des machines était tel, enfin, qu'ils devaient pratiquement hurler pour s'entendre.

– C'est quoi ce délire ? cria Michael. Putain, t'as vu ça ?!

– On se croirait dans un décor de film sur un monde futuriste totalitaire, dit Lynn, tellement déconcertée qu'elle n'était plus très sûre de vouloir se trouver là. Je n'arrive pas à y croire. L'automatisation des soins des patients poussée à un tel degré, c'est... C'est dingue. Dis-moi que je rêve, Michael !

– C'est bien réel, frangine. Et quand je pense qu'il y a onze autres salles comme celle-ci... C'est hallucinant !

La moitié droite de la salle était occupée par une multitude de cylindres en plexiglas légèrement inclinés sur la structure métallique qui les soutenait – leur extrémité proche du mur du fond étant un peu surélevée. Chaque cylindre mesurait deux mètres de longueur et avait le diamètre d'un petit lit simple. Lynn en dénombra rapidement une centaine : vingt-cinq colonnes de quatre cylindres séparées par des grilles métalliques. Au milieu de chaque grille, il y avait des barreaux d'échelle montant jusqu'au plafond – sans doute pour l'entretien du système. L'ouverture des cylindres de la première rangée était à hauteur de poitrine ; les cylindres de la rangée la plus haute touchaient presque le plafond. Chaque cylindre portait un numéro et était équipé, près de son ouverture, d'un support articulé auquel était fixé un écran.

Effarés, Lynn et Michael se rendirent compte qu'environ la moitié des cylindres contenaient un homme ou une femme. Chacun de ces patients, puisqu'il fallait malgré tout les appeler ainsi, était nu et portait l'espèce de casque de footballeur américain qu'ils se souvenaient d'avoir vu, lors de leur visite du Shapiro en deuxième année, sur la tête du mannequin de démonstration.

Tout à coup, un homme jaillit de l'ouverture du mur de gauche sur le convoyeur – comme une valise sur un tapis à bagage dans un aéroport. Lui aussi était nu et coiffé de l'étrange casque. Il progressa rapidement sur le tapis du convoyeur en direction de l'énorme machine mobile, aux bras robotisés, qui se trouvait à ce moment-là relativement près de Lynn et de Michael. Pendant que le patient approchait, le chariot s'éleva et se déplaça de quelques mètres sur ses pneus gigantesques, avec force grincements et chuintements, pour se positionner devant le plus haut cylindre de la sixième colonne. Lorsque le patient fut à l'extrémité du convoyeur, les bras robotisés s'activèrent pour connecter plusieurs tuyaux à la sonde gastrique et à diverses intraveineuses qu'il avait ici et là sur le corps. Ce travail achevé, les bras saisirent délicatement l'homme pour le glisser dans le cylindre comme un missile dans un tube de lancement.

Avant que Lynn et Michael ait pu assimiler la scène à laquelle ils venaient d'assister, chariot et tapis se déplacèrent bruyamment pour prendre position, à sept colonnes de distance de celle où le patient venait d'être déposé, et une rangée plus bas, devant un autre cylindre. Aussitôt, les bras robotisés saisirent le patient qui occupait ce cylindre, le posèrent sur le convoyeur et s'appliquèrent à le déconnecter de ses divers tuyaux. Le tapis roulant, inversant son sens de circulation, l'emporta alors vers l'ouverture du mur de gauche où il disparut. L'ensemble de l'opération avait pris moins d'une minute.

– Mon Dieu ! s'exclama Lynn. Ce degré de mécanisation, c'est carrément obscène ! C'est inhumain et indigne pour les patients. Et complètement contraire à l'esprit de la médecine !

– Ils vont où, les patients, à ton avis ? demanda Michael, désignant l'ouverture où s'engouffrait le tapis du convoyeur.

– Aucune idée.

Ils contemplaient les cylindres et les machines avec des yeux ronds, lorsque la séquence à laquelle ils avaient assisté se répéta : un corps apparut sur le tapis, les bras robotisés le rebranchèrent et le rangèrent dans son cylindre, puis un autre corps fut emporté. Ils devinèrent alors qu'ils assistaient à un processus qui ne s'interrompait jamais : vingt-quatre heures sur vingt-quatre, sans doute, les corps allaient et venaient entre leurs cylindres et quelque destination inconnue dans le bâtiment.

Lynn et Michael s'approchèrent de la colonne de cylindres la plus proche de la porte en surveillant le chariot aux bras ultra-rapides qui se déplaçait sur ses roues démesurées à travers la salle – dans un sens, puis dans l'autre, de façon imprévisible et potentiellement très dangereuse pour eux. Ils étaient horrifiés par le spectacle qu'ils découvraient, mais la curiosité les poussait en avant. Le cylindre qui se trouvait à leur hauteur portait le numéro cent ; celui juste au-dessus était le quatre-vingt-dix-neuf. Ils regardèrent par l'ouverture du numéro cent. Une femme l'occupait. Le « matelas », dans le cylindre, se composait de rouleaux qui tournaient constamment sur eux-mêmes pour éviter que le corps de la patiente ne repose en permanence sur les mêmes points d'appui. Lynn et Michael observaient ce système, lorsque des brumisateurs s'activèrent tout à coup à l'intérieur du cylindre, aspergeant la femme d'un produit aseptisant. Le liquide goutta entre les rouleaux et glissa vers le pied du cylindre légèrement incliné pour être aspiré par une bonde d'où s'élevait un léger bruit de succion.

– On dirait une station de lavage automobile, observa Michael avec un mélange de dégoût et d'admiration dans la voix. Putain de merde ! Les mecs qui ont créé ce truc ont vraiment cogité.

– Ouais. C'est sans doute grâce à ce genre de mécanismes que le Shapiro perd si peu de patients.

L'écran du bras articulé fixé sur le côté du cylindre était en fait une tablette tactile qui affichait le nom de la patiente, Gloria Parkman, son âge, trente-deux ans, son adresse, CLUSTER B-4 100, le nom d'un produit, RANIBIZUMAB + 3 ACTIF, puis une longue liste de signes vitaux et d'autres valeurs que Lynn et Michael examinèrent un petit moment. La liste des données était impressionnante. Le monitorage était tellement poussé et high-tech, à vrai dire, qu'ils comprirent sans se le formuler que la patiente devait avoir des puces électroniques implantées dans le corps. La tablette présentait même un tracé d'encéphalogramme en temps réel.

– Hé ! fit Michael. Je me souviens d'un truc, tout à coup. Hier, en cours d'ophtalmologie, le prof a justement cité le ranibizumab. C'est un produit utilisé pour la dégénérescence maculaire. Il est bien toléré par les patients. Il ne provoque pas d'allergies.

– Ah oui ? Si c'est un médicament qui est déjà sur le marché, je me demande pourquoi ils le donnent à cette femme…

– Pourquoi ils le testent sur elle, tu veux dire ? Ouais, c'est un peu bizarre. Peut-être provoque-t-il tout de même des allergies, ou bien il a des effets secondaires, dont le prof n'a pas parlé hier. Tu sais, je commence à me demander si nous n'allons pas ressortir d'ici avec plus de questions que de réponses.

Michael se glissa le long du cylindre, le dos au mur, pour observer à nouveau le matelas de rouleaux mobiles sur lequel était allongée la femme. Ce système qui stimulait la circulation sanguine et évitait les escarres en faisant continuellement varier les points de pression sur la peau des patients l'impressionnait beaucoup.

– Hé ! cria-t-il. Faut que tu voies ça !

Lynn contemplait encore l'écran. La quantité de données physiologiques suivies en temps réel, et sans doute traitées par un super-ordinateur quelque part dans le bâtiment, était proprement stupéfiante.

Elle rejoignit Michael. Dans cet espace étroit entre le cylindre et le mur de la salle, le vacarme des machines paraissait encore plus intense. Alors qu'elle admirait à son tour l'ingénieux système de rouleaux mobiles, Michael pointa un index vers le ventre de la femme.

– Quoi ? cria Lynn.

– Tu vois le cathéter implanté dans son abdomen ? Il est là pour quoi, à ton avis ?

– Aucune idée. Tu sais, toi ?

– Non. Mais l'abdomen me paraît un peu distendu. Tu ne trouves pas ?

– Maintenant que tu le dis, c'est vrai, il a l'air un peu gonflé. Tu penses qu'ils injectent un liquide dans l'abdomen des patients ? C'est faisable, je crois. La cavité péritonéale est assez vaste. Elle peut même servir pour la dialyse.

– Ah ouais, t'as raison ! Cette femme a peut-être un problème rénal ? Retournons à l'écran pour voir si la fonction rénale est normale.

Lynn se déporta le long du mur ; Michael la suivit. Sur la tablette, ils constatèrent que la fonction rénale était parfaitement normale, y compris la production d'urine. Une entrée attira alors l'attention de Lynn dans la longue liste des données de surveillance.

– Ça, c'est étrange, dit-elle, posant l'index sur la ligne qui l'intriguait. La patiente a une ascite. Et ce chiffre, là, c'est le volume de liquide qu'elle produit. Le cathéter abdominal n'est pas là pour lui injecter quoi que ce soit. Il sert à lui ponctionner ce liquide !

– L'épanchement est drôlement important, dis donc, souligna Michael, les yeux sur la donnée que Lynn lui désignait. Mais c'est bizarre. La principale cause d'ascite, si je ne me trompe pas, c'est la cirrhose du foie. Et regarde ici. Son foie a l'air parfaitement sain.

– Ouais. C'est même doublement bizarre, parce que la seconde grande cause d'ascite, c'est la déficience en protéines plasmatiques. Mais le chiffre des siennes, regarde, est supérieur à la normale.

– Merde ! s'écria Michael, tirant sur la manche de Lynn. Vite !

Le monstrueux chariot s'était mis en branle et venait dans leur direction en faisant trembler le sol. Michael et Lynn trouvèrent refuge dans l'espace étroit, entre le mur et le cylindre cent, où ils s'étaient auparavant glissés. La machine s'immobilisa pour extraire un corps du cylindre inférieur de la colonne voisine. Dès que les bras robotisés l'eurent débranché, le tapis roulant l'emporta prestement. Le chariot éloigna ses énormes pneus pour sa prochaine mission.

Lorsqu'ils ressortirent de leur abri, Lynn étonna Michael en grimpant l'échelle la plus proche. Il la vit jeter un œil dans le cylindre quatre-vingt-dix-neuf, puis continuer son ascension vers le quatre-vingt-dix-huit.

– Hé ! protesta-t-il. On devrait avancer, tu ne crois pas ? Ne tirons pas trop sur la corde. Avec ces machines en activité et les patients qui entrent et sortent d'ici à tout bout de champ, il doit y avoir quelqu'un qui surveille la salle par caméra interposée.

– Je voulais juste voir si d'autres patients ont ce cathéter dans l'abdomen, dit Lynn qui redescendait déjà l'échelle. Et la réponse est oui. Dans cette colonne en tout cas. Ils l'ont tous !

Michael s'approcha du cylindre inférieur de la colonne voisine pour regarder à l'intérieur.

– Le bonhomme qui est ici aussi, dit-il, et il grimpa l'échelle qui se trouvait à côté pour jeter un œil dans le cylindre du dessus. Et la femme ici aussi ! Mince ! Ils en tous, alors ?

– Ça doit signifier quelque chose, mais quoi ?

– Nous réfléchirons à ça plus tard, dit-il en rejoignant Lynn. Il faut partir d'ici.

– Je ne m'en vais pas avant d'avoir vu Carl, dit-elle d'un ton catégorique.

Michael posa une main sur son épaule pour la retenir.

– Tu devrais plutôt renoncer à cette idée. Que tu voies Carl ici, ça ne vous fera du bien ni à l'un ni à l'autre. T'es pas d'accord ?

– Tant pis, répliqua-t-elle en pivotant pour l'obliger à la lâcher – et elle s'éloigna le long des colonnes de cylindres.

Michael se demanda s'il devait la laisser seule pour qu'elle ait un moment d'intimité avec son compagnon. Puis il secoua la tête et lui emboîta le pas. Outre que cet environnement n'était pas à proprement parler idéal pour les tête-à-tête, Michael ne voulait pas prendre le risque de voir Lynn craquer une fois de plus. Pas ici. Pas maintenant. Or, cela risquait d'arriver si elle trouvait Carl. Il savait ce qu'il aurait ressenti, de son côté, si sa compagne Kianna avait été à la place de Carl.

Il venait de la rattraper, vers le milieu de la salle, lorsque le chariot, qui se trouvait alors au niveau des premières colonnes, s'ébranla pour venir dans leur direction. Ne sachant où il allait s'arrêter, ils détalèrent vers le mur de gauche, opposé à la ruche des cylindres, pour s'immobiliser sous l'ouverture par laquelle les patients arrivaient dans la salle et la quittaient. Le tapis roulant du convoyeur formait comme un pont articulé au-dessus de leurs têtes.

La machine s'immobilisa juste à l'endroit où ils s'étaient tenus quelques secondes auparavant, déposa un patient dans son cylindre, puis repartit vers les dernières colonnes.

– Je ne comprends pas pour quelle raison ils déplacent sans arrêt leurs pensionnaires ! cria Michael. Où les emmènent-ils, en plus ?

Il se hissa sur la pointe des pieds pour essayer de jeter un coup d'œil dans la gueule sombre où s'enfonçait le tapis roulant. Quand il se retourna, Lynn n'était plus à côté de lui. Elle avait décidé de profiter de l'éloignement de la machine pour trouver le cylindre soixante-quatre.

Lorsqu'il la rejoignit, elle avait l'air profondément déçue.

– Carl n'est pas là !

Le cylindre était vide, en effet, mais son occupant, d'après la tablette tactile, était bien Carl Vandermeer.

– C'est mieux comme ça, tu sais, dit-il.

– Peut-être, rétorqua Lynn avec un haussement d'épaules. Tu veux voir si Ashanti est ici ?

– Ça m'avancerait à quoi ? Pour la dixième fois, tirons-nous d'ici et passons à autre chose !

– D'accord.

Mais Lynn hésitait encore. C'était pour gagner du temps qu'elle avait proposé à Michael de chercher Ashanti. La moitié irrationnelle de son être voulait attendre le retour de Carl – il reviendrait bien à un moment ou à un autre, supposait-elle, comme tous les patients trimballés par le convoyeur. En même temps, elle savait qu'il était plus raisonnable qu'ils quittent la salle sur-le-champ. Alors qu'elle essayait de trancher la question, son regard fut attiré par les divers tubes de plastique qui seraient rebranchés par les bras robotisés sur Carl pour sa réinstallation dans le cylindre. Ces tubes étaient de plusieurs couleurs et étiquetés. Elle se pencha pour les examiner. Le bleu était une intraveineuse, le rouge était un cathéter artériel, le vert était celui de la gastrostomie, pour nourrir Carl, et le jaune, enfin, était un cathéter péritonéal.

Michael lui agrippa le bras.

– Je sais que c'est dur de partir, mais ça ne te facilitera pas du tout les choses de voir Carl. Et nous devons avancer !

– Je sais bien, dit-elle. Mais regarde ici ! Carl a déjà un cathéter péritonéal ! Tu vois le tube jaune ? Pourquoi ? Il ne fait sûrement pas une ascite. Pas si tôt. C'est impossible.

– Nous réfléchirons à toutes ces questions quand nous serons sortis de cet endroit horrible ! Nous avons des tas de choses à assimiler, tu…

– Tu sais ce que je crois ? l'interrompit Lynn, tout à coup horrifiée.

– Non, et je sens que tu vas me le dire. Mais dehors, s'il te plaît. Le boucan de cette salle me rend dingue.

– Très bien ! dit-elle.

Le vacarme commençait aussi à lui taper sur les nerfs. Elle se laissa entraîner par Michael vers le mur de gauche – juste à temps, car le convoyeur s'ébranla tout à coup pour venir dans leur direction. Lorsqu'ils arrivèrent au mur, qu'ils pouvaient longer sans danger pour regagner la porte, Lynn se retourna pour voir si le patient qui approchait sur le tapis n'était pas Carl. La machine s'était positionnée devant la bonne colonne de cylindres. Hélas, elle ne travailla pas devant le soixante-quatre ; elle s'éleva pour monter au soixante-deux.

Ils ressortirent rapidement de la salle. Quand ils retrouvèrent le silence du couloir, ils eurent l'impression que leurs oreilles bourdonnaient. Lynn dit alors d'un ton furieux :

– Je crois que je sais ce que Sidereal fait ici. Cette saleté de labo ne teste pas des médicaments sur les patients comme nous le pensions. Elle est beaucoup plus perverse. Elle les utilise pour un truc encore plus horrible !

– D'accord. Du calme, répliqua Michael, étonné par la véhémence de son amie. Qu'est-ce que tu veux dire ?

– Te souviens-tu comment sont produits les médicaments à base d'anticorps monoclonaux ? Le ranibizumab, par exemple ?

– Bien sûr. On les obtient à partir de tumeurs de souris qu'on appelle des hybridomes.

– Qui sont, ces hybridomes ?

– Tu joues à quoi, là ? Je ne passe pas un examen. Dis-moi ce que tu as en tête…

– Réponds à ma question ! Un hybridome, c'est quoi ?

– Une sorte de cancer qu'on obtient en fusionnant des lymphocytes de souris avec des cellules de myélome multiple de souris, et qu'on réinjecte dans les souris.

– Et où est-ce qu'on leur réinjecte ?

– Dans l'abdomen.

– Et pourquoi les labos pharmaceutiques comme Sidereal sont-ils obligés de passer ensuite par tout un tas d'étapes compliquées pour humaniser les médicaments produits avec ces souris ?

– Pour réduire les risques de réaction allergique quand les médicaments sont administrés aux patients humains.

Lynn soutint le regard de Michael, attendant qu'il comprenne lui-même. La solution était là, comme suspendue entre eux.

Quelques instants plus tard, elle vit ses yeux s'arrondir. Les pièces du puzzle s'assemblaient enfin dans son esprit.

– Putain de merde, non ! s'exclama-t-il.

Il secoua la tête d'un air dégoûté.

– Ça se tient, dit-elle. Ça se tient complètement et c'est révoltant ! Sidereal Pharmaceuticals et Middleton Healthcare sont complices. Voilà pourquoi tant de gens qui entrent dans les hôpitaux Middleton Healthcare se retrouvent avec une gammapathie. Voilà pourquoi les patients ont cette incidence ahurissante de myélome multiple. Et ici, au Shapiro, le taux est de cent pour cent. Sidereal utilise ses mille pensionnaires pour fabriquer des anticorps monoclonaux, des biomédicaments, authentiquement humains. Ses produits n'ont pas besoin d'être adaptés aux patients. Ils le sont déjà !

– Mais il y a encore pire. Ces retards de réveil post-anesthésique, ces comas… Middleton Healthcare et Sidereal Pharmaceuticals doivent être derrière. C'est la méthode qu'ils ont inventée pour recruter des corps sains à exploiter vingt-quatre heures sur vingt-quatre, trois cent soixante-cinq jours par an. Je suis horriblement désolé d'avoir à le dire, à cause de Carl...

– Mais tu as raison ! Moi aussi, je crois que c'est exactement ça !

La voix de Lynn oscillait entre colère et chagrin. Elle prit une profonde inspiration pour se ressaisir.

– Carl n'est pas en état végétatif à cause d'un accident. Involontaire ou délibéré. J'ai pensé que c'était ça, quand j'ai découvert la boucle dans les rapports de la station d'anesthésie. Mais maintenant tout est clair. Ce qui m'étonne, c'est que nous n'ayons pas compris tout cela plus tôt. Quand j'y pense, ça nous crevait les yeux !

– On fait quoi, maintenant ? Voilà ce qu'il faut décider ! Vers qui on se tourne ?

– C'est une machination monstrueuse. Nous ne pouvons parler à personne au centre médical, parce qu'il est impossible de savoir qui est impliqué ! Je pense que nous devrions voir ça avec le père de Carl. Markus. Et dès ce soir. En fait...

Lynn tira son téléphone de sa poche et l'activa.

– Merde, pas de réseau ! Bon, je l'appellerai quand on sera dehors.

– Alors allons-y.

– Attends. Puisque nous sommes ici, je veux quand même au moins jeter un coup d'œil à l'une de ces soi-disant salles d'exercice. Je suppose que c'est une mauvaise blague, parce que je ne vois pas qui peut faire de l'exercice dans un endroit pareil. Mais d'un autre côté... je ne sais pas pourquoi, j'ai l'impression que Carl est peut-être là-bas.

Elle tira les plans de sol de sa poche et les examina rapidement.

– Bon ! Je vois le chemin qu'il faut prendre. C'est tout près. Nous n'en avons que pour une minute.

46

JEUDI 9 AVRIL
01 H 04

Misha sonna à l'entrée du poste de contrôle de l'institut Shapiro. Pour des raisons de sécurité, la porte coulissante ne pouvait être activée que de l'intérieur. Quand elle s'ouvrit, il fit signe à Fyodor et au Dr Benton Rhodes de le précéder dans la salle ultra-climatisée. Cinq agents de sécurité portant l'uniforme de l'hôpital le talonnèrent. Ces hommes, tous russes, ne répondaient qu'aux ordres de Fyodor qui les avait personnellement recrutés à Saint-Pétersbourg au moment où il avait pris la direction de la sécurité du centre médical. Il les considérait comme ses troupes de choc.

Le technicien de service cette nuit au poste de contrôle, et vêtu de la combinaison Shapiro, était russe lui aussi. Il s'appelait Viktor Garin. Il regarda les huit visiteurs se rassembler devant le mur d'écrans où alternaient, sous divers formats, les images des multiples caméras de sécurité installées dans les couloirs et dans un certain nombre de salles des six niveaux de l'institut.

Le boulot de Viktor consistait en partie seulement à surveiller ces écrans. L'essentiel de son temps, il le passait en fait de l'autre côté de la salle, devant un autre mur d'écrans : ceux qui montraient les images des caméras embarquées des nombreuses machines du bâtiment. Les bras robotisés, les convoyeurs et les autres appareils posaient parfois des problèmes, en effet, et réclamaient une attention constante. Depuis huit ans qu'il travaillait au Shapiro, par contre, jamais il n'avait eu le moindre souci du côté de la sécurité – et jamais personne ne s'était introduit illégalement dans le bâtiment ! De temps en temps, un employé se faisait pincer à roupiller pendant le service : voilà pour les infractions commises à l'institut Shapiro.

Malgré la présence de Benton Rhodes, Fyodor s'adressa à Viktor en russe pour lui demander où se trouvaient les intrus et ce qu'ils avaient fait depuis leur arrivée.

– En ce moment, ils sont au niveau quatre et ils vont vers la salle d'exercice, répondit Viktor dans la même langue. Jusqu'à maintenant ils sont allés au COR, où ils se sont connectés au serveur pour consulter des données, et ensuite ils sont entrés dans le Cluster B-4. C'est là qu'ils ont passé le plus gros de leur temps. Et à cette minute, donc, ils marchent vers la salle d'exercice.

Viktor désigna un écran sur lequel on voyait les deux étudiants longer un couloir du quatrième niveau.

– Quelles données ont-ils consultées au COR ? demanda Fyodor.

– Les chiffres de la mortalité et des sorties des patients de l'institut. Et puis le dossier du nouveau, Carl Vandermeer.

Fyodor répéta à Benton, en anglais, ce qu'il venait d'apprendre.

– Putain, les sales petits fouineurs, grommela le chef de l'anesthésie. Je ne serai pas mécontent qu'on se débarrasse d'eux.

– Il faut reconnaître qu'ils ont de la jugeote, dit Fyodor.

– Leur jugeote, je m'en tape. Et ça ne me plaît pas du tout qu'ils entrent dans la salle d'exercice. Nous ne savons pas quels agents infectieux ils risquent de laisser là-bas.

– Comme vous le voyez, ils portent des tenues du Shapiro, dit Fyodor, désignant un moniteur sur lequel on voyait Lynn et Michael de face. Avec calot et masque chirurgical.

– Qu'ils se sont procurés où, d'ailleurs ? Et est-ce qu'elles sont vraiment propres, ces tenues ? Ce serait une catastrophe que ces deux connards provoquent une épidémie dans notre population de patients. Ils sont étudiants en médecine, en plus, donc exposés à toutes sortes de maladies ! La perte d'un seul de nos producteurs de biomédicaments serait une grosse perte. Vous savez le fric que chacun de ces pensionnaires nous rapporte.

– Nous allons les intercepter tout de suite, assura Fyodor. Et il y a quand même de grandes chances pour qu'ils évitent de se balader à travers la salle d'exercice.

– Espérons, répliqua Benton. D'accord, ils vont être choqués, mais comment savoir ce qu'ils vont décider de faire à ce moment-là ?

– Ils ne feront rien du tout, promit Fyodor. Et même s'ils s'en vont ailleurs, ils ne sortiront pas du bâtiment. Toutes les issues sont verrouillées et ils ne peuvent pas utiliser leurs portables.

– Finissons-en, tout de même ! Le plus vite possible.

– Avec plaisir, acquiesça Fyodor d'un ton enjoué. Nous n'attendions plus que vous. Avez-vous apporté les sédatifs ?

Benton sortit de sa poche deux seringues remplies de midazolam. Il les tendit à Fyodor qui demanda :

– Nous sommes certains que ce produit les endormira vite et bien ?

– Faites-moi confiance, assura Benton, poussant un petit rire mauvais. Avec une telle dose, ils seront dans les vapes bien plus longtemps qu'il ne nous en faudra pour les emmener en salle d'opération. À propos : le diagnostic officiel sera « hématome sous-dural ». Conséquence du traumatisme crânien qu'ils auront subi, l'un et l'autre, pendant leur visite illégale de l'institut. C'est Norman Phillips, un neurochirurgien favorable au programme, qui les opérera. Et moi je m'occuperai de l'anesthésie. Ils ne se réveilleront pas.

– Le chirurgien est déjà au bloc ? demanda encore Fyodor.

– Il est en route.

Fyodor se tourna vers les hommes en uniforme et confia les seringues au chef d'équipe. S'adressant à eux en russe, il leur ordonna d'agir vite et bien, puis de porter les étudiants endormis à la salle de visite A. De là, on les emmènerait l'un après l'autre au bloc opératoire quand tout serait prêt pour les interventions.

47

JEUDI 9 AVRIL
01 H 11

Lynn et Michael mirent plus de temps qu'ils ne l'avaient envisagé pour entrer dans la fameuse salle d'exercice, car sa porte ne s'ouvrait pas comme toutes les autres. Elle était identique à celle du Cluster B-4, c'est-à-dire large et manifestement épaisse, mais au lieu d'un simple bouton elle avait un scanner d'empreinte de pouce qui entraîna les mêmes difficultés que celui de la porte du bâtiment. Ils s'y reprirent à plusieurs fois et Lynn dut à nouveau réchauffer la fausse empreinte avec son souffle.

Enfin, une petite diode verte clignota au-dessus de l'écran du scanner. Le lourd battant commença à disparaître dans le mur. Comme au Cluster B-4, la première chose qui les frappa fut le vacarme qui jaillissait de la salle : toute une symphonie discordante de bruits de machines, là encore, même si le volume sonore général était plus réduit. Et quand la porte fut complètement ouverte, les deux étudiants restèrent quelques instants paralysés de stupeur.

La salle qu'ils découvraient, comme l'avaient montré les plans de sol, était beaucoup plus vaste que celle du Cluster B-4. L'éclairage, qui venait du plafond situé à plus de quinze mètres au-dessus de leurs têtes, était extrêmement puissant. Levant les yeux, Lynn et Michael virent un mélange de lampes LED et de lampes à ultraviolet. Dans le plafond, il y avait aussi tout un réseau de rails entrecroisés desquels descendaient plusieurs longs câbles métalliques. Au bout de chaque câble était suspendu un énorme grappin, aux griffes repliées vers l'intérieur, qui ressemblait un peu à la pince des jeux de fête foraine dont le but est d'attraper une peluche ou un objet quelconque dans un bac. Ici, au Shapiro, les pinces géantes ne servaient pas à ramasser et à déplacer des objets : elles déposaient des êtres humains, debout, sur le sol de la salle, et en cueillaient d'autres pour les remonter vers le plafond.

La salle était remplie d'hommes et de femmes nus et coiffés de l'espèce de casque de footballeur américain que Lynn et Michael leur avaient vus dans les cylindres. Et ces patients en état végétatif ou dans le coma se déplaçaient ! Ils déambulaient en tous sens avec une démarche saccadée, les bras ballants le long du corps, en se heurtant régulièrement les uns aux autres – ou aux murs.

– Seigneur tout-puissant ! cria Lynn. C'est pire que la salle des cylindres ! Et maintenant je comprends mieux les casques. Ils ne sont pas là que pour les capteurs des données corporelles.

– Tu as raison, dit Michael, fasciné. Ils doivent stimuler de façon coordonnée les zones cérébrales responsables de la motricité. C'est comme ça que les patients tiennent debout et marchent !

– On dirait des zombies. Sauf qu'ils ne sont pas morts.

Michael et Lynn observaient la salle à travers le grillage d'une sorte de cage carrée, de deux mètres de côté, dont la fonction première était manifestement d'empêcher les patients d'atteindre la porte du couloir. Certains, dans leurs déambulations aléatoires, heurtaient la cage comme ils heurtaient ailleurs les murs ou leurs congénères. La plupart avaient les yeux fermés, mais quelques-uns les ouvraient grand – et ceux-là avaient un regard vide, absent, qui prouvait que leur cerveau ne traitait pas les informations captées par leurs rétines. La majorité avait aussi la bouche fermée, sauf certains qui bavaient. Leurs visages étaient impassibles : ils n'exprimaient absolument aucune émotion. Ils ne produisaient pas non plus la moindre parole, le moindre son – même quand ils se heurtaient les uns aux autres ou se cognaient aux murs. L'essentiel du bruit provenait des grappins qui déposaient les patients sur le sol et en saisissaient d'autres pour les emporter d'un côté ou de l'autre de la salle.

Lynn était révoltée, mais sa curiosité morbide était plus forte que tout. Elle s'avança dans la cage les yeux écarquillés. Jamais, même dans ses pires cauchemars, elle n'aurait pu imaginer pareille scène. Michael la suivit. Ils continuaient de contempler en silence l'étrange mouvement brownien de ces hommes et de ces femmes nus, casqués et inondés de lumière, lorsque des *sprinklers* installés dans le plafond pulvérisèrent tout à coup un produit désinfectant parfumé vers le sol. Cela ne dura qu'une demi-minute, mais Lynn et Michael reculèrent précipitamment dans le couloir pour éviter d'être mouillés. Imperturbables, les patients poursuivirent leurs déambulations comme s'il ne se passait rien.

S'avançant à nouveau dans la cage, les étudiants continuèrent d'étudier l'extraordinaire spectacle. Pour avoir suivi des cours de neurologie, ils savaient que la marche était une activité extrêmement complexe sur le plan physiologique. Il ne s'agissait pas simplement de stimuler un muscle particulier. Pour qu'un être humain se tienne debout, et a fortiori pour qu'il marche, il fallait stimuler tout un éventail de muscles différents, à des degrés différents, en inhibant simultanément, et de façon partielle, certains autres muscles. Toutes ces opérations étaient coordonnées, synchronisées, par une zone du cerveau que l'on appelait le cervelet – et elles étaient assez complexes, prises dans leur ensemble, pour poser un véritable défi à un super-ordinateur.

– Alors voilà comment le Shapiro s'y prend pour maintenir ces gens en vie, dit Michael d'une voix qui trahissait son émerveillement. Voilà pourquoi les patients ne souffrent pas de pneumonie ou de maladies du système cardiovasculaire. Pour ne pas se fragiliser et dépérir, les êtres vivants doivent être mobiles. Et le Shapiro a trouvé le moyen de les faire bouger. Sans oublier les UV pour la production de vitamine D et l'antisepsie.

– Oh, non ! s'écria Lynn d'une voix horrifiée.

– Quoi ? demanda Michael en la regardant. Qu'est-ce qui t'arrive ?

– Là-bas ! cria-t-elle, tendant un index vers la gauche de la salle. C'est Carl !

Michael regarda dans la direction qu'elle lui indiquait, scrutant la foule des patients, mais leurs déplacements incessants lui compliquaient la tâche. Tous nus, tous coiffés du même casque, tous inondés par cette lumière crue, ils formaient une masse de silhouettes étrangement similaires.

– Où ça ? Je ne le vois pas.

Imitant Lynn, il se dressa sur la pointe des pieds. Il essaya d'ignorer les femmes pour scruter un à un les visages des hommes.

– Mince, je l'ai perdu, dit-elle avec dépit.

– Tu es sûre de l'avoir vu ? C'est peut-être ton envie de…

– Je l'ai vu, oui, absolument !

– Très bien, mademoiselle. Pas la peine de t'énerver.

– J'y vais !

La cage comportait une porte, grillagée elle aussi, fermée par un simple verrou. Lynn le tira et commença à pousser le battant, mais Michael glissa les doigts dans les croisillons du grillage pour le retenir.

– Je ne pense pas que ce soit une bonne idée.

– Pense ce que tu veux. J'y vais. Je veux voir Carl.

– Pour quelle raison ? Le voir ici, ce sera encore pire pour toi que de le voir dans un de ces putains de cylindres. Ce qui aurait déjà été assez affreux. Ne t'impose pas un truc pareil ! Réfléchis, quoi…

Lynn poussa doucement sur la porte, mais Michael crispa les doigts sur le grillage. Pendant qu'ils parlaient, deux patients s'y étaient heurtés avant de s'éloigner comme des jouets mécaniques. Lynn poussait plus fort sur le battant, et Michael le retenait d'autant, lorsqu'un troisième patient se cogna à la porte. Quand il pivota sur lui-même pour poursuivre sa promenade de zombie, son épaule nue toucha les doigts de Michael. Le contact de cette peau éveilla chez lui une brève sensation de dégoût. Sans le vouloir, il relâcha sa pression sur le grillage. Avant qu'il ait pu se ressaisir, Lynn avait suffisamment entrebâillé la porte pour quitter la cage.

Elle s'éloigna à grands pas.

– Merde, quoi ! protesta-t-il. Ramène-toi ! T'es complètement dingue !

Lynn ne répondit pas et continua de se frayer un chemin entre les patients.

– Ah, putain ! grogna-t-il entre ses dents.

Une femme venait droit vers la porte. Il la referma d'un geste sec et se hissa de nouveau sur la pointe des pieds. Lynn avait déjà disparu au milieu de la foule. Que devait-il faire : attendre ici ou se lancer à sa poursuite ? Elle ne risquait sans doute pas grand-chose, à vrai dire – sauf sur le plan psychologique si elle retrouvait effectivement Carl. Mais il voulait lui mettre le grappin dessus pour qu'ils décampent du Shapiro.

Michael entendit soudain des bruits de pas et des voix derrière lui. Il se retourna et passa la tête par l'embrasure de la porte coulissante pour jeter un coup d'œil dans le couloir. Une troupe d'agents de sécurité de l'hôpital venait dans sa direction au pas de course !

Il recula dans la cage et actionna la fermeture de la porte. Côté couloir, il y avait le scanner d'empreinte, mais ici, à l'intérieur, c'était un simple bouton. Le battant glissa hors du mur. Juste avant qu'il ne soit complètement fermé, une main d'homme l'agrippa, sur sa tranche, pour le retenir. Michael leva le pied et frappa les doigts de l'intrus qui disparurent aussitôt tandis qu'un cri de douleur retentissait dans le couloir. Le battant acheva de se fermer.

Confronté à cette situation nouvelle, Michael n'avait plus guère le choix. Il savait que la porte du couloir ne ralentirait pas longtemps les agents de sécurité. Il ouvrit la porte grillagée et s'élança dans la même direction que Lynn. En quelques instants, il fut complètement cerné par les patients déambulant à travers la salle.

Il eut alors une étrange impression de déjà-vu : comme il avait joué en position de *running back* au lycée et en prépa de médecine, il retrouva certaines sensations des mouvements de poussée offensive qu'il avait maîtrisés, à l'époque, sur le terrain de football américain, pendant qu'il slalomait à travers la salle, au pas de charge, en faisant le maximum pour éviter les patients aux mouvements erratiques. Problème, il était résolu comme eux ne l'étaient pas à avancer vite et dans une direction déterminée : il ne put s'empêcher d'en heurter plusieurs avec plus de force qu'il ne l'aurait souhaité. À sa plus complète surprise, cependant, aucun d'eux ne bascula. Ils vacillaient un instant sur leurs jambes, puis ils reprenaient leur progression comme si de rien n'était. Michael était très impressionné. Les algorithmes qui contrôlaient la motricité de ces patients étaient donc capables de gérer correctement et instantanément les variations soudaines des informations qui transitaient entre leurs muscles et leurs cerveaux.

Au bout d'une quinzaine de mètres, Michael s'arrêta et se hissa sur la pointe des pieds pour regarder autour de lui. Sachant que

Lynn était la seule personne habillée de la salle, et en blanc de surcroît, il avait pensé la retrouver assez facilement. Mais il y avait tout simplement trop de monde. Le bon côté de ce bazar, se dit-il, c'était que les types de la sécurité auraient les mêmes problèmes pour les pister.

Tout à coup, il aperçut brièvement le calot blanc de Lynn. Il se précipita dans sa direction et réussit à la rejoindre quelques instants plus tard. Elle avait trouvé Carl. Elle l'enlaçait et avait le visage enfoui au creux de son épaule – un geste de tendresse que son compagnon, bien entendu, ne pouvait lui rendre : il restait là, les bras ballants contre les hanches, le visage vide de toute expression, ses jambes continuant de produire le mouvement de la marche alors que Lynn le maintenait sur place.

Michael contourna Carl pour voir Lynn de face. Elle avait les yeux fermés.

– On a été repérés ! cria-t-il en lui agrippant le bras pour la faire réagir.

Elle redressa la tête, l'air affolé.

– Qu'est-ce… ?

– Plusieurs agents de sécurité se sont pointés dans le couloir, dit-il, paniqué. J'ai réussi à leur fermer la porte au nez, mais depuis le temps ils doivent être entrés dans la salle. Qu'est-ce qu'on va faire ?

Lynn écarquilla les yeux, effrayée par ce qu'elle entendait, et lâcha Carl. Comme un jouet à remontoir, il partit droit devant lui de la démarche raide et heurtée qu'il partageait avec tous les autres patients.

– Il y a une porte de l'autre côté, dit Lynn, pointant un doigt. Par là-bas.

– Ouais, mais ils doivent s'attendre à ce qu'on essaie de l'emprunter. On va se faire pincer. Il faut trouver une autre solution. Un truc auquel ils ne peuvent pas penser.

Malgré le bruit des grappins et d'autres machines, invisibles, qui emplissait la salle, ils entendirent soudain un claquement reconnaissable entre tous : la porte de la cage s'était ouverte brusquement et avait heurté la structure grillagée. Les hommes de la sécurité entraient dans la salle d'exercice.

Michael leva les yeux vers les grappins.

– Non, j'y ai pensé mais ça ne marchera pas, dit Lynn. On n'arrivera pas à fuir avec ces trucs-là. Trop dangereux. Par contre on pourrait essayer les convoyeurs.

Ils avaient remarqué que les grappins semblaient déposer et prélever les patients derrière deux murs situés de part et d'autre de la salle. Michael hocha la tête et s'élança vers la droite. Lynn agrippa sa manche pour rester avec lui tandis qu'il se frayait un passage, à coups d'épaule, à travers la masse des étranges zombies. Ils perçurent une vive agitation dans leur dos et supposèrent que les agents de sécurité essayaient eux aussi d'avancer le plus vite possible entre les hommes et les femmes errants aux visages impénétrables.

Espérant qu'ils avaient l'avantage parce qu'ils n'étaient que deux et avançaient en tandem, Lynn et Michael atteignirent bientôt le mur, haut de trois mètres, qui longeait le flanc de la salle. À l'une de ses extrémités, ils trouvèrent une porte privée de bouton d'ouverture électrique – sans doute pour éviter que les patients ne le pressent accidentellement. Sur le battant, cependant, ils repérèrent un petit creux permettant de tirer une poignée mobile. Lynn y glissa le doigt, agrippa la poignée et la tourna. La porte glissa sans difficulté dans le mur.

Après avoir veillé à détourner gentiment de leurs trajectoires les patients qui venaient vers eux, Lynn et Michael franchirent la porte et la refermèrent. Comme ils l'avaient supposé, ils se trouvaient à présent dans un espace, entre le mur de trois mètres et le flanc de la salle, qui était le terminus des convoyeurs des Clusters B-4,

B-5 et B-6. Chaque tapis roulant était clairement identifié par un écriteau. Trois files de patients alignés comme des quilles de bowling occupaient la majeure partie de l'espace au sol. Après les avoir observés un instant, les étudiants comprirent qu'ils attendaient là d'être soit renvoyés dans leurs cylindres par l'un ou l'autre des tapis, soit embarqués par les grappins pour être déposés dans la salle d'exercice. Comme dans le Cluster B-4, la manipulation des patients était effectuée par des bras robotisés – une paire à l'extrémité de chaque convoyeur.

– Pour espérer nous en sortir, nous devrions essayer le tapis du Cluster B-5 ! cria Lynn pour se faire entendre – le niveau sonore, ici, était bien plus élevé que de l'autre côté du mur de séparation. Comme ça, nous serons au niveau cinq qui est celui de la porte du bâtiment.

Michael hocha la tête. Sans perdre une seconde, ils se frayèrent un passage entre les patients qui attendaient d'être pris en charge par les grappins ou par les bras robotisés des convoyeurs. Avant ou après leurs déambulations dans la salle d'exercice, ils restaient ici parfaitement immobiles – un exploit aussi remarquable, en termes de programmation, que celui qui consistait à les faire marcher.

Lynn et Michael contournèrent les bras robotisés qui se chargeaient des patients du convoyeur du Cluster B-5. Ils venaient justement de se mettre au repos après y avoir déposé un patient. Michael grimpa à quatre pattes sur le tapis et fit signe à Lynn de le suivre.

Elle jeta un coup d'œil par-dessus son épaule. Plusieurs agents de sécurité étaient en train de franchir la porte. Quand ils la virent, l'un d'eux lui hurla de s'arrêter.

Elle les ignora et imita Michael. Le silicone qui composait la surface du tapis mobile était doux, flexible, et offrait une bonne adhérence. Michael, devant elle, venait de disparaître dans la gueule d'un tunnel qui faisait un peu plus d'un mètre de hauteur. Lynn baissa la tête juste avant d'y pénétrer à son tour.

Quelques mètres plus loin, le convoyeur prit subitement une pente ascendante et le tunnel s'assombrit. Bientôt plongée dans l'obscurité, Lynn se concentra sur la progression du tapis. Elle estimait avoir suivi la pente sur un peu plus de six mètres, lorsque le convoyeur s'arrêta.

– Merde ! cria Michael quelque part au-dessus d'elle. Pourquoi t'as stoppé, saloperie de machine ?!

– Les agents de sécurité m'ont vue, dit Lynn. Ils ont dû bloquer le système. Essayons de continuer quand même !

Elle se mit à avancer à quatre pattes sur le tapis de silicone et sentit que Michael en faisait autant. Après avoir parcouru une courte distance, cependant, elle se heurta à ses semelles de chaussures.

– Pourquoi tu n'avances plus ?

L'obscurité n'était pas absolue. Lynn distinguait les contours de la silhouette de Michael. Elle entendait aussi des voix derrière eux.

– Les agents sont derrière nous ! Nous devons continuer. Vite !

– Ouais, ben… nous ne sommes pas seuls. Il y a un patient devant moi. Il va falloir lui passer par-dessus. C'est bon pour toi ?

– On n'a pas le choix ! Et puis il doit y avoir assez de place au-dessus de lui, non ?

Lynn tendit le bras vers le plafond du tunnel, qui avait en fait la forme d'un tube, et jugea qu'ils avaient tout l'espace voulu pour escalader un corps.

– Je ne pense pas que ce sera difficile, répondit Michael. Par contre, ça ne va pas être très marrant.

– On survivra, affirma Lynn.

La perspective de crapahuter par-dessus le corps nu d'un patient comateux dans un tube incliné plongé dans le noir ne la mettait pourtant pas du tout à l'aise. Là tout de suite, elle avait même du mal à imaginer expérience plus désagréable.

Elle sentit Michael se remettre en mouvement – et l'entendit dire « Désolé, frangin » quand il commença à passer sur le patient. Regardant devant elle, sur le flanc du tunnel, au-delà des silhouettes du patient et de Michael, elle aperçut un filet de lumière qui lui permit d'espérer qu'ils n'avaient plus beaucoup de chemin à faire.

– Bon ! dit-il quelques instants plus tard. À ton tour ! Après m'avoir eu sur le bide, ce pauvre mec va sans doute te trouver légère comme une plume.

Sur le plan physique, Lynn eut encore moins de difficultés à passer par-dessus l'homme qu'elle ne l'avait supposé. Mais mentalement ce fut une autre histoire. Elle essaya de le toucher le moins possible, en se hissant autant qu'elle put sur les mains et les pieds, mais elle eut tout de même de trop nombreux contacts, à son goût, avec ce corps inerte. Le fait qu'il était sur le dos, et non à plat ventre, n'arrangeait pas sa perception des choses.

Quand elle sentit la tête du patient sous ses pieds, elle s'aperçut qu'elle avait retenu son souffle pendant tout son effort. Elle inspira un grand coup et dit avec soulagement :

– Voilà, je suis passée !

– Bien. Bougeons-nous ! murmura Michael d'un ton pressant. Tu les entends gueuler ?

– Ouais.

Les agents semblaient s'énerver à l'entrée du tunnel.

– Je les vois bien décider d'inverser le sens de circulation du convoyeur, ajouta Michael. On y va !

Il se remit à avancer sur le tapis. Lynn l'imita. Après quatre ou cinq mètres d'escalade frénétique sur le tapis incliné, elle sentit la surface siliconée revenir à l'horizontale. Puis la luminosité augmenta dans le tunnel, en particulier après que celui-ci eut pris un virage presque à angle droit. Trois ou quatre mètres plus loin, ils débouchèrent dans une salle, le Cluster B-5, parfaitement identique au Cluster B-4. Sans perdre une seconde, ils se redressèrent sur le tapis et sautèrent sur une petite plate-forme qui se trouvait à côté. Au même instant, le système se remit en marche – et comme Michael l'avait craint, le tapis repartit en direction de la salle d'exercice.

Soulagés d'avoir échappé aux griffes de leurs poursuivants, ils descendirent de la plate-forme en escaladant la structure qui soutenait le tapis à la sortie du tunnel. Ils s'immobilisèrent quelques secondes sur le sol de la salle face aux vingt-cinq colonnes de quatre cylindres superposés. Le chariot et les bras robotisés étant à l'arrêt, la salle était presque silencieuse. On n'entendait que le ronron du tapis et les pschitt des brumisateurs de produit désinfectant à l'intérieur de certains cylindres.

Sur un signe de tête de Lynn, ils se précipitèrent vers la porte de la salle. Michael l'ouvrit. Personne dans le couloir. Ils coururent en direction de la sortie du bâtiment. Auprès de la porte, Michael se baissa pour ramasser leurs imperméables et passa le sien à Lynn. Ils prirent le temps de les enfiler ; ils ne voulaient pas avoir à se justifier s'ils croisaient quelqu'un en regagnant la résidence.

– Prête ? demanda-t-il, la main sur la commande de la porte.

– Oui ! dit Lynn en jetant un regard par-dessus son épaule. Allons-y !

Michael appuya sur le bouton. La porte ne s'ouvrit pas. Il appuya de nouveau dessus, plusieurs fois de suite, sans plus d'effet. Horrifié, il pressa le bouton et le maintint enfoncé. La porte ne bougeait pas.

Lynn recula de quelques pas dans le couloir, prit son élan et se jeta contre le battant pour le heurter avec l'épaule. Elle se fit mal, mais le battant ne céda pas. Michael l'imita – sans plus de succès. Cette porte en acier était épaisse ; il était clair qu'ils n'avaient aucune chance de la forcer d'un coup d'épaule.

Ils se dévisagèrent avec désespoir, quelques secondes, puis Michael demanda d'un ton anxieux :

– On fait quoi, maintenant ?

Lynn ne répondit pas. Elle tira les plans de sol de sa poche et les feuilleta rapidement.

– Hé, frangine ! Faut réagir, là. La seule solution, je pense, c'est de passer par le couloir de l'hôpital. Tu cherches le chemin le plus court, c'est ça ?

À cet instant, ils entendirent le bruit d'une porte qui s'ouvrait à la volée et heurtait un mur. Ils supposèrent que c'était la porte de la cage d'escalier.

– Par ici !

Lynn partit au pas de course dans le couloir. Michael la suivit. À l'embranchement, quand ils eurent passé le COR, elle obliqua dans la direction opposée à l'hôpital. Michael protesta, mais elle l'ignora. Ils venaient de tourner à un angle du couloir, lorsqu'ils entendirent des bruits de pas précipités derrière eux. Plusieurs hommes, semblait-il, accouraient dans leur direction.

Lynn continua sur sa lancée et prit un nouveau virage, à gauche, pour s'engager dans un long couloir qui s'étirait sur toute la longueur du bâtiment. Elle courait maintenant aussi vite qu'elle en était capable, et Michael la talonnait. Ils passèrent un certain nombre de portes de part et d'autre du couloir.

– On va où, bordel ? demanda-t-il.

Elle ne répondit pas, mais elle s'arrêta un instant plus tard devant une porte – si soudainement à vrai dire que Michael, emporté par son élan, la fit basculer. Il dut lui saisir les bras pour éviter qu'ils ne tombent par terre. Dès que Lynn eut repris son équilibre, elle actionna la commande d'ouverture. Le battant glissa dans le mur. Elle se précipita dans la pièce.

Perplexe, Michael la suivit. Juste avant que la porte ne s'ouvre, il avait vu le mot PHARMACIE dessus. À l'intérieur, il commença par presser le bouton de fermeture de la porte, puis il regarda autour de lui. La pièce, ultra-climatisée, était meublée par plusieurs rangées d'étagères, du sol au plafond, bourrées à craquer de toutes sortes de médicaments et de fournitures médicales. Et Lynn avait disparu.

Il s'élança dans l'allée centrale, regardant autour de lui entre les produits entreposés sur les étagères pour essayer de repérer son amie. À quoi jouait-elle ? Son attitude était incompréhensible. Il la trouva enfin au fond de la salle, agenouillée au pied du mur devant une immense grille d'aération – elle mesurait environ soixante centimètres de haut sur quatre-vingt-dix de large. Le tournevis à la main, Lynn s'appliquait à retirer une à une les vis métalliques du cadre de la grille.

– Tu fais quoi, au juste ? demanda-t-il avec perplexité. Ils vont débarquer dans une seconde ! Et là, mon amie, fin de la partie…

– Nous ne serons plus ici.

– Tu veux dire… ?

– Ouais. Exactement.

Elle avait retiré la dernière vis. Elle crispa les doigts sur le cadre de la grille et tira dessus. Sans résultat. La peinture séchée retenait le cadre au mur.

– Au cadastre, ce matin, j'ai appris que le Shapiro utilise le système HVAC de l'hôpital. Le conduit qui est là, derrière la grille, va nous ramener à l'hôpital.

– Je ne passe pas par ce trou de souris. Hors de question. Les systèmes d'aération, en plus, ce sont de vrais labyrinthes…

– Nous n'avons pas le choix, répliqua Lynn qui tapotait le bord du cadre avec le tournevis, ici et là, pour briser la croûte de peinture. Ah, enfin !

Le cadre avait bougé. Elle le saisit de nouveau entre ses doigts. Cette fois, il ne résista pas.

– Ne t'inquiète pas, dit-elle, posant la grille contre le mur à côté de l'ouverture du conduit. Nous n'allons pas nous perdre.

– Ah ouais ? Qu'est-ce qui te permet de dire ça ?

– Facile. Nous allons remonter le flux d'air. Et le truc bien, aussi, c'est que les conduits doivent aller en s'agrandissant, pas l'inverse.

– Pourquoi t'as choisi cette pièce plutôt qu'une autre parmi toutes celles qu'on a passées dans le couloir ?

– Je me suis doutée qu'une pharmacie devait être maintenue à une température plus froide que d'autres pièces. Et donc que l'arrivée d'air serait plus large ici qu'ailleurs. En plus nous avons du pot. Je ne vois pas de caméra de surveillance.

Michael regarda autour de lui et scruta le plafond. Lynn avait raison. Mais l'absence de caméra de surveillance ne le tranquillisait guère. Il s'accroupit pour jeter un œil dans l'ouverture. Comparée à ce qui les attendait dans ce conduit étroit et sombre, l'aventure dans le tunnel du tapis roulant avait été une partie de plaisir. De fait, il doutait même de réussir à faire entrer sa carcasse là-dedans…

– Il faut passer par ici, frangin, dit Lynn. Ça va peut-être nous prendre un moment, c'est vrai, et j'espère que tu n'es pas claustrophobe. Tu veux y aller d'abord, ou je commence ? Le deuxième doit remettre la grille en place derrière lui.

– Vas-y. Toi d'abord.

– Comme tu veux.

Lynn rassembla son courage. Elle jouait l'optimiste devant Michael, mais elle avait de gros doutes sur les chances de succès de ce qu'ils s'apprêtaient à faire. Elle savait cependant que s'ils n'essayaient pas, ils n'avaient plus qu'à baisser les bras et se laisser capturer. Et vu l'énormité de ce qu'ils avaient découvert pendant leur visite, elle n'avait aucune envie de tomber entre les mains des sbires de Sidereal Pharmaceuticals ou de Middleton Healthcare.

Après avoir pris une profonde inspiration, elle tendit les bras devant elle et s'introduisit dans le conduit, la tête la première, en poussant avec ses pieds. Quand elle commença à ramper en se tortillant à la façon d'un serpent, elle constata qu'elle avait plus de facilités qu'elle ne l'aurait cru à progresser sur la surface métallique du conduit. Elle avait parcouru environ deux mètres dans le tunnel obscur lorsqu'elle entendit le cadre de la grille d'aération reprendre sa place avec un claquement sec. Elle sentit en même temps que Michael n'était pas derrière elle. Incapable de se retourner – ou même de regarder par-dessus son épaule –, elle cria :

– Qu'est-ce que tu fous, bordel ?

– Je remets la grille en place ! Toi, tu vas chercher les Marines. Moi, je reste pour la castagne. Qui sait ? Peut-être qu'ils ne me trouveront pas ici. En tout cas pas tout de suite.

– Michael ! cria Lynn – si fort que la réverbération de sa voix contre les parois du conduit lui blessa les oreilles. C'est dégueulasse ! Tu m'as menti !

– Pour la bonne cause. S'ils trouvaient cette grille dévissée du mur, ils sauraient tout de suite ce que nous sommes en train de faire. Comme ça, tu as une chance de réussite. Note bien que je ne t'envie pas du tout ! Vas-y, poulette !

– Michael ! protesta-t-elle encore. Ne fais pas ça. On est une équipe, nous deux. Tu l'as dit toi-même.

– Désolé ! La balle est dans le filet et le match est terminé. Bonne chance !

– Michael, je t'en prie !

Il ne répondit pas.

– Michael, tu es encore là ?

Toujours pas de réponse.

– Putain de merde !

Pendant quelques instants, Lynn hésita à reculer et à voir si elle pouvait faire sauter la grille à coups de pied. Ce serait sans doute impossible si Michael avait remis les vis en place. Elle soupira et recommença à ramper pour s'enfoncer dans le conduit obscur.

48

JEUDI 9 AVRIL
03 H 24

Benton Rhodes coupa l'écran de son smartphone et glissa l'appareil dans sa poche. Il avait joué un moment à Angry Birds pour se changer les idées, mais maintenant il en avait marre. Il regarda sa montre. Déjà plus de deux heures que les agents de sécurité s'étaient lancés après les deux étudiants. Ils avaient assez rapidement coincé et endormi l'homme. Mais l'autre, la chieuse, était encore en liberté.

– Bon, ça suffit, dit-il avec irritation.

Il se leva, repoussant son fauteuil derrière lui, et s'étira. Il se trouvait encore dans le poste de contrôle avec Misha et Fyodor. Viktor était sorti ; il devait superviser le personnel du Shapiro pour la relance des machines des niveaux quatre à six qui avaient dû être momentanément arrêtées.

Fyodor et Misha levèrent les yeux vers lui. Eux aussi tuaient le temps sur leurs téléphones. Tout le monde était fatigué et à cran.

– Je crois que nous devrions entamer l'intervention bidon sur l'homme, dit Benton. En fait, nous n'avons pas vraiment de raison d'attendre que la fille soit retrouvée. Et le Dr Phillips est prêt depuis plus d'une heure.

– Très bien, dit Fyodor, échangeant un regard blasé avec Misha.

– Et la fille, alors ? demanda Benton, incapable de refouler la pointe d'agacement dans sa voix. Vous pensez mettre la main dessus dans combien de temps ?

– Bientôt, assura Fyodor. Nous avons fait venir d'autres agents et nous fouillons le bâtiment dans ses moindres recoins. Depuis le sixième niveau en descendant vers les profondeurs. Franchement, je suis étonné qu'elle ait réussi à nous échapper si longtemps. Elle a dû trouver un endroit où se planquer. Le truc, c'est que nous n'avions pas pensé qu'ils allaient se séparer.

– Ouais, fit Benton, dubitatif. Vous me montrez le chemin de la salle de visite A ?

– Avec plaisir, docteur.

49

JEUDI 9 AVRIL
04 H 35

Lynn sentait qu'elle approchait de la fin de ce qui aurait été, tout compte fait, une très pénible aventure – aussi bien sur le plan physique que sur le plan psychologique. La première heure avait été la plus difficile, car le conduit ne s'était agrandi à aucun moment. Elle avait rampé, rampé et encore rampé avec l'impression que ce supplice ne finirait jamais. Elle avait franchi d'innombrables croisements dont certains avaient été difficiles à négocier. Parfois elle avait été obligée de se tourner sur le flanc, plaquée contre la paroi métallique, et de se courber douloureusement en deux pour réussir à passer les virages à angle droit. Quand elle repensait aux difficultés qu'elle avait rencontrées à certains endroits, quand elle se revoyait se contorsionner et essayer de trouver des solutions pour franchir des obstacles à première vue insurmontables, elle doutait fort de pouvoir faire marche arrière si jamais cela s'avérait finalement nécessaire. De temps à autre, elle avait allumé l'appli lampe torche de son téléphone pour s'orienter, mais pendant la majeure partie de son effort elle était restée dans le noir – en s'obligeant à garder les yeux fermés pour ne pas paniquer, car le tunnel la rendait claustrophobe. Heureusement, elle avait senti qu'elle avançait à l'encontre d'un flux d'air régulier qui forcissait, petit à petit, à mesure qu'elle progressait dans le conduit. Ainsi, elle avait su qu'elle allait dans la bonne direction, en particulier aux croisements. Le courant d'air l'avait aussi aidée à ne pas avoir l'impression d'étouffer dans l'espace réduit où elle se déplaçait. Malgré la situation délicate qui était la sienne, enfin, elle n'avait pas arrêté de penser à Michael et de se demander ce qu'il était devenu.

Au bout d'une heure de progression affreusement lente dans le labyrinthe du système HVAC, les dimensions du conduit avaient commencé à s'élargir. Bientôt il était devenu assez spacieux pour lui permettre d'avancer à quatre pattes, comme Michael et elle l'avaient fait dans le tunnel du convoyeur, et elle avait pu accélérer un peu. Lorsque le conduit s'était incliné vers le bas, elle s'était assise, pieds en avant, pour glisser sur les fesses comme sur un toboggan. Par crainte de descendre trop vite et d'entrer en collision avec un obstacle – avec un objet dangereux –, elle s'était retenue sur ses semelles de chaussures et en plaquant les mains contre les flancs du conduit.

Elle n'avait pas rencontré d'obstacle en bas de la descente, le conduit était redevenu horizontal, puis il s'était encore agrandi. À présent elle pouvait presque marcher debout – l'échine courbée. Elle avançait assez vite, suivant constamment du bout des doigts, pour s'orienter, les parois métalliques du conduit. Le niveau sonore avait augmenté, depuis un petit moment, ainsi que les turbulences du flux d'air qu'elle remontait. Il lui vint soudain à l'esprit que ces turbulences devaient être dues à des ventilateurs et que ceux-ci étaient probablement immenses, et très puissants, pour propulser l'air sur de si longues distances. Elle comprit alors qu'elle se rapprochait de son but.

Craignant de heurter l'un de ces ventilateurs dans le noir, elle reprit son téléphone en main pour utiliser l'appli lampe torche.

Mais elle s'en était déjà trop servie. Le niveau de la batterie était dangereusement bas. Elle coupa l'appli, décidant qu'elle se contenterait de la lumière ténue, mais suffisante après tout, de l'écran. Seul souci, celui-ci s'éteignait régulièrement.

Une trentaine de mètres plus loin, le conduit s'agrandit tout à coup de façon très nette ; il devint un véritable tunnel où elle se tenait debout sans problème. Quelques pas après, cependant, le passage lui fut complètement bloqué par un immense filtre de couleur gris foncé. Au vacarme qui emplissait le conduit et aux vibrations qu'elle percevait dans le sol, sous ses pieds, Lynn comprit que des ventilateurs se trouvaient juste derrière.

Elle soupira. Avait-elle fait tout ce chemin pour se retrouver finalement coincée par ce filtre ? Elle s'en approcha et le toucha, ici et là, pour voir s'il était susceptible de pivoter sur des charnières, de s'ouvrir d'une façon ou d'une autre. Elle ne réussit pas à le faire bouger d'un pouce. Espérant que le peu de batterie qui lui restait ne s'épuiserait pas trop vite, elle ralluma l'appli lampe torche et en braqua le faisceau sur le pourtour du filtre. C'est alors qu'elle remarqua qu'un rai de lumière était visible sur son bord droit.

Elle éteignit aussitôt l'appli. Maintenant qu'elle l'avait repérée, la bordure de lumière lui était bien visible sur le côté du filtre. Elle s'étirait du plancher au plafond du tunnel. Lynn fit alors l'hypothèse que le filtre devait pouvoir pivoter vers l'intérieur à cet endroit. Elle en agrippa le bord et tira dessus. Au début il ne bougea pas, et elle dut s'y reprendre à deux fois, mais bientôt elle le sentit céder sous ses doigts et réussit à le tirer vers elle sur près d'un mètre. À ce moment-là, la force du flux d'air qui lui soufflait au visage augmenta de façon spectaculaire. Elle allait rallumer l'appli lampe torche pour regarder derrière le filtre, lorsqu'elle remarqua un autre rai de lumière dans la paroi latérale du conduit, sur sa droite, une cinquantaine de centimètres derrière la position initiale du filtre.

Plissant les yeux, elle se pencha vers cette nouvelle source de lumière en palpant la paroi du bout des doigts. Elle distingua alors des charnières, puis le contour d'une porte étroite – une sorte de trappe juste assez grande pour le passage d'un homme – et une poignée d'ouverture. Entrouvrant la porte, elle découvrit une sorte de salle des machines brillamment éclairée.

Elle eut envie de s'y précipiter, pour échapper enfin à ce conduit qui l'avait tellement stressée, mais elle se força à être prudente. Tendant l'oreille par l'entrebâillement de la porte, elle essaya de déterminer s'il y avait quelqu'un dans la salle des machines. Peine perdue : les ventilateurs, derrière le filtre, faisaient beaucoup trop de bruit. Elle résolut alors d'ouvrir la porte avec précaution pour découvrir petit à petit l'ensemble de la salle. Après tout ce qu'elle avait enduré, elle n'avait aucune envie de tomber sur un technicien et de devoir expliquer sa présence dans les tuyaux du système HVAC de l'hôpital. Par chance, elle ne vit personne.

À peu près certaine d'être seule – et ce n'était pas étonnant, finalement, puisqu'il était plus de quatre heures et demie du matin –, Lynn franchit l'ouverture étroite et descendit deux marches menant au sol en ciment de la salle. Elle n'avait aucune idée de l'endroit où elle se trouvait. Il lui restait juste à espérer qu'elle était quelque part dans les entrailles de l'hôpital, et en tout cas plus à l'institut Shapiro.

Elle vérifia en premier lieu si son téléphone fonctionnait dans cette salle. Maintenant qu'elle était libérée, elle pensait avant tout à Michael. Malheureusement non, il n'y avait pas de réseau ici. Il faudrait qu'elle réessaie plus tard. Elle allait s'élancer vers la porte de la salle lorsqu'elle se rappela qu'elle était crasseuse. Sa combinaison Shapiro, avait-elle remarqué, n'était plus blanche, mais presque noire sur la poitrine, sur le ventre, sur les cuisses et sous les bras, à cause de toute la poussière qu'elle avait récoltée dans les conduits du système de climatisation. Ses mains étaient horriblement sales, elles aussi, et elle craignait que son visage ne soit dans le même état.

Lynn voulait absolument éviter d'attirer l'attention de quiconque, et surtout des agents de sécurité, quand elle traverserait l'hôpital. Maintenant qu'elle avait la quasi-certitude que Sidereal Pharmaceuticals et Middleton Healthcare avaient conçu ensemble le système ignoble qu'elle avait découvert au Shapiro, elle savait qu'elle ne devait faire confiance à personne dans le centre médical. À cette heure de la nuit, certes, elle trouverait relativement peu de monde dans les couloirs et dans les salles de l'hôpital. Mais elle risquait quand même de croiser quelqu'un et elle s'attirerait forcément des questions si elle ressemblait à un ramoneur. Il fallait qu'elle arrange sa mise d'une façon ou d'une autre.

Elle retira le calot du Shapiro et le masque chirurgical qu'elle avait encore autour du cou. Le calot était sale, mais pas autant que la combinaison. Elle le jeta avec le masque dans une poubelle et se dirigea vers l'évier qu'elle avait aperçu au fond de la salle. Il n'y avait qu'un robinet d'eau froide et pas de miroir au mur. Elle s'aspergea le visage avec les mains, puis attrapa des serviettes en papier.

Quand elle vit la couleur de ces serviettes après s'être essuyée, elle sut qu'elle ne s'était pas trompée. Elle rouvrit le robinet et se rinça à nouveau le visage en le frictionnant avec ses doigts. Cette fois, les serviettes en papier avec lesquelles elle s'essuya ne se couvrirent que de légères traînées grises. Elle en tira d'autres du distributeur pour essayer de nettoyer la combinaison, mais c'était un vœu pieux. Maintenant elle regrettait d'avoir abandonné l'imperméable dans le conduit dès qu'elle avait eu assez de liberté de mouvement pour le retirer.

Lynn chercha des yeux, autour d'elle, une tenue de remplacement – une blouse, n'importe quoi pour se couvrir –, mais il n'y avait aucun vêtement dans cette salle. Elle allait donc devoir commencer par se rendre au vestiaire des femmes, à la salle de détente, pour enfiler un pyjama de bloc. Au milieu de la nuit, ce ne serait sans doute pas un problème, elle ne verrait personne ou pas grand monde là-bas, mais elle croisait quand même les doigts. Autre raison d'aller au vestiaire, elle y aurait du réseau et elle serait tranquille pour téléphoner. Sa première priorité était d'appeler Markus Vandermeer. Elle voulait que le FBI et la CIA – et même les Marines, comme Michael l'avait dit pour plaisanter – débarquent à l'hôpital. Telle qu'elle voyait la situation, Lynn estimait qu'elle ne pouvait pas faire confiance aux forces de l'ordre de la ville. Middleton Healthcare avait très certainement de l'ascendant sur le monde politique local.

Lynn réprima un soupir quand elle entrouvrit la porte de la salle. Manifestement, l'énorme système HVAC de l'hôpital et du Shapiro occupait un espace considérable. Derrière la porte, il n'y avait pas un couloir du sous-sol comme elle l'avait espéré, mais une autre salle des machines, bien plus vaste que celle qu'elle s'apprêtait à quitter. Deux techniciens étaient assis devant un large pupitre de commande qui comportait d'innombrables jauges, voyants et boutons. L'éclairage était intense et le niveau sonore élevé. Lynn songea qu'elle voyait sans doute là le principal poste de commande du service qui assurait le fonctionnement et la maintenance du système HVAC.

Juste en face de la porte qu'elle tenait entrouverte, à l'autre bout de la grande salle, se trouvait une double porte qui lui parut prometteuse. Et comme pour confirmer cette impression, un troisième homme y apparut à cet instant : lorsqu'il ouvrit l'un des deux battants, elle aperçut brièvement un couloir identique à ceux qu'elle avait déjà vus au sous-sol de l'hôpital.

Elle observa quelques instants les trois techniciens. Ils scrutaient les écrans de contrôle, ils se penchaient sur les jauges et les voyants du pupitre, ils prenaient des notes sur des registres – bref ils étaient concentrés sur leur travail et n'accordaient aucune attention à la double porte. Elle décida de prendre le risque de se lancer.

Elle poussa la porte juste assez pour la franchir, la referma sans bruit, puis longea le mur du fond de la salle en marchant d'un bon pas, mais pas trop vite pour ne pas risquer d'attirer l'attention des techniciens. Il lui semblait évident que l'un des hommes allait se retourner et la surprendre, et cette idée lui nouait le ventre, mais elle savait en même temps qu'elle n'avait pas le choix. Elle devait avancer. Que dirait-elle s'ils l'apostrophaient et lui demandaient ce qu'elle faisait là ? Elle n'en avait aucune idée. Par chance, ils ne la remarquèrent pas. Quelques instants plus tard, elle atteignit la double porte, poussa doucement l'un des battants – et émit un immense soupir de soulagement.

Alors qu'elle s'élançait dans le couloir, elle regarda si son téléphone captait le réseau. Ce n'était toujours pas le cas et il ne lui restait que cinq pour cent de batterie. Elle éteignit l'appareil. Un peu plus loin, elle poussa la première porte de cage d'escalier qu'elle rencontra. Il ne fallait pas qu'elle lambine dans ce couloir et il était exclu qu'elle prenne l'ascenseur.

Elle monta les escaliers deux à deux, agrippant la rampe sur les paliers intermédiaires pour se projeter dans la prochaine volée de marches, jusqu'au premier étage. Là, elle hésita à rallumer son téléphone pour voir si elle avait du réseau, puis décida d'attendre d'avoir atteint son objectif, le vestiaire de la salle de détente.

Quand elle ouvrit la porte de la cage d'escalier, elle constata qu'elle se trouvait à l'extrémité du bâtiment opposée au bloc opératoire. Elle s'engagea au pas de course dans le couloir, dépassa le hall des ascenseurs et ralentit l'allure quand elle arriva en vue de la salle de détente. La porte en était ouverte, comme bien souvent, et Lynn aperçut la télévision allumée dans l'angle du fond. Elle s'immobilisa sur le seuil et jeta un coup d'œil à l'intérieur.

Deux aides-soignants étaient vautrés dans les canapés. L'un d'eux lisait le journal, l'autre jouait avec son smartphone. Des mugs de café étaient posés à côté d'eux. Il n'y avait personne d'autre. Lynn traversa la pièce en longeant le mur, marchant calmement pour ne pas attirer l'attention des deux hommes. Qui ne la virent apparemment pas. Elle poussa la porte du vestiaire et retint un petit cri de joie en constatant qu'il était désert.

Sans perdre une seconde, elle retira la combinaison du Shapiro, la roula en boule et la mit au fond d'une poubelle en prenant soin de la recouvrir avec les autres déchets qui s'y trouvaient. Après s'être lavé les mains et avoir enfilé un pyjama de bloc, elle ralluma son téléphone. Le démarrage de l'appareil lui sembla prendre une éternité, mais elle eut la satisfaction de voir qu'il captait bien le réseau. Elle ouvrit ses contacts et y chercha le numéro de la maison des parents de Carl. Pendant que la communication s'établissait, elle jeta un coup d'œil à l'écran : il était bientôt cinq heures du matin.

Ce fut Leanne qui répondit. Après s'être excusée de les déranger ainsi aux aurores, Lynn demanda à parler à Markus en précisant que c'était très important. Quand le père de Carl prit la ligne, elle alla droit au but. À présent elle s'inquiétait surtout pour Michael.

– Sidereal Pharmaceuticals ne se contente pas de faire des essais illicites de médicaments sur les patients de l'institut Shapiro. La réalité est bien plus terrible. Sidereal se sert des pensionnaires du Shapiro pour produire des biomédicaments. En les rendant malades.

– Holà ! Ralentis un peu, Lynn ! dit Markus qui se réveillait à peine. J'ai du mal à te suivre. Répète-moi ça, s'il te plaît ?

Lynn inspira profondément, prit un instant pour mettre de l'ordre dans ses idées, puis expliqua posément, en quelques phrases claires, le résultat des découvertes que Michael et elle avaient faites.

– Comment sais-tu tout cela ? demanda ensuite Markus.

Il ne remettait pas en question ce qu'il venait d'entendre. Lynn comprit à son intonation qu'il la prenait au sérieux.

– Cette nuit, Michael Pender et moi nous sommes entrés par effraction dans le Shapiro. Vous savez que cet endroit est une espèce de forteresse.

– Oui, bien sûr. C'est pour le bien des patients. Pour leur éviter d'attraper des maladies…

– C'est peut-être vrai dans une certaine mesure, l'interrompit-elle. Mais après avoir vu ce que nous avons vu, nous pensons que l'argument de la protection des patients est un moyen bien pratique de dissimuler ce qui se passe vraiment dans cet institut. À savoir qu'on y met la vie des patients en danger pour produire des médicaments à base d'anticorps monoclonaux. Et il n'y a pas que les pensionnaires du Shapiro qui sont touchés. Sidereal fait les mêmes manips, semble-t-il, avec de nombreux patients des hôpitaux Middleton Healthcare. Nous pensons que Sidereal et Middleton ont mis sur pied une énorme machination. Non, pardon : nous en sommes certains. Absolument certains. Et ce n'est pas terminé, Markus. Maintenant… je dois vous dire le pire. Le pire pour vous, pour Leanne et pour moi. À titre personnel. Carl n'a pas été victime d'un accident. Il a été délibérément plongé dans le coma pour être envoyé au Shapiro. Pour être transformé en usine à biomédicaments. Comme beaucoup d'autres victimes de Sidereal et de Middleton, il a été… Il a été en quelque sorte sélectionné et recruté pour cette horreur !

Pendant de longues secondes, Lynn n'entendit plus rien au bout du fil. Craignant que la communication n'ait été coupée, elle demanda :

– Markus, vous êtes là ?

– Oui, répondit-il d'une voix blanche. J'essaie d'assimiler tout ce que tu me dis, Lynn. C'est… énorme.

– Je sais, c'est absolument atroce. Et il doit y avoir des tas de gens mêlés à cette conspiration. Sinon, ça ne fonctionnerait pas. Je pense que Sidereal et Middleton vont gagner des milliards.

– Vous êtes encore au Shapiro, Michael et toi ?

– Pas moi. Nous avons été repérés, dans le Shapiro, et pris en chasse par des agents de sécurité. J'ai réussi à m'échapper par les conduits du système HVAC. Michael m'a couverte et il est encore là-bas. Je suppose qu'ils l'ont attrapé, pour commencer, et qu'ils continuent de me chercher. Il faut faire quelque chose tout de suite ! Ils risquent de le tuer !

– Très bien. J'appelle les autorités fédérales. Le FBI, plus spécifiquement. Où te trouves-tu, à l'instant ? Es-tu en sécurité ?

– Je suis dans le vestiaire des femmes du bloc opératoire. Dans le bâtiment principal de l'hôpital.

– As-tu parlé de cette histoire à quelqu'un d'autre ?

– Sûrement pas ! Au centre médical, je ne sais pas en qui je peux avoir confiance.

– Très bien. Maintenant tu ferais sans doute mieux de t'en aller. De sortir de l'hôpital, je veux dire.

– J'ai la voiture de Carl…

– Parfait ! Pars tout de suite. Viens ici. À la maison.

– D'accord. Et Michael ? Je ne sais pas ce qui risque de lui arriver. Je suis très inquiète.

– Nous allons mettre ça entre les mains du FBI. Un groupe d'intervention devrait pouvoir être là-bas très vite. Pour le moment, en tout cas, je préfère ne pas mêler la police de Charleston à cette histoire. On ne sait jamais.

– Vous avez raison.

– C'est entendu. Prends la voiture de Carl et viens ici. Le temps que tu arrives, j'en saurai davantage.

50

JEUDI 9 AVRIL
05 H 11

Ayant rempoché son téléphone, Lynn prit un moment pour se regarder dans le miroir du lavabo. Heureusement qu'elle n'avait rencontré personne en remontant du sous-sol. Elle avait beau s'être rincé le visage dans la salle des machines, elle découvrait maintenant qu'elle avait encore de vilaines traînées noires sur le front, dans le cou et sur le nez. Elle ressemblait à un raton laveur. Il fallait qu'elle se rende plus présentable, car même si elle allait droit au parking, elle croiserait forcément des gens dans les couloirs. Dans ce vestiaire, en outre, elle était mieux équipée pour se débarbouiller. Il y avait toutes les serviettes en papier qu'elle pouvait souhaiter, du savon et de l'eau chaude.

Un petit moment plus tard, elle avait bien meilleure allure. Elle remit même ses cheveux en ordre, en se coiffant avec les doigts. Après avoir jeté à la poubelle toutes les serviettes qu'elle avait utilisées, elle se dirigea vers la porte.

Son plan était simple. Elle allait marcher jusqu'au parking en regardant droit devant elle. Si quelqu'un l'abordait et essayait d'engager la conversation, elle se montrerait polie, mais réservée. Dans l'hôpital, elle n'aurait sans doute pas de problème. Elle se faisait plus de soucis pour le parking, par contre, car elle savait que des agents de sécurité y patrouillaient régulièrement aux heures creuses, et en particulier la nuit, depuis qu'une infirmière y avait été agressée. Or, elle devait absolument éviter les agents de sécurité.

Une infirmière se trouvait à présent dans la salle de détente. Pour dissuader cette femme, qui était en train de se servir du café, d'avoir l'idée de lui parler si jamais elle l'apercevait, Lynn traversa la pièce les yeux fixés sur le mur du fond, en prenant un air très absorbé comme si elle réfléchissait à quelque chose. Pour cette raison, son regard passa sur le moniteur qui affichait le planning du bloc opératoire et elle vit qu'une intervention était en cours dans la salle d'opération numéro douze. Sans doute était-ce la raison pour laquelle la salle de détente était presque déserte.

Lynn s'immobilisa tout à coup et cligna des yeux, priant pour que sa vue lui ait joué des tours. Mais non : le nom du patient opéré était bien Michael Pender ! L'intervention prévue – pour un hématome sous-dural, était-il précisé sur l'écran – était une craniectomie d'urgence. Le neurochirurgien qui s'en chargeait était le Dr Norman Phillips.

Poussant malgré elle un petit cri d'animal blessé, Lynn s'approcha du moniteur pour voir l'heure du début de l'intervention. Elle n'avait commencé que quelques minutes plus tôt, à quatre heures cinquante-huit.

– Non ! cria-t-elle, horrifiée. Ça ne va pas recommencer ! Pas lui !

Les deux aides-soignants et l'infirmière sursautèrent et la dévisagèrent bizarrement. À cette heure de la nuit, ils se demandaient forcément qui était cette dingue qui braillait des propos incohérents.

L'instant d'après, Lynn se précipitait dans le couloir central du bloc opératoire. Elle tira son téléphone de sa poche, activa l'écran et cliqua pour retrouver son dernier correspondant appelé. Alors qu'elle portait l'appareil à son oreille, l'infirmière qu'elle avait vue dans la salle de détente cria derrière elle qu'elle n'avait pas l'autorisation de circuler au bloc. Lynn l'ignora mais l'entendit se lancer à sa poursuite.

Markus répondit à l'instant où elle arrivait devant la porte de la salle d'opération numéro douze. D'une voix haletante, elle lui expliqua que Michael était sur le billard entre les mains d'un neurochirurgien.

– Il faut les arrêter ! ajouta-t-elle. Michael ne se réveillera pas. J'en suis certaine. Il va lui arriver la même chose qu'à Carl !

L'infirmière la rejoignit et demanda d'un ton péremptoire :

– Qu'est-ce que vous faites ici ? Et vous êtes qui, d'abord ?

Lynn lui tourna le dos, continuant de parler à Markus :

– Envoyez quelqu'un ici tout de suite, je vous en prie ! La police, le FBI, n'importe qui ! Il est en salle douze ! Aidez-moi à empêcher ça !

– Hé, vous ! cria l'infirmière. Vous n'avez aucune raison d'être ici !

Lynn coupa la communication et rempocha le téléphone en faisant volte-face. L'infirmière la regardait d'un air à la fois méfiant et inquiet, comme si elle était convaincue d'avoir affaire à une malade mentale.

– Soyez raisonnable, dit-elle d'un ton plus posé. Venez…

Elle saisit le bras de Lynn et essaya de l'entraîner vers la sortie du bloc.

Lynn lui frappa d'un coup sec le poignet, avec le tranchant de la main, pour l'obliger à la lâcher. Elle se précipita dans la salle d'opération et referma la porte au nez de l'infirmière médusée. Quatre personnes se trouvaient autour de Michael : le chirurgien, une infirmière instrumentiste, l'anesthésiste et une infirmière circulante. Bien sûr, tous étaient en pyjama de bloc, avec un masque chirurgical sur le visage, et tous avaient les mains gantées. Le neurologue portait aussi une casaque par-dessus son pyjama. Comme ils discutaient les uns avec les autres, aucun d'eux ne remarqua tout de suite l'arrivée de Lynn. Benton Rhodes, l'anesthésiste, et Norman Phillips, le neurochirurgien, parlaient de golf, tandis que les infirmières commentaient leurs plannings respectifs. Lorsque l'infirmière qui avait suivi Lynn fit irruption dans la salle et hurla qu'elle n'avait pas le droit de se trouver ici, cependant, les conversations cessèrent et les regards convergèrent sur les deux femmes.

Lynn ne prêta aucune attention à l'infirmière. Depuis qu'elle avait vu le nom de Michael sur le tableau d'affichage, elle avait voulu espérer, en dépit de tout, qu'il ne s'agissait pas du Michael Pender qu'elle connaissait. Mais l'homme qui était là, endormi, le corps et une partie du visage recouverts par des draps stériles, était bel et bien son plus cher ami. Aucun doute possible. Il n'était pas allongé, mais en position assise. Ses paupières étaient maintenues fermées par du sparadrap. La sonde endotrachéale de l'anesthésie était en place dans sa bouche. Le ballon de ventilation de la station d'anesthésie se gonflait et se dégonflait au rythme de sa respiration. Les tracés de ses signes vitaux, sur le moniteur, étaient réguliers. Le neurochirurgien avait déjà coupé un carré de peau sur son crâne. Il s'apprêtait à faire la trépanation.

Lynn se précipita vers la station d'anesthésie et se baissa pour en examiner le flanc. Comme elle le craignait, c'était la machine trente-sept. Alors qu'elle se redressait, l'infirmière lui ordonna de nouveau de sortir de la salle d'opération puis lança à la cantonade :

– Je crois qu'elle est folle !

Ignorant la femme qui essayait une fois de plus de lui agripper le bras, Lynn s'adressa à l'infirmière circulante :

– Il faut aller chercher une autre machine d'anesthésie ! Tout de suite ! Celle-ci est dangereuse. Les patients ne se réveillent pas.

– Allez, dit l'infirmière – elle s'adressait tout à coup à Lynn d'un ton presque implorant. Soyez gentille ! Vous devez sortir d'ici, maintenant…

Benton Rhodes, revenu de sa surprise, réagit à ce moment-là. Sans un mot, il saisit une seringue pleine sur le plateau de la station d'anesthésie et se jeta sur Lynn comme un animal enragé – bousculant la machine au passage et renversant une autre seringue pleine. L'infirmière, effrayée, lâcha Lynn et eut un mouvement de recul.

Grâce à ses longues années de pratique du lacrosse, Lynn était à la fois musclée et très vive. Réagissant instantanément, elle esquiva Benton sans difficulté, courba le dos pour passer sous son bras et se réfugia de l'autre côté de la table d'opération. Ils entamèrent alors une étrange chorégraphie de part et d'autre de la silhouette immobile de Michael, Benton se jetant d'un côté pour tenter de contourner la table et de la rattraper, Lynn se jetant aussitôt du côté opposé, Benton changeant alors de direction – et ainsi de suite pendant quelques secondes. En même temps, Lynn cria de nouveau à l'infirmière circulante qu'elle devait aller chercher une autre station d'anesthésie.

– Faites ça et je m'en vais ! précisa-t-elle. Tant que la machine n'est pas changée, je reste ici !

L'infirmière circulante, confuse, interrogea Benton du regard.

– J'appelle la sécurité ! annonça la première infirmière.

Sans attendre de réponse de Benton ou du chirurgien, elle ressortit de la salle.

Le Dr Norman Phillips, momentanément paralysé par la scène invraisemblable qui avait interrompu son intervention, finit par se ressaisir. Il tendit à l'infirmière instrumentiste le perforateur avec lequel il avait été sur le point d'ouvrir le crâne de Michael et s'écarta de la table d'opération. Il tendit les bras vers Lynn, alors qu'elle venait dans sa direction, pour lui bloquer le passage et l'empêcher de jouer au chat et à la souris avec Benton.

Lynn ne demanda pas mieux que de faire entrer le neurochirurgien dans la danse. Elle savait que si Phillips la touchait, c'est-à-dire s'il compromettait l'asepsie de ses gants, de ses avant-bras et de sa casaque, il serait obligé de se changer et de retourner au lavabo pour se désinfecter. Il perdrait par conséquent beaucoup de temps. Or, elle voulait perturber l'intervention, et retarder le plus longtemps possible sa reprise, pour éviter qu'il arrive quoi que ce soit à Michael avant l'arrivée de la cavalerie – le FBI, dans l'idéal, que Markus avait promis d'envoyer à l'hôpital. Problème, elle ignorait quand la cavalerie débarquerait. Elle devait donc mettre la pagaille dans la salle d'opération et éviter à tout prix que Benton Rhodes ou Norman Phillips ne réussissent à l'attraper. Le contenu de la seringue que l'anesthésiste avait à la main n'était pas un mystère.

Phillips lui barrait donc le passage. Imaginant qu'elle se trouvait sur un terrain de lacrosse, et de surcroît engagée dans une partie de lacrosse *masculin*, elle se jeta en avant, se baissa très légèrement au dernier instant et le heurta de toutes ses forces, de l'épaule, pour le projeter en l'air. Elle avait vu Carl appliquer cette manœuvre défensive dans plusieurs vidéos de ses matchs universitaires. Le résultat de son effort dépassa toutes ses espérances : complètement pris au dépourvu, le neurochirurgien bondit sur place comme si une main invisible l'avait brusquement arraché du sol, avant de retomber et de s'effondrer à terre. Pour ce qui était de compromettre l'asepsie de sa tenue, Lynn savait qu'elle n'aurait pu souhaiter mieux.

Benton, qui s'était précipité autour de la table pour surprendre Lynn par-derrière, s'immobilisa, stupéfait, quand il la vit attaquer Norman. Elle en profita pour frapper d'un coup sec avec la tranche de sa main droite, aussi fort que possible, sur la main de Benton qui tenait la seringue. L'objet lui échappa, tomba par terre et roula sous la station d'anesthésie.

Sans perdre un instant, Lynn sauta par-dessus Norman qui était encore à terre et essayait de reprendre son souffle. Réfugiée de l'autre côté de la table d'opération, elle fit volte-face et attendit la prochaine manœuvre offensive de Benton. Il se jeta vers la station d'anesthésie, y ouvrit un petit tiroir et en tira une autre seringue, vide, et un flacon de midazolam. Norman se remit alors debout en se palpant le buste pour voir s'il n'avait rien de cassé.

– Changez la station d'anesthésie ! cria de nouveau Lynn à l'infirmière circulante et à tous ceux qui voudraient bien l'écouter. C'est tout ce que je demande. Je partirai quand vous aurez apporté une autre machine.

Michael avait-il réellement besoin de l'opération à la tête pour laquelle il était endormi ? C'était le cadet de ses soucis. L'essentiel était de sortir la station d'anesthésie numéro trente-sept de la salle.

– Docteur Rhodes ? demanda l'infirmière circulante. Que dois-je faire ?

– Rien, répondit Benton d'un ton sec.

Il venait de remplir la seringue – complètement – de midazolam, et il était prêt à repasser à l'attaque. Il regarda Norman. Celui-ci, qui avait repris ses esprits, hocha la tête. Les yeux fixés sur Lynn, l'anesthésiste et le neurochirurgien contournèrent la table d'opération dans des directions opposées pour la prendre en tenaille.

Consciente qu'elle ne pourrait se battre avec les deux hommes en même temps, et motivée par le succès de son offensive contre Norman, Lynn se lança sans hésiter dans une manœuvre identique contre Benton : elle se jeta de toutes ses forces dans sa direction, se baissa et pivota légèrement pour le heurter avec l'épaule. Peut-être parce qu'il avait assisté à sa première offensive, Benton eut hélas juste avant l'impact un mouvement de recul défensif qui lui permit d'amortir significativement le choc. Mais son geste signifia aussi qu'emportés par leur élan, Lynn et lui basculèrent ensemble.

Lynn tomba de tout son poids sur Benton. Elle entendit une expiration brutale jaillir de sa bouche quand elle lui écrasa les poumons, puis elle le sentit aussitôt se débattre pour tenter de reprendre son souffle. Alors qu'elle se redressait, elle s'aperçut que Benton lui avait planté la seringue dans l'avant-bras pendant leur chute. L'aiguille était presque entièrement enfoncée dans sa chair. Elle ignorait s'il l'avait fait exprès, mais cette question n'avait pas d'importance.

Elle n'avait pas non plus le temps de se demander quelle quantité de midazolam était maintenant dans son corps, ou si le produit risquait de l'affaiblir, voire de l'endormir. Un problème plus immédiat se posait à elle : Norman avait fait le tour de la table d'opération, il avançait sur elle – et il était déjà si proche qu'elle n'avait pas le temps de tenter une manœuvre offensive ! Comme elle l'avait fait des centaines de fois sur le terrain de lacrosse, elle se déporta sur le côté au tout dernier instant, comme un matador devant le taureau, et esquiva presque complètement son assaillant. Il réussit cependant à agripper sa tunique à pleine main, quand il passa à côté d'elle, et ce geste lui permit de se maintenir sur ses deux jambes.

Lynn essaya de se libérer de l'emprise de Norman, mais il la tenait fermement. Il réussit même à lui agripper le poignet de sa main libre. Elle attrapa le masque chirurgical qu'il avait sur le visage et tira violemment dessus : la tête de Norman s'inclina avant que l'élastique ne cède, mais il ne la lâcha toujours pas. Elle se débattit furieusement, sans résultat. Elle avait beau tout essayer, les mains du neurochirurgien étaient refermées sur elle comme des étaux.

Benton s'était relevé. Il accourut pour aider Norman. Après qu'elle eut réussi à le gifler trois ou quatre fois, il parvint à lui attraper le bras. Tant pis. Elle avait encore ses jambes et ses pieds : elle continua de se débattre avec toute l'énergie qu'elle avait en elle et frappa les deux hommes aux tibias – au moins une fois chacun. Hélas, elle ne put les atteindre à l'entrejambe.

Quand ils eurent l'impression qu'elle fatiguait et qu'ils la contrôlaient à peu près, ils l'entraînèrent vers la porte pour la sortir de la salle d'opération. Mais c'était plus facile à dire qu'à faire. Lynn leur compliqua la tâche autant qu'elle put. Ils ne réussirent même pas à ouvrir la porte. Plusieurs fois de suite, elle prit appui au chambranle avec les pieds et se cabra en arrière de toutes ses forces pour les empêcher de franchir le seuil de la pièce. Grâce à sa pratique du kick-boxing, elle avait les jambes très puissantes.

Excédé, Benton demanda à Norman :

– Peux-tu la tenir pendant que je vais chercher une autre seringue ?

– Franchement je n'en suis pas sûr, répondit le neurochirurgien, essoufflé par ses efforts. Quelle sorcière ! C'est qui, cette fille ?

– Je te dirai ça plus tard.

– Je vais vous dire qui je suis ! cria Lynn. Je suis étudiante ici. Et le patient est mon ami. J'exige que vous utilisiez une autre station d'anesthésie !

Sans prévenir, Benton serra le poing et la frappa au visage. Le sang gicla immédiatement de son nez déjà blessé. Surpris par cette attaque, Norman relâcha un instant son étreinte sur son poignet. Elle en profita pour libérer complètement son bras et, serrant à son tour le poing, rendre à Benton le coup qu'il lui avait donné. Elle réussit même à le frapper à peu près au même endroit, sur le nez, et à le faire saigner.

À cet instant, la porte du couloir s'ouvrit sur la première infirmière qui avait essayé d'intercepter Lynn. Elle fit irruption dans la salle d'opération suivie par cinq agents de sécurité qui avaient enfilé des chemises longues de patients, par-dessus leurs uniformes, comme des peignoirs. Lynn ne savait pas si ces hommes étaient ceux qui les avaient poursuivis à travers le Shapiro, Michael et elle, mais peu importait. Si quelques agents de sécurité de l'hôpital étaient à la solde des dirigeants du complot du Shapiro, elle pouvait supposer que *tous* les agents de sécurité de l'hôpital leur obéissaient.

– Non ! cria-t-elle. Je n'irai pas avec eux.

– Vous auriez dû penser à cela avant de venir ici ! répliqua l'infirmière d'un ton triomphal.

Elle se déporta sur le côté pour laisser les cinq costauds encercler Lynn et s'emparer d'elle. Lynn essaya de se débattre, mais que pouvait-elle contre plusieurs hommes bien entraînés ? En un clin d'œil, ils la maîtrisèrent et la sortirent dans le couloir.

– Mettez-la sur un brancard ! leur dit Benton. J'arrive dans une seconde avec de quoi la calmer.

Il échangea un regard à la fois incrédule et dégoûté avec Norman.

– Tu as raison. Quelle sorcière, putain ! cria-t-il en retournant vers la station d'anesthésie pour y prendre une nouvelle seringue et une autre fiole de midazolam.

– Je m'en souviendrai, de cette craniectomie, marmonna le neurochirurgien.

Il retira ses gants et jeta un coup d'œil vers Michael qui ne s'était pas réveillé pendant la bagarre.

– Il tient le coup, lui ?

– Mais oui ! Aucun problème, répondit Benton comme si la question ne se posait même pas. Ce mec est solide comme un roc.

– D'accord. Je retourne au lavabo me désinfecter les mains. Essayons de nous remettre vite au travail.

Bien décidé à ne plus avoir le moindre problème avec la fille, Benton remplit la seringue avec une dose massive de midazolam avant de ressortir dans le couloir. Les agents de sécurité avaient allongé Lynn sur un brancard, comme il l'avait ordonné, et la maintenaient. Ils devaient s'y prendre tous les cinq, car elle continuait de se débattre et de protester. Benton décida de faire l'injection par voie intraveineuse. Cette garce resterait au pays des fées pendant de longues heures.

– Je refuse toute piqûre ! affirma Lynn.

– Rien à foutre, répliqua Benton d'un ton narquois.

– C'est la femme qu'on cherchait au Shapiro ? demanda un des agents de sécurité qui parlait avec un léger accent russe.

– Oui, c'est elle, répondit Benton en posant le garrot autour du bras de Lynn, et il passa un lingette antiseptique sur le creux de son coude avant d'ajouter : Maintenant vous comprenez pourquoi il aurait mieux valu que vous l'attrapiez là-bas.

Machinalement, parce qu'il faisait toujours ce geste avant une injection, Benton leva la seringue devant ses yeux, l'aiguille vers le plafond, pour en chasser les bulles d'air qu'elle pouvait contenir. À ce moment-là, il vit les deux battants de la porte, au bout du couloir, s'ouvrir brutalement sur plusieurs personnes. Il baissa la seringue, interloqué. Jamais on ne voyait autant de gens au bloc à cette heure de la nuit !

De plus en plus perplexe, Benton s'aperçut que toutes ces personnes – elles étaient au moins quinze – venaient au pas de charge dans sa direction. Autre surprise, dans la mesure où l'équipe du bloc opératoire comptait une majorité de femmes, la plupart de ces personnes étaient des hommes. Et plus étrange encore, à l'instar des agents de sécurité qui maintenaient Lynn Peirce sur le brancard, ces nouveaux arrivants portaient des chemises longues de patients enfilées à l'envers – l'ouverture sur le devant.

À mesure que la troupe se rapprochait, la perplexité de Benton se mua en peur. Sous les chemises d'hôpital, ces personnes portaient elles aussi des uniformes. Mais pas des uniformes marron comme ceux des agents du centre médical. Des uniformes *gris*, comme ceux de la police de la route de Caroline du Sud. Pis encore, la plupart de ces flics accouraient vers lui l'arme à la main…

Épilogue

VENDREDI 22 MAI
11 H 20

Lynn Peirce essayait de regarder du bon côté des choses, mais elle éprouvait beaucoup d'amertume et de tristesse. Heureusement, la journée était magnifique ; les météorologistes s'étaient trompés en annonçant de la pluie. La déception aurait été immense pour tout le monde, si le temps avait été mauvais, car la faculté de médecine de l'université Mason-Dixon aurait été contrainte de tenir la cérémonie de remise des diplômes dans une salle au lieu de profiter de ce splendide soleil, au milieu des parterres de fleurs et des arbres, sur le quadrilatère du centre médical. Après quatre années difficiles qui avaient demandé persévérance et dur labeur à tous les étudiants, et au vu des événements affreux survenus un mois et demi auparavant, il paraissait particulièrement approprié que la cérémonie se tienne en extérieur, entre l'institut Shapiro et les divers bâtiments de l'hôpital et de la faculté qui remplissaient de nouveau la mission pour laquelle ils avaient été érigés : la prise en charge et les soins des personnes malades.

L'enquête sur l'ahurissante machination mise en place par les responsables de Middleton Healthcare et leurs complices, les dirigeants de Sidereal Pharmaceuticals, se poursuivait. La liste des personnes mises en examen s'allongeait de jour en jour. Ainsi que la liste des procédures engagées devant les tribunaux pour faute médicale : elles étaient déjà si nombreuses que Middleton Healthcare avait déclaré faillite. Les médias, qui s'étaient emparés du scandale, continuaient aussi d'en parler abondamment.

Le rôle que Lynn et Michael avaient joué pour dévoiler cette conjuration choquante n'avait pas tardé à être connu. Depuis ce terrible matin où Lynn avait réussi à interrompre la fausse opération de Michael, d'innombrables journalistes essayaient de l'interviewer et la dépeignaient comme une véritable héroïne.

Lynn ne se voyait pas du tout comme une héroïne. Elle avait trop perdu à titre personnel. Elle se sentait encore responsable, en outre, des drames survenus pendant cette semaine fatidique de début avril. Elle se reprochait même d'avoir mis trop longtemps à comprendre ce qui se passait. Avec le recul, enfin, elle regrettait par-dessus tout d'avoir conseillé à Carl de se faire opérer au centre médical Mason-Dixon – même si elle savait que, sans la catastrophe qui s'était alors produite, la conjuration de Sidereal et de Middleton n'aurait peut-être jamais été découverte. Elle aurait aussi voulu être plus forte pour ne pas entraîner Michael dans cette histoire qui l'avait mené sur la table d'opération de Norman Phillips. Elle se repentait d'avoir eu cette espèce de réflexe pavlovien, aussitôt après avoir vu Carl pour la première fois à la réanimation neurologique, qui l'avait poussée à chercher son ami à travers l'hôpital.

Pour le moment, Lynn se tenait au pied des trois marches d'une estrade érigée au fond du quadrilatère. Sur l'estrade, il y avait un pupitre et trois chaises dont l'une était occupée par le maître de cérémonie. Au pupitre, penchée vers le micro, se tenait la doyenne des étudiants : elle appelait les diplômés par ordre alphabétique. Chaque fois qu'elle prononçait un nom, l'étudiant désigné montait sur l'estrade et se voyait remettre son diplôme par la troisième personne qui se trouvait là : la doyenne de la faculté de médecine. Pour accélérer un peu les choses, les étudiants qui voyaient leur tour approcher venaient prendre place au pied des marches pour être prêts dès que leur nom serait appelé. Harold Parker, dont le nom de famille précédait celui de Lynn dans l'ordre alphabétique, était en train de saisir son diplôme. Dès qu'il quitterait l'estrade, Lynn y monterait.

Elle tourna la tête vers le public. Des centaines de chaises pliantes avaient été alignées devant l'estrade. Toutes étaient occupées ; il y avait même des gens debout à l'arrière. De l'endroit où elle se tenait, Lynn voyait sa mère, ses sœurs et ses quatre grands-parents assis dans la troisième rangée – juste derrière les deux rangées réservées aux diplômés. Sa mère s'aperçut qu'elle regardait dans leur direction et agita la main avec un grand sourire. Un peu embarrassée, Lynn lui rendit son geste. Elle était heureuse qu'ils soient tous venus à Charleston pour ce jour de fête, mais elle savait qu'elle serait nerveuse après la cérémonie. Elle ne pourrait pas s'en empêcher. Toutes ces réjouissances la rendaient encore plus triste. Après ce qui s'était passé, elle n'avait tout simplement pas le cœur à la fête.

– Mademoiselle Lynn Peirce, annonça la doyenne des étudiants. Major de la promotion !

Lynn monta calmement les trois marches et s'avança vers la doyenne de la faculté. Le public se mit à applaudir en dépit du fait qu'il lui avait été demandé d'attendre, pour les applaudissements, que tous les étudiants aient reçu leur diplôme. Lynn entendit même quelques sifflements d'admiration.

– Mademoiselle Peirce, dit le Dr English d'un air sévère, et assez loin du micro pour n'être entendue que de Lynn – puis un sourire éclaira subitement son visage : Toutes mes félicitations !

Elle tendit son diplôme à Lynn, mais sans le lâcher. Ce geste rappela à Lynn sa rencontre avec le Dr Siri Erikson. L'hématologue, considérée comme l'une des protagonistes de la conjuration, avait été mise en examen. On avait découvert que c'était elle qui avait perfectionné la méthode de fabrication des hybridomes humains en la testant sur sa propre personne avant de l'utiliser sur des dizaines et des dizaines de patients du Mason-Dixon ainsi que sur l'entière population de l'institut Shapiro.

– Il paraît que la curiosité est un vilain défaut, reprit la doyenne. À titre personnel, dois-je préciser, je n'ai jamais été d'accord avec ce dicton. Et vous lui avez bien donné tort. La faculté de médecine, le centre médical Mason-Dixon, toute la profession médicale et moi-même, nous vous remercions d'avoir tant de curiosité. C'est grâce à elle que nous savons ce que nous savons aujourd'hui.

– De rien, bafouilla Lynn.

Elle n'avait pas prévu que la doyenne lui dirait autre chose que « Félicitations », comme elle l'avait fait avec tous les étudiants qui l'avaient précédée.

Elle était de plus en plus déconcertée, en outre, car le Dr English ne lâchait toujours pas le diplôme.

– Mademoiselle Pierce. J'ai appelé mes collègues, dans le nord du pays, pour vous recommander à eux. Bien sûr, nous serions honorés que vous fassiez votre internat ici, à Charleston, mais j'ai entendu dire que vous préféreriez peut-être prendre la route de Boston. Si tel est votre désir, je vous en prie, passez à mon bureau.

La doyenne sourit de nouveau et lâcha le diplôme.

– Merci, dit simplement Lynn.

Comme elle s'éloignait du Dr English, la voix de la doyenne des étudiants s'éleva dans les haut-parleurs :

– Monsieur Michael Pender. Deuxième de la promotion et jumeau de la major !

Une fois encore, le public applaudit. Quelques rires fusèrent parmi les étudiants, amusés par la blague de la doyenne des étudiants – une blague d'initiés, compréhensible seulement par qui connaissait Lynn et Michael, puisqu'il était difficile pour deux individus d'être moins jumeaux qu'eux.

Arrivée de l'autre côté de l'estrade, Lynn descendit les marches et se tourna pour regarder Michael, princier dans sa toge de cérémonie, s'approcher du Dr English. Ses tresses, ou « twists », dépassaient sous sa toque ; heureusement, une petite partie d'entre elles seulement avaient été rasées pour la craniectomie.

Lynn était estomaquée. Elle avait peine à croire ce que la doyenne venait de lui dire. Était-il vraiment possible, « si tel était son désir », qu'elle ait une chance de faire son internat à Boston ? Qu'elle obtienne une place là-bas et quitte Charleston ? Après que les malversations de Sidereal Pharmaceuticals avaient été révélées au public, Carl avait été sorti du Shapiro et placé dans un établissement plus conventionnel. Mais son état ne semblant pas devoir s'améliorer, et le Shapiro étant très bien équipé pour les soins des personnes en état végétatif, ses parents envisageaient aujourd'hui de l'y faire réinstaller. Le cas échéant, Lynn n'aurait plus guère l'occasion de lui rendre visite.

Elle ne put s'empêcher de sourire en voyant Michael face à la doyenne. Le Dr English lui tendait son diplôme sans le lâcher, comme elle l'avait fait avec elle, et lui tenait des propos, en aparté aussi, qui allaient manifestement bien au-delà du simple « félicitations ». Sans doute le remerciait-elle également pour le rôle qu'il avait joué dans l'affaire. Lynn vit alors les yeux de Michael se fixer sur elle, pendant une seconde ou deux, et elle eut le sentiment qu'il parlait avec la doyenne de l'éventualité qu'elle fasse son internat à Boston. Au lieu de regagner son siège comme elle aurait dû le faire, elle attendit son ami. Quand il la rejoignit enfin, son diplôme en main, elle s'aperçut qu'il avait l'air un peu penaud. Elle le connaissait bien.

– C'est toi qui lui as dit que j'avais envie d'aller à Boston ?

– Hein ? fit-il d'un air innocent. Ah non. Pourquoi j'aurais dit un truc pareil ?

– Je ne sais pas. C'est pour ça que je te pose la question.

– Hmm, disons… Peut-être parce qu'un départ à Boston, ce serait la meilleure chose qui pourrait t'arriver maintenant, dit Michael tandis qu'ils regagnaient leurs sièges, Lynn en tête. Et qui pourrait m'arriver à moi aussi.

Soudain, Lynn se retourna, prit Michael dans ses bras et l'embrassa sur la joue. Ce n'était pas du tout son genre – elle n'aimait pas beaucoup les démonstrations d'affection en public –, mais aujourd'hui elle s'en fichait. Son geste déclencha une nouvelle salve d'applaudissements et de sifflements chez leurs compagnons de fac. L'ensemble de la promotion savait, bien sûr, ce qu'ils avaient fait pour dévoiler la conjuration moralement inadmissible, et meurtrière, qui avait perverti le fonctionnement du centre médical. Si Lynn et Michael ne se considéraient pas eux-mêmes comme des héros, tout le monde ou presque les voyait comme tels.

– C'est ces deux-là ? murmura Léonid en russe alors que Lynn et Michael reprenaient leurs chaises.

– Ouais, grogna Darko.

Les deux hommes se tenaient debout à l'arrière du public. Ils portaient chacun un jean, une chemise blanche et une veste en cuir – uniquement des vêtements griffés qui leur donnaient fière allure. Ils n'avaient pas été happés par le vaste coup de filet du FBI dans le cadre de son enquête sur la conjuration Middleton/Sidereal, car en tant que tueurs à gages ils n'apparaissaient nulle part comme employés de ces deux sociétés. Et aucun des responsables n'avait osé les dénoncer ; ils connaissaient leur réputation et craignaient trop les représailles.

– Pourquoi on ne les bute pas, tout simplement ? dit Léonid. Ce serait réglé.

Eux, évidemment, ne considéraient pas les deux étudiants comme des héros. Bien au contraire.

– Je ne demande pas mieux, mais il faut attendre de savoir ce que Sergueï veut faire, dit Darko. Maintenant barrons-nous ! J'en ai marre.

Ils se dirigèrent vers le parking. Darko avait tenu à revoir les étudiants pour être certain de bien se rappeler leurs visages. Il gardait un souvenir désagréable de sa rencontre avec eux.

– Pourquoi on n'a toujours aucune nouvelle de Sergueï, à propos ? demanda Léonid quand ils montèrent en voiture. Ça fait quand même plus d'un mois.

– Il est débordé. Surtout depuis qu'Interpol les a pris en chasse, Boris et lui, et les a obligés à quitter Genève pour rentrer à Moscou. Mais il nous appellera bientôt. Je suis sûr qu'il voudra que nous fassions quelque chose. Ces deux étudiants ont foutu une pagaille pas possible. Ils font perdre du temps et de l'argent à tout le monde. Sidereal, enfin je veux dire *Boris*, est obligé d'arrêter la production de biomédicaments jusqu'à ce qu'il ait trouvé une nouvelle chaîne d'hôpitaux avec laquelle s'associer. M'étonnerait qu'il soit disposé à les laisser s'en sortir comme ça, libres comme l'air. Et je peux te dire un truc : moi aussi, je suis bien décidé à les faire payer…

DU MÊME AUTEUR

Aux Éditions Albin Michel

AVEC INTENTION DE NUIRE
NAISSANCES SUR ORDONNANCE
VENGEANCE AVEUGLE
PHASE TERMINALE
CURE FATALE
RISQUE MORTEL
CONTAGION
INVASION
TOXINE
CHROMOSOME 6
VECTOR
CHOC
RAPT
CRISES
FACTEUR RISQUE
ERREUR FATALE
ÉTAT CRITIQUE
MORTS ACCIDENTELLES
INTERVENTION
RÉMISSION
ASSURANCE VIE
NANO
PRESCRIPTION MORTELLE

Composition Nord Compo
Impression CPI Bussière en mai 2017
Éditions Albin Michel
22, rue Huyghens, 75014 Paris
www.albin-michel.fr
ISBN : 978-2-226-32401-6
N° d'édition : 22065/01 – N° d'impression : 2027414
Dépôt légal : juin 2017
Imprimé en France